DICTIONNAIRE ACTIF DE L'ÉCOLE

Enrichir le vocabulaire
Perfectionner l'expression
Approfondir la compréhension

NATHAN

Le dictionnaire Actif de l'École s'adresse plus particulièrement en France aux élèves des CE2, CM1 et CM2, et dans les pays francophones aux élèves qui fréquentent les classes des trois dernières années de l'école élémentaire.
Il fait aussi suite au **Dictionnaire Actif 200 Mots** et au **Dictionnaire Actif 1000 Mots** qui sont destinés respectivement aux enfants des CP et CE1.

LE DICTIONNAIRE ACTIF DE L'ÉCOLE
C.E.2 - C.M.

Le rôle primordial de l'École est l'enrichissement du vocabulaire des enfants.
Le Dictionnaire est l'indispensable auxiliaire de cet apprentissage.
Le **Dictionnaire Actif de l'École** répond à cette attente des maîtres, des parents, des élèves.
DICTIONNAIRE, c'est un instrument de référence qui donne le sens et l'orthographe des mots.
DICTIONNAIRE ACTIF, c'est un instrument de recherche qui donne tous les renseignements nécessaires pour un bon usage de la langue (conjugaison, grammaire, construction de phrases).
DICTIONNAIRE ACTIF DE L'ÉCOLE, c'est un instrument d'apprentissage qui enrichira le vocabulaire des enfants et développera leurs facultés d'expression.
Le Dictionnaire Actif de l'École n'est pas un labyrinthe où l'on se perd.
C'est une mine où l'on trouve :
- un vocabulaire riche et nuancé,
- des phrases-exemples claires et précises,
- de nombreux dessins, 32 planches, un atlas.

Le Dictionnaire de tous les enfants du C.E.2 au C.M.2.

Références photographiques

ATLAS-PHOTO : Collard : 157 ; Deschamps : 46 ; Dumontrer : 25 ; Goldner : 229 ; Labelle : 256 ; Morel : 184 ; Petit : 165, 338g ; Valacher : 260. **CHARMET :** 79, 97, 138, 142, 146, 174d, 217, 288, 441. **DORKA :** 40d. **INSTITUT MARIE CURIE :** 225g. **MÉTÉOROLOGIE NATIONALE :** 327. **NATHAN :** 9, 73, 174g, 195, 215, 225d, 253, 316, 468 ; Bottin : 19 ; Masson : 78 ; Perceval : 199 ; P.P.P : 33, 221, 293. **PITCH :** 168, 294 ; Couderc : 300. **RAPHO :** Berger : 427 ; Bonnardel : 234 ; Charles : 70 ; Ciccione : 450 ; Dejardin : 338d ; Ducasse : 318 ; Goubsat : 214 ; Gourbeix : 223 ; Kerdilles : 39 ; Niepce : 444g ; Nou : 114 ; Pelissier : 296 ; Serurier : 40g ; Simacourbe : 407 ; Van der Veen : 444d ; Windenberger : 384 ; Yan : 336. **RENAULT :** 258. **S.N.C.F. :** 291. **SYGMA :** Franklin : 458 ; Tiziou : 186. **TOP :** Pinheirá : 143 ; Reichel : 268. **WALT DISNEY :** 24, 206.

Ouvrage dirigé par Bernard LECHERBONNIER

Rédaction :

Émile BOISSENIN : *Conseiller pédagogique*
Yolande DÉFOSSEZ : *Institutrice*
Vonny DUFOSSÉ : *Maîtresse d'application*
Jean-Paul DUPRÉ : *Conseiller pédagogique*
André JOUETTE : *Directeur d'école*
Nicole KAZANDJÏAN : *Institutrice*
Henri MONTMAYEUR : *Conseiller pédagogique*
Florence MONTREYNAUD : *Lexicographe*

Secrétaire de la rédaction :

Micheline SOMMANT

Illustrations :

Gérard BOUISE
Denise CHABOT
CONSTANTINOFF
Paul CRESP
Daniel LENOURY
Henri MERCIER
Jean-Claude SENÉE

Couverture : Christian HACHE
Recherches iconographiques : Brigitte RICHON

avant-propos

Un dictionnaire adapté aux objectifs de l'école et vraiment accessible aux enfants.

Les Instructions Officielles relatives à l'enseignement du français à l'école élémentaire rappellent que le rôle primordial de l'enseignement à ce niveau, est d'enrichir le vocabulaire des enfants :
On veut que, progressivement, ils connaissent et comprennent davantage de mots, qu'ils les emploient opportunément, que l'expression juste se présente d'emblée à leur esprit et qu'ils en viennent même à savoir la choisir à bon escient, ce qui réclame une perception aiguë des nuances de sens et des rapports de convenance entre les mots et leur contexte.
Comment obtenir ce résultat?
Certes, l'ensemble des activités de la classe concourt au succès de cette entreprise. La lecture, en particulier, "reste la grande pourvoyeuse de mots", constatent les I.O. qui, toutefois, notent que "chaque mot inconnu ou mal compris est un obstacle et qu'il est donc souhaitable que la lecture... fasse l'objet de quelques explications préalables, ou bien encore que les élèves la préparent à l'aide du dictionnaire".
Mais quel dictionnaire répondra à cette attente?
Les I.O. définissent bien cet indispensable auxiliaire, dans ses fonctions comme dans son usage.
Le dictionnaire donne le sens et l'orthographe des mots :
Il faut donc mettre l'élève en possession de l'instrument de recherche qui lui évitera de rester désarmé s'il est seul devant un mot nouveau, ou bien s'il hésite sur le sens ou sur l'orthographe d'un mot déjà connu.
Le dictionnaire donne les constructions :
Le dictionnaire est fait pour ces recherches, et il a l'avantage de citer des constructions incluant le mot cherché.
Les rédacteurs des I.O. regrettent cependant que les enfants se perdent en général dans les dictionnaires existants : "Le dictionnaire est d'un usage difficile pour l'enfant, qui risque, surtout s'il est débutant, de ne pouvoir trouver la place des mots qui diffèrent de leurs voisins par la troisième ou la quatrième lettre". En outre, comment s'y reconnaître dans la jungle des sens différents, des définitions savantes, des formes rares?
En conclusion, les I.O. appellent les enseignants à recommander l'usage des dictionnaires pour enfants et les invitent à procéder à un entraînement progressif.
C'est ce dictionnaire pour les enfants que nous proposons sous le titre explicite de **DICTIONNAIRE ACTIF DE L'ÉCOLE.**

Les sept fonctions pédagogiques du dictionnaire actif de l'école

Le **Dictionnaire Actif de l'École** n'est pas un condensé ou un abrégé d'un dictionnaire pour adultes. Il a été conçu et réalisé par une équipe d'enseignants et de spécialistes de l'École Élémentaire pour répondre précisément aux objectifs des classes de C.E.2 et de C.M.
1. Chaque article constitue une véritable fiche lexicale, classant et ordonnant un ensemble d'informations sur le statut et l'emploi du mot dans la langue.
2. Compréhension du sens des mots, sensibilisation aux destinations de sens.
3. Appel à la curiosité et activation de cette essentielle motivation que précisent si bien les I.O. : "La découverte et l'étude des mots ne sont fécondes que si elles satisfont à un besoin que l'enfant éprouve, soit qu'il cherche à s'exprimer, soit qu'il désire comprendre ce que d'autres disent ou ce qu'il est lui-même en train de lire".
4. Acquisition du mot par le contexte. Les différents sens des mots sont induits par des phrases-exemples avant d'être définis pour eux-mêmes : "C'est par le contexte que vit le mot, c'est le contexte qui précise son acception, qui lui confère sa valeur."

5. Mise en lumière des similitudes et des différences. Équivalences analogies, nuances et oppositions de sens par des repérages graphiques précis et facilement déchiffrables.
6. Manipulations de mots dans des constructions diverses. Les phrases-exemples et des rubriques spécifiques (grammaire - orthographe - vocabulaire...) proposent d'innombrables cas de substitutions et de commutations, et se prêtent aux groupements récapitulatifs propres au C.E.2 et au C.M.
7. Initiation à l'histoire de la langue et à la formation des champs lexicaux, à travers quelques notations étymologiques (rubrique : origine*), des indications encyclopédiques (*Autour de*) et des groupements par familles.*
La sélection des entrées, c'est-à-dire des mots initiant les articles, a tenu compte des échelles de fréquence couramment utilisées et de l'attrait qu'exercent certains mots sur les jeunes enfants. Ces mots-aimants qui provoquent dans la sensibilité, des évocations particulièrement riches, figurent en bonne place dans ce dictionnaire qui se veut être un outil de travail et un lieu de fête.

Une mine d'activités de vocabulaire et d'expression

Nous aurions pu nous contenter de répondre aux préoccupations pédagogiques qui correspondent à l'éventail des activités de vocabulaire classiques. Nous avons voulu aller plus loin, et donner sa pleine valeur au qualificatif ACTIF qui figure en bonne place dans notre titre.
Le Dictionnaire de l'École est actif pour trois raisons principales : **TOUS LES MOTS SONT PROPOSÉS DANS UN CONTEXTE (UNE PHRASE) IMMÉDIATEMENT COMPRÉHENSIBLE PAR L'ENFANT.**
La plupart de ces phrases mettent des personnages en situation, s'appuient sur une expérience vécue, s'offrent à l'appréhension, à l'assimilation immédiates.

IL S'AGIT D'UN DICTIONNAIRE POUR L'EXPRESSION.
Une fois acquis, dans leur forme et leur sens, les mots doivent pouvoir être utilisés par les enfants afin d'enrichir, développer, renforcer leurs capacités d'expression et de communication.
Toute la conception du dictionnaire vise cet objectif, en particulier les rubriques de la 2e colonne où sont classées et répertoriées un nombre considérable de références aisément mobilisables par des activités.

LES 24 PLANCHES EN COULEURS SONT CONÇUES POUR UNE EXPLOITATION ORALE ET ÉCRITE.
Il s'agit de mettre en scène des situations *(le marché, la visite d'un studio de télévision...)*, des lieux ou espaces *(le château fort, le cosmos...)* et de faire reconnaître, identifier et explorer le vocabulaire spécifique. En outre, UNE GRILLE D'EXPLOITATION PÉDAGOGIQUE permet une utilisation créatrice de ces planches qui pourront servir de supports à des exercices d'expression écrite ou orale.
Enfin, nous avons voulu que ce Dictionnaire Actif de l'École concentre et réunisse tous les renseignements annexes qui ont trait à la vie de la langue : indications phonétiques si nécessaire, tableaux de conjugaison avec renvois aux verbes listés.
Instrument de référence, instrument de recherche, le Dictionnaire Actif de l'École se veut être aussi le lieu vital où s'élabore le langage de l'enfant, où s'effectue l'acquisition continue du vocabulaire pour une expression affinée.
Construit, élaboré, présenté pour être facilement accessible et utilisable, le Dictionnaire Actif de l'École s'accompagne d'autre part du Cahier d'utilisation qui aide à son maniement, qui suggère de nombreuses manipulations et explorations complémentaires. L'enfant qui aura pris goût au Dictionnaire lui-même, sera étonné de voir son intérêt croître à mesure qu'il en aura encore perfectionné la maîtrise grâce à ce cahier.

Bernard LECHERBONNIER

MODE D'EMPLOI du Dictionnaire Actif de l'Ecole

Frotter

① renvoi à la conjugaison

② la nature grammaticale

frotter 3 verbe

1. *Ce cuivre brillera si tu le frottes avec un chiffon doux.* ≃ astiquer, lustrer, polir.
2. *La roue de mon vélo est voilée : elle frotte contre le garde-boue.* → un côté appuie contre le garde-boue.

se frotter, v. *Le chat se frotte contre mes jambes.* **frottement,** n. m. *Le frottement de l'eau use et polit les galets.*

EXPRESSIONS

Ne t'y frotte pas. → n'essaie pas de t'en approcher.

• **Se frotter les mains.** → être

③ r les sens

⑤ les dé

fruit nom masc.

1. *Les cerises, les pêches, les prunes sont des fruits.*
2. *Les bonr* … *sont le fruit de son travail sérieux.* → le rés…

⑦ informations d'éveil

fruitier, ière, adj. *Le pommier, le cerisier sont des arbres fruitiers.*

⑧ de la phrase à la signification du mot

EXPRESSION

Porter ses fruits.
→ être utile, profitable.

VOCABULAIRE

- Un fruit peut être aigre, amer, âpre, délicieux, doux, farineux, fondant, frais, juteux, pulpeux, sec, sucré, tendre ou velouté.
- Un arbre porte, produit, donne des fruits, que l'on cueille.
- Un fruit pousse, mûrit, se gâte, tombe sur le sol.

⑨ le vocabulaire d'élargissement

⑩ illustrations document réel, c simple ou comp

fuir verbe

1. *Le lapin a fui devant les chasseurs.* → il a décampé, s'est enfui, s'est sauvé.
2. *Cet arrosoir percé fuit de toutes parts.* → il coule, perd de l'eau.
3. *Dès qu'elle le voit, elle le fuit.* → elle l'évite, elle s'éloigne de lui.

fuite, n. f. **1.** *Effrayée par l'orage, la fillette a pris la fuite.* → elle s'est enfuie, est partie rapidement. **2.** *Une fuite de gaz a provoqué l'explosion.*

EXPRESSION

Mettre en fuite.
→ pousser à fuir, à s'éloigner.

VOCABULAIRE

- On prend la fuite. On met en fuite quelqu'un.
- Une fuite peut être rapide précipitée, éperdue.

④ mot d'entrée

fumée nom fém.

La fumée des usines pollue l'atmosphère. → les gaz de combustion qui se dégagent.

fumer, v. **1.** *Fumer nuit à la santé.* **2.** *A l'automne, il fume son jardin.* → il répand du fumier pour fertiliser. **3.** *L'incendie était presque éteint : quelques poutres fumaient encore.* → elles laissaient se dégager de la fumée. **fumeur, euse,** n. m. et f. *Mon oncle est un gros fumeur de cigares.* → une personne qui fume beaucoup.

fureur nom fém.

Il est entré dans une grande fureur quand il a appris que j'avais menti. ≃ colère, rage, indignation.

furieusement adv. inv. *Il s'est défendu furieusement contre son agresseur.* **furieux, euse,** adj. *Mes parents étaient furieux contre moi en* … *vaises notes.* → ils étaient en colère. ≠ content,

⑥ les synonymes

fusée nom fém.

La fusée a parfaitement réussi son décollage et monte droit dans le ciel.

fusil [fyzi] nom masc.

Les chasseurs tirent le gibier avec leur fusil.

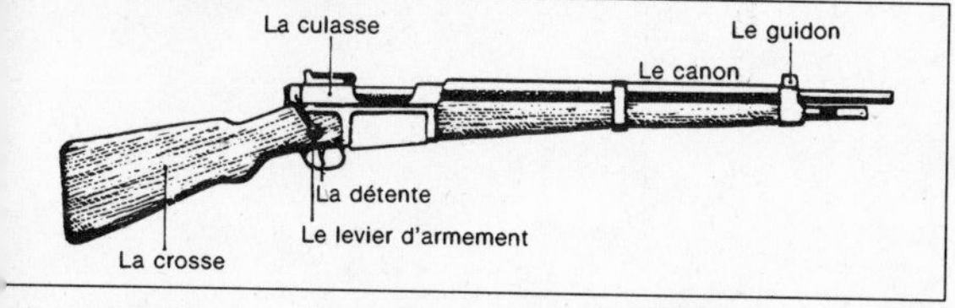

futur, future adj.

1. *Cette jeune* … *voilà une future championne.*

2. *Je bois à ta future* … enir, proche. ≠ lointain.

⑪ enrichissement du vocabulaire

futur, n. m. **1.** *Dans le futur, on pourra peut-être guérir le cancer.* → l'avenir. **2.** *Conjugue le verbe marcher au futur de l'indicatif.*

EXPRESSION

Partir en fumée. → disparaître.

PROVERBE

Il n'y a pas de fumée sans feu. → il doit y avoir du vrai dans le bruit qui court.

⑫ constructions et expressions

EXPRESSIONS

- **Faire fureur.** → être très à la mode, très en vogue.
- **Mettre en fureur.** → mettre en colère.

F

EXPRESSION

Partir comme une fusée. → à toute vitesse.

⑬ les difficultés orthographiques particulières

ORTHOGRAPHE

N'oublie pas le **l** muet de *fusil.*

VOCABULAIRE

On épaule, charge, décharge un fusil. Le chasseur tire un coup de fusil en pressant la détente.

GRAMMAIRE

Le *futur* est un temps de conjugaison (à la première personne du singulier et du pluriel) :
- verbes du 1er groupe en *er* : finales **erai/erons :** j'oserai.
- verbes du 2e groupe en *ir* : finales **irai/irons :** je finirai.
- verbes du 3e groupe : finales en **rai/rons :** je prendrai.

LÉGENDES

signes

■ annonce un ou plusieurs dérivés du mot d'entrée.
□ (à côté d'un verbe) indique qu'il faut se reporter à la conjugaison type des pages 471 à 480.
[ ] indique la traduction phonétique d'un mot.
→ indique la signification du mot ou de l'expression.
≃ indique un synonyme.
≠ indique un contraire.

abréviations

adj.	adjectif
adj. dém.	adjectif démonstratif
adj. poss.	adjectif possessif
art.	article
fam.	familier
mot inv.	mot invariable
nom fém. / **n.f.**	nom féminin
nom masc. / **n.m.**	nom masculin
plur. / **pl.**	pluriel
pron.	pronom
pron. poss.	pronom possessif
pron. dém.	pronom démonstratif
v.	verbe

rubriques

GRAMMAIRE

ORTHOGRAPHE

EXPRESSION

PROVERBE

VOCABULAIRE

AUTOUR DE

Aa

à mot inv.

1. *« Où va Virginie ? – Elle va à l'école. » « Où vont-ils ? – Paul va à la fête, ses parents à l'Opéra. »*
   → Indique le lieu.
2. *« Quand pars-tu ? – Je pars à 8 heures. »*
   → Indique le temps.
3. *« A qui est ce ballon ? – Il est à Nathalie. »*
   → Indique la possession.
4. *Jean est parti se promener à bicyclette.*
   → Indique le moyen.

GRAMMAIRE

- *Ce refrain est facile* **à** *chanter* (après **à**, le verbe s'écrit à l'infinitif).
- Attention aux formes contractées **au** et **aux**.
  – *Pierre va* **à** *l'école,* **à** *la piscine,* **au** *cinéma.*
  – *Caroline joue* **à** *la poupée et Sophie joue* **aux** *billes.*

abaisser 3 verbe

L'épicier abaisse son rideau métallique en fin de journée.
→ il baisse, descend. ≠ relever, remonter.

abandonner 3 verbe

1. *Les oisillons, devenus grands, abandonnent le nid.*
   → ils partent du nid, le quittent. ≠ demeurer, rester.
2. *Au milieu du match, ses forces l'abandonnèrent.*
   → il perdit ses forces.
3. *Épuisé, le coureur cycliste abandonne la course.*
   → il renonce à, se retire de.

■ **abandon,** n. m. **1.** *L'abandon d'un enfant.* **2.** *L'abandon du cycliste.*

EXPRESSION

Ce jardin est **à l'abandon.**
→ personne ne s'en occupe, il n'est pas cultivé.

AUTOUR DE

La Société Protectrice des Animaux recueille des animaux abandonnés.

abattre 9 verbe

1. *Le bûcheron abat un arbre.* → il coupe.
2. *Les maçons abattent de vieux murs.* → ils démolissent.
   ≠ bâtir, construire, monter.
3. *Le chasseur abat la perdrix.* → il la tue.

■ **s'abattre,** v. *Touché, l'avion s'est abattu dans la montagne.* ≃ tomber.

VOCABULAIRE

- On abat un arbre avec une cognée, une hache, une scie, une tronçonneuse.
- On peut abattre : un arbre, un avion, un ennemi, du gibier, un gros travail.

abbaye [abei] nom fém.

L'abbaye du Mont-Saint-Michel ▶ *fut construite à partir du Xe siècle.*

abcès [absɛ] nom masc.

Enfin, l'abcès plein de pus qui le faisait souffrir, a crevé.

ORTHOGRAPHE

un abcès/des abcès.

abeille [abɛj] nom fém.

L'abeille est un insecte qui vole, butine les fleurs et recueille le pollen qu'il transforme en miel.

ORTHOGRAPHE

Les noms en [ɛj] s'écrivent au masculin : **eil** (le soleil), au féminin : **eille** (une abeille).

AUTOUR DE

- L'apiculteur élève les abeilles.
- Les abeilles forment un essaim, elles vivent dans une ruche.

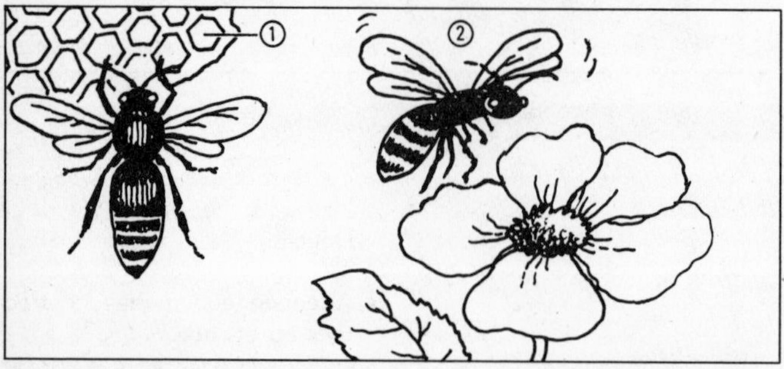

1. Un alvéole. Les abeilles fabriquent des gâteaux de cire dont les *alvéoles* sont remplis de miel.
2. Une abeille allant butiner une fleur.

abîmer 3 verbe

Le choc a abîmé la voiture de papa. → il a endommagé.

■ **abîme,** n. m. *Quand un bateau coule, il tombe au fond de l'abîme et devient une épave.* → le lieu le plus profond de la mer. ≃ profondeurs. ■ **abîmé, e,** adj. *Virginie a acheté des fruits abîmés.* → gâtés, moisis, pourris. ■ **s'abîmer,** v. **1.** *Le pétrolier a heurté des rochers et s'est abîmé dans la mer.* → il a coulé, sombré. **2.** *Les fleurs fragiles s'abîment sous la pluie.*

ORTHOGRAPHE

Attention ! un accent circonflexe sur le **î**.

abondance nom fém.

Devant l'abondance de la récolte, nous avons distribué des fraises à tous les voisins. → la grande quantité.

■ **abondant, e,** adj. *Une production de fruits abondante.*

GRAMMAIRE

Les adjectifs finissant en **-ant** forment leurs adverbes en **-amment** :
– abond**ant** fait abond**amment.**
– vaill**ant** fait vaill**amment.**

abonnement nom masc.

Claude vient de prendre un abonnement d'un an à un magazine sportif.

■ **s'abonner,** v. → prendre un abonnement.

ORTHOGRAPHE

abo**nn**er prend deux **n** comme do**nn**er, so**nn**er, to**nn**er...

aboutir 4 verbe

1. *Cette rue aboutit à la mairie.* → elle arrive à, conduit à.

2. *Virginie a abouti dans ses études : elle est maintenant médecin.* → elle a achevé, réussi ses études. ≠ abandonner, échouer.

abri nom masc.

1. *Il pleut : Thomas a trouvé un abri sous l'arrêt d'autobus.* → un refuge.

2. *Nous nous sommes mis derrière un rocher, à l'abri du vent.* → pour nous protéger du vent.

■ **abriter,** v. *Hélène m'a abrité sous son parapluie.* ■ **s'abriter,** v. → se mettre à l'abri.

EXPRESSION

Elle conduit trop vite, elle n'est pas **à l'abri d'***un accident.*

VOCABULAIRE

On s'abrite dans une maison, derrière un mur, sous un parapluie.

A

abricot nom masc.

L'abricot est un fruit à noyau, charnu, comestible et de couleur jaune orangé.

ORTHOGRAPHE

Attention au **t** final.

absent, absente adj. ou nom masc. et fém.

1. adj. *Pierre est malade : il est absent depuis trois jours.* ≠ présent.
2. n. m. et f. *Il y a quatre absentes dans notre classe aujourd'hui.*

GRAMMAIRE

Il est **absent de** *son bureau.*
Il est **absent à** *l'appel.*
Il est **absent pour** *raison de santé.*

■ **absence,** n. f. *Son absence à la partie de football nous a déçus.* ≠ présence. ■ **s'absenter,** v. *Papa s'absentera de la maison pour la semaine.*

accent [akså̃] nom masc.

1. *Mon frère parle l'anglais, mais son accent est si mauvais que les Anglais ne le comprennent pas !* → sa façon de prononcer les mots.
2. *Quand tu écris, fais attention aux accents.*

GRAMMAIRE

On distingue :
- l'accent aigu **(é)** → *l'été.*
- l'accent grave **(è)** → *le père.*
- l'accent circonflexe **(ê)** → *la pêche, tôt, le pâtre.*

accepter [aksɛpte] 3 verbe

Joëlle a accepté de me prêter sa bicyclette. → elle a consenti à. ≠ refuser.

accès [aksɛ] nom masc.

1. *Cette porte donne accès à la cuisine.* → elle permet de pénétrer à l'intérieur.
2. *Cette île rocheuse est d'un accès difficile.* → il n'est pas facile d'y aborder.
3. *Laurent est malade, il a un accès de fièvre.* → il a de la température.

ORTHOGRAPHE

Attention ! un **s** final.

VOCABULAIRE

On peut avoir un accès de colère, de gaieté, de pitié, de tendresse...

accident nom masc.

1. *Chaque année, plus de 300 000 personnes sont blessées dans un accident de la route.*
2. *Les buttes, les creux sont des accidents de terrain.* → des inégalités du sol.

■ **accidenté, e,** n. m. et f., adj. **1.** n. m. et f. *Un accidenté de la route.* **2.** adj. *Une voiture accidentée.*

EXPRESSION

Il a blessé son voisin **par accident.**
→ involontairement.

VOCABULAIRE

Un accident de la circulation ; un accident du travail.

accompagner 3 verbe

1. *Le matin, j'accompagne ma petite sœur à l'école.* → je la conduis à l'école.
2. *L'orchestre accompagne la chanteuse.* → il joue la musique de la chanson pendant qu'elle chante.

■ **s'accompagner,** v. *Les chanteurs s'accompagnent souvent à la guitare.*

Une grande famille :
accompagnement
compagnie
accompagner compagne
compagnon
accompagnateur

accord — nom masc.

1. *Mes parents sont d'accord pour me laisser sortir ce soir.*
2. *C'est avec son accord que j'ai pris sa raquette de tennis.* → avec son autorisation, sa permission.
3. *Ne commets pas de faute d'accord !*
4. *Do, mi, sol forment un accord musical.*
5. *« Tu m'accompagnes ? – D'accord. »*

■ **accorder,** v. *Ils m'ont accordé l'autorisation de sortir.* → ils m'ont donné.

ORTHOGRAPHE

N'oublie pas le **d** final. Pense à accor**d**er.

GRAMMAIRE

- l'accord en genre :
  le petit chien/**la** petit**e** chien**ne**.
- l'accord en nombre :
  le beau cheval mange/**les** beau**x** chev**aux** mang**ent**.

accoucher [3] — verbe

Laure a un petit frère : sa maman a accouché d'un garçon. → elle a donné naissance à, a mis au monde.

VOCABULAIRE

Les femmes accouchent, mais on dit « mettre bas » pour les animaux.

Une grande famille :

raccrocher, escroc, escroquer, décrocher, croche, accroc, **CROC**, crochet, accrocher, crocheter, croc-en-jambe, croquer, crosse, crochu

accrocher [3] — verbe

1. *J'ai accroché un tableau à un clou.* → j'ai suspendu. ≠ décrocher.
2. *A un carrefour, une auto a accroché une camionnette.* → elle a eu un léger heurt avec.

■ **s'accrocher,** v. **1.** *Le wagon s'accroche à la locomotive.* **2.** *La jupe de Christine s'est accrochée aux ronces du chemin.*

accueil [akœj] — nom masc.

1. *Le vainqueur de l'étape a reçu un accueil triomphal à l'arrivée.*
2. *Les réfugiés ont été dirigés vers un centre d'accueil.*

■ **accueillant, e,** adj. *Sa maison est toujours ouverte aux amis : c'est une femme accueillante.* ■ **accueillir,** v. ≃ recevoir.

ORTHOGRAPHE

Devant **c** et **g**, **-euil** s'écrit **-ueil** pour faire le son [k] ou [g], ainsi : un re**cueil**, l'or**gueil**, il ac**cueil**le.

accuser [3] — verbe

Il est très grave d'accuser injustement quelqu'un. → de le déclarer coupable. ≠ défendre.

■ **accusation,** n. f. *On ne peut porter une accusation contre quelqu'un sans preuve.* ■ **accusé, e,** n. m. et f. *L'avocat défend l'accusé au tribunal.*

acheter [6] — verbe

Avec son argent de poche, Paul achète des fleurs pour sa mère.

■ **achat,** n. m. *Henri a fait l'achat d'un dictionnaire.*

GRAMMAIRE

- *Ils se sont acheté, elle s'est acheté quelque chose.*
- Au présent de l'indicatif : *j'achète – nous achetons.*

achever [6] — verbe

1. *Les maçons achèvent la construction de la tour.* → ils finissent, terminent. ≠ commencer, démarrer.
2. *Le chasseur achève l'animal blessé.* → il le tue.

■ **achèvement,** n. m. *L'achèvement des travaux ne saurait tarder.*

A

acier nom masc.

La lame de mon couteau est en acier.

■ **aciérie** [asjeʀi] n. f. → usine où l'on fabrique l'acier.

EXPRESSIONS

- **Un acier inoxydable.** → qui ne rouille pas.
- **Un regard d'acier.** → un regard dur, froid.

acrobatie [akʀɔbasi] nom fém.

Les acrobaties aériennes sont effectuées par des aviateurs expérimentés.

■ **acrobate,** n. m. ou f. *Au cirque, les acrobates exécutent des numéros périlleux.*

ORTHOGRAPHE

Attention : le son [s] de acrobatie s'écrit **t**.

acte nom masc.

1. *Les actes de courage sont fréquents dans cette classe.* ≃ action.
2. *Au théâtre, le rideau tombe à la fin de chaque acte.* → de chaque partie d'une pièce.

■ **acteur, trice,** n. m. et f. *Louis de Funès était un grand acteur comique français.* → un comédien.

ORTHOGRAPHE

Au féminin : act**eur** → act**rice**
comme audit**eur** → audit**rice**
spectat**eur** → spectat**rice**
mais attention : les mots en **-teur** ne font pas tous leur féminin en **-trice** :
chant**eur** → chant**euse**
ment**eur** → ment**euse.**

action nom fém.

1. *Dès le début de l'incendie, les pompiers sont entrés en action.* → ils ont agi, sont intervenus.
2. *L'action de ces médicaments est rapide : vous serez debout dans peu de temps.* → l'effet.

■ **actif, ive,** adj. *Voilà une enfant très active.* → vivante, vive.

VOCABULAIRE

On distingue :
les verbes d'action : aller, courir, sauter...
et les verbes d'état : être, demeurer, sembler...

activité nom fém.

1. *Le volcan Etna est entré en activité et vomit de la lave.*
2. au plur. *L'oncle de Caroline a vendu son commerce : il a mis fin à ses activités.* → à ses occupations professionnelles.

VOCABULAIRE

activité	≠	*inactivité*
allant	≠	oisiveté
dynamisme	≠	inertie
enthousiasme	≠	passivité

actuel, actuelle adj.

La faim dans le monde est un problème actuel. → présent.

■ **actualité,** n. f. *Les élections sont des événements d'actualité.* → de l'époque présente. ■ **actualités,** n. f. pl. → les informations télévisées. ≃ le journal télévisé. ■ **actuellement,** mot inv. → en ce moment.

VOCABULAIRE

On se tient au courant de l'actualité, en lisant les nouvelles dans un journal, en écoutant les informations à la radio, en regardant les journaux télévisés.

adapter 3 verbe

1. *J'ai réussi à adapter ce bouchon de liège à la bouteille en le taillant un peu.* → à l'ajuster, à le fixer.
2. *Le roman de Jules Verne « Michel Strogoff » a été adapté au cinéma.*

■ **s'adapter,** v. **1.** *Ce tuyau ne s'adapte pas au robinet : il est trop gros.* → il ne s'ajuste pas. **2.** *Ces animaux sauvages s'adaptent bien à la vie dans le zoo.* → ils s'acclimatent, s'habituent.

addition [adisjɔ̃] nom fém.

1. *Le signe + indique une addition, le signe – une soustraction.*
2. *A la fin du repas, au restaurant, on réclame l'addition au serveur.* → la note à payer.

■ **additionner,** v. → ajouter pour obtenir une somme.

ORTHOGRAPHE

Attention : **additionner** prend deux **d** et deux **n.**

adjectif nom masc.

1. *Voici la* belle *histoire du* petit *Chaperon* rouge *:* belle, petit *et* rouge *sont des adjectifs qualificatifs.*
2. Ma *règle ;* cette *fleur ;* quel *plaisir !* Aucun *élève.* Ma *est un adjectif possessif ;* cette *est un adjectif démonstratif ;* quel *est un adjectif exclamatif ;* aucun *est un adjectif indéfini.*

GRAMMAIRE

Cinq jours, *trente et une* feuilles de papier : *cinq* et *trente et une* sont des adjectifs numéraux.

admirer 3 verbe

Au musée du Louvre, j'ai admiré les statues égyptiennes. → j'ai contemplé.

■ **admirable,** adj. *Quel exploit admirable !* → magnifique. ■ **admirateur, trice,** n. m. et f. *Cette chanteuse a de nombreux admirateurs.* ■ **admiration,** n. f. *Paul est en admiration devant cette moto étincelante.*

VOCABULAIRE

On admire ce qui est : beau, brillant, éclatant, magnifique, merveilleux.

adopter 3 verbe

1. *J'adopte un petit chat abandonné.* → je le recueille.
2. *Les députés ont adopté la loi sur la protection de la nature.* → ils l'ont acceptée, votée. ≠ rejeter.

■ **adoptif, ive,** adj. *Mes parents ont adopté un orphelin qui est devenu mon frère adoptif.*

adresse nom fém.

1. *Avant de poster ma lettre, j'écris l'adresse complète de mon correspondant.*
2. *Ce jongleur fait preuve d'une adresse exceptionnelle.* → d'une grande habileté. ≠ gaucherie, maladresse.

■ **adresser,** v. *J'adresse ce colis à mon cousin.* → je l'envoie, je l'expédie. ≠ recevoir de.

EXPRESSION

Jean-Jacques **adresse la parole** *à Pierre.* → il lui parle.

AUTOUR DE

Comment peut-on adresser un envoi par la poste ?

– par avion, par exprès, en recommandé, en urgence.

adroit, adroite adj.

Ce menuisier est adroit de ses mains. → habile. ≠ gauche, maladroit, malhabile.

adulte nom masc. ou fém.

Quand on est petit, on a souvent envie d'être un adulte. → de devenir une grande personne.

adverbe nom masc.

1. *Il est* là. → Indique le lieu.
2. *Elle vient* aujourd'hui. → Indique le temps.
3. *Vous en avez* beaucoup ? → Indique la quantité.
4. *Les pâtes cuisent* lentement. → Indique la manière.
5. *C'est* peut-être *faux.* → Indique le doute.

GRAMMAIRE

- Les adverbes accompagnent des verbes (parler trop), des adjectifs qualificatifs (très vif) ou d'autres adverbes (beaucoup mieux).
- Invariables, il ne se mettent ni au féminin, ni au pluriel : on dit qu'ils n'ont ni genre, ni nombre.

adversaire nom masc. ou fém.

L'équipe du cours moyen sera notre prochaine adversaire au tournoi de football. → notre prochaine concurrente, rivale. ≠ allié, ami, coéquipier.

affaire nom fém.

1. *Après la classe, je range mes affaires dans mon cartable.* → mes livres, mes cahiers.
2. *Les policiers s'occupent d'une affaire difficile.* → d'un cas compliqué.
3. *Les affaires ne sont pas bonnes en ce moment.* → le commerce ne va pas bien.

GRAMMAIRE

- **Il a affaire à** un rude adversaire.
- **Il a affaire avec** la justice.

EXPRESSION

Je construis une cabane, ces branches **feront l'affaire.**

affiche nom fém.

Sur les panneaux, les colleurs posent une affiche annonçant la sortie d'un nouveau film.

■ **afficher,** v. → coller, poser des affiches.

EXPRESSION

Ce comédien est la **tête d'affiche.** → c'est l'acteur principal (d'une pièce de théâtre, d'un film).

affirmer 3 verbe

Jean affirme qu'il est le meilleur de sa classe. → il assure, certifie, soutient.

■ **affirmatif, ive,** adj. *Une réponse affirmative.* ≠ négatif.
■ **affirmation,** n. f. *Oui est utilisé pour indiquer une affirmation.* ≠ négation.

VOCABULAIRE

Expressions utilisées pour l'affirmation : oui, bien sûr, vrai, sans mentir, sûr et certain.

affluent nom masc.

L'Oise est un affluent de la Seine. → un cours d'eau qui se jette dans la Seine.

ORTHOGRAPHE

N'oublie pas le **t** final.

VOCABULAIRE

Distingue : l'affluent de confluent – qui est la rencontre du fleuve et de son affluent.

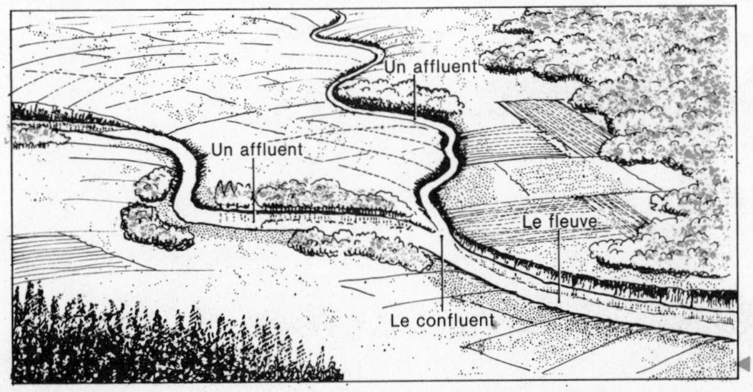

◀ Les deux affluents d'un fleuve.

affreux, affreuse adj.

1. *Quel temps affreux aujourd'hui !* → abominable, désagréable, mauvais. ≠ agréable, beau, plaisant.
2. *Ce film de guerre est affreux à regarder.* → horrible, laid. ≠ agréable, joli.

ORTHOGRAPHE

- **Af-** : les mots commençant par **af-** prennent deux **f**, sauf : afin, africain et Afrique.

affronter 3 verbe

J'enfile un gros anorak avant d'affronter le froid. → d'aller au devant de, de subir.

■ **s'affronter,** v. *Les deux adversaires s'affrontent violemment.* → ils se mesurent et se combattent.

afin de mot inv.

J'apprends bien mes leçons afin de réussir en classe. → pour, dans le but de.

afin que mot inv.

Je m'applique, afin que le maître soit content de moi. → pour que.

GRAMMAIRE

- Après **afin de,** on met le verbe à l'infinitif : **afin d'***avoir,* **d'***être,* **de** *chanter,* **de** *prendre,* **de** *suivre...*
- Après **afin que,** on met le verbe au subjonctif : **afin qu'***il ait,* **qu'***il soit,* **qu'***il chante,* **qu'***il prenne,* **qu'***il suive...*

âge nom masc.

1. *« Quel âge as-tu ? – J'ai 12 ans. »* → depuis combien d'années es-tu né ?
2. *Il est mort à l'âge de 75 ans.* → à 75 ans.
3. *L'enfance, c'est le bel âge.* → la belle époque de la vie.

■ **âgé, e,** adj. **1.** *Ma grand-mère est âgée.* → elle est vieille. **2.** *Jean-Pierre est âgé de dix ans.* → il a 10 ans.

ORTHOGRAPHE

Attention : un accent circonflexe sur le **a.**

EXPRESSION

Elle est **en âge d'***aller seule au cinéma.* → elle a l'âge de...

agile adj.

Agile, le singe saute de branche en branche. → leste, souple, vif. ≠ lourd, maladroit, pesant.

■ **agilité,** n. f. *Il faut beaucoup d'agilité pour faire de la barre fixe.*

ORTHOGRAPHE

Attention : agilité.

agir 4 verbe

1. *Notre plan est prêt, maintenant il faut agir.* → faire quelque chose.
2. *Ce médicament n'agit qu'au bout de trois heures.* → son effet n'est ressenti que trois heures plus tard.

■ **s'agir,** v. *Dans ce film, il s'agit de la vie des castors.*

EXPRESSIONS

- ***Il* a bien agi.** → il a agi comme il le fallait. ≠ il a mal agi.
- **Agir en.** → se comporter en.

agiter 3 verbe

Le vent agite le feuillage des arbres.

■ **agitation,,** n. f. *Dans la maison règne une grande agitation.* → il y a beaucoup de mouvement. ■ **s'agiter,** v. *A l'arrivée des coureurs, la foule s'agitait.*

agneau, agnelle nom masc., nom fém.

L'agneau est le petit de la brebis et du bélier.

ORTHOGRAPHE

Des agn**eaux.**

agrandir [4] verbe

1. *Ce magasin est trop petit : il faudrait l'agrandir.* → le rendre plus grand.
2. *Le photographe agrandit les photos.* → il les reproduit dans un format plus grand.

■ **agrandissement,** n. m. **1.** *L'agrandissement du magasin.* **2.** *L'agrandissement d'une photo.* ■ **s'agrandir,** v. *Une petite sœur vient de naître : la famille s'agrandit.* → elle augmente en nombre. ≠ diminuer.

VOCABULAIRE

grand → agrandir → agrandissement comme :
large → élargir → élargissement.

agréable adj.

1. *La rose a un parfum agréable.* → délicieux, plaisant. ≠ déplaisant, désagréable.
2. *J'aime bien jouer avec lui, il est très agréable.* → très gentil. ≠ désagréable, pénible.

GRAMMAIRE

Les contraires :
Ce qui n'est pas **agréable** est **désagréable.** Comme : ordonné ≠ désordonné.

agriculteur, agricultrice nom masc., nom fém.

Mon oncle a une ferme et cultive des céréales : c'est un agriculteur. → un exploitant agricole, un cultivateur.

■ **agricole,** adj. **1.** *Des produits agricoles.* → qu'on obtient grâce à la culture des champs. **2.** *Des machines agricoles.* → qui servent à la culture des champs.

VOCABULAIRE

- Un horticulteur cultive les fleurs.
- Un maraîcher cultive les légumes.
- Un viticulteur cultive la vigne.

aider [3] verbe

Je vais t'aider à finir ton travail.

■ **aide,** n. f. *Je compte sur l'aide de ma sœur pour trouver la solution de ce problème.* → le concours, la collaboration. ■ **s'aider,** v. *Pour tracer un trait, Jean s'aide de sa règle.* → il emploie, se sert de, utilise.

GRAMMAIRE

- Aider quelqu'un **dans** l'embarras.
- Aider quelqu'un **à** faire quelque chose.

aigle nom masc.

L'aigle est un oiseau de proie dont l'envergure (largeur des ailes déployées) peut atteindre deux mètres cinquante.

EXPRESSION

Avoir un œil d'aigle. → une vue perçante.

AUTOUR DE

- L'aigle est le plus grand des oiseaux rapaces. Avec ses griffes, appelées « serres », il capture des animaux.
- Son nid s'appelle l'aire. Ses petits sont des aiglons.
- Son cri : il trompette.

aigu, aiguë adj.

1. *L'aiguille possède une pointe aiguë.* → très pointue, piquante. ≠ émoussé.
2. *Cette douleur aiguë est insoutenable.* → très vive.
3. *Mon frère a une voix grave, la mienne est aiguë.* → très haute.
4. *On ne peut mettre un accent aigu que sur le « e » : un été.*
5. *L'angle aigu est plus petit que l'angle droit.*

ORTHOGRAPHE

Un cri aigu, une douleur aiguë (le tréma se place sur le **e**).

Une grande famille :

aiguillon		aiguillage
aiguillonner	**aigu**	aiguille
aiguiser		aiguiller

aiguille [ɛgɥij] nom fém.

1. *Donne-moi une aiguille et du fil pour recoudre ce bouton.*
2. *Le sapin et le pin n'ont pas de feuilles mais des aiguilles aux branches.*

VOCABULAIRE

Une aiguille à coudre, à tricoter. L'aiguille d'une horloge, d'une boussole.

aile nom fém.

1. *C'est grâce à leurs ailes que les oiseaux et les papillons peuvent voler.* → les organes permettant de voler.
2. *Cette voiture a une aile enfoncée.* → une partie de la carrosserie.
3. *Les ailes du moulin tournent au vent.* → les parties plates actionnées par le vent.

EXPRESSIONS

- **Avoir des ailes.** → aller très vite.
- **Battre de l'aile.** → aller mal.
- **Déployer ses ailes.** → ouvrir les ailes pour s'envoler.
- **Voler à tire-d'aile.** → voler rapidement, le plus vite possible.
- **Voler de ses propres ailes.** → être en âge d'agir seul.

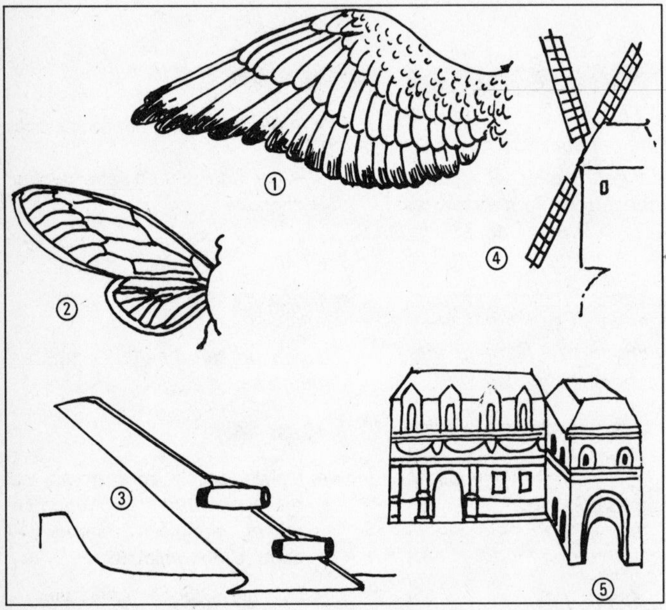

◄ Plusieurs sortes d'ailes :
1. L'aile d'un oiseau.
2. Les ailes d'un insecte.
3. L'aile d'un avion.
4. Les ailes d'un moulin.
5. L'aile d'un bâtiment.

aimer 3 verbe

1. *J'aime mes parents.* ≠ détester, haïr.
2. *Pierre aime la musique.* → il est amateur de, a du goût pour, prend plaisir à.

GRAMMAIRE

- *J'aime* **que** *l'on s'occupe de moi.*
- *J'aime* **mieux** *jouer* **que** *travailler.*

aîné, aînée adj., ou nom masc. et fém.

1. adj. *Marie est notre sœur aînée.* → la plus âgée de nous tous, la première née.
2. n. m. et f. *Mon frère Claude est mon aîné de cinq ans.*

VOCABULAIRE

Dans une famille de 3 enfants, l'aîné est le premier né, le cadet le second, le benjamin le dernier-né.

air nom masc.

1. *L'air est pur à la montagne.* → l'atmosphère.
2. *Éric chante toujours le même air.* → la même chanson, le même refrain, la même mélodie.
3. *Le clown, avec ses vêtements trop grands, a un air comique.* → une allure, un aspect, une mine.

EXPRESSIONS

- **L'armée de l'air.** → l'aviation militaire.
- **Un courant d'air.** → un mouvement d'air.
- **Vivre en plein air, au grand air.** → au-dehors, à l'extérieur.

ajouter [3] verbe

J'ai ajouté cinq timbres à ma collection. → j'ai augmenté, enrichi ma collection de cinq timbres. ≠ diminuer, enlever, ôter, retrancher, soustraire.

■ **s'ajouter,** v. *Ces deux nouveaux invités viennent s'ajouter aux autres personnes.* → se joindre à.

GRAMMAIRE

- *On fait une addition en* **ajoutant** *un nombre* **à** *un autre.*
- *On fait une soustraction en* **retranchant** *un nombre* **d'***un autre.*

album [albɔm] nom masc.

1. *Où est mon album de timbres ?* ≃ classeur.
2. *Voici un album de Tintin.* ≃ livre illustré.

ORTHOGRAPHE

Un album/des album**s**,
comme : un aquarium/des aquarium**s**.

1. alerte adj.

Mon grand-père est toujours alerte malgré son âge. → il se déplace facilement. ≃ souple.

2. alerte nom fém.

En déclenchant la sonnerie d'alarme, les voleurs ont mis la police en alerte. → ils les ont avertis de leur présence.

■ **alerter,** v. *Un incendie s'est déclaré dans la forêt : il faut alerter les pompiers.* → appeler, prévenir.

AUTOUR DE

Entre eux, les oiseaux poussent des cris d'alerte pour se prévenir les uns les autres d'un danger.

aligner [3] verbe

Les coureurs sont alignés sur la ligne de départ. → placés sur la même ligne droite.

■ **alignement,** n. m. *Tes petits soldats ne sont pas à l'alignement.* → rangés sur une même file. ■ **s'aligner,** v. *Les livres s'alignent sur les étagères.* → ils sont rangés.

VOCABULAIRE

Un alignement peut être :

- une allée d'arbres, une colonne de soldats,
- une file de personnes, de voitures,
- une rangée de tables.

◄ Les alignements de menhirs à Carnac en Bretagne.

aliment — nom masc.

La viande, le chocolat, les fruits sont des aliments. → de la nourriture.

■ **alimentaire,** adj. *Voici des produits alimentaires : œufs, viandes, poissons...* ■ **alimentation,** n. f. *Un magasin d'alimentation vient de s'ouvrir près de chez nous.* → où l'on s'approvisionne en nourriture. ■ **alimenter,** v. **1.** *A l'hôpital, le malade est alimenté avec une nourriture légère.* **2.** *Ce tas de bois servira à alimenter le feu dans la cheminée.*

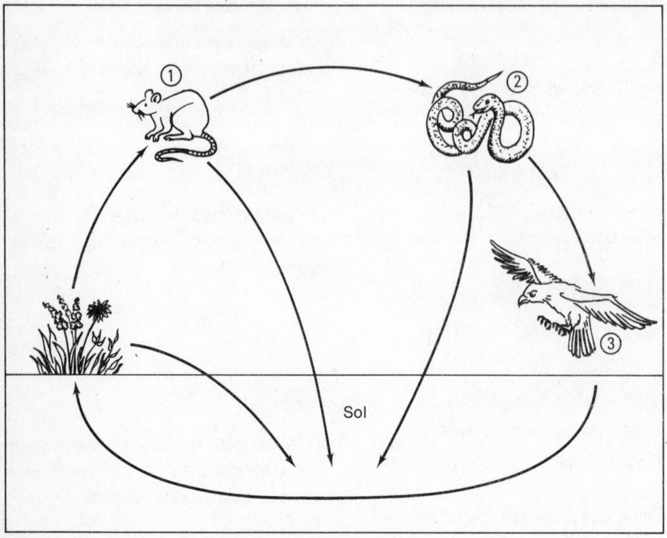

◄ La chaîne alimentaire.
Les animaux (1) se nourrissent de végétaux. Les animaux (2) mangent les animaux (1). Les animaux (3) retournent au sol.

VOCABULAIRE

- On assaisonne les aliments → on les sale, on les poivre...
- On conserve les aliments → dans le sel, dans le vinaigre, au froid.
- On cuit les aliments.

AUTOUR DE

- Le lion est un carnivore → il ne se nourrit que de viande.
- La vache est un herbivore → elle ne se nourrit que d'herbe.
- L'homme est un omnivore → il se nourrit de toutes sortes d'aliments.

allée — nom fém.

J'aime me promener dans les allées du parc. ≃ avenue, chemin.

EXPRESSION

Faire des allées et venues. → de nombreux déplacements.

aller [5] — verbe

1. *Béatrice va chez son amie à Londres.* → elle se rend chez son amie. ≠ revenir de.
2. *Cette autoroute va jusqu'à Marseille.* → elle conduit, mène.
3. *« Comment vas-tu aujourd'hui ? – Je vais bien, merci. »* → je me porte bien, je me sens bien.
4. *Voilà une veste qui doit m'aller !* → être à ma taille.

■ **s'en aller,** v. *Il se fait tard, je dois m'en aller maintenant.*

GRAMMAIRE

- **Va** au cinéma ; **vas-y** → devant **y**, *va* prend un **s** à l'impératif.
- Je **vais** faire, partir, prendre, chanter... → **aller** est suivi de l'infinitif.
- Aller **à** la campagne, **à** la montagne, mais **en** ville, **dans** un pays, **dans** une région.
- Aller **à** bicyclette, **à** vélo, mais **en** avion, **en** auto.

allumer [3] — verbe

1. *En hiver, on allume un feu dans la cheminée.* ≠ éteindre.
2. *Il fait froid, je voudrais bien qu'on allume le chauffage.* → qu'on mette en marche. ≠ arrêter, couper.
3. *Allume la télévision, c'est l'heure des informations.* ≠ arrêter, éteindre.

■ **allumette,** n. f. *François craque des allumettes pour descendre à la cave.*

allure nom fém.

1. *A l'approche de l'arrivée, les coureurs forcent l'allure.* → ils augmentent leur vitesse.
2. *Ce chapeau lui donne une étrange allure.* → un drôle d'aspect, d'air.

EXPRESSION

A toute allure. → à toute vitesse.

alors mot inv.

1. *Les bandits se partageaient le butin, alors, la porte s'ouvrit.* → à ce moment-là.
2. *Si tu ne peux pas venir, alors préviens-moi.* → dans ces conditions, dans ce cas.

■ **alors que,** mot inv. **1.** *Il m'accuse, alors que je suis innocent.* → bien que je sois innocent. **2.** *Alors que vous vous promeniez, je lisais.* → pendant que vous vous promeniez.

VOCABULAIRE

On utilise souvent « alors » pour lier les épisodes d'une histoire que l'on raconte.

alouette nom fém.

L'alouette est un petit oiseau des champs, au plumage gris, brun et roux.

Une alouette.

AUTOUR DE

L'alouette chante, babille, griselle, tirelire. Elle fait son nid à terre dans les champs de blé, d'orge ou d'avoine.

alpinisme nom masc.

Je me suis inscrit à un club d'alpinisme pour apprendre à escalader des parois.

■ **alpiniste,** n. m. ou f. → personne qui pratique l'alpinisme.

ORTHOGRAPHE

Alpinisme, alpiniste, ne prennent qu'un **p** et un **n**.

altitude nom fém.

1. *Dans les Alpes, le plus haut sommet est celui du mont Blanc avec une altitude de 4 807 mètres.* → une hauteur de.
2. *Après le décollage, l'avion s'élève et prend de l'altitude.* → il monte dans le ciel. ≠ descendre.

AUTOUR DE

L'altitude se calcule à partir du niveau de la mer : des appareils appelés « altimètres » donnent cette mesure.

amande nom fém.

Pendant que nos parents prennent des amandes salées avec l'apéritif, nous nous régalons d'un gâteau aux amandes.

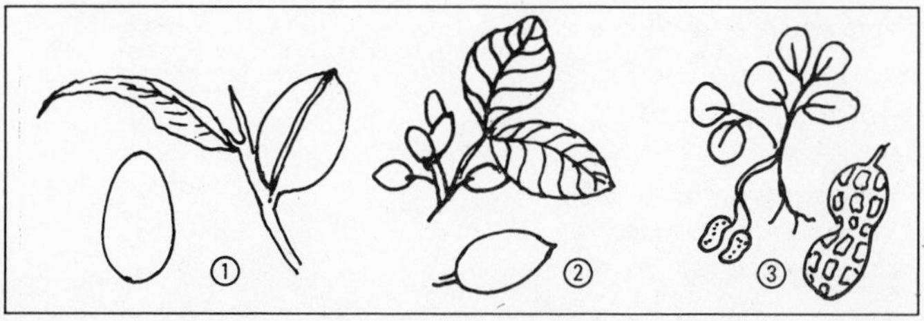

1. L'amande
2. La pistache
3. L'arachide

AUTOUR DE

- Les noyaux des fruits comme l'abricot, la cerise, l'olive, la pêche... contiennent aussi une amande non comestible.
- D'autres fruits, comme la noisette, la noix, la pistache contiennent une amande comestible.

ambition [ɑ̃bisjɔ̃] nom fém.

Paul a de l'ambition, il veut toujours améliorer ses records.

GRAMMAIRE

- L'ambition **de** gagner.
- L'ambition **du** pouvoir.

améliorer [3] verbe

Le coureur améliore ses performances en s'entraînant.
≃ augmenter, rendre meilleur.

■ **amélioration,** n. f. *Toute la semaine, il a plu, mais heureusement, une amélioration du temps est prévue ce week-end.* ■ **s'améliorer,** v. *Après un mois de traitement, la santé du malade s'améliore.* ≠ s'aggraver.

EXPRESSION

Ses résultats scolaires **sont en amélioration.** → ils sont meilleurs.

amener [6] verbe

1. *Nous avons amené Valéry chez le médecin.*
2. *L'imprudence des conducteurs sur les routes amène de nombreux accidents.* → elle cause, entraîne, provoque. ≠ éviter.

VOCABULAIRE

On amène un être ou un objet animé, mais on apporte un objet inanimé.

amer, amère [amɛʀ] adj.

1. *Ce fruit n'est pas mûr : son goût est amer.* → âpre, désagréable. ≠ doux, sucré.
2. *Quelle amère déception !* → douloureuse, dure, pénible.

ami, amie nom masc., nom fém.

1. *C'est plus qu'un camarade, c'est un ami.* ≠ ennemi.
2. *Le chien est l'ami de l'homme.* → son compagnon fidèle.

■ **amical, e,** adj. *Il lui donne une tape amicale sur l'épaule.* ■ **amicalement,** mot inv. *Il m'a souhaité amicalement ma fête.* ■ **amitié,** n. f., *Michel et Daniel sont liés par une profonde amitié.*

VOCABULAIRE

Un ami fidèle, un ami sincère, un ami sûr, un véritable ami, un ami dévoué, un vieil ami, un bon ami, un ami précieux, mon meilleur ami.

amont nom masc.

1. *La rivière coule de l'amont vers l'aval.*
2. *Sur le Rhône, Lyon est en amont d'Avignon.* → Lyon est plus proche de la source du Rhône qu'Avignon. ≠ aval.

ORIGINE

- Amont : vers la montagne.
- Aval : vers la vallée.

amour nom masc.

1. *L'amour maternel est l'amour d'une mère pour son enfant.* → l'attachement, la tendresse.
2. *L'amour est l'un des sentiments les plus forts qu'une femme et un homme peuvent éprouver l'un pour l'autre.* ≠ haine.
3. *L'amour des animaux conduit Delphine à recueillir les chats perdus.* → l'affection.
4. *Son amour du sport est excessif.* → son goût pour.

■ **amoureux, euse,** adj. *Elle est très amoureuse de son mari.* → elle éprouve beaucoup d'amour pour lui. ■ **amour-propre,** n. m. comp. *Jean se fâche à la moindre plaisanterie : il a trop d'amour-propre.*

VOCABULAIRE

- L'amour paternel est l'amour d'un père pour ses enfants.
- L'amour filial est l'amour des enfants pour leurs parents.

ampoule nom fém.

1. *L'ampoule de ma lampe électrique est grillée : je dois la changer.*
2. *Vous prendrez une ampoule de calcium dans un verre d'eau, à chaque repas.*
3. *J'ai marché trop longtemps avec mes chaussures neuves, je me suis fait des ampoules aux pieds.* → des cloques.

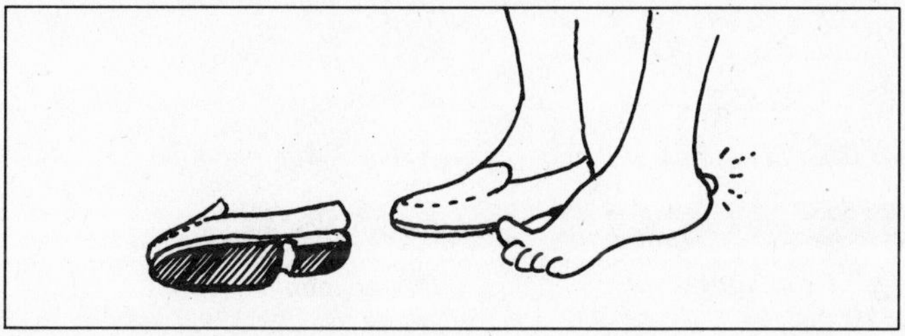

◄ Une ampoule au pied.

AUTOUR DE

L'ampoule électrique comprend : – le verre – le culot en laiton – les plots. Quand le courant passe, le filament devient blanc et éclaire.

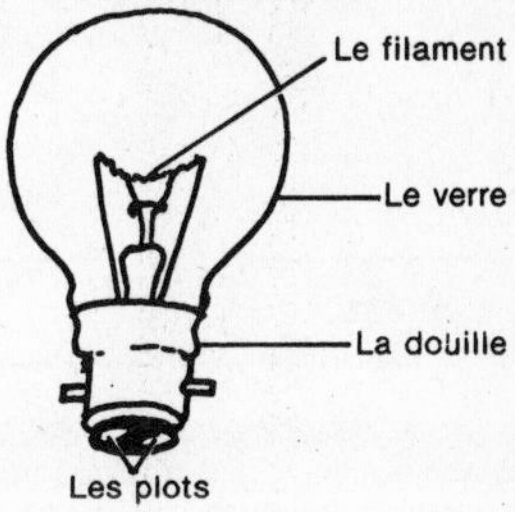

▲ Une ampoule électrique.

amuser [3] verbe

Au zoo, le singe amuse le public par ses gestes et ses grimaces. → il fait rire.

■ **amusant, e,** adj. *Allons voir un film amusant.* → qui fait rire. ≃ comique. ■ **amusement,** n. m. *Le dessin est son amusement préféré.* → délassement, distraction, divertissement. ■ **s'amuser,** v. *Les enfants s'amusent dans la cour.*

GRAMMAIRE

- *Je m'amuse* **à** *faire des mots croisés.*
- *Je m'amuse* **de** *sa sottise.*

an nom masc.

1. *Nous habitons Marseille depuis déjà dix ans.* → dix années (temps écoulé).
2. *Michèle a fêté ses douze ans.* → son âge est maintenant de douze ans.

EXPRESSION

Le jour de l'an. → 1er janvier d'une année nouvelle, premier jour du nouvel an.

ananas nom masc.

L'ananas est un gros fruit, cultivé dans les pays chauds, à la forme allongée, dont la chair est pulpeuse et sucrée.

AUTOUR DE

L'ananas est à la fois la plante et le fruit.

ancien, ancienne adj.

1. *Cette ancienne pièce de monnaie date de l'Empire romain.* → antique, vieille. ≠ actuel, moderne, récent.
2. *Mon grand-père est un ancien avocat.* → il était autrefois avocat.

VOCABULAIRE

- Un ami ancien → un ami de longue date.
- Un ancien ami → un ami que l'on a perdu de vue.

ancre nom fém.

Pour immobiliser un bateau, on jette l'ancre au fond de l'eau.

VOCABULAIRE

Jeter l'ancre ≠ lever l'ancre.

âne nom masc.

Le petit âne chargé gravissait lentement le sentier de la montagne.

AUTOUR DE

L'âne est une sorte de petit cheval à longues oreilles. Son cri : il brait → le braiment. Sa femelle est l'ânesse, et son petit, l'ânon.

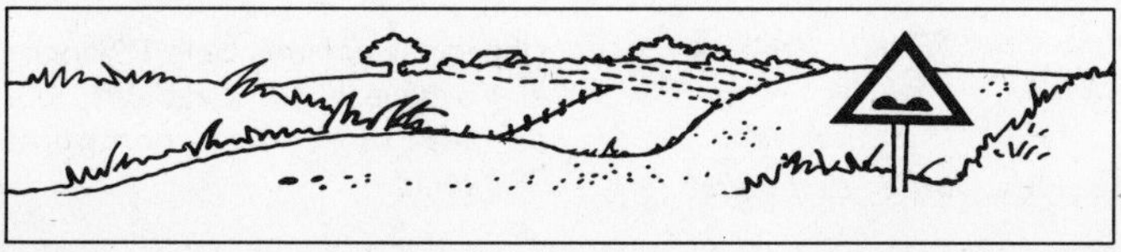

◄ Un *dos d'âne* est un panneau routier de signalisation.

angle nom masc.

1. *Avec une équerre, tu peux tracer un angle droit parfait.*
2. *Il y a un panneau de sens interdit juste à l'angle de notre rue.* → au coin de notre rue.

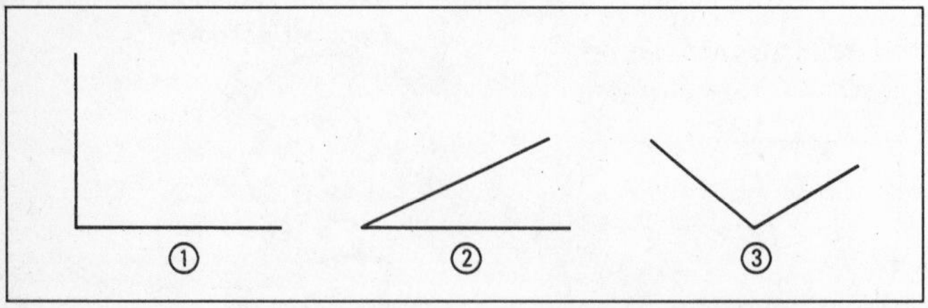

◄ 1. L'angle droit.
2. L'angle aigu.
3. L'angle obtus.

EXPRESSION

Arrondir les angles (fam.). → essayer d'arranger une situation.

animal nom masc.

Les oiseaux, les poissons, les insectes sont des animaux. → des bêtes.

ORTHOGRAPHE

Des anim**aux**.

animer 3 verbe

1. *Le balancier de la pendule est animé d'un mouvement de va-et-vient.*
2. *L'arrivée de la fanfare anime les rues du village.* → elle met du mouvement.

■ **animé, e,** adj. *Samedi, le marché est très animé dans notre ville.* ■ **dessin animé,** mot comp. m. *« Les 101 dalmatiens » sont un dessin animé célèbre de Walt Disney.* ■ **s'animer,** v. *Lorsque les clowns entrent sur la piste, les visages des enfants s'animent.*

EXPRESSION

Animer un débat. → Diriger des conversations sur un sujet.

anneau nom masc.

1. *La chaîne que je porte autour du cou est composée de petits anneaux d'argent.*
2. *Une alliance est un petit anneau en or que l'on porte à l'annulaire.*

ORTHOGRAPHE

Des ann**eaux**.

année nom fém.

Une année compte 365 jours se compose de 52 semaines et de 12 mois.

■ **anniversaire,** n. m. *J'ai aujourd'hui huit ans : c'est mon anniversaire.*

AUTOUR DE

Une année commence le 1er janvier et s'achève le 31 décembre. Les années bissextiles comptent 366 jours.

annoncer 26 verbe

1. *Le journal annonce l'arrivée du pape en Afrique.* → il fait savoir, signale.
2. *Ce vent et ces gros nuages annoncent un orage très proche.* → ils laissent prévoir.

ORTHOGRAPHE

Tu **annon**ces, nous **annonç**ons. Attention ! deux **n** et un **ç** devant a et o.

antenne nom fém.

1. *Dans certains villages encaissés dans des vallées, les antennes de télévision atteignent plusieurs mètres.*
2. *Le hanneton possède des antennes comme le papillon.*

EXPRESSION

Passer sur l'antenne. → participer à une émission de radio ou de télévision.

antique adj.

Une statue antique décore l'entrée de ce musée. ≠ moderne.

■ **antiquité,** n. f. **1.** *Les pyramides sont des vestiges de l'Antiquité égyptienne.* **2.** *J'ai acheté ce vieux vase dans un magasin d'antiquités.* → un magasin qui vend des objets anciens.

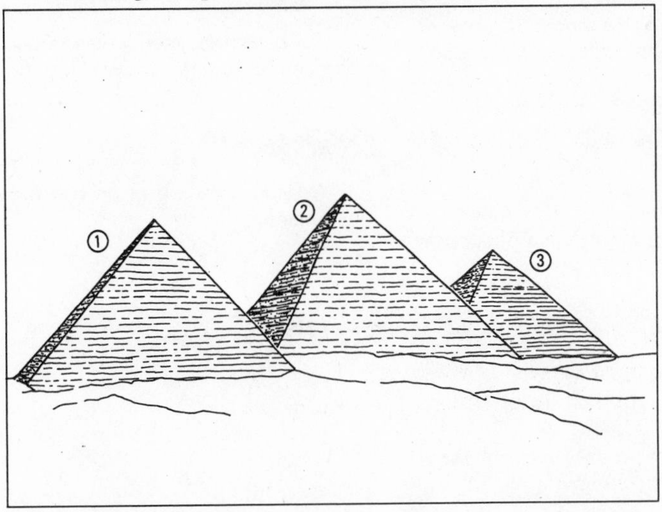

▲ Un magasin d'antiquités.

◄ Les trois grandes pyramides d'Egypte : 1. Chéops – 2. Chéphren – 3. Mykérinos.

apercevoir 30 verbe

1. *Dans la montagne, j'aperçois un troupeau de chamois.* → je vois au loin.
2. *S'est-il aperçu du changement ?* → a-t-il remarqué ?

GRAMMAIRE

- *Il s'aperçoit* **de** *son erreur.* → il se rend compte de...
- *Elle s'aperçoit* **qu'***il pleut.* → elle remarque que...

à peu près loc. inv.

A ma montre, il est à peu près six heures. → environ, presque.

aplatir 4 verbe

La cuisinière aplatit la pâte de la tarte avant de l'étaler dans le moule.

ORTHOGRAPHE

Attention ! un seul **p**.

apostrophe [apɔstʀɔf] nom fém.

D'abord *et* presqu'île *contiennent une apostrophe.*

ORTHOGRAPHE

L'**apostrophe** se trouve devant des mots commençant par une voyelle ou un **h** muet.

apparaître [23] verbe

1. *La lune apparaît le soir dans le ciel.* → elle se montre, paraît. ≠ se cacher, se coucher, disparaître.
2. *A la lueur des bougies, le sapin m'apparaissait plus brillant.* → il me semblait.

ORTHOGRAPHE

Attention à l'accent circonflexe sur le **î** juste avant le **t**: il apparaît.

appartement nom masc.

Nous habitons dans un appartement de trois pièces. → un logement.

VOCABULAIRE

Un appartement peut être : ancien, vieux, ou moderne, confortable, luxueux, vaste ou exigu...

appartenir [34] verbe

Ce livre appartient à Léa. → il est à Léa.

appeler [7] verbe

Mon chat a disparu : je n'ai cessé de l'appeler toute la soirée.

■ **appel,** n. m. *Quand un bateau se trouve en danger, il lance un appel de détresse.* ≃ S.O.S. ■ **s'appeler,** v. *Ma sœur s'appelle Lise.* → elle se nomme.

VOCABULAIRE

- J'ai appelé le médecin. → j'ai fait venir.
- J'ai appelé mon chien Titus. → j'ai nommé, baptisé.

appétissant, appétissante adj.

Ce gâteau à l'air bien appétissant !

■ **appétit,** n. m. *Le malade a perdu l'appétit.* → il n'a plus envie de manger.

ORTHOGRAPHE

Attention ! deux **p** et un **t** final à **appétit.**

applaudir [4] verbe

A la fin du spectacle, tout le monde applaudissait et criait Bravo ! → acclamait, battait des mains. ≠ huer, siffler.

■ **applaudissement,** n. m. *Le clown était si drôle qu'un tonnerre d'applaudissements retentit à la fin de son numéro.*

GRAMMAIRE

Applaudissement(s) s'emploie surtout au pluriel.

appliquer [3] verbe

1. *Le peintre applique une couche de peinture sur le mur à l'aide d'un rouleau.* → il étend la peinture. ≃ étaler.
2. *Le directeur applique le règlement.* → il met en pratique.
3. *Tu as fait une faute parce que tu n'as pas appliqué la règle d'accord.* → tu n'as pas respecté.

■ **s'appliquer,** v. *Luc s'applique pour recopier sa page d'écriture.*

apporter [3] verbe

1. *Pour Noël, le facteur a apporté trois cartes et un paquet.* ≃ distribuer, donner, porter.
2. *La découverte de la pénicilline a apporté d'importants changements dans le traitement des maladies.* → elle a causé, entraîné, provoqué.
3. *Pascale apporte beaucoup de soin à tous les dessins qu'elle fait.* ≃ manifester, montrer.

ORTHOGRAPHE

Ap**p**orter prend deux **p**, mais em-porter un **p**.

apprendre 29 — verbe

1. *Nathalie apprend sa leçon.* → elle étudie.
2. *Je vais t'apprendre un nouveau jeu.* → te montrer.
3. *On a appris que nos voisins déménageaient bientôt.* → on a été informé que.

VOCABULAIRE

L'apprenti apprend un métier pendant sa période d'apprentissage.

apprivoiser 3 — verbe

François a réussi à apprivoiser une petite hirondelle. → à domestiquer, dresser.

VOCABULAIRE

Un animal apprivoisé, domestique. ≠ en liberté, sauvage.

approcher 3 — verbe

1. *Approche ta table de la fenêtre pour mieux voir.* → avance ta table. ≠ éloigner.
2. *Le cycliste approche de l'arrivée.* → il l'a presque atteinte, il est près de l'arrivée.

■ **s'approcher,** v. *Ne t'approche pas trop du quai, un train risque de passer.*

approuver 3 — verbe

1. *L'arbitre a expulsé un mauvais joueur, et les spectateurs l'ont approuvé.* → ils lui ont donné raison. ≠ désapprouver.
2. *Les députés approuvent la nouvelle loi.* → ils adoptent, votent. ≠ refuser, rejeter, repousser.

VOCABULAIRE

Approuver, c'est donner son approbation, son assentiment, son consentement.

appuyer 21 — verbe

1. *Le maçon appuie une échelle contre le mur.* → il met, place, pose contre le mur.
2. *J'appuie sur le bouton pour allumer ma lampe.* → je presse le bouton.

■ **appui** n. m. *Grâce à l'appui d'un technicien, j'ai pu visiter un studio de télévision.* ■ **s'appuyer,** v. *Noël s'appuie contre le mur pour retirer ses bottes.*

ORTHOGRAPHE

Attention, j'appuie, tu appuies... mais, nous appu**y**ons.

EXPRESSION

Le vieil homme **prend appui** *sur la rampe pour descendre l'escalier.* → il se tient à.

après — mot inv.

1. *Après la nuit vient le jour.* ≠ avant. → Introduit un complément de temps.
2. *Dans notre ville, la mairie se trouve après l'église.* ≠ avant. → Introduit un complément de lieu.
3. *D'après la radio, il fera beau demain.* → selon ce qu'on affirme à la radio.

VOCABULAIRE

Après-demain, après-midi.

PROVERBE

Après la pluie vient le beau temps.

aquarium [akwaʀjɔm] — nom masc.

Les poissons rouges nagent dans l'aquarium.

ORTHOGRAPHE

Un aquarium / des aquariums.

araignée nom fém.

L'araignée est un petit animal à huit pattes.

◀ L'épeire dorée que l'on trouve couramment dans les jardins et les bois.

AUTOUR DE

Les araignées tissent des toiles. Ce sont des pièges pour les insectes qui se collent à leurs fils gluants.

arbre nom masc.

Voici plusieurs sortes d'arbres : le chêne, le pommier, le pin, le baobab.

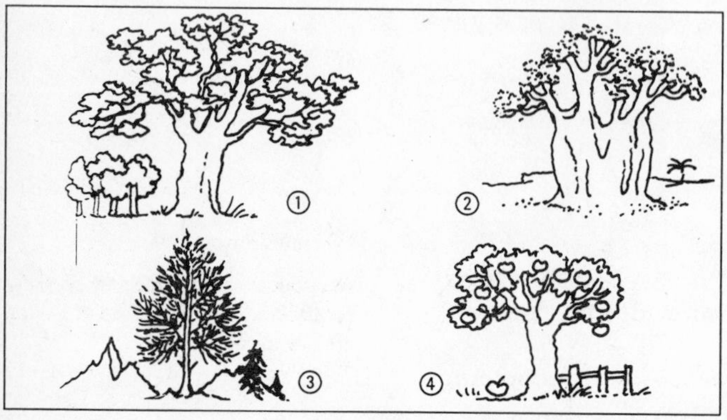

◀ 1. Un chêne.
2. Un baobab.
3. Un pin.
4. Un pommier.

■ **arbuste,** n. m. *Le lilas, l'aubépine, l'oranger sont des arbustes.* → de petits arbres.

VOCABULAIRE

Une plantation d'arbres peut être une forêt, une futaie, un massif, un verger (arbres fruitiers).

arc nom masc.

1. *Les Indiens chassaient ou se défendaient avec un arc et des flèches.*

2. *Un arc de triomphe est un monument en forme d'arc.*

■ **arc-en-ciel,** n. m. *Après l'orage, un magnifique arc-en-ciel illuminait le ciel.*

ORTHOGRAPHE

Des arc**s**-en-ciel.

AUTOUR DE

L'arc-en-ciel présente les sept couleurs suivantes : violet, indigo, bleu, vert, jaune, orangé, rouge.

archipel nom masc.

L'archipel est formé d'un ensemble d'îles entourées par la mer.

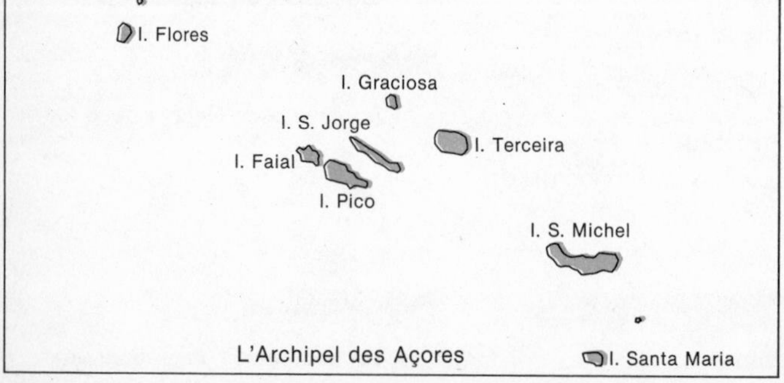

◀ L'archipel portugais des Açores, dans l'océan Atlantique, est situé à environ 1 500 km à l'ouest des côtes du Portugal.

AUTOUR DE

Le Japon est aussi un grand archipel.

A

architecture nom fém.

Préfères-tu l'architecture ancienne du Louvre ou l'architecture moderne du Centre Pompidou ? → l'ensemble de la construction et sa forme.

VOCABULAIRE

L'architecte procède à la construction de différents édifices comme : des pavillons, des immeubles, des ponts, des tunnels, des palais...

ardent, ardente adj.

1. *Il a une nature ardente et se passionne pour tout.* → vive.
2. *En été, il fait très chaud, le soleil est ardent.* → brûlant.

ORTHOGRAPHE

Attention au **t** final.

■ **ardeur,** n. f. *Après sa première victoire, Pascale est pleine d'ardeur pour le championnat de gymnastique.* ≃ élan, entrain.

ardoise nom fém.

1. *Dans l'Ouest et le Nord de la France, beaucoup de toitures sont recouvertes d'ardoises noires ou grises.*
2. *J'écris sur mon ardoise avec une craie.*

arête nom fém.

Quand je mange du poisson, j'enlève soigneusement les arêtes.

AUTOUR DE

L'arête du toit, l'arête du nez.

argent nom masc.

1. *Combien d'argent as-tu dépensé aujourd'hui ?*
2. *Caroline porte à son cou une chaîne en argent.*

EXPRESSIONS

- **Etre à court d'argent.** → ne plus avoir d'argent.
- **Jeter son argent par les fenêtres.** → être très dépensier.

argile nom fém.

Le potier fabrique ses vases avec de l'argile. → de la terre glaise.

arithmétique [aʀitmetik] nom fém. ou adj.

1. n. f. *José connaît les quatre opérations de l'arithmétique : l'addition, la soustraction, la multiplication et la division.*
2. adj. *Des opérations arithmétiques.* → concernant le calcul.

ORTHOGRAPHE

Ari**th**métique, prend un **i** et **th.**

arme nom fém.

Le gendarme porte toujours une arme à son ceinturon.

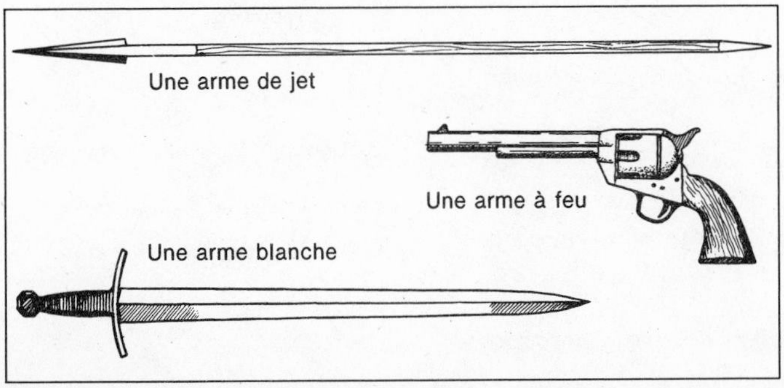

VOCABULAIRE

Il existe plusieurs sortes d'armes :

- Des armes blanches → couteau, épée.
- Des armes à feu → fusil, revolver.
- Des armes de jet → arc, fronde, javelot, lance-pierres.

armée nom fém.

1. *L'armée défile le 14 juillet.* → les troupes militaires.
2. *Mon frère aîné part bientôt à l'armée, il va faire son service militaire.*
3. *Une armée de photographes attendait l'arrivée des actrices au festival de Cannes.* → une foule, un grand nombre, une quantité de.

AUTOUR DE

L'armée française comprend :

- l'armée de terre : l'artillerie, les blindés, le génie, l'infanterie.
- l'armée de l'air : l'aviation.

armoire nom fém.

Jacques range ses vêtements dans l'armoire.

VOCABULAIRE

Une armoire à glace, à linge, à pharmacie, de toilette.

armure nom fém.

Au Moyen Age, les guerriers se protégeaient grâce à des armures. → des cuirasses.

arracher [3] verbe

1. *Le jardinier arrache les mauvaises herbes du jardin.* → il enlève, ôte, retire.
2. *Je n'ai pas pu lui arracher la vérité.* → il n'a pas voulu m'avouer la vérité.

GRAMMAIRE

- *Il a été* **arraché à** *ses occupations.*
- *Il a été* **arraché de** *son sommeil par un grand bruit.*

arranger [19] verbe

1. *Ils ont bien arrangé leur nouvel appartement.*
2. *Ça m'arrangerait que tu viennes demain.* → ça me conviendrait tout à fait.

arrêter [3] verbe

1. *Les policiers ont arrêté le voleur.* → ils ont capturé.
2. *Chaque matin, il arrête sa voiture devant la boulangerie.* → il immobilise, stoppe.

■ **arrêt,** n. m. **1.** *Attends-moi à l'arrêt d'autobus.* **2.** *Une forte pluie a provoqué l'arrêt du match.*

EXPRESSION

Sans arrêt. → de façon continue.

arrière nom masc.

1. *L'arrière du bateau a été enfoncé lors d'un accident en mer.* ≠ l'avant.
2. *L'équipe de France a une bonne ligne d'arrières.* → de défenseurs. ≠ avant.

■ **arrière,** adj. inv. *Les roues arrière, les feux arrière d'une auto.*

EXPRESSIONS

- **Faire marche arrière.** → reculer.
- *Faire deux pas* **en arrière.** → à reculons.

arriver [3] verbe

1. *Mon oncle arrive de Lyon.* → il vient de Lyon.
2. *Ma cousine est arrivée en voiture.* → elle a voyagé en voiture.

■ **arrivée,** n. f. *L'arrivée des coureurs du Tour de France est prévue pour seize heures.*

GRAMMAIRE

- *Il m'arrive* **de** *me perdre.*
- *Il arrive* **que** *l'on se perde.*

arrondir [4] verbe

1. *Arrondissez les lèvres et dites « o ».*
2. *J'arrondis la somme de 14,93 F à 15 F.*

ORTHOGRAPHE

Attention ! deux **r**.

■ **arrondi, e,** adj. *La pomme a une forme arrondie.* → ronde.

art nom masc.

1. *De nombreuses œuvres d'art sont exposées au musée du Louvre.*
2. *Les renards ont l'art de tromper les chasseurs.* ≃ adresse.

VOCABULAIRE

- L'art dramatique → le théâtre.
- Le septième art → le cinéma.
- Les beaux-arts → l'architecture, la peinture, la sculpture, la gravure, la musique, la danse.

artère nom fém.

1. *Dans notre corps, le sang circule dans les artères et les veines.* → dans les vaisseaux sanguins.
2. *Cette grande rue est l'artère principale de la ville.* → la rue principale.

artichaut nom masc.

Certains artichauts peuvent se manger crus.

ORTHOGRAPHE

Attention ! un **t** final.

1. article nom masc.

1. *Ce magasin vend des articles de sport.* → des objets ou vêtements pour le sport.
2. *Le journal local a consacré un article à l'inauguration de notre école.*

VOCABULAIRE

On peut acheter : des articles de chasse (fusils...), des articles de ménage (assiettes...), des articles de pêche (moulinets, hameçons).

2. article nom masc.

Le, la, les, un, une, des, du *sont des articles. Les articles se placent devant les noms.*

GRAMMAIRE

Les articles sont des déterminants.

articulation nom fém.

Le coude est une articulation du bras, le genou est une articulation de la jambe. → une jointure qui unit deux os voisins.

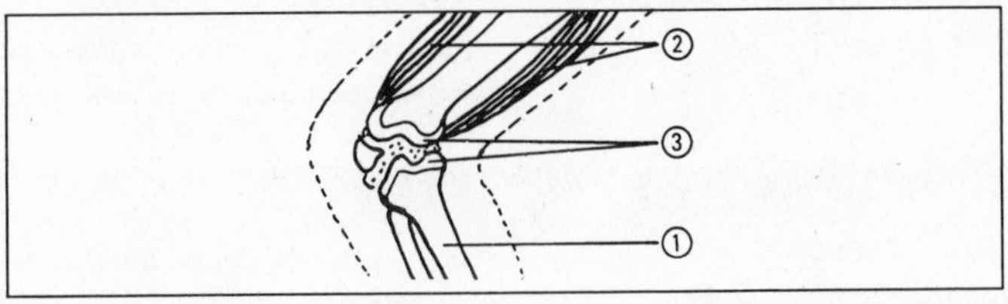

◄ L'articulation du genou.
1. Os.
2. Muscles.
3. Cartilages.

artisan nom masc.

Le cordonnier, le maçon, le garagiste sont des artisans. → ils travaillent pour eux-mêmes avec leurs propres outils.

ORTHOGRAPHE

Un artisan / une femme artisan.

artiste nom masc.

Les sculpteurs, les musiciens, les peintres sont des artistes. → ils pratiquent chacun un art.

as [as] nom masc.

1. *Dans un jeu de cartes, il y a quatre as : l'as de cœur, l'as de carreau, l'as de trèfle et l'as de pique.*
2. *Mon grand-père joue très bien aux échecs : c'est un as.* → un champion, un joueur expérimenté. ≠ débutant, joueur médiocre.

ascenseur nom masc.

Jérôme, qui a huit ans, n'a pas le droit de monter seul dans l'ascenseur.

ORTHOGRAPHE

Attention n'oublie pas le **s** devant le **c** dans a**s**censeur.

aspect [aspɛ] nom masc.

1. *En hiver, les arbres sans feuilles donnent un aspect triste à la forêt.* → un air triste.
2. *Le tissu de jute a un aspect rugueux.* → au toucher, on sent qu'il est rugueux.

ORTHOGRAPHE

Attention ! **ect** pour le son [ɛ] final.

EXPRESSION

A son aspect. → à son allure, à sa façon d'être.

assassin nom masc.

Le tribunal a condamné l'assassin du gardien de nuit. ≃ le criminel, le meurtrier.

■ **assassinat,** n. m. → crime, meurtre. ■ **assassiner,** v. → tuer.

ORTHOGRAPHE

Attention au **t** à la fin de assassinat.

assemblée nom fém.

L'assemblée était nombreuse pour acclamer les vainqueurs. → l'ensemble des personnes.

■ **assembler,** v. *Le charpentier assemble des pièces de bois pour construire une charpente.* ■ **s'assembler,** v. *Le 14 juillet, la foule s'assemble sur la grand-place en attendant le feu d'artifice.* → elle se groupe, se réunit.

VOCABULAIRE

- On convoque des personnes à une assemblée.
- On convoque une assemblée.
- Une assemblée se réunit.

asseoir [8] verbe

Grand-père s'assoit dans son fauteuil et fume sa pipe. ≠ se lever, se redresser.

ORTHOGRAPHE

Attention ! Le **e** de l'infinitif disparaît dans la conjugaison : *je m'assois.*

assez mot inv.

1. *Gérard travaille assez bien.* → plutôt bien.
2. *J'ai assez mangé.* → je suis rassasié.

GRAMMAIRE

- *J'ai* **assez de** *temps pour partir en voyage.*
- *J'en ai* **assez de** *travailler !* → je suis fatigué de travailler.

assiéger [19] verbe

Les troupes de Jules César assiégèrent la place d'Alésia. → elles cernèrent, entourèrent.

VOCABULAIRE

L'assiégeant est celui qui assiège. ≠ L'assiégé : celui qui est cerné de toutes parts.

assiette nom fém.

Dans les assiettes creuses, on verse le potage ; dans les assiettes plates, on sert les autres aliments.

assister [3] verbe

1. *Ce soir, j'ai assisté avec mes parents à un spectacle de cirque.* → j'ai vu.
2. *La secrétaire assiste le directeur de l'école.* → elle aide, collabore avec.
3. *Le médecin vient assister ses malades.* → les secourir, les soigner. ≠ abandonner, délaisser, laisser.

■ **assistance** n. f. **1.** *Le maire a prononcé son discours devant l'assistance attentive.* **2.** *Il faut prêter assistance aux personnes en danger.*

AUTOUR DE

L'assistance sociale est un service qui veille à la santé et à l'hygiène des gens.

association nom fém.

Je fais partie d'une association sportive : tous les mercredis, je fais du football. → un club.

■ **associé, e,** n. m. et f. *Notre médecin a beaucoup de travail : il a décidé de prendre un associé.* → une personne qui l'aide et avec laquelle il partage sa clientèle. ■ **associer,** v. *Mon père a associé son frère à son entreprise de menuiserie.* ≃ unir.

GRAMMAIRE

- *Je m'associe* **à** *un groupe.*
- *Je m'associe* **avec** *un ami.*

assurance nom fém.

1. *Pour ton anniversaire, tu peux avoir l'assurance que je serai là.* → être sûr que.
2. *Avec assurance, le candidat a bien répondu à toutes les questions posées.* → avec fermeté, confiance en soi.
3. *Papa a pris une assurance scolaire pour me garantir contre les accidents.* → il a signé un contrat avec une compagnie d'assurances.

■ **assurer,** v. **1.** *L'assureur assure une personne contre le vol.* **2.** *C'est Michel qui assurera le transport des enfants à la campagne.* → qui en sera chargé.

AUTOUR DE

- On est obligé d'assurer son logement contre l'incendie, le dégât des eaux. On peut aussi l'assurer contre le vol.
- Le propriétaire d'une auto ou d'une moto doit aussi prendre une assurance.

astre nom masc.

Le Soleil, la Lune, les étoiles, les comètes sont des astres.

■ **astronaute** [astrɔnot], n. m. *Neil Armstrong est le premier astronaute à avoir marché sur la Lune.* → un voyageur de l'espace. ≃ cosmonaute, spationaute.

ORIGINE

Astre vient du latin astrum : astre, étoile. On retrouve cette racine dans astérisque (*), petit signe en forme d'étoile que l'on rencontre dans les livres.

◄ Le 21 juillet 1969, l'américain Neil Amstrong pour la première fois, foule le sol lunaire.

atelier nom masc.

Le menuisier confectionne des meubles, des escaliers dans son atelier.

athlète [atlɛt] nom masc.

Aux jeux Olympiques, chaque pays envoie ses meilleurs athlètes. → des sportifs.

■ **athlétisme,** n. m. *L'athlétisme comprend : les courses de vitesse, les lancers (poids, disque, javelot, marteau) et les sauts.*

ORTHOGRAPHE

Attention ! un **h** après le **t**.

atmosphère [atmɔsfɛʀ] nom fém.

1. *L'atmosphère terrestre est une couche de gaz de 60 km d'épaisseur environ.*
2. *Dans cette pièce, tout le monde fume : l'atmosphère est devenue irrespirable.* → l'air.
3. *Dans cette classe, règne une bonne atmosphère.* → une bonne ambiance. ≃ climat.

ORTHOGRAPHE

Attention ! **ph.**

atome nom. masc.

L'atome représente la plus petite partie d'un élément : l'eau est formée d'atomes d'hydrogène et d'atomes d'oxygène.

■ **atomique,** adj. *Une bombe atomique.*

ORIGINE

Ce mot signifiait : qu'on ne peut couper, diviser.

attacher [3] verbe

1. *En voiture, on doit attacher sa ceinture de sécurité.* → boucler. ≠ défaire, dénouer, détacher.
2. *Laurent attache solidement le paquet-poste avant de l'expédier.* → il ficèle, lie.
3. *Sophie est attachée à l'ordre et à la propreté dans sa maison.* → elle aime, elle tient à. ≠ se désintéresser.

GRAMMAIRE

- *Il attache la caravane* **à** *sa voiture.*
- *Elle attache une fleur* **au** *revers de sa veste.*

attaquer [3] verbe

1. *Dans ce western, les Indiens attaquent une diligence.* → ils arrêtent, prennent. ≠ défendre, protéger.
2. *C'est Bertrand qui a attaqué le premier ; moi je me suis défendu.* → qui m'a agressé.
3. *Ce vieux bateau est attaqué par la rouille.* ≃ ronger.
4. *Laure attaque son travail avec ardeur.*

■ **attaque,** n. f. *Les pirates ont lancé une attaque contre un navire marchand.*

EXPRESSION

Attaquer un plat (fam.). → l'entamer.

atteindre [25] verbe

1. *Le tireur a atteint la cible en plein milieu.* → il a touché, a fait mouche.
2. *Ces injures ne m'ont pas atteint.* → elles ne m'ont pas blessé, vexé.

GRAMMAIRE

D'autres verbes se conjuguent comme **atteindre** : éteindre, feindre, geindre, peindre, teindre.

attendre [31] verbe

1. *Chaque matin, Lise attend l'autobus devant la station.* ≃ patienter.
2. *J'attends impatiemment votre coup de téléphone.* → j'espère, je souhaite.

■ **attente,** n. f. **1.** *Cette attente a été longue et pénible.* **2.** *Ces résultats ont répondu à notre attente.* → ils ont été tels que nous espérions.
■ **s'attendre,** v. *Je ne m'attendais pas à un accueil si chaleureux.*

GRAMMAIRE

- *Je m'attends* **à** *sa venue.*
- *Je m'attends* **à ce qu'***il vienne,* ou *j'attends* **qu'***il vienne.*

attentif, attentive adj.

Jacques est un élève attentif : il écoute tout ce que dit le maître. ≠ distrait, étourdi, inattentif.

■ **attention,** n. f. *Fais attention en traversant la rue !* → prends garde, regarde bien.

atterrir [4] verbe

L'avion en provenance de New York vient d'atterrir sur la piste de l'aérodrome. → de se poser, de toucher le sol. ≠ décoller, partir, s'envoler.

ORTHOGRAPHE

Attention : deux **t** et deux **r.**

attirer [3] verbe

Ce spectacle attire une foule nombreuse. → il fait venir. ≠ éloigner, repousser.

EXPRESSIONS

- **Attirer l'attention sur.** → faire remarquer que.
- **Attirer dans un piège.** → faire tomber dans un piège.

attitude nom fém.

1. *Quelle attitude sérieuse !* ≃ maintien.
2. *Tu as été grossier envers lui : ton attitude est inqualifiable.* → ta conduite, ta tenue.

attraper [3] verbe

1. *Roger attrape les papillons avec un filet.* → il capture, emprisonne, prend, saisit.
2. *En jouant au « chat et à la souris », Catherine a attrapé son frère Pierre.* → elle a capturé, pris.
3. *Ta farce a réussi : j'ai été bien attrapé.* → j'ai été surpris, trompé.
4. *Cet hiver, j'ai attrapé une bonne angine.* → j'ai été atteint de.

ORTHOGRAPHE

Attraper prend deux **t** et un **p.**

AUTOUR DE

Les farces et attrapes sont des objets faits pour « attraper », c'est-à-dire tromper des personnes. Ex. : un camembert qui fait de la musique.

attribut nom masc.

Jocelyne est jolie : « jolie » est attribut du sujet « Jocelyne ».

■ **attribuer,** v. *On a attribué le surnom de « Patty » à ma chienne.* → on a donné.

GRAMMAIRE

Avec les verbes d'état : être, sembler, paraître, devenir, rester, avoir l'air..., les adjectifs sont attributs du sujet et s'accordent avec lui : l'enfant est peti**t,** les enfants sont peti**ts.**

aube nom fém.

Le cultivateur se lève à l'aube chaque matin. → au point du jour, de bon matin.

aucun, aucune adj. et pron.

1. adj. *Laurent est tellement gentil qu'il n'a aucun ennemi.* → nul, pas un.

2. pron. *Jean croyait attraper des poissons à la pêche, mais il n'en a pris aucun.* → pas un seul.

GRAMMAIRE

- Aucun, aucune est toujours au singulier : **aucune** *feuille,* **aucun** *oiseau.*
- Aucun est toujours accompagné de **ne** dans une phrase : **aucun** *homme* **ne** *vient.*

audace nom fém.

Pleins d'audace, les alpinistes ont escaladé la paroi dangereuse de ce pic.

■ **audacieux, euse,** adj. *Zorro est un héros très audacieux, qui vient au secours des plus faibles.* → courageux, hardi, vaillant. ≠ lâche, peureux, poltron.

audiovisuel, audiovisuelle adj.

En classe, ma sœur apprend l'anglais grâce à une méthode audiovisuelle.

■ **audiovisuel,** n. m. *La publicité se sert de l'audiovisuel pour transmettre ses messages.*

ORIGINE

Audiovisuel est formé de 2 mots : audio (qui se rapporte à l'ouïe, à l'oreille) et visuel (qui se rapporte à la vue, aux yeux).

auditeur, auditrice nom masc, nom fém.

Jean-Michel écoute souvent des émissions de radio : c'est un fidèle auditeur.

augmenter [3] verbe

1. *Le prix de l'essence augmente très régulièrement.* → il croît. ≠ baisser, diminuer.

2. *Le directeur a augmenté le salaire de ses employés.* → il les paye davantage.

■ **augmentation,** n. f. *D'une année à l'autre, il y a eu une forte augmentation du prix du pain.* → une forte hausse.

VOCABULAIRE

- Accroître → augmenter progressivement.
- Amplifier → augmenter en quantité.
- Élargir → augmenter en largeur.
- Étendre → augmenter en surface.
- Grossir → augmenter en poids, en volume.

aujourd'hui mot inv.

1. *Aujourd'hui, mercredi, je ne vais pas en classe.*

2. *Les hommes d'aujourd'hui vivent beaucoup plus longtemps que leurs ancêtres.* → de notre époque. ≠ du passé, d'autrefois.

ORTHOGRAPHE

N'oublie pas l'apostrophe après le d : aujour**d'**hui.

aurore nom fém.

Je me suis levé à l'aurore : j'ai vu le soleil se lever. ≃ à l'aube.

ausculter [ɔskylte] [3] verbe

Le médecin ausculte Marc avec son stéthoscope. → il écoute le bruit du cœur.

ORIGINE

Ausculter vient du verbe latin auscultare, écouter.

aussi mot inv.

1. *Jean-François est aussi grand que sa sœur Viviane.*
2. *Lui aussi aime lire et aller au cinéma !* → également.
3. *Il est très gentil, aussi se fait-il beaucoup d'amis.* → donc, par conséquent.

GRAMMAIRE

- *Il est* **aussi** *fort* **que** *courageux.*
- *Il travaille* **aussi bien** *qu'il peut.*
- *Il dort* **aussi peu** *qu'avant.*

aussitôt mot inv.

J'ai sifflé mon chien : aussitôt, il est arrivé. → immédiatement, tout de suite.

GRAMMAIRE

- *Il est venu* **aussitôt** *qu'il a pu.* → dès qu'il a pu.
- *Je me lèverai* **aussi tôt** *que toi.* → à la même heure que toi.

autant mot inv.

Pierre a autant de billes que Jacques. → le même nombre, la même quantité.

GRAMMAIRE

Autant se construit avec **d'** : d'autant que, d'autant plus, d'autant moins, d'autant mieux que...

auteur nom masc.

Jules Verne est l'auteur du « Tour du Monde en 80 jours ».

ORTHOGRAPHE

Un auteur / une femme auteur.

automobile nom fém.

Au Salon de l'automobile, j'ai admiré les derniers modèles sortis. → les nouvelles voitures.

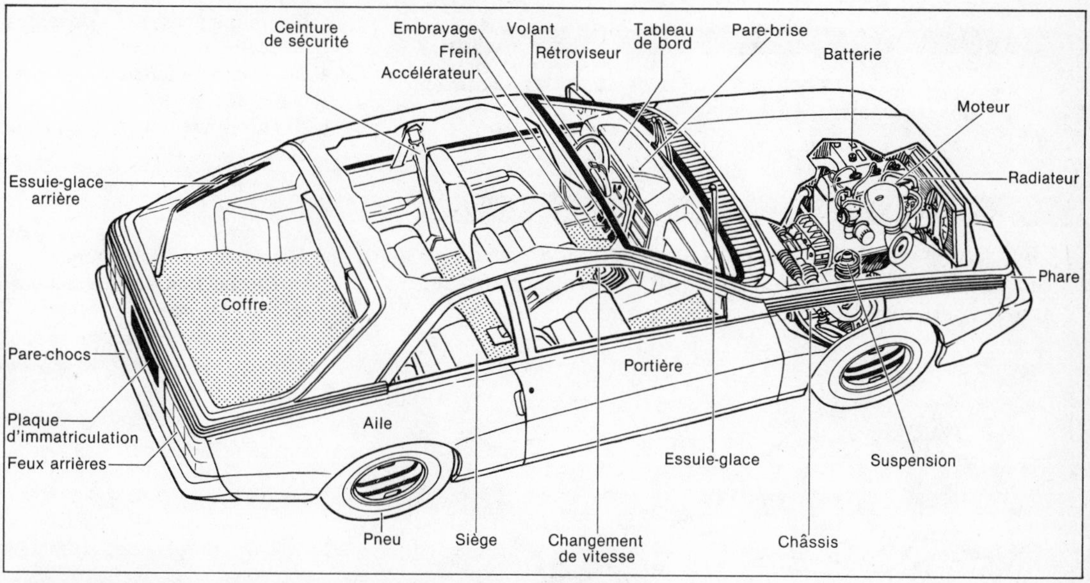

automatique adj.

Dans ce magasin, l'ouverture et la fermeture des portes sont automatiques. → elles s'effectuent seules, mécaniquement.

automne nom masc.

En automne, les feuilles jaunies se détachent des arbres et tombent sur le sol.

AUTOUR DE

L'automne commence le 21, 22 ou 23 septembre et s'achève le 21 ou 22 décembre.

autoriser [3] — verbe

Gilles m'autorise à prendre sa bicyclette pour aller à la piscine. → il me permet de. ≠ interdire.

■ **autorisation,** n. f. *J'ai l'autorisation de mes parents pour aller avec toi au cinéma ce soir.* → la permission.

VOCABULAIRE

Accorder, demander, donner, refuser une autorisation.

autorité — nom fém.

Ce maître a de l'autorité sur sa classe. → il sait se faire obéir.

autoroute — nom fém.

Pour aller en vacances, nous circulons beaucoup plus vite en empruntant l'autoroute.

AUTOUR DE

Il y a en France, aujourd'hui, plus de 5 000 km d'autoroute.

autour — mot inv.

Des satellites tournent autour de la Terre.

1. autre — pron.

1. *« Tu as mangé ta tartine : en veux-tu une autre ? »*
2. *Certains enfants rentrent en classe, d'autres continuent de jouer.*

2. autre — adj.

1. *Elle s'est fait d'autres camarades pendant ses vacances.* → de nouveaux camarades.
2. *Ses autres amis sont partis.* → le reste de.

EXPRESSIONS

- **L'autre jour.** → il y a quelque temps.
- **Autre part.** → dans un autre lieu.
- **De temps à autre.** → de temps en temps.
- **De part et d'autre.** → de chaque côté.
- **Ni l'un ni l'autre.** → aucun des deux.

autrefois — mot inv.

Autrefois, le monde était peuplé d'animaux géants comme les dinosaures. → il y a bien longtemps. ≃ jadis. ≠ actuellement, aujourd'hui, de nos jours, maintenant.

GRAMMAIRE

- **Autrefois,** *j'habitais Nancy.*
- **Une autre fois,** *je vous raconterai mon voyage en Irlande.*

◄ Trois animaux préhistoriques :

1. Le diplodocus, long de 25 mètres, vécut en Amérique.

2. Le mammouth, sorte d'énorme éléphant, possédait un pelage laineux et des défenses énormes de 3,50 m.

3. Le stégosaure vécut en Amérique, il mesurait 7 mètres de long.

autrement mot inv.

1. *Fais vite, autrement tu vas manquer ton train.* ≃ sinon.
2. *Robert a pris l'avion, mais Nicole a voyagé autrement : elle a pris le bateau.* → de manière différente, d'une autre façon.

aval nom masc.

1. *Le bateau suit le courant en aval jusqu'à l'embouchure.* ≠ amont (vers la source).
2. *Nantes est en aval de Tours sur la Loire.* → plus près de l'embouchure que. ≠ en amont de, plus près de la source que.

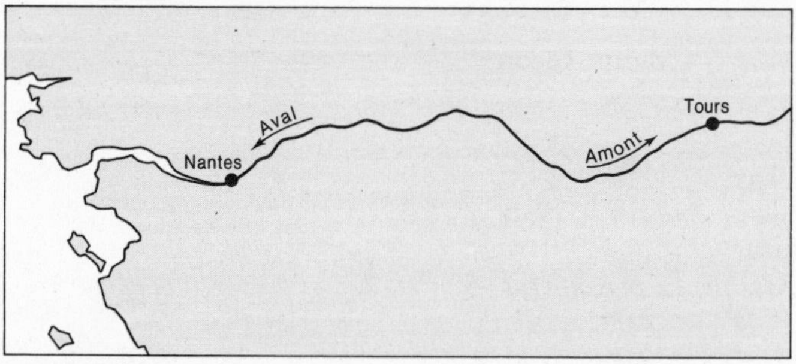

avalanche nom fém.

En montagne, des skieurs imprudents ont été emportés par une avalanche de neige.

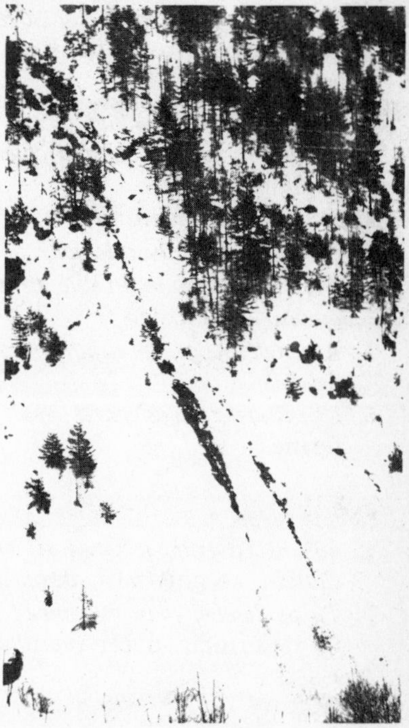

L'avalanche est une grande masse de neige qui se détache et glisse vers la vallée.

avaler 3 verbe

1. *N'avale pas tes aliments sans les mâcher !*
2. *Quel naïf ! Il avale tout ce qu'on lui raconte* (fam.). → il croit.

ORTHOGRAPHE

Nous avalons, vous avalez.

avancer 26 verbe

1. *Avancez d'un pas !* ≠ reculer.
2. *La pendule avance de cinq minutes.* ≠ retarder.

■ **avance,** n. f. **1.** *Pendant la bataille, l'avance rapide de nos troupes inquiétait l'ennemi.* **2.** *François est toujours en avance pour partir à l'école.* → il est prêt avant l'heure. ≠ en retard. **3.** *A l'avance, je te remercie de faire cette commission pour moi.* ■ **s'avancer,** v. **1.** *Un passant s'avança vers moi pour me demander l'heure.* ≠ s'éloigner. **2.** *Si tu veux t'avancer dans ton travail, fais ta rédaction aujourd'hui.* → prendre de l'avance.

ORTHOGRAPHE

J'avance, nous avançons.

EXPRESSIONS

- **Une heure avancée de la nuit.** → très tard dans la nuit.
- **Ça n'avance à rien.** → c'est inutile.

avant mot inv.

1. *Guy est arrivé avant moi à l'école.* → plus tôt que.
2. *La gare se trouve avant la mairie.* ≠ après.
3. *Marc est classé avant moi en mathématiques.* → il a un meilleur classement que moi.
4. *Avant, il n'y avait pas de trains, on se déplaçait en diligence.* → autrefois, dans le temps passé, jadis.
5. *En avant ! Marche !*

GRAMMAIRE

- *J'ai beaucoup hésité* **avant de** *venir.*
- *Prépare-toi vite* **avant qu'***elle n'arrive* (ou *avant son arrivée*).

avantage nom masc.

Jean est plus grand que moi : c'est un avantage pour jouer au volley-ball. ≠ inconvénient.

avec mot inv.

1. *Je me promène avec mon chien.* → en compagnie de. ≠ sans.
2. *Je ne suis pas d'accord avec lui.* → du même avis que.
3. *Le coq se lève avec le jour.* → en même temps que.
4. *Avec un crayon mal taillé, tu ne feras pas de jolis dessins.* → au moyen de.
5. *Avec cette neige, les enfants ne sont pas sortis !* → à cause de.
6. *L'instituteur nous parle avec fermeté.* → d'une façon ferme.

GRAMMAIRE

- *Il s'est marié* **avec** *ma sœur.*
- *Il a confondu son cahier* **avec** *le mien.*
- *Il a mélangé du sable* **avec** *de l'eau.*

avenir nom masc.

1. *« Dans l'avenir, je voudrais être garde forestier », disait Claude.* → plus tard, dans le futur.
2. *Tu as désobéi et tu es tombé ! A l'avenir, tu m'écouteras.* → désormais, dorénavant.

aventure nom fém.

1. *Alexandre Dumas a écrit beaucoup de livres d'aventures.*
2. *L'ascension de l'Everest fut une grande aventure.* → un exploit.

■ **s'aventurer,** v. *Il s'aventure sur une route dangereuse.* → il se risque.

EXPRESSIONS

- **Dire la bonne aventure.** → prédire l'avenir, le futur à quelqu'un.
- **Marcher à l'aventure.** → au hasard, vers l'inconnu.

averse nom fém.

Nous avons été surpris par une violente averse alors que nous nous promenions. → une pluie soudaine, subite.

aveugle nom masc. ou fém., adj.

L'aveugle se déplace avec une canne blanche ou avec son chien.

■ **aveugler,** v. *Ce soleil éclatant m'aveugle.*

EXPRESSIONS

- **Avoir une confiance aveugle** (dans ou en quelqu'un). → totale.
- **Agir aveuglément.** → sans réfléchir.

aviateur, aviatrice nom masc., nom fém.

Mermoz fut un aviateur célèbre. → un pilote d'avion.

« L'arc-en-ciel » était le nom de l'avion de Mermoz.

Mermoz.

aviation nom. fém.

Mon frère est un passionné d'aviation. → de tout ce qui concerne les avions.

■ **avion,** n. m. *Je prendrai l'avion pour me rendre à New York.*

VOCABULAIRE

Dans un avion, un pilote, un copilote, un mécanicien, un radio, des hôtesses ou des stewards composent l'équipage.

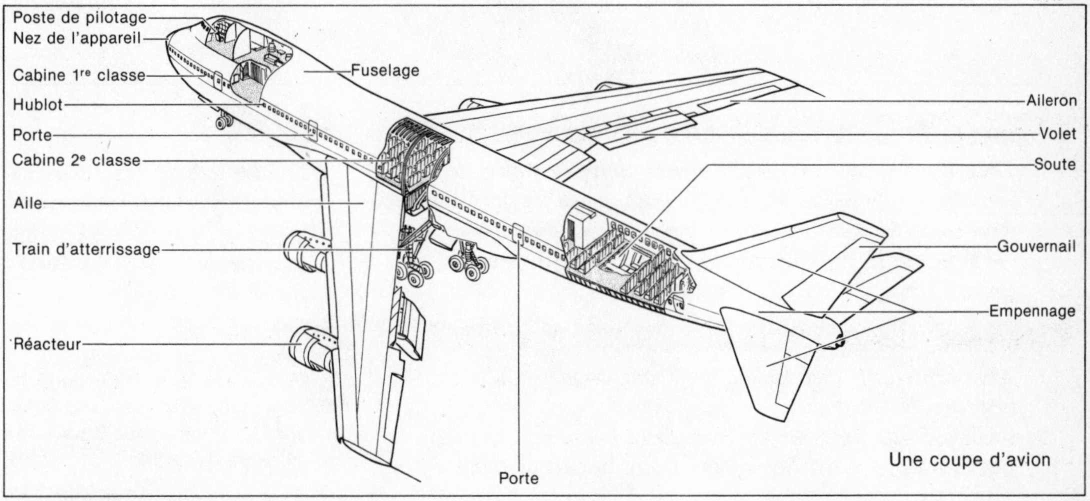

Une coupe d'avion

avis nom masc.

1. *Donne-moi ton avis sur ce dessin.* → dis-moi ce que tu penses de. ≃ opinion.
2. *A la porte des mairies, on affiche des « avis ».* → des informations écrites.

EXPRESSIONS

- **Être de mon (ton, son) avis.** → être d'accord avec moi (toi, lui ou elle).
- **Demander l'avis de quelqu'un.** → ce qu'il pense.

avocat, avocate nom masc., nom fém.

Au tribunal, l'avocat défend les accusés.

ORTHOGRAPHE

Attention au **t** final.

avoir [1] verbe

1. *Yvan a une maison à la montagne.* → il possède.
2. *« Quel âge as-tu ? – J'ai 10 ans. »*
3. *La Seine a 752 km de long.* → elle mesure.
4. *J'ai mal !* → j'éprouve une douleur.
5. *Je n'ai pas le temps de te parler, je suis pressé.* → je ne dispose pas de temps.
6. *Louise doit travailler pour avoir de bons résultats.* → obtenir.
7. *J'ai eu cette moto à un bon prix.* → j'ai obtenu, acheté, acquis.

GRAMMAIRE

J'**ai** chanté, j'**avais** chanté, j'**aurai** chanté → le verbe **avoir** sert d'auxiliaire à de nombreux verbes pour former leurs temps composés.

EXPRESSIONS

- **Il y a** *des oiseaux dans l'arbre.*
- **Elle a l'air.** → elle semble, elle paraît.

avouer [3] verbe

Fabien avoue qu'il a pris mes billes. → il reconnaît. ≠ nier.

ORTHOGRAPHE

J'avouerai → le **e** de la finale -erai au futur est muet.

Bb

bagage nom masc.

1. *Tous les bagages ne tiendront pas dans le coffre de la voiture.* → l'ensemble des valises, sacs et paquets.
2. *Avec un tel bagage, il est sûr de trouver une bonne situation.* → avec de telles connaissances, de tels diplômes.

EXPRESSIONS

- *La pluie tombe, il faut* **plier bagage.** → il faut partir rapidement.
- *L'ennemi se retira* **avec armes et bagages.** → sans rien laisser.

baguette [bagɛt] nom fém.

1. *Avec son canif, Pierre s'est taillé une baguette dans une branche de roseau.*
2. *François joue du tambour avec deux baguettes.* → deux petits bâtons dont on se sert pour battre la peau du tambour.
3. *Le chef d'orchestre dirige ses musiciens avec sa baguette.* → un petit bâton qu'il tient à la main.
4. *Va chez le boulanger m'acheter une baguette.* → un pain long et mince.

EXPRESSIONS

- *Croyez-vous que,* **d'un coup de baguette,** *on puisse tout arranger ?* → comme avec la baguette magique d'une fée.
- *Dans cette entreprise, tout* **marche à la baguette.** → en obéissant sans discussion aux ordres.

baigner 3 verbe

1. *Le matin, la puéricultrice baigne les bébés.* → elle leur fait prendre un bain.
2. *Des mers poissonneuses baignent les côtes de l'Alaska.* → elles les bordent.

■ **se baigner,** v. *L'eau est si froide que je n'ai guère envie de me baigner.* → de prendre un bain.

Une grande famille :
baignade
baigner
baigneur
baignoire

bain

bâiller 3 verbe

Tu ne cesses de bâiller, il est temps de te mettre au lit.

■ **bâillement,** n. m. *En regardant ce film ennuyeux, Pierre étouffait des bâillements.*

ORTHOGRAPHE

Bâiller prend un accent circonflexe sur le **a**.

bain nom masc.

Après une journée fatigante, rien de tel qu'un bon bain.

EXPRESSION

Se mettre dans le bain. → s'habituer.

baiser nom masc.

François donne un baiser à sa grand-mère. → il embrasse.

EXPRESSION

Couvrir de baisers. → embrasser de nombreuses fois.

B

baisser [3] verbe

1. *Quand le seigneur rentrait de la chasse, on baissait le pont-levis.* → on le descendait. ≠ lever.
2. *Honteux, le tricheur baissait la tête.* → il la tenait penchée.
3. *Le prix de l'essence ne baissera pas cette année.* → il ne diminuera pas. ≠ augmenter.
4. *Grand-père a la vue qui baisse.* → qui faiblit.

■ **baisse,** n. f. *On enregistre une baisse de la température.* ≠ augmentation, élévation, hausse. ■ **se baisser,** v. *Le jardinier se baisse pour ramasser les mauvaises herbes.* → il se penche.

EXPRESSION

Même après plusieurs échecs, je ne l'ai jamais vu **baisser les bras.** → abandonner.

balance nom fém.

Les balances modernes indiquent à la fois le poids de la marchandise et le prix à payer.

■ **balancer,** v. *Jean, assis sur le petit mur, s'amuse à balancer ses jambes dans le vide.* → à agiter. ■ **balançoire,** n. f. *Viens jouer sur la balançoire.* ■ **se balancer,** v. *Le bateau se balançait au gré des vagues.* → il allait d'un bord et de l'autre.

EXPRESSION

Je m'en balance ! (fam.). → je m'en moque !

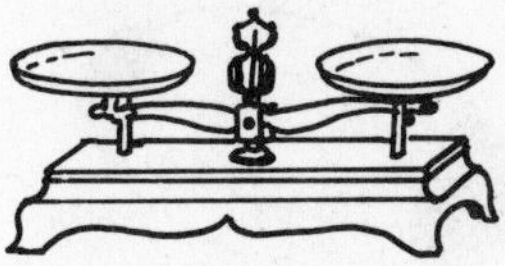

balayer [balɛje] [21] verbe

1. *L'apprenti a rangé les outils et balayé l'atelier.* → il a nettoyé le sol avec un balai.
2. *Un grand coup de vent balaie les nuages.* → il les chasse, les disperse.
3. *De puissants projecteurs balayaient le ciel.* → leurs faisceaux lumineux se déplaçaient dans le ciel.

baleine nom fém.

La baleine est un mammifère marin, le plus gros des animaux vivants ; son petit s'appelle le baleineau.

◄ Une baleine.
Sa mâchoire supérieure est munie de *fanons*, sorte de lame de corne atteignant jusqu'à 2 m de long.

AUTOUR DE

La baleine peut atteindre 20 m de long et peser jusqu'à 100 tonnes. La baleine fut chassée dès le Moyen Age pour sa graisse et sa chair. De nos jours, et pour protéger l'espèce, la chasse à la baleine est sévèrement réglementée.

balle — nom fém.

1. *Dans la cour, on voit des enfants sauter à la corde et jouer à la balle.*

2. *A la fête, Paul a placé trois balles au centre de la cible.* → trois projectiles d'une arme.

EXPRESSIONS

- **Saisir la balle au bond.** → saisir l'occasion.
- **Un enfant de la balle.** → né dans le monde du cirque.

ballon — nom masc.

1. *A la sortie de l'école, nous courons jouer au ballon dans le parc.*

2. *Deux Américains ont réussi la traversée de l'Atlantique en ballon.*

3. *Le ballon de Guebwiller, haut de 1 425 mètres, se trouve en Alsace.* → un mont à la forme arrondie.

AUTOUR DE

En 1793, les frères Montgolfier firent s'élever un ballon gonflé à l'air chaud, qu'ils avaient baptisé montgolfière.

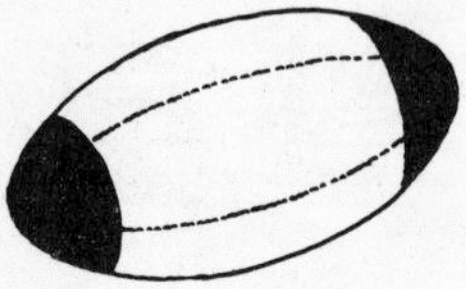

① Un ballon de rugby

② Un ballon de football

③ Une montgolfière

banc — nom masc.

1. *Assises sur les bancs du jardin public, les mamans surveillent les jeux des enfants.*

2. *De nombreux bancs de sable encombrent le lit de la Loire.* → des amas de sable de forme allongée.

3. *Le chalutier vient de découvrir un banc de harengs.* → un grand nombre de harengs se déplaçant en groupe.

EXPRESSION

Paul et Jacques **étaient sur les bancs de l'école** *ensemble.* → ils étaient à l'école ensemble.

1. bande — nom fém.

L'infirmière place une bande au poignet du blessé. → un long pansement de tissu de petite largeur.

■ **bandage,** n. m. *Le médecin fait un bandage autour de la cheville foulée.* ■ **bander,** v. **1.** *Jouons à colin-maillard : je vais te bander les yeux.* → te mettre un bandeau. **2.** *Il a bandé ma cheville foulée.* → il l'a entourée d'un bandage.

GRAMMAIRE

Ils se sont, elles se sont **bandé** les yeux.

AUTOUR DE

Le magnétoscope permet l'enregistrement des sons et des images sur une bande magnétique.

2. bande — nom fém.

Une bande de jeunes enfants ont saccagé mon potager. → un groupe d'enfants.

EXPRESSION

Faire bande à part. → se tenir à l'écart des autres.

banlieue — nom fém.

Mes cousins habitent un pavillon dans la banlieue de Toulouse. → dans une commune proche de Toulouse.

ORIGINE

Au 13ᵉ siècle la banlieue désignait l'espace d'une lieue (4 km) autour d'une ville.

B

banque nom fém.

Au lieu de garder de l'argent à la maison, Maman le dépose à la banque. → endroit où l'on peut déposer ou retirer de l'argent.

AUTOUR DE

La banque du sang recueille le sang des donneurs pour des transfusions à des malades ou à des blessés.

banquise nom fém.

Autour du pôle Nord, l'océan Arctique est en grande partie couvert par la banquise. → une couche épaisse de glace formée par l'eau de mer gelée.

AUTOUR DE

A la fin de la saison froide, une partie de la banquise se disloque en blocs de glace, parfois énormes : des icebergs.

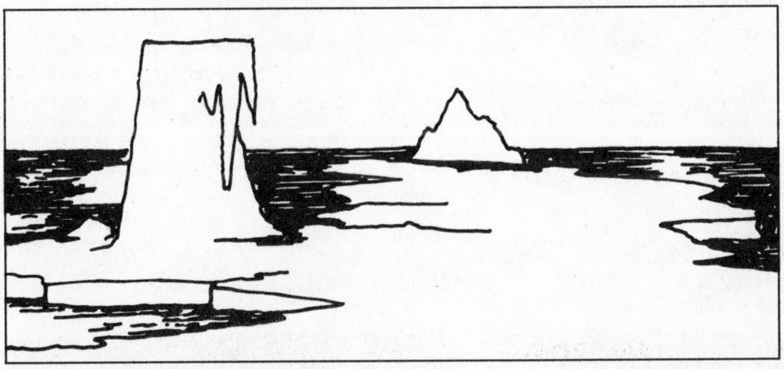

barque nom fém.

Cet après-midi, nous irons faire une promenade en barque sur le lac. → dans un petit bateau, généralement à rames.

EXPRESSION

Savoir mener sa barque. → savoir diriger une affaire.

barrage nom masc.

1. *Haut de 122 mètres, le barrage de Serre-Ponçon, dans les Alpes, retient plus d'un milliard de mètres cubes d'eau.*
2. *La voiture des gangsters est arrêtée par un barrage de police.* → la police leur barre la route.

ORTHOGRAPHE

Barrage prend deux **r**.

barre nom fém.

1. *Les portes du château étaient fermées par une lourde barre de chêne.*
2. *A l'entrée dans le port, le pilote prit lui-même la barre.* → il gouverna le bateau.

VOCABULAIRE

Barre fixe, barres parallèles → agrès (appareils) pour faire des exercices de gymnastique.

barrer 3 verbe

1. *En raison des travaux, on a barré notre rue.* → on l'a fermée à la circulation. ≠ ouvrir.
2. *Corrigez votre devoir en barrant les erreurs.* → en les rayant.

barrière nom fém.

1. *Le berger conduit les moutons dans l'enclos, puis ferme la barrière.* → la clôture.
2. *Les Pyrénées forment une barrière naturelle entre la France et l'Espagne.* → un obstacle.

ORTHOGRAPHE

N'oublie pas les deux **r** comme dans barre.

bas, basse — adj.

1. *Pierre est mal installé pour écrire : son siège est trop bas.* ≠ haut.
2. *Ce commerçant pratique les prix les plus bas du quartier.* ≠ élevé.

■ **bas,** n. m. *Marie a sali le bas de sa robe.* ■ **bas,** mot inv. **1.** *Les hirondelles volent bas : il va pleuvoir.* ≠ haut. **2.** *Parlez plus bas !* → moins fort.

EXPRESSIONS

- *La nourrice garde des enfants* **en bas âge.** → des enfants très jeunes.
- **Parler à voix basse.** → parler en chuchotant.
- **Avoir la vue basse.** → voir mal.

base — nom fém.

1. *Dans les temples grecs, la base des colonnes était très large.* → le pied.
2. *Le triangle possède une base, et le trapèze, deux bases : la petite et la grande bases.*
3. *Ce meuble est entièrement blanc avec une rayure noire à la base.* → au bas.
4. *Sa mission accomplie, l'aviateur regagne sa base.* → l'aérodrome où il est stationné.

EXPRESSION

Cette orangeade est faite **à base de** *produits naturels.* → avec des produits naturels principalement.

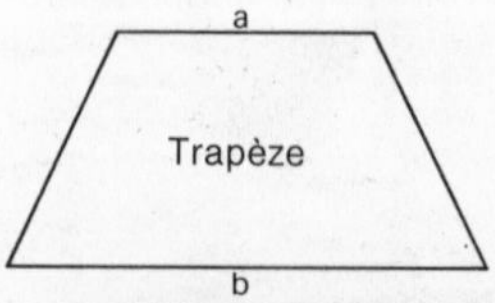

a Petite base
b Grande base

bassin — nom masc.

1. *Les enfants font naviguer leurs petits bateaux sur l'eau du bassin.*
2. *Mon père a amarré son bateau dans le bassin du port.* → la partie abritée du port.
3. *On prévoit des orages sur le Bassin parisien.* → vaste région en forme de cuvette.
4. *Mon oncle s'est fracturé un os du bassin en tombant d'un escabeau.* → la partie inférieure du tronc.

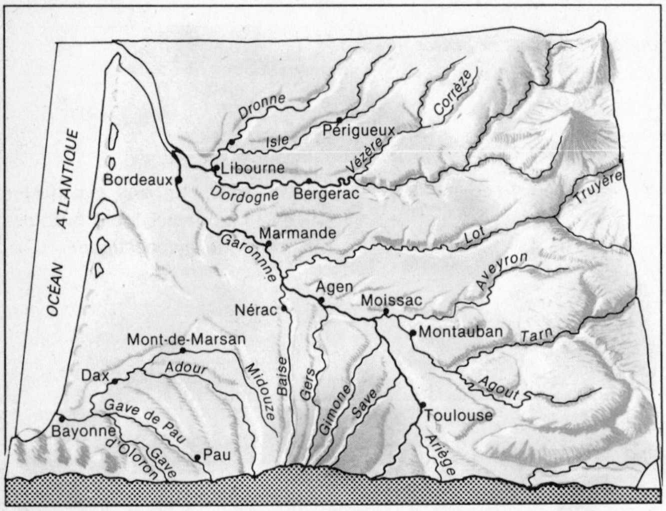

◄ Le Bassin Aquitain est bordé à l'ouest par l'océan Atlantique ; au sud, il est limité par la frontière espagnole.

bataille — nom fém.

1. *L'hiver, nous organisons de joyeuses batailles de boules de neige.* ≃ combat.
2. *Sais-tu jouer à la bataille ?* → un jeu de cartes aux règles simples.

EXPRESSIONS

- **Un champ de bataille.** → un lieu où se déroule une bataille.
- *Gilles a les cheveux* **en bataille.** → en désordre.

B

bateau nom masc.

Pour aller en Corse, nous prendrons le bateau à Marseille.

◄ 1. Un paquebot.
2. Un cargo.
3. Une péniche

ORTHOGRAPHE

Des bat**eaux.**

VOCABULAIRE

Le cargo transporte des marchandises sur mer, le paquebot transporte des voyageurs, la péniche transporte des marchandises sur les fleuves et les canaux.

bâtiment nom masc.

1. *J'habite dans le plus grand bâtiment de cette résidence.* ≃ construction, immeuble.
2. *Plus tard, je serai marin sur un bâtiment de la marine marchande.* → sur un navire.

ORTHOGRAPHE

Bâtiment prend un accent circonflexe comme **bâtir.**

bâtir [4] verbe

1. *Mes parents aimeraient pouvoir faire bâtir un pavillon.* ≃ construire. ≠ démolir, détruire.
2. *Maman a fini de bâtir sa robe.* → d'assembler les morceaux de tissu avant de les coudre définitivement.

VOCABULAIRE

On peut construire une maison, bâtir un pont, édifier un monument, ériger un édifice, élever une tour...

bâton nom masc.

Lorsqu'il va chercher des champignons, grand-père emporte un bâton pour écarter les touffes d'herbe.

EXPRESSION

Parler à bâtons rompus. → parler de différents sujets sans ordre.

battre [9] verbe

1. *On peut très bien dresser son chien sans le battre.* → sans le frapper. ≃ taper.
2. *Michel a battu son père aux échecs.* → il a gagné la partie. ≃ vaincre.
3. *Séparez les blancs des jaunes et battez-les en neige.* ≃ fouetter.
4. *Les chasseurs battaient la plaine à la recherche des lièvres.* → ils la parcouraient en tous sens.
5. *J'ai eu peur et je sens mon cœur qui bat très fort.* → qui palpite.

EXPRESSIONS

- **Battre des mains.** → applaudir.
- **Battre les cartes.** → les mélanger.
- *L'ennemi* **bat en retraite.** → il s'enfuit.
- *La fête* **bat son plein.** → elle est très animée.

■ **battement,** n. m. **1.** *Luc nagera bien le crawl quand ses battements de jambes seront plus réguliers.* ≃ mouvement. **2.** *Je vous laisse cinq minutes de battement entre ces deux exercices.* → d'intervalle. **3.** *En prenant mon pouls, le docteur compte les battements de mon cœur.* → les palpitations. ■ **se battre,** v. *Nous avons perdu, mais notre équipe s'est bien battue.* ≃ combattre, lutter.

bavarder 3 verbe

Maman s'arrête pour bavarder avec la voisine. → pour parler de choses et d'autres. ≃ discuter.

■ **bavard, e,** adj., n. m. et f. *Que cet élève est bavard ! Quelle bavarde !* ■ **bavardage,** n. m. *Quand cesserez-vous vos bavardages ?*

EXPRESSION

Etre bavard comme une pie. → être très bavard.

beau, belle adj.

1. *Avez-vous visité ce très beau village au cœur de la montagne ?* ≠ affreux, laid, vilain.
2. *Grand-mère connaît de belles histoires.* → agréables, jolies, plaisantes.
3. *Ce n'est pas beau de mentir.* → ce n'est pas bien.
4. *Il a réussi à faire de belles économies.* → importantes.

ORTHOGRAPHE

- Un **beau** garçon, une **belle** fille,

Un **bel** enfant / Un **bel** homme — **bel** remplace **beau** devant une voyelle ou un **h** muet.

- De **beaux** enfants, de **belles** filles.

beaucoup mot inv.

1. *Claude a beaucoup de timbres dans son album.* → un grand nombre de. ≠ peu de.
2. *J'aime beaucoup le football.* → énormément. ≠ pas du tout.
3. *Il faut beaucoup de patience pour trier ces lentilles.* → une grande patience. ≠ peu de.

GRAMMAIRE

- Beaucoup de gens viennent. (Prend l'accord pluriel.)
- Beaucoup de monde vient. (Prend l'accord singulier.)
- J'en connais beaucoup qui ont peur de l'orage.

beauté nom fém.

1. *En octobre, nous profitons de la beauté des paysages d'automne.* → de la splendeur. ≠ laideur.
2. *Cette jeune fille est une beauté.* → très belle.

ORTHOGRAPHE

Beaut**é** ne prend pas de e final comme tous les noms désignant une qualité ou un défaut : la bont**é**, la clart**é**, la cruaut**é**...

bec [bɛk] nom masc.

Le canard possède un bec plat.

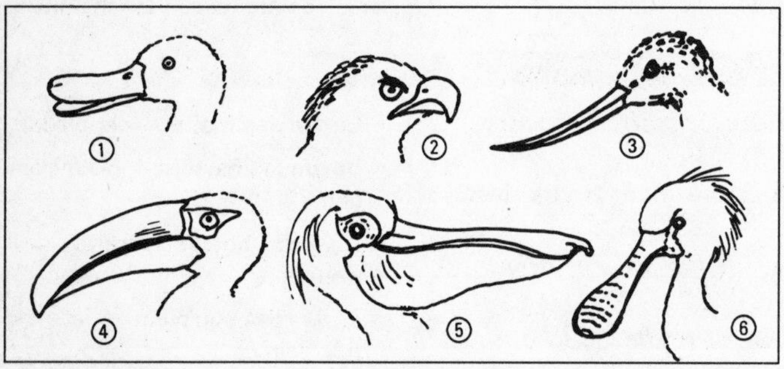

◀ Différentes sortes de becs :
1. Le canard.
2. L'aigle.
3. L'avocette.
4. Le toucan.
5. Le pélican.
6. La spatule.

EXPRESSION

Rester le bec dans l'eau (fam.). → sans savoir quoi faire.

beige adj. et nom masc.

1. adj. *S'il fait beau dimanche, je mettrai mon costume beige.* → brun très clair.
2. n. m. *Le beige est une couleur salissante.*

ORTHOGRAPHE

Au pluriel : des étoffes beige**s**.

bélier nom masc.

Le bélier est le mâle de la brebis : son petit s'appelle l'agneau ou l'agnelet.

B

berge nom fém.

Aux beaux jours, les pêcheurs s'installent sur les berges de la rivière. → les rives.

AUTOUR DE

On appelle aussi berge, le talus qui borde un chemin ou une route.

berger, bergère nom masc. et fém.

L'été, les troupeaux gagnent les alpages, guidés par les bergers. → par les gardiens de moutons. ≃ pâtre (mot ancien).

besoin [bəzwɛ̃] nom masc.

1. *Les jeunes enfants ont besoin d'une nourriture équilibrée.* → elle leur est nécessaire.
2. *Après deux heures de classe, nous éprouvons le besoin d'aller jouer.* → nous avons envie de. ≃ désir.
3. *Pour garder les villes propres, obligez votre chien à faire ses besoins dans le caniveau.*

GRAMMAIRE

J'ai besoin qu'elle vienne.
J'ai besoin de repos.

bétail nom masc.

Pendant les vacances, Philippe aide son oncle, qui est fermier, à soigner le bétail. → l'ensemble des gros animaux de la ferme.

VOCABULAIRE

Bétail ne s'emploie qu'au singulier. Au pluriel, on dit **bestiaux.**

1. bête nom fém.

Pour notre bibliothèque, nous avons acheté plusieurs livres sur la vie des bêtes. → des animaux.

ORTHOGRAPHE

B**ê**te prend un accent circonflexe sur le e.

2. bête adj.

Joël a toujours de mauvaises notes ; il n'est pourtant pas bête, mais il est paresseux. ≃ idiot, sot, stupide. ≠ intelligent, malin.

■ **bêtise,** n. f. **1.** *Sortir sans imperméable quand il pleut, est-ce de l'étourderie ou de la bêtise ?* → un manque d'intelligence. **2.** *Soyez sages : ne faites pas de bêtises !* → de sottises. **3.** *Arrête de dire tout le temps des bêtises !* → des stupidités.

beurre nom masc.

On bat la crème du lait pour faire du beurre.

■ **beurrer,** v. *Sophie a beurré sa tartine.* → elle a étalé du beurre sur.

ORTHOGRAPHE

Les noms du féminin et du masculin terminés par [œʀ] s'écrivent **-eur,** sauf : beurre, heure, demeure.

bibliothèque nom fém.

1. *La bibliothèque de notre classe compte déjà soixante volumes.* → l'ensemble des livres réunis dans la classe.
2. *La bibliothèque municipale ferme à cinq heures.* → le bâtiment où sont classés des livres.

VOCABULAIRE

On trouve : des disques dans une discothèque, des films dans une cinémathèque, des photos dans une photothèque.

biceps [bisɛps] nom masc.

L'aviron est un sport qui développe les biceps.

biche nom fém.

Au détour d'un chemin forestier, nous avons surpris une biche. → la femelle du cerf.

AUTOUR DE

Le petit de la biche est le faon. Les taches de son pelage disparaissent au fur et à mesure qu'il grandit.

bicyclette [bisiklɛt] nom fém.

L'an prochain, j'irai au collège à bicyclette. → à vélo.

GRAMMAIRE

On va **à** cheval, **à** vélo, mais **en** avion, **en** bateau, **en** voiture.

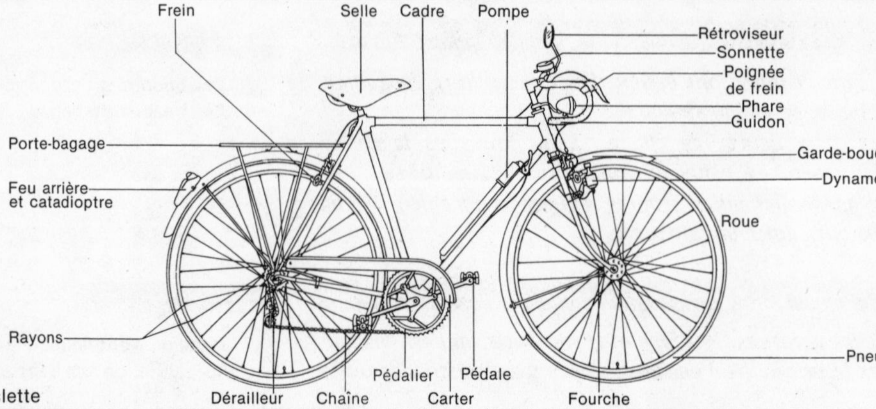

Une bicyclette

bien mot inv.

1. *Anne danse bien : on ne se lasse pas de la regarder.* ≠ mal.
2. *Ils sont bien contents de cette nouvelle.* → très.
3. *Comme on se sent bien, ici !* → à l'aise.
4. *Tiens-toi bien !* → correctement, convenablement.
5. *Eric aime bien la géographie.* → il apprécie beaucoup.
6. *Bien des gens n'ont pas encore la télévision.* → beaucoup de. ≠ peu de.
7. *« Comment vas-tu ? – Je vais bien. »* → je suis en bonne santé, en bonne forme.

EXPRESSIONS

- *Nous y arriverons* **tant bien que mal.** → aussi bien que nous pourrons.
- *Maman* **veut bien** *que je vienne jouer chez toi.* → elle accepte.
- **C'est bien fait.** → bien mérité.
- **Bien entendu.** → sans aucun doute !

■ **bien,** mot inv. *C'est un garçon bien : on peut lui faire confiance.* → estimable, sérieux. ■ **bien,** n. m. **1.** *Cette dame fait le bien autour d'elle.* → elle est charitable. **2.** *Un peu de repos après ce travail te fera du bien.* → ce sera favorable à ta santé. **3.** *Tous ses biens lui viennent de ses grands-parents.* → tout ce qu'il possède.

EXPRESSION

Nous **avons mené à bien** *ce travail.* → nous l'avons achevé comme il le fallait.

bientôt mot inv.

Nous serons bientôt en vacances. → dans peu de temps. ≃ prochainement.

EXPRESSION

A bientôt ! → j'espère que nous nous reverrons d'ici peu.

bienvenu, bienvenue nom masc. et fém., ou adj.

1. n. m. et f. *Tu es le bienvenu dans notre équipe de football.* → nous sommes heureux de t'avoir parmi nous.
2. adj. *Après ces jours de pluie, le soleil est bienvenu.* → il arrive à point. ≠ malvenu.

■ **bienvenue,** n. f. *Nous vous souhaitons la bienvenue.* → nous vous accueillons avec plaisir.

bijou nom masc.

Muriel a mis ses plus beaux bijoux pour le réveillon.

■ **bijouterie,** n. f. *Entrons dans la bijouterie demander le prix de cette bague.* → dans le magasin où l'on vend des bijoux. ■ **bijoutier,** n. m. *Son fiancé lui a acheté cette bague chez un bijoutier.* ≃ joaillier, orfèvre.

ORTHOGRAPHE

Pluriel : des bij**oux**, comme des caill**oux**, des ch**oux**, des gen**oux**, des hib**oux**, des jouj**oux**, des p**oux**.

bille nom fém.

1. *A la récréation, les enfants jouent aux billes.*
2. *Dans ma trousse, j'ai un crayon, deux feutres et trois stylos à bille.*
3. *Les bûcherons ont abattu l'arbre, puis ont débité le tronc en billes régulières.* → en plusieurs morceaux semblables.

billet nom masc.

1. *Sur les billets de banque figure généralement le portrait d'un homme célèbre de notre histoire.*
2. *« Vos billets, s'il vous plaît ! », demande le contrôleur du train.* ≃ ticket.

AUTOUR DE

Il existe des billets pour voyager (métro, avion, train), pour aller au spectacle (théâtre, cinéma) et des billets pour jouer (loto, loterie...).

biscuit [biskɥi] nom masc.

Emportez quelques biscuits à manger pour votre goûter. → quelques gâteaux secs.

VOCABULAIRE

Voici quelques biscuits : galette, gaufrette, macaron, petit-beurre, sablé.

bissextile [bisɛkstil] adj. fém.

L'an 2000 sera une année bissextile. → de 366 jours au lieu de 365.

AUTOUR DE

Dans une année bissextile, le mois de février compte 29 jours au lieu de 28 dans une année normale.

bizarre adj.

1. *Le clown se mit à jouer d'un instrument bizarre qu'aucun spectateur ne connaissait.* → curieux, étonnant, étrange.
2. *Yves n'a pas répondu à ma lettre : c'est bizarre.* → ce n'est pas normal.

ORTHOGRAPHE

Attention à la finale en [aʀ], qui s'écrit : **-arre**

blanc, blanche adj.

1. *Il a neigé cette nuit : tous les toits sont blancs.*
2. *Marc a rendu sa feuille blanche.* → sans rien avoir écrit dessus.

■ **blanc,** n. m. **1.** *Chez certains peuples, le blanc est la couleur du deuil.* → la couleur blanche. **2.** *René Caillé fut le premier Blanc à pénétrer dans Tombouctou.* → un homme de race blanche. **3.** *Ce poulet est excellent, veux-tu un peu de blanc ?* → de la chair blanche de la poitrine. ■ **blancheur,** n. f. *La blancheur de la neige m'éblouit.*

EXPRESSIONS

- *Il est* **blanc comme neige.** → il est innocent.
- **Je vous donne carte blanche.** → je vous laisse libre de faire selon votre idée.
- **J'ai passé une nuit blanche.** → je n'ai pas dormi de toute la nuit.

blé nom masc.

Écrasés, les grains de blé donnent la farine, dont on fait le pain.

EXPRESSION

Blond comme les blés.
→ très blond.

blesser [3] verbe

1. *Une pierre, détachée de la paroi, a blessé l'alpiniste à la tête.*
2. *Mes chaussures neuves me blessent.* → elles me font mal.
3. *Je n'ai pas dit cela pour vous blesser.* → pour vous offenser. ≃ peiner.

■ **blessé, e,** n. m. et f. *Les blessés de la route sont dirigés vers des hôpitaux pour être soignés.* ■ **blessure,** n. f. *A l'hôpital, le médecin examine la blessure du malade, puis l'infirmière la soigne et la panse.* → la plaie.

VOCABULAIRE

On peut être légèrement ou grièvement blessé. Voici plusieurs sortes de blessures : la brûlure, la coupure, la déchirure, l'écorchure, l'égratignure, l'entaille, la fracture, la morsure, la piqûre, la plaie, le traumatisme...

bleu, bleue adj.

En été, le ciel est souvent bleu, sans un nuage.

■ **bleu,** n. m. **1.** *Pour peindre un ciel de printemps, l'artiste a utilisé un joli bleu clair.* → la couleur bleu clair. **2.** *En me cognant à la table, je me suis fait un bleu.* → une marque laissée sur la peau à la suite d'un choc.

ORTHOGRAPHE

- Des yeux bleu**s**, des robes bleu**es**.
- Des tissus bleu foncé, ou bleu marine, ou bleu clair.

blond, blonde adj. ou nom masc. et fém.

1. adj. *Sophie a de jolies boucles blondes.* ≠ brun.
2. n. m. et f. *Beaucoup de gens du Nord sont des blonds aux yeux clairs.*

ORTHOGRAPHE

Des cheveux blond**s**, mais des cheveux blond cendr**é**.

bloquer [3] verbe

1. *Une avalanche bloque la circulation sur cette route de montagne.* → elle arrête, empêche. ≃ stopper.
2. *Le mécanicien, à l'aide d'une clé, bloque les écrous de la roue.* → il serre à fond.

se blottir [4] verbe

Les poussins se blottissent sous les ailes de la poule.
→ ils se pelotonnent, se serrent.

■ **être blotti,** v. *La chaumière était blottie au fond d'un vallon.* → elle y était cachée.

VOCABULAIRE

On peut se blottir ou être blotti contre quelqu'un, dans un coin, dans un lit, sous les couvertures, sur les genoux de quelqu'un.

boa [bɔa] nom masc.

Le boa est un gros serpent qui étouffe ses proies dans ses anneaux avant de les avaler.

AUTOUR DE

Ce gros serpent n'est pas venimeux ; il vit en Amérique du Sud, et peut mesurer jusqu'à 6 mètres de long.

◄ Un boa.

B

bœuf — nom masc.

1. *Autrefois, on utilisait des bœufs pour tirer les charrues et labourer les champs.*
2. *Ce midi nous avons mangé un rôti de bœuf très tendre.* → de la viande de bœuf.

ORTHOGRAPHE

Attention ! On prononce :
– un bœuf [bœf] comme un œuf,
– des bœufs [bø] comme des œufs.

boire [10] — verbe

1. *J'ai soif : je boirais bien un grand verre d'eau.*
2. *On écrit mal sur ce papier qui boit l'encre.* → qui absorbe.

■ **boisson,** n. f. *Vous trouverez des boissons fraîches au restaurant de la plage.*

EXPRESSION

Voyons ! Ce n'est pas **la mer à boire !** → ce n'est pas si difficile.

bois — nom masc.

1. *Le 1er mai, nous irons chercher du muguet dans les bois.*
2. *Ma luge est en bois de frêne.* → la matière de l'arbre coupé.
3. *Chaque année, le cerf perd ses bois, qui repoussent au printemps.* → des sortes de cornes.

■ **boisé, e** adj. *Des scieries se sont installées dans les régions boisées.* → couvertes de bois et de forêts.

VOCABULAIRE

En menuiserie, on utilise : des bois blancs ou tendres (peuplier), des bois durs (chêne), des bois résineux (pin), des bois exotiques (acajou, ébène).

boîte — nom fém.

1. *En venant me rendre visite, Philippe m'a apporté une boîte de bonbons.*
2. *Le mécanicien démonte la boîte de vitesses de la voiture.* → l'ensemble des engrenages permettant de changer de vitesse.

GRAMMAIRE

On dira :
- Une **boîte à** ... = boîte pour mettre... La boîte à gants (dans la voiture).
- Une **boîte de** ... = boîte contenant... Une boîte d'allumettes.

bol — nom masc.

1. *Veux-tu ton café dans une tasse ou dans un bol ?* → un récipient de forme arrondie.
2. *Le matin, je bois un grand bol de lait chaud.* → le contenu d'un bol.

EXPRESSION

Nous partons à la montagne prendre **un bon bol d'air.** → respirer au grand air.

bon, bonne — adj.

1. *Tu as vraiment réussi ton gâteau aux pommes : comme il est bon !* → délicieux, savoureux.
2. *Je crois avoir trouvé la bonne solution.* → juste. ≠ faux.
3. *Ce menuisier est un bon ouvrier.* → il connaît bien son métier. ≠ mauvais.
4. *Cet homme est bon : il aide les gens pauvres.* → charitable, généreux.
5. *Il faut être bon avec les animaux.* ≃ gentil. ≠ méchant.
6. *L'eau de mer est bonne pour la circulation du sang.* → favorable à.
7. *Ajoutez une bonne cuillerée de farine.* → bien pleine.
8. *J'ai de bonnes raisons de croire que tu m'as menti.* → des raisons tout à fait valables.
9. *Quelles bonnes vacances nous avons passées l'été dernier !* → agréables.

GRAMMAIRE

- *Ces cerises bien rouges sont* **bonnes à** *cueillir.*
- *La tisane de tilleul est* **bonne pour** *le sommeil.*
- *Je suis* **bon en** *mathématiques.*

EXPRESSIONS

- **A quoi bon** *se presser ?* → pourquoi ?
- *A 80 ans, grand-père a encore* **bon pied, bon œil.** → il est en bonne santé, alerte.
- *Les légumes sont* **bon marché** *en ce moment.* → leur prix est peu élevé.

bon — mot inv.

1. *Qu'il fait bon, en été, se reposer à l'ombre des arbres.* → qu'il est agréable de.
2. *Il fait bon dehors, viens donc te promener.* → il fait un temps doux.
3. *Le chèvrefeuille, le muguet, la jacinthe, la rose sentent bon.* → ils ont une odeur agréable.
4. *Tiens bon !* → résiste.

GRAMMAIRE

Certains adjectifs peuvent être employés comme adverbes. Ils sont alors invariables.

ADJECTIFS	ADVERBES
• Un bon café	il fait bon
• Un homme fort	il pleut fort

bond — nom masc.

1. *Le kangourou se déplace par bonds.* → en sautant.
2. *Le prix de l'essence a encore fait un bond.* → il a encore augmenté.

■ **bondir,** v. **1.** *Les chevreaux bondissaient autour de leur mère.* → ils sautaient. **2.** *La sonnerie retentit : Pierre bondit sur le téléphone.* → il se précipite sur.

ORTHOGRAPHE

N'oublie pas le **d** à la fin de bond**.** (Pense à bondir.)

EXPRESSION

*Il m'*a **fait faux bond.** → il n'est pas venu au rendez-vous.

bonheur — nom masc.

1. *Le jour de l'An, nous adressons tous nos vœux de bonheur pour la nouvelle année.*
2. *Quel bonheur de vous retrouver ici !* → quelle joie, quel plaisir. ≠ malheur.

EXPRESSION

J'ai laissé échapper le vase, mais, **par bonheur,** *il ne s'est pas cassé.* → par chance, heureusement.

bonjour — nom masc.

Chaque matin, je dis bonjour à mes amis. → je les salue. ≠ au revoir, bonsoir, bonne nuit.

EXPRESSION

C'est simple comme bonjour. → c'est très facile.

bonsoir — nom masc.

Après avoir dit bonsoir à leurs parents, les enfants vont se coucher. ≃ bonne nuit.

bonté — nom fém.

Le roi Saint-Louis était connu pour sa grande bonté. ≃ générosité, gentillesse. ≠ méchanceté.

ORTHOGRAPHE

Bont**é** désigne une qualité et ne prend pas de **e** final.

bord — nom masc.

1. *Soyez prudents quand vous prenez le train ! Ne restez pas au bord du quai.* → juste à la limite.
2. *Nous irons pique-niquer au bord du lac.* → sur la rive.
3. *A Conflans, nous sommes montés à bord d'une péniche.* → sur le bateau même.
4. *Cette jolie soucoupe est ébréchée au bord.* → sur le rebord.

■ **border,** v. **1.** *De grands sapins bordent l'allée principale du parc.* → ils se trouvent le long de. **2.** *Je borderai ta robe avec de la dentelle.* → je garnirai le bord de ta robe. **3.** *Chaque soir, Papa vient me border dans mon lit.*

EXPRESSIONS

- *Mon verre est plein* **à ras bord.** → jusqu'en haut.
- *Martine est* **au bord des larmes.** → elle est prête à pleurer.

VOCABULAIRE

Pour le bord de la mer, on dit la côte, le rivage ; pour le bord de la forêt, la lisière ; pour le bord de la rivière, la berge ; pour le bord de la fenêtre, le rebord.

bosse — nom fém.

1. *Je me suis fait une bosse en me cognant contre la poutre.*
2. *Difficile de rouler sur ce chemin plein de bosses.* ≠ trou.

EXPRESSION

- **Avoir la bosse de** (fam.). → un don particulier pour.

botte — nom fém.

1. *Le Petit Poucet avait chaussé les bottes de l'Ogre.*
2. *« Achetez mes œillets ! Dix francs la botte ! »* ≃ bouquet.

EXPRESSION

Chausser des bottes de sept lieues. → vouloir aller très vite.

bouche — nom fém.

1. *Le palais sépare la bouche des fosses nasales.*
2. *Cette réponse lui a fermé la bouche.* → elle l'a obligé à se taire.
3. *Il pleut, mettons-nous à l'abri dans cette bouche de métro.* → l'entrée, l'ouverture.

EXPRESSIONS

- *Il est resté* **bouche bée.** → la bouche ouverte, étonné.
- *Tu n'as pas* **ouvert la bouche.** → tu n'as rien dit.
- **Bouche cousue !** → silence !

boucher [3] — verbe

1. *Mon oncle de Normandie met son cidre dans des bouteilles qu'il bouche lorsqu'elles sont remplies.* → il ferme l'orifice avec un bouchon. ≠ déboucher.
2. *Un amas de feuilles mortes bouchait la canalisation.* → il l'obstruait.
3. *Les peintres bouchent les trous du mur avant de passer une couche d'enduit.* → ils comblent, remplissent.
4. *En été, le feuillage de cet arbre nous bouche la vue.* → il nous cache.

GRAMMAIRE

Ils, elles se sont bouché les oreilles.

boucher, bouchère — nom masc. et nom fém.

Le boucher vend du bœuf, du veau et du mouton.

■ **boucherie,** n. f. *J'ai acheté une escalope à la boucherie.* → le magasin du boucher.

ORIGINE

Boucher désignait autrefois celui qui vendait de la viande de bouc (ou de chèvre).

bouchon — nom masc.

1. *Le bouchon de cette bouteille de vin est en liège.*
2. *Tire vite sur ta ligne ! Le bouchon s'enfonce !* → le flotteur.
3. *Mon père est arrivé en retard, il y avait un bouchon sur l'autoroute.* → un embouteillage. ≃ encombrement.

VOCABULAIRE

On débouche une bouteille avec un tire-bouchon.

boucle — nom fém.

1. *Attache la boucle de ta ceinture.*
2. *Sylvie a de jolies boucles blondes.* → des mèches frisées.
3. *Saint-Germain-en-Laye domine une boucle de la Seine.* → un méandre.
4. *Le soir, Jocelyne enlève ses boucles d'oreille.*

■ **boucler,** v. **1.** *Avant de prendre la route, n'oublie pas de boucler ta ceinture de sécurité.* → d'attacher. **2.** *Je n'arrive pas à boucler ma valise.* → à la fermer. **3.** *Les cheveux de bébé commencent à boucler.* → à friser.

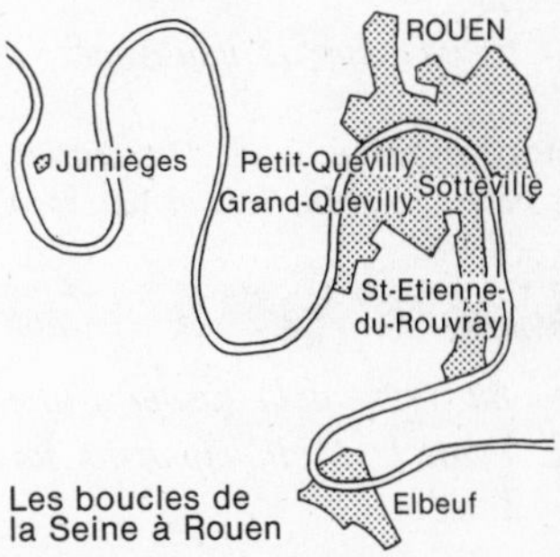

Les boucles de la Seine à Rouen

boue — nom fém.

Tes chaussures sont sales : tu as marché dans la boue. → un mélange de terre et d'eau. ≃ gadoue (fam.).

■ **boueux, euse,** adj. *Il a beaucoup plu et l'allée est très boueuse.*

AUTOUR DE

Dans certaines stations thermales, on soigne les rhumatismes par des bains de boue : on s'enduit le corps avec une boue spéciale.

bouée nom fém.

1. *Sophie sait nager maintenant, elle n'a plus besoin de bouée.*
2. *Sur la mer, des bouées indiquent aux bateaux les passages dangereux.* → des balises.

bouger 19 verbe

1. *Je ne peux pas te coiffer si tu bouges sans arrêt.* → si tu t'agites, si tu remues. ≠ s'immobiliser.
2. *Aujourd'hui, je ne bouge pas, je reste à la maison.* → je ne sors pas.
3. *Je t'assure que la couleur de ce tissu ne bougera pas au lavage.* → qu'elle ne changera pas.

EXPRESSION

Que personne ne bouge ! → ne fasse un geste !

bougie nom fém.

1. *Yves a soufflé en une fois les dix bougies de son gâteau d'anniversaire.*
2. *Le moteur de la voiture marchait mal : le mécanicien a changé les bougies.* → des pièces qui produisent des étincelles dans un moteur à essence.

ORIGINE

La bougie (sens 1) doit son nom à la ville de Bougie (Algérie), d'où venait la cire nécessaire à sa fabrication.

bouillant, bouillante adj.

1. *Pour faire cuire les crustacés, il faut les plonger dans l'eau bouillante.* → dans de l'eau en train de bouillir.
2. *Ce potage est bouillant.* → brûlant, très chaud. ≠ glacé.

■ **bouilli, e,** adj. *Pour désinfecter une plaie, il faut la laver à l'eau bouillie.* → qui a bouilli. ■ **bouillir,** v. **1.** *L'eau bout à 100 degrés.* → elle entre en ébullition. **2.** *Maman fait bouillir un pot-au-feu.* → elle le fait cuire à l'eau bouillante. **3.** *Je bous d'impatience à l'idée de partir à la montagne.* → je suis très agité, impatient.

VOCABULAIRE

Du plus chaud au plus froid : bouillant → brûlant → chaud → tiède → frais → froid → glacé.

ORTHOGRAPHE

Je bous d'impatience. L'eau bout./ Je **bouillais** d'impatience. L'eau **bouillait.**

boulanger, boulangère nom masc. et fém.

Si tu vas chez le boulanger, rapporte-moi une baguette.

■ **boulangerie,** n. f. *Dimanche matin, papa va à la boulangerie acheter du pain frais et des croissants.*

ORIGINE

Le pain vendu autrefois dans le Nord sous forme de boules a donné son nom au boulanger.

boule nom fém.

1. *La Terre a la forme d'une boule.* → d'une sphère.
2. *Dans le Midi, on aime jouer aux boules.* → au jeu de boules.

EXPRESSION

A l'approche du danger, le hérisson **se met en boule.** → il prend la forme d'une boule.

bouleau nom masc.

Nous construirons une cabane dans ce petit bois de bouleaux.

ORTHOGRAPHE

Des boul**eaux.**

boulevard nom masc.

Au printemps, j'aime me promener sur les grands boulevards de Paris. → des rues très larges.

GRAMMAIRE

Dans les adresses, on abrège le mot boulevard en **bd.**

B

bouleverser 3 — verbe

1. *Au dernier moment, il a bouleversé toutes ses affaires pour retrouver son passeport.* → il a dérangé, mis en désordre. ≠ ranger.
2. *En apprenant que mon frère avait eu un accident, mes parents ont été bouleversés.* → profondément émus, troublés. ≠ apaiser, rassurer, tranquilliser.
3. *Dans certaines nations, la découverte de pétrole a bouleversé la vie du pays.* → elle l'a complètement changée, transformée.

■ **bouleversement,** n. m. → grand changement.

ORIGINE

Bouleverser, formé de boule et de verser, veut dire renverser de fond en comble et retourner comme une boule que l'on roule.

bouquet — nom masc.

1. *Valérie embrasse le vainqueur de la course cycliste et lui remet un bouquet de roses.*
2. *Sur l'étalage du poissonnier, il y a des crevettes grises et des bouquets.* → de grosses crevettes.

VOCABULAIRE

On peut cueillir, couper, assembler, composer un bouquet de fleurs.

bourgeon [buʀʒɔ̃] — nom masc.

Le printemps est là et les premiers bourgeons s'ouvrent sur les arbres. → de petites boules d'où sortiront des feuilles et des fleurs.

■ **bourgeonner** [buʀʒɔne] v. *En avril, les arbres bourgeonnent.* → des bourgeons se forment.

ORTHOGRAPHE

N'oublie pas le **e** entre g et o.

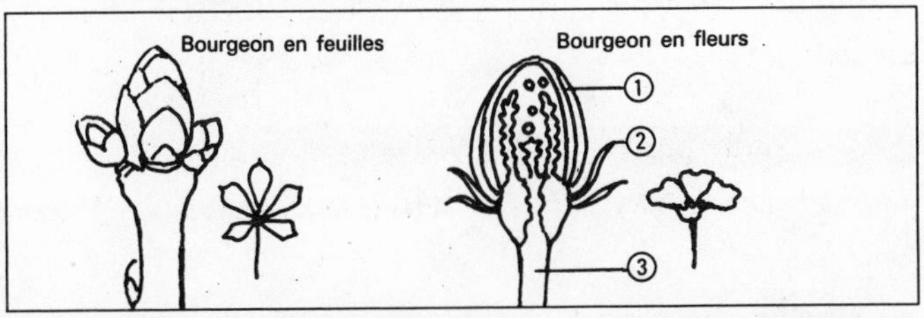

◄ 1. Feuilles chiffonnées.
2. Écaille
3. Tige.

bousculade [buskylad] — nom fém.

Au moment de Noël, quelle bousculade au rayon des jouets !

■ **bousculer,** v. *Dans cette grande gare, on est sans cesse bousculé par des voyageurs pressés.* → on est heurté, poussé. ■ **se bousculer,** v. *Les gens se bousculaient à la sortie du cinéma.*

boussole — nom fém.

Dans la forêt tropicale, les explorateurs se dirigeaient à la boussole.

ORIGINE

Boussole vient d'un mot italien : bussola, petite boîte.

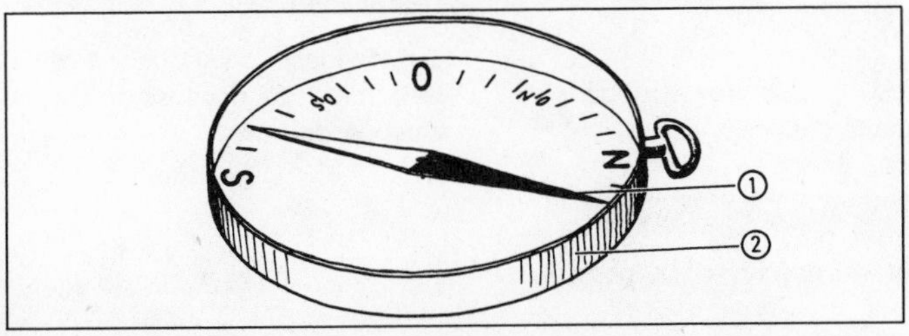

◄ Une boussole :
1. L'aiguille aimantée.
2. Le boîtier.

bout — nom masc.

1. *Michel a un bouton au bout du nez.* → à l'extrémité, à la pointe.
2. *Voulez-vous me couper un bout de pain ?* → un morceau.
3. *Je vais faire un bout de route avec toi.* → une partie du trajet.
4. *J'ai lu cette histoire jusqu'au bout.* → jusqu'à la fin.

EXPRESSIONS

- *Je sais ma leçon* **sur le bout des doigts.** → parfaitement.
- *Nous* **viendrons à bout de** *ce travail.* → nous le finirons.
- *Papa me tenait* **à bout de bras.** → les bras tendus.

bouteille [butɛj] — nom fém.

1. *Le soir du réveillon, nous avons bu une bouteille de champagne.* → le contenu d'une bouteille.
2. *Demain, on mettra le vin de ce tonneau en bouteilles.*

VOCABULAIRE

Vert bouteille désigne une couleur vert jaune sombre.

boutique — nom fém.

La plupart des boutiques ferment le lundi.

VOCABULAIRE

La devanture, l'étalage, les rayons, la vitrine d'une boutique.

bouton — nom masc.

1. *Coupez ces roses en boutons, elles s'ouvriront dans le vase.* → à peine ouvertes.
2. *Quand j'ai eu la varicelle, mon visage était couvert de boutons.*
3. *Tourne le bouton du transistor.*
4. *Pas moyen de retrouver le bouton de ma veste !*

■ **boutonner,** v. *N'oublie pas de boutonner ton col !*

VOCABULAIRE

On pousse ou on appuie sur un bouton pour allumer, arrêter, éteindre, fermer, mettre en marche, ouvrir ou régler un appareil.

bracelet — nom masc.

Le bijoutier a exposé de magnifiques bracelets en or dans sa vitrine.

ORTHOGRAPHE

Attention ! dans bracelet, [s] s'écrit **c**.

braise — nom fém.

En camping, on fait griller la viande sur la braise.
→ sur du bois ou du charbon de bois brûlant (mais sans flamme).

VOCABULAIRE

On souffle ou on ranime des braises.

branche — nom fém.

1. *Regarde ce nid de merles, là-haut, dans les branches du châtaignier.*
2. *Impossible de mettre mes lunettes, j'ai tordu une des branches.*
3. *La cardiologie est une branche de la médecine.* → une spécialité.

■ **branchages,** n. m. pl. *Avec des branchages, nous avons construit une cabane dans les bois.* → des branches coupées.

EXPRESSION

Il est **comme l'oiseau sur la branche.** → il n'a pas de situation stable, fixe.

VOCABULAIRE

Une branche peut être : flexible, frêle, moussue, noueuse, tordue ou chargée de fruits.

brancher [3] — verbe

Veux-tu brancher cette lampe ? → la raccorder à la prise électrique.

bras — nom masc.

1. *Je porte ma montre au poignet du bras gauche.*
2. *Ne t'assieds pas sur le bras de ce fauteuil !* → sur l'accoudoir.
3. *A son delta, le Rhône se divise en plusieurs bras.* → plusieurs cours d'eau.

◀ 1. Le bras d'un fleuve.
2. Le bras d'un fauteuil.
3. Le bras d'une personne.

EXPRESSIONS

- *Ils sont partis* **bras dessus bras dessous.** → en se donnant le bras.
- **Ne reste pas les bras croisés !** → sans rien faire.
- **Les bras m'en tombent !** → je suis stupéfait.
- *Vous serez reçus* **à bras ouverts.** → avec joie.

brasse — nom fém.

1. *J'ai appris à nager la brasse au bord de la mer.*
2. *Je traverse le bassin en dix brasses.* → en faisant dix fois les mouvements de la brasse.

◀ La brasse : ses mouvements décomposés.

AUTOUR DE

La brasse est aussi une ancienne mesure marine qui correspondait à environ 1,60 mètre.

brave — adj.

1. *Lancelot fut un brave chevalier.* → audacieux, courageux. ≃ hardi, vaillant. ≠ lâche, peureux, poltron.
2. *De braves gens ont recueilli ce chien abandonné.* ≃ bon, généreux. ≠ égoïste, mauvais, méchant.

■ **bravement,** mot inv. *Jeanne d'Arc s'est battue bravement pour son roi.* → avec courage.

GRAMMAIRE

L'adjectif change de sens en changeant de place :
- *un garçon* **brave.** → courageux.
- *un* **brave** *garçon.* → gentil.

brebis — nom fém.

Le fromage de Roquefort est fabriqué avec du lait de brebis. → la femelle du bélier.

ORTHOGRAPHE

Attention ! Ce nom féminin se termine par **-is**, comme **souris**.

bref, brève — adj.

1. *Le journaliste a fait un bref résumé du match France-Galles.* → court. ≠ long.
2. *Je n'ai pas de temps à perdre ! Soyez bref !* → évitez les détails inutiles. ≠ être bavard, s'étendre.

■ **bref,** mot inv. *Cette veste est sombre, démodée et trop longue, bref, elle ne me convient pas.* → en résumé. ■ **brièvement,** mot inv. *Raconte-moi brièvement ton histoire.* → en peu de mots.

AUTOUR DE

Pépin le Bref, roi des Francs, fut ainsi surnommé à cause de sa petite taille.

bricolage nom masc.

Quand j'ai des moments de liberté, je fais du bricolage. → de petits travaux de réparation, d'installation ou de construction.

■ **bricoler,** v. *Mes dimanches, je les passe à bricoler dans ma maison de campagne.* ■ **bricoleur, euse,** adj. ou n. m. et f. **1.** adj. *Toi qui es bricoleur, viens donc installer ces étagères.* **2.** n. m. et f. *Les bricoleurs du dimanche sont souvent très habiles.*

VOCABULAIRE

Un bricoleur – adroit, astucieux, ingénieux – ajuste, aménage, cloue, démonte, installe, remonte, répare...

brillant, brillante adj.

1. *J'ai bien astiqué les cuivres afin de les rendre brillants.* ≠ mat, terne.

2. *Joël est un de nos plus brillants élèves.* ≃ doué, remarquable.

■ **brillamment,** mot inv. *Sonia a été brillamment reçue première à l'examen de français.* ■ **brillant,** n. m. *Ce produit nettoyant conserve aux objets tout leur brillant.* → leur aspect étincelant. ≃ éclat. ■ **briller,** v. **1.** *Frottez bien vos chaussures pour qu'elles brillent.* → pour qu'elles aient de l'éclat. ≃ étinceler. **2.** *Il fait beau, le soleil brille.* → il éclaire vivement. **3.** *Elle a brillé à l'oral de son examen.* → elle s'est montrée excellente.

ORTHOGRAPHE

Brillant → brill**a**mment.

EXPRESSION

Ses résultats ne sont pas **brillants.** → ils sont médiocres.

brin nom masc.

Dans le potager, le jardinier a arraché les brins d'herbe autour des salades. ≃ jeune pousse.

■ **brindille** [brɛ̃dij], n. f. *Va chercher des brindilles pour allumer le feu !* → de toutes petites branches.

EXPRESSION

Aujourd'hui, il n'y a pas **un brin de vent.** → pas même un souffle de vent.

brioche nom fém.

La brioche est une pâtisserie légère à base de farine, d'œufs, de sucre, de lait, de beurre et de levure.

brique nom fém. ou adj. inv.

1. n. f. *On trouve beaucoup de maisons en briques rouges dans les villages du Nord.* → petits blocs rectangulaires d'argile cuite.

2. adj. inv. *Un papier rouge brique recouvre les murs de la cuisine.* → de la couleur de la brique.

AUTOUR DE

Des briques d'argile simplement séchées au soleil furent utilisées dès la plus haute Antiquité pour édifier les murs des maisons.

brise nom fém.

Les feuilles du marronnier frémissaient sous la brise. → le vent léger.

briser [3] verbe

1. *Mon verre est tombé par terre et s'est brisé.* → il s'est cassé.

2. *Cette longue marche m'a brisé.* → elle m'a épuisé, éreinté, beaucoup fatigué.

■ **brisé, e,** adj. *Florence avait la voix brisée par l'émotion.* → affaiblie. ■ **se briser,** v. *Les vagues se brisent contre la jetée.* → elles déferlent.

GRAMMAIRE

- *Les vagues se sont* **brisées** *sur les rochers.*
- *Ils se sont* **brisé** *la voix à force de crier.*

broder [3] verbe

Pour se détendre, Caroline brode un napperon. → elle l'orne de dessins exécutés avec du fil et une aiguille.

■ **brodé, e,** adj. *Un mouchoir brodé.* → orné d'une broderie. ■ **broderie,** n. f. *Cette tunique roumaine est décorée de broderies entièrement faites à la main.* → de motifs brodés.

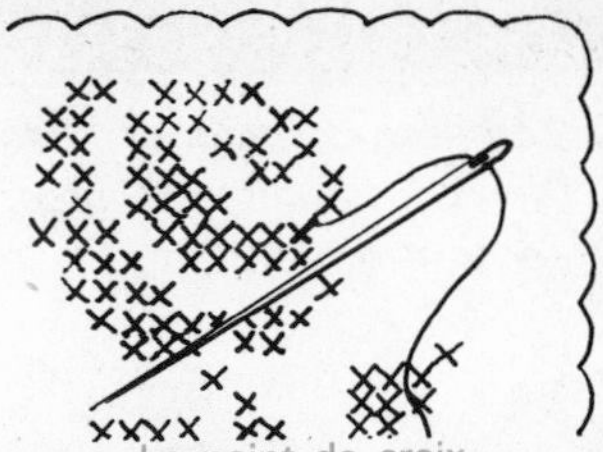

Le point de croix.

bronches nom fém. plur.

Les personnes aux bronches fragiles doivent se méfier du froid. → les canaux qui conduisent l'air aux poumons.

■ **bronchite,** n. f. *Cette bronchite m'a cloué au lit pendant deux semaines.* → une inflammation des bronches.

AUTOUR DE

La bronchite, la coqueluche, la grippe, le rhume, la trachéite sont des maladies qui touchent les voies respiratoires.

bronze nom masc.

Le bronze est un alliage très dur, de cuivre et d'étain, de couleur brun jaune.

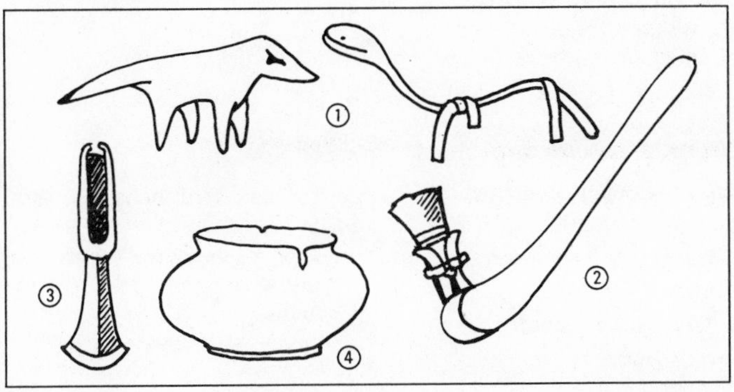

◄ Plusieurs objets en bronze :
1. Des objets décoratifs.
2. Une arme de défense.
3. Une lame d'une hache ancienne.
4. Un vase.

AUTOUR DE

L'âge de bronze se situe environ 2 000 ans avant J.-C. C'est à cette époque que l'homme a commencé à fabriquer des armes et des outils plus efficaces grâce au bronze.

brosse nom fém.

N'oublie pas d'emporter ton dentifrice et ta brosse à dents.

■ **brosser,** v. **1.** *Christine démêle ses cheveux en les brossant énergiquement.* **2.** *J'ai brossé ce manteau pour en retirer la poussière.* **3.** *En quelques mots, il a brossé un tableau de la situation.* → il a décrit rapidement.

EXPRESSIONS

- *Donne-toi* **un coup de brosse** *avant de partir !* → brosse-toi.
- **Des cheveux en brosse.** → coupés courts, droits et raides sur le dessus de la tête.

brouillard nom masc.

Le brouillard provoque de nombreux accidents de la circulation.

EXPRESSION

Un brouillard à couper au couteau. → très épais.

brouter [3] verbe

Les brebis et les chèvres broutent l'herbe des prés. ≃ manger, paître.

broyer [bʀwaje] [21] verbe

1. *Les meules du moulin broient le blé.* → elles réduisent en poudre.
2. *L'ouvrier a eu un doigt broyé par la machine.*

EXPRESSION

Il broie du noir (fam.). → il a le cafard, il est triste.

bruit — nom masc.

1. *Ton frère est endormi : évite de faire du bruit.* ≠ silence.
2. *Après un éclair, on entend le bruit du tonnerre.* → le grondement.

EXPRESSIONS

- *Cette nouvelle* **a fait grand bruit.** → on en a beaucoup parlé.
- *Il* **fait courir le bruit** *de mon départ.* → il dit partout que je m'en vais.

brûler [3] — verbe

1. *Le jardinier brûle les feuilles mortes.* → il met le feu (aux feuilles).
2. *Je brûle de connaître la suite de ce feuilleton.* → je suis impatient.
3. *L'automobiliste a brûlé le feu rouge.* → il est passé sans s'arrêter.

■ **brûlant, e,** adj. *Comment peux-tu boire du café si brûlant ?* ≃ bouillant, très chaud. ≠ glacé. ■ **brûlé,** n. m. **1.** *Une odeur de brûlé vient de la cuisine.* **2.** *A l'hôpital Cochin, on soigne les grands brûlés.* → les personnes qui ont été brûlées. ■ **brûlure,** n. f. *Il ne faut pas mettre de corps gras sur une brûlure.* ■ **se brûler,** v. pr. *Je me suis brûlé le doigt en allumant le feu.*

ORTHOGRAPHE

N'oublie pas l'accent circonflexe sur le **û**.

VOCABULAIRE

On peut brûler : de l'alcool, du bois, du charbon, de l'essence, du fuel, du gaz ou du papier...

brun, brune — adj. ou nom masc. et fém.

1. adj. *Les Noirs d'Afrique ont la peau et les cheveux bruns.* ≃ foncé, sombre. ≠ clair, pâle.
2. n. m. et f. *Sophie est une jolie brune aux yeux verts.* → une femme aux cheveux bruns.
3. n. m. *L'artiste a utilisé un brun foncé pour peindre les sous-bois.* → une couleur marron foncé.

■ **brunir,** v. *Le soleil avait bruni son visage.* → il l'avait rendu brun. ≃ bronzer.

GRAMMAIRE

Le suffixe **-âtre** dans brunâtre, adj. :

- brun → brun**âtre** (→ qui tire sur le brun),

comme,

- rouge → roug**eâtre**.

brusque — adj.

1. *Si tu veux approcher cet oiseau, ne fais pas de gestes brusques.* → brutaux, nerveux, vifs. ≠ doux, lent.
2. *Son départ a été si brusque que je n'ai pas pu lui dire au revoir.* → inattendu, prompt, soudain.

■ **brusquement,** mot inv. *La voiture changea brusquement de direction et quitta la route.* → d'un seul coup. ≃ brutalement, subitement. ≠ doucement, progressivement.

VOCABULAIRE

Un geste, un mouvement, une parole, un ton, des manières, un changement, un arrêt peuvent être brusques.

brutal, brutale — adj.

Ne joue pas avec lui : c'est un garçon brutal. → violent. ≠ doux.

■ **brutalement,** mot inv. *Il ferma brutalement la porte d'un coup de pied.* → violemment. ■ **brutalité,** n. f. *Le joueur a été exclu du terrain de jeu à cause de sa brutalité.* ■ **brute,** n. f. *Quelle brute ! Frapper un animal sans défense !*

ORTHOGRAPHE

Un enfant brut**al**, des enfants brut**aux**.

B

bûche nom fém.

Remets quelques bûches dans la cheminée ! → des morceaux de gros bois scié ou fendu, utilisés pour le chauffage.

■ **bûcheron,** n. m. *Dans la forêt, le bûcheron scie et abat des arbres.*

EXPRESSION

Bûche de Noël. → gâteau traditionnel en forme de bûche que l'on confectionne à Noël.

buée [bɥe] nom fém.

Il y a de la buée sur les vitres : il fait très froid dehors.

VOCABULAIRE

Voici d'autres condensations : le brouillard, la brume, les nuages, la vapeur.

buisson nom masc.

Le lièvre, traqué, se réfugie dans les buissons. ≃ fourré, massif.

EXPRESSION

Faire l'école buissonnière.
→ aller se promener au lieu d'aller à l'école.

bulle nom fém.

1. *L'eau bout : des bulles viennent crever à la surface.*
2. *Dans les bandes dessinées, les paroles des personnages sont contenues dans des bulles.*

ORTHOGRAPHE

N'oublie pas les deux **l**.

◄ Deux sortes de bulle dans une bande dessinée.

bulletin nom masc.

1. *Quand on vote, on introduit son bulletin dans l'urne.* → un papier portant le nom du candidat que l'on a choisi.
2. *Il n'y a pas beaucoup de bonnes notes sur ton bulletin, ce mois-ci.* → le livret où sont inscrits les résultats du travail scolaire.

AUTOUR DE

- Chaque soir, la télévision donne le bulletin météorologique. → des informations sur le temps.
- On appelle bulletin d'informations les émissions où sont présentés – matin, midi et soir – les faits importants de l'actualité.

bureau nom masc.

1. *Tu cherches un stylo ? Regarde dans le tiroir de droite de mon bureau.* ≃ meuble, table.
2. *La directrice reçoit les parents d'élèves dans son bureau.* → la pièce où elle travaille.
3. *Papa rentre du bureau vers six heures.* → son lieu de travail.

ORTHOGRAPHE

Des bureau**x**.

EXPRESSION

Au théâtre, on jouera ce soir **à bureaux fermés.** → toutes les places sont réservées.

but [byt] nom masc.

1. *C'est la gagnante : elle est arrivée la première au but.* → au point d'arrivée.
2. *Son but est de battre le record du monde de saut en hauteur.* → son objectif.
3. *Notre équipe a gagné par trois buts à deux.* → trois points contre deux.

GRAMMAIRE

Pour indiquer le but, on peut employer :
- pour, en vue de, afin de, de manière à... + nom,
- pour que, afin que, de sorte que... + verbe.

1. Le petit atelier *(page ci-contre)*

LE PETIT ATELIER
① Métier à tisser ② Navette ③ Pelotes de laine ④ Crochet ⑤ Ciseaux ⑥ Tricotin ⑦ Dessin ⑧ Chevalet ⑨ Pinceau ⑩ Palette ⑪ Tubes de peinture ⑫ Boîte de peinture ⑬ Feutres ⑭ Feuilles à dessins ⑮ Poteries ⑯ Cendrier à peindre ⑰ Four ⑱ Tour de potier ⑲ Vase ⑳ Coquetier peint ㉑ Seau d'eau ㉒ Seau d'argile ㉓ Cutter ㉔ Corbeille et panier d'osier ㉕ Tiges d'osier à tresser

La mairie a ouvert, à l'intention des enfants de notre commune, un petit atelier où nous nous retrouvons le mercredi après-midi pour apprendre les métiers de l'artisanat. J'ai choisi la poterie parce que j'ai vu dans le Midi de très beaux vases et je voudrais bien fabriquer les mêmes. Mais on peut aussi faire de la vannerie ou de la peinture. Plus tard, j'aimerais aussi savoir tisser, mais je me demande si je suis assez patient pour parvenir à de bons résultats.

Simon

J'emploie le mot juste
- Décris avec précision les gestes de Simon.
- Quelles sont les matières premières ou les produits utilisés dans les quatre métiers ici représentés ?
- Donne la différence de sens entre :
  a) coudre et tisser ; b) dessiner et peindre.

Des mots aux idées
- Que peut-on fabriquer avec un métier à tisser ?
- Regarde avec attention les enfants occupés à faire des poteries : dans quel ordre se déroule la fabrication d'un objet ? Explique-le.
- Quels autres métiers de l'artisanat connais-tu ? Cite-les.

Des mots pour parler
- Cherche dans des journaux ou dans des livres, des illustrations représentant des artisans. Décris et commente ces photos.
- Quelles sont, à ton avis, les qualités d'un bon artisan ?

2. Les animaux du zoo *(p. 66 et 67)*

Les animaux et l'homme
Les hommes ont pris l'habitude de classer les animaux par rapport à eux. On distingue ainsi :
- les animaux **domestiques :** ceux qui vivent à la maison ou qui subviennent aux besoins de l'homme. Généralement, ils sont nourris, logés et protégés par lui.
- les animaux **sauvages :** ceux qui vivent en liberté dans les bois, dans les champs, dans les forêts ou dans les déserts.

Il existe des animaux **utiles :** ceux qui rendent service à l'homme, et des animaux **nuisibles :** ceux qui nuisent à l'homme.

Les animaux et leurs adjectifs
Un animal **aquatique** est un animal qui vit dans l'eau (le poisson)
Un animal **terrestre** est un animal qui vit sur terre (le cheval)
Un animal **amphibie** est un animal qui vit sur terre et dans l'eau (la grenouille)
Un animal **carnivore** est un animal qui se nourrit de chair (le lion)
Un animal **herbivore** est un animal qui se nourrit d'herbes (la vache)
Un animal **frugivore** est un animal qui se nourrit de fruits ou de graines (l'écureuil)
Un animal **granivore** est un animal qui se nourrit de grains (la poule)
Un animal **insectivore** est un animal qui se nourrit d'insectes (un oiseau)
Un animal **omnivore** est un animal qui se nourrit de végétaux et d'animaux (le porc)
Un animal **ovipare** est un animal qui se reproduit par des œufs (le corbeau)
Un animal **vivipare** est un animal qui met au monde des petits vivants (la jument)
Un animal **fossile** est un animal qui n'existe plus et dont on a retrouvé des ossements, des empreintes ou des traces sur des roches

(suite à la p. 69)

TISSAGE
Peinture
7
2
3
13
9
14
10
8
3
3
5
11
6
4
12
15
Poterie
VANNERIE
17
24
19
16
18
25
21
22
23

1
2
3
4
5
6
29
21
20
18
24
26
25
23
22

LE ZOO

(1) Girafe (2) Gazelle (3) Gardien de zoo (4) Zèbres (5) Otaries (6) Éléphant d'Asie (7) Éléphant d'Afrique (8) Pingouins (9) Ours brun (10) Autruche (11) Kangourou (12) Toucan (13) Ara (14) Casoar (15) Kiwi (16) Panthère (17) Guêpard (18) Lion (19) Lionne (20) Lionceau (21) Tigre (22) Ouistiti (23) Orang Outang (24) Gibbon (25) Chimpanzé (26) Macaque (27) Marchand de glaces ambulant (28) Fossé (29) Visiteurs (30) Nourriture pour les fauves

4
5
1
2
6
3
14
11
13
9
12
10
15
17
7
16
18
8
20
26
23
24
21
19
22
25

Des mots voisins

Une **bête :** mot qui a le même sens que le mot animal, mais qui met en valeur l'infériorité de l'animal par rapport à l'homme.
Un **quadrupède :** animal à quatre pieds (ex : le chat)
Un **bipède :** animal à deux pieds (ex : l'autruche)
Un **mammifère :** animal pourvu de mamelles, nourrissant ses petits avec le lait sécrété par les mamelles (ex : la vache)
Un **oiseau :** animal bipède, vivipare, revêtu de plumes, pourvu d'un bec et de deux ailes lui permettant de voler (ex : un pinson)
Un **reptile :** animal qui rampe, au corps recouvert d'écailles (ex : un boa)
Un **insecte :** animal pourvu de six pattes, généralement ailé, et de petite taille (ex : un hanneton)
Un **mollusque :** animal invertébré vivant le plus souvent dans une coquille protectrice (ex : l'escargot)
Un **crustacé :** animal recouvert d'une peau très dure, généralement aquatique et respirant par des branchies (ex : le homard)
Un **poisson :** animal aquatique, pourvu de nageoires, couvert d'écailles, respirant par des branchies (ex : le thon)

3. Le petit conservatoire *(page ci-contre)*

Enfin je fais de la musique ! Mon rêve s'est réalisé ! Mes copains et moi, nous avons monté un orchestre de rock. Nous serons bientôt célèbres et nous passerons à la télévision. Mon frère Eric préfère la danse et ma cousine Béatrice joue du piano. Une famille de musiciens en herbe ! Grâce au petit conservatoire que Melle Denis a créé, nous pouvons nous exercer deux ou trois fois par semaine.

Mireille

J'emploie le mot juste

- Comment joue-t-on :
  a) du piano ; b) de la guitare ; c) du tambour ; d) de la flûte ?
- Cherche un adjectif pour qualifier le son :
  a) du violon ; b) des cymbales ; c) de la grosse caisse.
- Quelles différences y a-t-il entre :
  a) un piano et un orgue ; b) une guitare et un violon ; c) un saxophone et une trompette ; d) un violoncelle et une contrebasse ?

Des mots aux idées

- Comment se terminent, en général, les noms de métier des musiciens ? Cite cinq autres noms de métiers ayant le même suffixe.
- Comment distingue-t-on la musique moderne et la musique classique ? la danse moderne et la danse classique ?

LE PETIT CONSERVATOIRE

① Professeur de danse ② Chausson de danse
③ Tutu de danseuse ④ Métronome ⑤ Barre
⑥ Collant de danseur ⑦ Contrebasse ⑧ Violoncelle
⑨ Piano ⑩ Partitions de musique ⑪ Trompette
⑫ Flûte à bec ⑬ Cor à pistons ⑭ Cor de chasse
⑮ Violon ⑯ Clarinette ⑰ Flûte traversière
⑱ Pupitre ⑲ Guitare électrique ⑳ Saxophone
㉑ Batterie ㉒ Grosse caisse ㉓ Cymbales
㉔ Timbales ㉕ Orgue électrique ㉖ Mailloches

Des mots pour parler

- Aimerais-tu mieux chanter, danser ou jouer d'un instrument de musique ? Explique.
- Donne des noms de danses que tu connais.
- Enregistre – à partir d'un disque ou d'une émission de télévison – le son :
  a) du piano ;
  b) de la flûte ;
  c) du violon ;
  d) de la guitare.

Cc

ça — pron.

1. *Donnez-moi ça.* → cela, ceci.
2. *« Comment ça va ? – Ça va bien »* (fam.).

EXPRESSION

Qui ça ? Où ça ?
→ Indique l'insistance.

çà — mot inv.

Çà et là, des primevères poussaient sur la pelouse.

EXPRESSION

Çà, par exemple ! Ah ! çà !
→ Indique l'étonnement, l'impatience, l'indignation.

cacher [3] — verbe

1. *Pour qu'ils ne soient pas vus de l'Ogre, le Petit Poucet avait caché ses frères sous le lit.* ≃ dissimuler. ≠ exhiber, montrer.
2. *Isabelle cache sa peine.* → elle ne la montre pas. ≠ dévoiler, exprimer, révéler.
3. *Je ne te cache pas que je suis heureux.* → je t'avoue.

■ **cachette,** n. f. *François a trouvé une cachette idéale au creux de cet arbre.* ■ **se cacher,** v. **1.** *Ali Baba s'était caché dans une jarre à huile.* **2.** *Il se cache de ses parents pour leur préparer une suprise.* → il prend soin de ne pas se montrer.

ORTHOGRAPHE

Cachette prend deux **t**.

EXPRESSIONS

- **Jouer à cache-cache.** → jeu consistant à se dissimuler le mieux possible pour ne pas être vu de celui qui cherche.
- **Cacher son jeu.** → ne pas dévoiler ses intentions.
- **En cachette.** → en secret, en se cachant.

cadeau — nom masc.

Le matin de Noël, les enfants ont déballé avec empressement les cadeaux posés au pied du sapin. ≃ don, étrennes, présent.

VOCABULAIRE

On peut accepter, acheter, donner, faire, offrir, présenter ou refuser un cadeau.

cadran — nom masc.

Sur le cadran de ta montre, la grande aiguille se trouve sur le 12, la petite sur le 3. C'est l'heure de la récréation !

◄ Le cadran solaire de Riquewiler (Haut-Rhin). *Carpe diem* signifie : « mets à profit le jour présent ».

EXPRESSION

Faire le tour du cadran (pour les aiguilles d'une montre). → parcourir 12 heures.

VOCABULAIRE

Le baromètre, la boussole, l'horloge, le téléphone ont aussi un cadran.

C

cadre nom masc.

1. *François a placé sa photo de communiant dans un cadre de bois.*
2. *Le château de Chillon, en Suisse, se trouve dans un cadre magnifique, au bord du lac Léman.* → un décor. ≃ entourage, milieu.
3. *Sur le cadre d'un vélo sont fixés : le guidon, les roues, la selle, le pédalier.*
4. *Hélène est cadre chez Renault.* ≃ employé supérieur.

ORIGINE

Cadre vient de carré.

café nom masc.

1. *A partir des grains de café grillés et moulus, on prépare le café.*
2. *Dans les cafés, les clients commandent des boissons au comptoir ou dans la salle.* → les bars.

■ **cafetière,** n. f. → un récipient pour faire et verser le café.

VOCABULAIRE

On torréfie, moud, prépare, filtre (ou passe), puis on verse, prend le café.

AUTOUR DE

- C'est sous Louis XIV que les Français ont commencé à boire du café.
- On récolte les grains de café sur un caféier.

cage nom fém.

1. *Crois-tu que les animaux sont heureux en cage ?*
2. *Du 5e étage au rez-de-chaussée, la rampe suit le tour de la cage d'escalier.* → le volume occupé par un escalier sur toute sa hauteur, dans un immeuble ou une maison.

VOCABULAIRE

Voici deux autres cages :

- la cage d'ascenseur.
- la cage thoracique → la partie du squelette formée par les côtes et les vertèbres, et qui contient le cœur et les poumons.

cahier [kaje] nom masc.

A la fin de la dictée, l'institutrice ramasse les cahiers.

ORIGINE

Cahier vient du latin quaternio, groupe de quatre (feuilles).

caillou [kaju] nom masc.

Ce fleuve charrie de la terre, du sable et des cailloux. → des petites pierres.

■ **caillouteux, euse,** adj. *Un terrain caillouteux est difficile à labourer.* → rempli de cailloux. ≃ pierreux.

ORTHOGRAPHE

Des caill**oux**. Caillou, chou, chouchou, hibou, genou, joujou, pou prennent un **x** au pluriel.

caisse nom fém.

1. *J'ai rangé cette caisse pleine de vieux jouets au grenier.* → une grande boîte en bois pour l'emballage et le transport d'objets.
2. *A la fin de la journée, la boulangère compte combien d'argent contient sa caisse.*
3. *Pour retirer de l'argent dans une banque, on doit se présenter à la caisse.* → au bureau ou au guichet où l'on verse ou encaisse de l'argent.

■ **caissier, ière,** n. m. et f. → personne qui tient une caisse dans un commerce ou une banque.

Une grande famille :

châssis — caissette, caissier, caissière

cassette — **caisse**

capsule, capsuler, décapsuler

encaissement, encaisser

calcaire nom masc. et adj.

1. n. m. *Le marbre, la craie, la marne sont des calcaires.* → une sorte de roche.
2. adj. *La bruyère pousse mal dans les terrains calcaires.*

AUTOUR DE

Dans certaines grottes, on voit des colonnes formées par du calcaire. Les stalagmites montent à partir du sol, les stalactites descendent de la voûte.

calcul [kalkyl] nom masc.

1. *Effectuez le calcul suivant : 59 × 6.* → l'opération.
2. *D'après mes calculs, le match de ce soir devrait bien se passer.* → d'après mes estimations, mes prévisions.

■ **calculer,** v. *Sais-tu bien calculer : combien font 278 – 253 ?*

AUTOUR DE

Une calculatrice, ou calculette, désigne une machine qui fait automatiquement des opérations.

calendrier nom masc.

Regardez le nouveau calendrier : vous y découvrirez les mois, les semaines, les jours, les fêtes de l'année qui vient.

calme nom masc. et adj.

1. n. m. *Quel calme ! On n'entend aucun bruit dans cette rue.* → tranquillité.
2. adj. *De ces deux enfants, l'un est turbulent, l'autre, très calme.* → paisible, tranquille.

■ **calmer,** v. *Le dompteur essayait de calmer l'animal trop nerveux.* → apaiser. ■ **se calmer,** v. *Calme-toi !* ≃ s'apaiser.

EXPRESSIONS

- **Garder son calme.** → garder son sang-froid, ne pas s'affoler, ne pas s'énerver.
- **Perdre son calme.** → s'agiter, s'énerver.

camarade nom masc. ou fém.

J'ai beaucoup de camarades de classe, mais je n'ai que deux vrais amis. → compagnons/compagnes. ≃ copain/copine (fam.).

■ **camaraderie,** n. f. → bonne entente.

ORIGINE

Camarade vient du latin camera, chambre. Autrefois, les camarades étaient ceux qui partageaient la même chambre.

caméra [kameʀa] nom fém.

« Silence ! On tourne ! » La caméra suit les mouvements de l'acteur.

AUTOUR DE

La première caméra fut fabriquée en 1889.

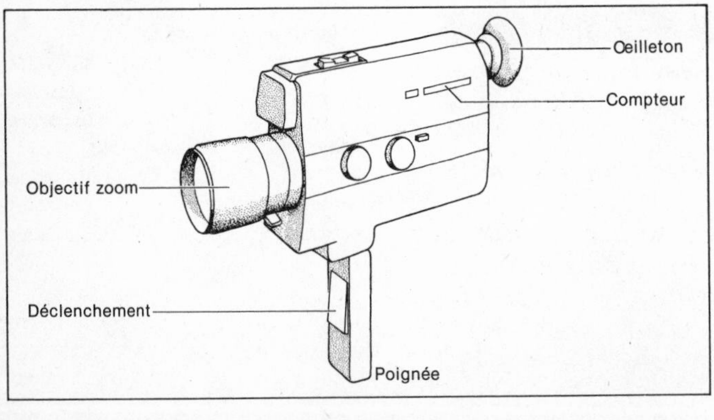

◄ Une caméra portative.

C

camion — nom masc.

Le poids et la taille de certains camions les empêchent de circuler sur les ponts. → des poids lourds.

■ **camionnette,** n. f. → sorte de petit camion.

ORTHOGRAPHE

Attention : 2 **n** à camio**nn**ette.

camp — nom masc.

1. *En vacances, nous avions établi notre camp dans un champ bordé d'une rivière.* → nous avions planté nos tentes et installé notre matériel. ≃ campement.
2. *Jouons à la balle aux prisonniers : dans quel camp veux-tu être ?* → quelle équipe, quel groupe.

ORTHOGRAPHE

Cam**p** se termine par un **p**. (Pense à cam**p**agne.)

VOCABULAIRE

Un feu de camp. Un lit de camp.

camper 3 — verbe

1. *Cette année, c'est décidé, nous irons camper au bord de la mer.* → vivre en plein air en dormant sous une tente.
2. *Dans ce film, la jeune comédienne campe un personnage très drôle.* → elle interprète, joue, représente.

■ **camping,** n. m. *Chaque été, les terrains de camping sont envahis par les vacanciers.* ■ **se camper,** v. *Il s'est campé devant moi pour m'empêcher de passer.* → il s'est dressé, planté.

AUTOUR DE

- Le camping en forêt exige beaucoup de prudence : attention aux risques d'incendie !
- Les nomades d'Afrique du Nord campent dans le désert, sur les hauts plateaux.

campagne — nom fém.

1. *Mon cousin habite dans une ferme à la campagne.*
2. *Le gouvernement fait une campagne d'information sur les risques d'incendie en forêt.*

■ **campagnard, e,** adj. ou n. m. et f. → (celui, celle) qui vit à la campagne.

EXPRESSION

En rase campagne. → sans se cacher, en terrain découvert.

AUTOUR DE

Un campagnol est un rat des champs.

canal — nom masc.

Pour aller de l'océan Atlantique à l'océan Pacifique, les bateaux passent par le canal de Panama. → une voie d'eau navigable artificielle (alors que les fleuves sont des voies d'eau naturelles).

ORTHOGRAPHE

Un canal/des can**aux**,
mais
un bal/des ba**ls** ; un carnaval/des carnava**ls**.

AUTOUR DE

Amsterdam est une ville de Hollande célèbre par les nombreux canaux qui la sillonnent.

◄ Le canal Albert, en Belgique, relie Anvers à Liège.

canard nom masc.

Les canards se nourrissent de plantes d'eau, de graines, de grenouilles, de petits poissons.

■ **cane,** n. f. → femelle du canard. ■ **caneton,** n. m. → petit du canard.

ORTHOGRAPHE

N'oublie pas le **d** final de canard.

EXPRESSIONS

- **Marcher comme un canard, en canard.** → marcher en écartant les pieds.
- **Il fait un froid de canard** (fam.). → il fait très froid.

AUTOUR DE

Le canard se caractérise par ses pattes palmées lui permettant d'avancer dans l'eau (c'est un palmipède), et par son bec au bout plat et arrondi.

candidat, candidate nom masc., nom fém.

Deux candidats et trois candidates se présentent pour être élus délégués de la classe. → ils aspirent à.

■ **candidature,** n. f. *Pour ces élections, beaucoup de personnes ont posé leur candidature.*

VOCABULAIRE

Quelques candidats :
- des candidats aux élections,
- des candidats à un examen, au baccalauréat,
- des candidats à un emploi.

canine nom fém.

Le chien possède des canines qui lui servent à déchirer la viande. → des dents fortes et pointues situées entre les incisives et les molaires. ≃ croc.

AUTOUR DE

L'homme, comme les animaux carnivores, possède des canines : il en porte deux à chaque mâchoire.

canne nom fém.

Pierre s'est cassé une jambe, il s'appuie sur une canne pour se déplacer. → un bâton.

ORTHOGRAPHE

Canne prend deux **n**.

canoë [kanɔe] nom masc.

Avec une pagaie, Céline fait avancer le canoë. → un bateau léger et étroit à une ou deux personnes.

ORTHOGRAPHE

Un canoë → des canoë**s**.

canon nom masc.

1. *Autrefois, on annonçait la naissance d'un prince en tirant des coups de canon.* → une arme à feu de grande taille.
2. *Dans un fusil, la balle sort par le canon.* → un tube par lequel est propulsé le projectile.

Canon du XVIIe siècle

caoutchouc [kautʃu] nom masc.

1. *Les pneus de la voiture, imperméables et élastiques, sont en caoutchouc.*
2. *Nous avons placé le caoutchouc à la lumière et dans un endroit chaud de la maison.* → une plante verte, d'appartement à feuilles ovales, résistantes et luisantes.

AUTOUR DE

Le caoutchouc naturel est obtenu à partir de l'hévéa. On entaille l'écorce de cet arbre tropical puis on recueille le liquide blanc qui s'écoule : c'est le latex. Ensuite, le latex est traité et donne le caoutchouc.

C

cap [kap] — nom masc.

1. *Les phares sont souvent bâtis sur des caps.* → des pointes de terre qui avancent dans la mer. ≃ promontoire. ≠ baie, golfe.
2. *Le pilote du Boeing met le cap sur Tokyo.* → il prend la direction de Tokyo.

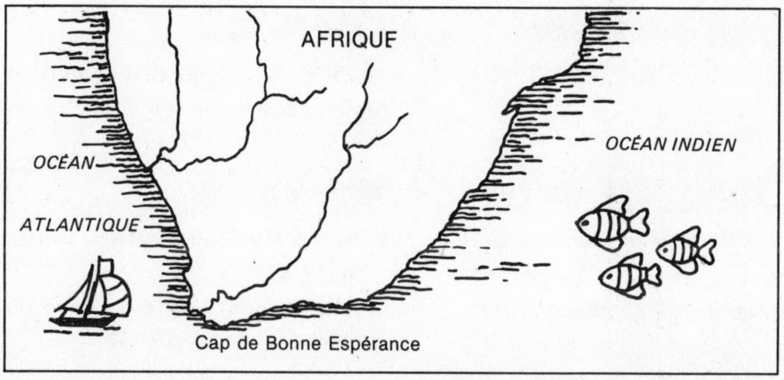

◄ Le cap de Bonne Espérance, au sud de l'Afrique.

ORIGINE

Cap vient du mot latin caput, tête. Habillé de pied en cap signifie : vêtu des pieds à la tête.

EXPRESSIONS

- **Changer de cap.** → changer de direction.
- *Ma tante a 32 ans ;* **elle a passé le cap** de la trentaine.

capable — adj.

1. *Alain Bombard a montré, le premier, que l'homme était capable de faire un long voyage en mer sans eau douce ni nourriture.* ≠ incapable.
2. *Le coiffeur cherche un employé capable.* ≃ actif, adroit, compétent, qualifié. ≠ incapable, incompétent.

Une grande famille :

capter, captif, captivité, capturer, captivant, captiver, **capable**, incapable, capacité, incapacité

capacité — nom fém.

1. *A l'examen, les membres du jury notent le candidat sur ses capacités.* → ses aptitudes, ses compétences, ses facultés.
2. *Ce tonneau peut contenir 40 litres de vin : il a une capacité de 40 l.* → une contenance.

AUTOUR DE

L'unité de mesure de capacité est le litre : l ; le décilitre : dl, un dixième de litre ; le centilitre : cl, un centième de litre ; le millilitre : ml, un millième de litre.

capitaine — nom masc.

1. *Le capitaine porte trois galons sur son uniforme.* → l'officier qui commande une compagnie.
2. *Mon grand-père était le capitaine de ce navire.* → il commandait ce navire.
3. *Avant le match, les deux capitaines se serrent la main sur le terrain.* → les deux chefs d'équipe.

EXPRESSION

Un capitaine au long cours. → officier qui commande un bateau faisant de longs voyages.

capital, capitale — adj.

La victoire de l'équipe de France de football est l'événement capital de cette journée. ≃ essentiel, principal.

capitale — nom fém.

1. *Rome est la capitale de l'Italie.* → la ville du pays où siège le gouvernement.
2. *Sur sa copie, Denis a écrit son prénom en capitales.* → en majuscules. ≠ minuscules.

AUTOUR DE

Quand on écrit, on doit mettre la capitale (lettre capitale) aux noms d'habitants, de peuples : un Marseillais, un Espagnol, les Hébreux.

capture nom fém.

Les policiers ont fait une belle capture : ils viennent d'arrêter cinq cambrioleurs. → une arrestation, une prise.

■ **capturer,** v. *Difficile de capturer un poisson volant !* → de l'attraper vivant. ≃ prendre, saisir. ≠ lâcher, libérer, relâcher.

car mot inv.

Aide-moi car je suis seul. ≃ parce que. → Indique la raison, la cause.

GRAMMAIRE

Car est une conjonction de coordination comme : et, ou, ni, mais, or, donc.

caractère nom masc.

1. *Quel mauvais caractère ! Tu te plains sans cesse, tu es toujours désagréable !* ≃ humeur.
2. *Les titres des journaux sont imprimés en gros caractères.* → en grosses lettres.
3. *Le hérisson et le porc-épic possèdent un caractère commun : leurs piquants.* → une caractéristique, une particularité.

EXPRESSIONS

- **Avoir bon caractère.** → être facile à vivre.
- **Avoir du caractère.** → avoir de l'énergie, de la volonté.

carapace nom fém.

1. *Lorsqu'elle a peur, la tortue rentre sa tête, ses pattes et sa queue sous sa carapace.* → l'enveloppe dure couvrant le corps de l'animal.
2. *Au Moyen Age, la cotte de mailles du chevalier lui servait de carapace contre l'ennemi.* → de protection.

AUTOUR DE

- Les crustacés (comme le homard, le crabe, l'écrevisse, la langouste) possèdent aussi une carapace.
- Le tatou (mammifère vivant en Amérique centrale et en Amérique du Sud) possède une carapace articulée, qui lui permet de se rouler en boule.

◄ La carapace de la tortue.

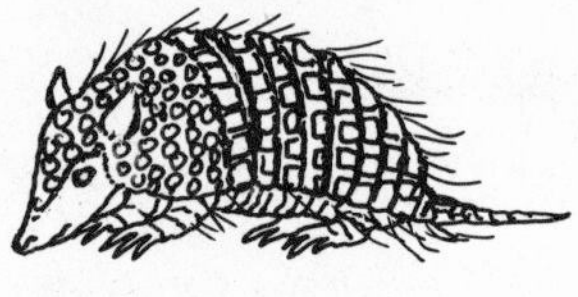

Le tatou.

caravane nom fém.

1. *Une caravane de marchands traversait le désert.* → un groupe voyageant à dos de chameau.
2. *Toute la famille passera ses vacances en caravane.* → une remorque de camping tractée par une voiture.

caresse nom fém.

La chatte ronronnait doucement sous mes caresses. → des gestes doux. ≃ câlinerie.

■ **caresser,** v. *Grand-mère caressait les cheveux de sa petite-fille.*

EXPRESSIONS

- **Caresser du regard.** → regarder avec envie.
- **Caresser un espoir, un rêve, un projet, une idée.** → désirer, vouloir quelque chose.

carie nom fém.

« La dent qui te fait mal a une carie », m'a déclaré le dentiste. → un trou dans l'émail et l'ivoire.

■ **carié, e,** adj. *Une dent cariée.* → atteinte d'une carie.

C

carnassier, carnassière nom masc., nom fém.

Le renard se nourrit de la chair des animaux qu'il tue : c'est un carnassier.

VOCABULAIRE

Le carnivore mange de la chair, l'insectivore des insectes, l'herbivore de l'herbe, l'omnivore de tout.

carnet nom masc.

1. *Sur son carnet de rendez-vous, Sylvain a noté l'adresse et le numéro de téléphone de ses meilleurs amis.* ≃ agenda, calepin.
2. *Les billets de loterie se vendent seuls ou par carnets de dix.*

VOCABULAIRE

Voici d'autres carnets : un carnet scolaire, un carnet de chèques (un chéquier), un carnet de métro ou d'autobus...

carotte nom fém.

La racine de la carotte peut se consommer crue et râpée en salade, ou cuite comme légume.

VOCABULAIRE

Une tige, une feuille, un plant, une botte de carottes.

carpe nom fém.

Les carpes sont des poissons d'eau douce, qui vivent dans les étangs et les rivières.

EXPRESSION

Rester muet comme une carpe. → rester sans dire un mot.

carré nom masc.

Le carré est une figure géométrique à quatre côtés égaux et quatre angles droits.

■ **carré, e,** adj. **1.** *Il existe des montres ovales, rondes ou carrées.* **2.** *On mesure une surface en km², m², cm² ou mm² (kilomètres carrés, mètres carrés, centimètres carrés, millimètres carrés).*

EXPRESSIONS

- Un **visage carré.** → de forme carrée (≠ allongé, ovale, rond).
- **Etre carré en affaires.** → être direct, droit, loyal.

carreau nom masc.

1. *A travers les carreaux, Julien regarde la neige tomber.* → les vitres de la fenêtre.
2. *Le carreleur recouvre le sol de la salle de bains avec des carreaux bleus et blancs.* → de petites dalles.
3. *Xavier se prend pour un cow-boy avec sa chemise à carreaux.* → en tissu décoré de larges carrés.

ORTHOGRAPHE

- Carreau, comme **carré**, s'écrit avec deux **r**.
- Des carr**eaux**.

carrefour nom masc.

La pharmacie se trouve au prochain carrefour. → l'endroit où se croisent plusieurs rues. ≃ croisement.

carrière [kaʀjɛʀ] nom fém.

1. *Les camions remplis de graviers viennent de la carrière.* → du terrain d'où l'on extrait des pierres ou du sable.
2. *Arnaud fait une brillante carrière de journaliste.* ≃ métier, profession.

VOCABULAIRE

- Une carrière de sable est une sablière.
- Une carrière à ciel ouvert ≠ souterraine.

carrosse nom masc.

La marraine de Cendrillon avait transformé la citrouille en carrosse. → une voiture luxueuse à quatre roues, utilisée autrefois et tirée par des chevaux.

ORTHOGRAPHE

Dans cette famille, les mots : carrosse, carrosserie, carrossier, charrue, charrette s'écrivent avec deux **r** sauf : char et chariot.

carte nom fém.

1. *Il ne me reste qu'une carte en main : le roi de cœur.* → une carte à jouer.
2. *Regardez cette carte routière : vous arriverez à Rouen en suivant la route tracée en rouge.* → le plan.
3. *Sur la carte d'identité de Bruno, je lis son nom, son prénom, sa date de naissance et son adresse.*
4. *Une face de la carte postale représente mon village ; de l'autre côté, j'écris à mes cousins.*
5. *Prendrez-vous le menu ou un plat à la carte ?*

EXPRESSIONS

- **Jouer cartes sur table.** → être franc.
- **Jouer sa dernière carte.** → jouer sa dernière chance.

VOCABULAIRE

Avant de faire une partie de cartes, on mêle, bat, coupe, distribue ou donne les cartes.

carton nom masc.

1. *Pour le carnaval, Monique s'est fabriqué un masque avec du carton.* → un papier dur, rigide et épais.
2. *Range tes jouets dans ce carton.* → une boîte en carton.

■ **cartonné, e,** adj. *Ce roman a une couverture cartonnée.* → faite en carton.

ORTHOGRAPHE

- Carton → cartonné
comme
savon → savonné.
- Des cartons-pâtes.

cas nom masc.

1. *Annie et Frank sont dans le même cas : ils passent tous deux au CM1 l'année prochaine.* → la même situation.
2. *On signale trois cas de tétanos dans cette région.* → trois personnes atteintes de cette maladie.
3. *Le participe passé s'accorde ou non avec le verbe selon les cas.*
4. *Au cas où Marie serait absente, copie-lui ses leçons.* → si elle était absente.

EXPRESSIONS

- **En cas d'***absence de Frank, Annie lui copiera ses leçons.* → si Frank est absent.
- **En tout cas,** *même s'il pleut, nous partons en vacances.* → de toute façon.
- **En aucun cas.** → jamais.
- **Dans tous les cas.** → de toutes les façons.

cascade [kaskad] nom fém.

Dans les Alpes, nous avons pique-niqué près d'une cascade. → une chute d'eau. ≃ rapide, saut.

EXPRESSION

Une cascade de rires *accompagne l'entrée du clown sur la piste du cirque.* → beaucoup de, de très nombreux.

◄ Une cascade dans le Jura (la source du Lizon).

case nom fém.

1. *Une grille de mots croisés comporte plus de cases blanches que de cases noires.* ≃ petit carré tracé sur le papier.
2. *Le chef africain habite la grande case au milieu du village.* ≃ hutte, paillote.
3. *Dans la caisse à outils, les vis, les clous sont rangés dans leurs cases respectives.* → leurs compartiments.

Des cases africaines.

casque nom masc.

Le port du casque est obligatoire pour le conducteur et le passager d'une moto. → une coiffure rigide, en plastique dur, en cuir ou en métal, qui protège la tête en cas de choc.

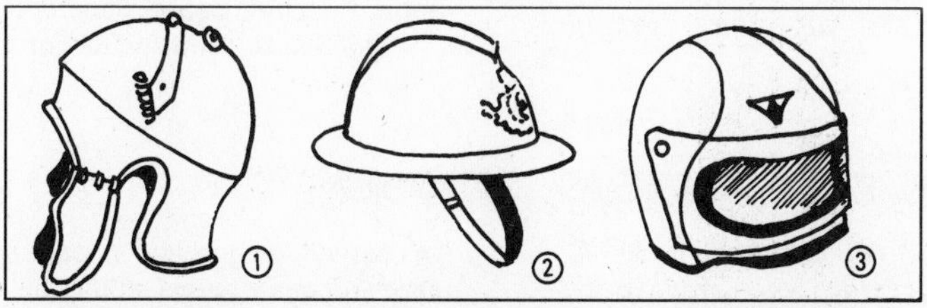

◄ 1. Un casque romain.
2. Un casque de pompier.
3. Un casque de moto.

casser 3 verbe

Elise a cassé sa tirelire. → elle l'a mise en morceaux. ≃ briser, fracasser, rompre.

■ **cassant, e,** adj. **1.** *Attention ! Les branches de cet arbuste sont cassantes.* → elles se cassent facilement. **2.** *D'un ton cassant, il lui a ordonné de sortir.* → autoritaire, tranchant. ■ **cassé, e,** adj. **1.** *Un objet cassé.* → brisé. **2.** *Une voix cassée.* → faible et rauque. ■ **se casser,** v. *Jean-François s'est cassé une jambe.*

VOCABULAIRE

Quelques mots composés :
un casse-cou → un imprudent,
un casse-croûte (fam.),
un casse-noisette,
un casse-noix,
un casse-pieds (fam.),
un casse-tête → un problème difficile.

casserole nom fém.

Autrefois, on avait l'habitude de cuisiner dans des casseroles en cuivre. → des ustensiles de cuisine à la forme arrondie.

ORTHOGRAPHE

Casserole s'écrit avec deux **s**, mais un seul **r**.

cassette nom fém.

Patrice enregistre une émission de radio sur cassette. → une bande magnétique.

ORTHOGRAPHE

Cassette s'écrit avec deux **s** et deux **t**.

AUTOUR DE

On utilise des cassettes avec des magnétophones (pour enregistrer les sons) et avec des magnétoscopes (pour enregistrer des émissions de télévision).

catastrophe nom fém.

Un navire a fait naufrage ; bilan de la catastrophe : 52 morts. ≃ désastre, malheur.

■ **catastrophique,** adj. *Un tremblement de terre est toujours catastrophique pour l'économie d'un pays.* → il a des effets graves, désastreux.

ORTHOGRAPHE

Catastrophe, catastrophique s'écrivent avec **ph** et se prononcent [f].

cathédrale nom fém.

La cathédrale Saint-Gratien est la plus grande église de la ville de Tours.

ORTHOGRAPHE

N'oublie pas le **h** après le **t**.

cauchemar nom masc.

Chantal s'est réveillée brusquement cette nuit : elle a fait un cauchemar. → un rêve effrayant.

ORTHOGRAPHE

Caucheм**ar** se termine par **ar**.

cause nom fém.

1. *Yves a manqué son autobus : voilà la cause de son retard.* → ce qui a provoqué son retard. ≃ motif, origine, raison. ≠ conséquence, effet, résultat.
2. *L'avocat défend la cause de son client.* → il défend son parti devant les tribunaux et fait un plaidoyer en sa faveur.

EXPRESSIONS

- **A cause de** *ma grippe, je ne sortirai pas aujourd'hui.* → en raison de.
- *La représentation de ce soir est annulée* **pour cause de** *grève.* → la grève est la raison de cette annulation.

causer [3] verbe

1. *Une cigarette mal éteinte a causé un incendie de forêt.* → elle est à l'origine de l'incendie. ≃ entraîner, produire, provoquer.
2. *Dans le train, mes voisins n'ont pas arrêté de causer.* → de se parler. ≃ bavarder.

GRAMMAIRE

On parle **de** quelque chose **à** quelqu'un, mais on cause **de** quelque chose **avec** quelqu'un.

cavalier, cavalière nom masc., nom fém.

1. *Lise aimerait monter à cheval et devenir une bonne cavalière.* → une personne sachant monter à cheval.
2. *Au mariage de son frère, Jean avait Eliane pour cavalière.* → pour compagne, partenaire.

EXPRESSION

Faire cavalier seul. → agir tout seul, de son côté, sans s'occuper des autres personnes.

cave nom fém.

Maman a rangé son vieux vélo à la cave. → une pièce au sous-sol de la maison, creusée sous terre.

EXPRESSION

De la cave au grenier. → de bas en haut, entièrement.

caverne nom fém.

Pendant une partie de la préhistoire, les hommes ont vécu dans des cavernes. → des trous naturels creusés dans des roches. ≃ grotte.

AUTOUR DE

On appelle « âge des cavernes » la période pendant laquelle les premiers hommes s'abritaient dans des cavernes pour se protéger du froid.

ce, cet, cette, ces adj.

Parmi tous les animaux que je vous montre, un seul n'est pas un oiseau, lequel ? ce *pigeon,* cet *hippopotame,* cette *cigogne,* ces *corbeaux ou* ces *autruches ?*

GRAMMAIRE

Ce serpent étrange, mais : **cet** **é**trange serpent, **cet** **h**orrible serpent.

C

ce, c' — pron. dém.

Chercher des mots dans le dictionnaire, est-ce difficile ? Non, c'est amusant. Ce sont des recherches utiles.

■ **ceci, cela,** pron. dém. Ceci *est à moi,* cela *est à toi.*

GRAMMAIRE

- On écrit **c'** quand le verbe commence par une voyelle.
- **Ceci** désigne la chose la plus proche, **cela,** la chose la plus éloignée.

céder [3] — verbe

1. *Cède ta place à ce vieux monsieur debout dans le métro.* → donne, laisse. ≠ conserver, garder.
2. *Nicole cède à l'envie de manger un bon gâteau.* → elle ne résiste pas. ≃ succomber. ≠ renoncer, résister, s'opposer.
3. *La planche a cédé sous le poids des livres.* → elle s'est écroulée, effondrée.

EXPRESSIONS

- **Céder sa place, son tour.**
- **Céder du terrain.** → reculer.
- **Céder un magasin, un commerce.** → le vendre.
- **Céder un objet.** → le donner ou l'échanger.

cédille — nom fém.

N'oubliez pas la cédille quand vous écrivez « une balançoire » !

ORTHOGRAPHE

On place une cédille sous le **c** devant **a, o, u** quand on veut obtenir le son [s].
Ex. : je trace, nous traçons.

ceinture — nom fém.

1. *Au Moyen Age, les chevaliers et les dames de la noblesse portaient une ceinture dorée.* → une pièce de vêtement longue et étroite qui s'attache autour de la taille.
2. *A la piscine, Blaise a de l'eau jusqu'à la ceinture.* → jusqu'à la taille.

AUTOUR DE

Au judo, les débutants sont ceinture blanche, puis en progressant ils peuvent devenir ceinture jaune, orange, verte, marron et enfin ceinture noire.

célèbre — adj.

Les pyramides d'Egypte sont célèbres dans le monde entier. → très connues. ≃ fameux, illustre, réputé. ≠ ignoré, inconnu.

■ **célébrer,** v. → fêter (une cérémonie). ■ **célébrité,** n. f.
1. *Charlie Chaplin a atteint la célébrité grâce à ses films.* → la gloire.
2. *Plusieurs célébrités du cinéma ont reçu la récompense des césars.* → des comédiens et des comédiennes connus.

VOCABULAIRE

- Une œuvre célèbre : « la Joconde », peinte par Léonard de Vinci.
- Un événement célèbre : la prise de la Bastille le 14 juillet 1789.
- Un lieu célèbre : les chutes du Niagara en Amérique.
- Un écrivain célèbre : Molière.

celle, celles, celle-ci, celle-là, celles-ci, celles-là, — pron. dém.

Voici des poésies. Celle *que vous lisez est triste, mais* celles *que j'ai collées dans mon cahier sont amusantes. Préférez-vous* celle-ci *ou* celles-là *?*

GRAMMAIRE

- **Celle-ci** désigne la chose ou la personne la plus proche.
- **Celle-là,** la chose ou la personne la plus éloignée.

cellule — nom fém.

1. *Le prisonnier est enfermé dans une cellule.* → une pièce très étroite.
2. *Les cellules de tout être vivant sont des éléments très petits qu'on observe avec un microscope.*

ORTHOGRAPHE

Attention ! Deux **l** puis un seul **l** à cellule !

celui, celui-ci, celui-là, ceux, ceux-ci, ceux-là — pron. dém. masc.

Peut-on emprunter ces livres ?
Celui *qui est sur mon bureau, non.*
Celui-ci, *oui.*
Celui-là, *non.*
Ceux *qui se trouvent dans la bibliothèque, bien sûr.*

(Voir aussi à **celle**.)

	sing.	plur.
masc.	**celui-ci**	**ceux-ci**
fém.	**celle-ci**	**celles-ci**
neutre	**ceci, ce**	
masc.	**celui-là**	**ceux-là**
fém.	**celle-là**	**celles-là**
neutre	**cela**	

cendre — nom fém.

Grand-père a brûlé les branches mortes du poirier : il ne reste plus que de la cendre. → une fine poussière grise résultant des déchets brûlés.

■ **cendrier** [sɑ̃dʀije], n. m. *Le fumeur fait tomber la cendre de sa cigarette dans un cendrier.*

AUTOUR DE

Les volcans en éruption projettent des fumées, des gaz, des laves, mais aussi des cendres volcaniques.

[illegible] — adj.

1. *Mon liv[illegible]grammaire a cent (100) pages.*

2. *En 1978, 46 pour [illegible] (46 %) des Français ne sont pas partis en vacances.* → 4[illegible]is sur cent.

■ **centaine,** n. f. **1.** *Dans 450, 4 est le chiffre des centaines.* **2.** *Brigitte possède une centaine de timbres.* → à peu près 100 timbres. ■ **centenaire,** n. ou adj. **1.** adj. *Ce vieux chêne est centenaire.* → il a au moins 100 ans. **2.** n. *Dans notre village, il y a deux centenaires : M. Sorel, 100 ans, et Mme Duparc, 104 ans.* → personnes qui ont atteint ou dépassé 100 ans. **3.** n. m. *On a fêté le centenaire de l'école publique en 1981.* → on a célébré le centième anniversaire. ■ **centième ,** n. m. ou f., adj. **1.** n. *Tu as 99 timbres : en voici un centième à coller dans ton album.* **2.** adj. ou n. m. *Divisons 45 000 par 100 : 450 est la centième partie de 45 000 ou le centième de 45 000.*

ORTHOGRAPHE

Cent arbres, **trois cents** arbres, mais **trois cent dix** arbres : **cent** reste invariable s'il est suivi d'un autre nombre.

VOCABULAIRE

Un centimètre (cm) est le centième d'un mètre,
Un centigramme (cg) est le centième d'un gramme,
Un centilitre (cl) est le centième d'un litre,
Un centime (c) est le centième d'un franc.

centre — nom masc.

1. *C'est un excellent tireur : à chaque fois, il atteint le centre de la cible.* ≠ bord.

2. *Marseille est un grand centre commercial et industriel français.* → une ville où les activités sont nombreuses.

3. *Le centre (dans un sport).* → le joueur qui se trouve au centre de la ligne d'attaque.

■ **central, e,** adj. *Nous habitons le quartier central de la ville.* → dans le centre. ■ **centrale,** n. f. *Une centrale électrique est une usine produisant de l'électricité.*

VOCABULAIRE

Il existe d'autres centres comme : le centre ville (→ le quartier principal), un centre aéré, un centre commercial, un centre hospitalier.

Un cep de vigne.

cep [sɛp] — nom masc.

Après les vendanges, les viticulteurs taillent les ceps de la vigne. → les pieds.

cependant — mot inv.

En 1634, Galilée a été condamné pour avoir dit que la Terre tournait autour du Soleil ; cependant, c'était vrai. → malgré tout.

VOCABULAIRE

On peut remplacer cependant par en dépit de (cela), malgré tout, néanmoins, pourtant, toutefois.

cercle nom masc.

1. *Prenez vos compas et tracez un cercle.* → une figure ronde.
2. *Pour son anniversaire, Barbara était entourée d'un cercle d'amies.* → d'un groupe d'amies.

■ **circulaire,** adj. *Au cirque, les chevaux évoluent sur la piste circulaire.* → en forme de cercle.

EXPRESSION

Le soir, les campeurs sont assis **en cercle** *autour du feu.* → en rond.

céréale [seʀeal] nom fém.

En France, on cultive le maïs, céréale dont les grains nourrissent le bétail, les volailles, mais aussi les hommes.

ORIGINE

Céréale vient du nom latin Cérès, déesse romaine des moissons.

cérémonie nom fém.

Au cours de cérémonies religieuses, les Grecs offraient de l'huile et des parfums à leurs dieux.

EXPRESSION

Il nous a reçus **sans cérémonie.** → avec simplicité.

cerf [sɛʀ] nom masc.

Le cerf porte des sortes de cornes appelées des bois.

ORTHOGRAPHE

Le **f** de cerf ne se prononce pas.

AUTOUR DE

La femelle du cerf est la biche, et son petit, le faon. Le cerf brame.

cerise nom fém.

L'été, nous remplissons des paniers de cerises dans le verger. → des fruits à noyau rond, petits et charnus, de couleur rouge ou jaune, à la peau brillante et lisse.

■ **cerisier,** n. m. → arbre qui donne des cerises.

VOCABULAIRE

Voici plusieurs sortes de cerises : bigarreau, griotte, guigne, montmorency, marasque, merise.

certain, certaine adj.

1. *Je suis certain d'avoir fermé cette porte à clé.* → j'en suis sûr. ≃ convaincu, persuadé.
2. *Son arrivée est maintenant certaine.* → évidente, sûre. ≠ douteux, incertain.
3. *Il ne peut pas préciser combien de jours il restera : il restera un certain temps.* → un temps indéterminé. ≠ déterminé.
4. *Dans certains pays, les femmes portent un voile sur le visage.* → des pays parmi d'autres.
5. *Quelqu'un que je ne connais pas t'a téléphoné : un certain M. Malet.* → un dénommé.
6. *Ce tableau a une certaine valeur.* → une valeur assez importante.

■ **certainement,** mot inv. → sûrement, sans aucun doute. ■ **certains, aines,** pron. plur. *Certains, parmi vous, portent les cheveux longs.* → quelques-uns.

ORTHOGRAPHE

Devant un nom commençant par une voyelle, *certain,* adj., se prononce comme *certaine : un certain élève* [œsɛʀtɛnelɛv].

EXPRESSION

Sûr et certain. → tout à fait sûr.

cerveau nom masc.

Le cerveau est un organe indispensable pour voir, entendre, sentir, réfléchir, se souvenir.

■ **cervelet** [sɛʀvəlɛ], n. m. → organe situé à l'arrière du cerveau. ■ **cervelle,** n. f. *Gisèle a acheté une cervelle de mouton chez le boucher.* → la substance contenue dans la tête de l'animal composant le cervelet et la cervelle, et que l'on peut consommer.

ORTHOGRAPHE

Des cerve**aux**.

EXPRESSION

Etre une tête sans cervelle. → être étourdi.

cesser 3 verbe

Cessez de parler si fort, on ne s'entend plus. ≃ arrêter.

EXPRESSION

Un cessez-le-feu. → un arrêt des combats.

c'est-à-dire mot inv.

Je connais un enfant ingénieux, c'est-à-dire curieux et astucieux. → je veux dire, cela signifie.

ORTHOGRAPHE

N'oublie pas les deux traits d'union : c'est-à-dire.

chacun, chacune pron.

Chacun des arbres a été taillé. → chaque arbre.

EXPRESSION

Parlez **chacun à votre tour.** → les uns après les autres.

chagrin nom masc.

Quand sa cousine est partie, Thérèse a eu beaucoup de chagrin. → beaucoup de peine. ≃ tristesse. ≠ allégresse, joie.

■ **chagriner, v.** → attrister, peiner. ≠ réjouir, satisfaire.

EXPRESSION

Eprouver du chagrin. → avoir du chagrin.

chaîne nom fém.

1. *Luc porte une chaîne d'argent au cou.*
2. *Les Alpes forment une chaîne de montagnes.* → une suite de montagnes reliées entre elles.
3. *Ce soir, j'ai envie de regarder la 3ᵉ chaîne.*

EXPRESSION

Faire la chaîne. → faire passer un objet des mains d'une personne dans les mains d'une autre personne.

chair nom fém.

1. *Cette coupure est profonde : elle a entamé la chair.* ≠ os.
2. *La chair de cette pomme est très juteuse.* → la pulpe.

EXPRESSION

- **Avoir la chair de poule.** → avoir les poils de la peau hérissés sous l'effet de la peur ou du froid.

chaise nom fém.

Prends cette chaise et viens t'asseoir près de nous.

EXPRESSION

Etre assis entre deux chaises. → occuper une situation incertaine.

chalet nom masc.

En montagne, nous habitions dans un chalet à 2 000 mètres d'altitude. → une maison de bois.

ORIGINE

- C'est de la Suisse, pays de montagnes, que vient le nom « chalet », diminutif de cala, abri.
- A l'origine, le chalet était un abri de berger.

chaleur nom fém.

1. *Pour vivre, une plante a besoin de lumière et de chaleur.* ≠ froid.
2. *Lucie et Sébastien nous ont reçus avec chaleur.* → avec amitié. ≠ froideur, indifférence.

■ **chaleureux, euse,** adj. *Les joueurs ont reçu un chaleureux accueil de leurs supporters.* ■ **chaleureusement,** mot inv. *La foule a chaleureusement applaudi le vainqueur.*

ORTHOGRAPHE

En général, les mots féminins en **-eur** ne prennent pas de **e** final. Ex. : od**eur**, sav**eur**..., mais une dem**eure**.

C

chambre nom fém.

Chaque soir, Liliane ferme les volets de sa chambre avant d'aller dormir.

EXPRESSION

Garder la chambre. → ne pas sortir de chez soi (quand on est souffrant).

chameau nom masc.

Parce que c'est un animal qui peut rester longtemps sans boire, le chameau peut vivre facilement dans le désert.

ORTHOGRAPHE

Des cham**eaux**.

AUTOUR DE

- Le chameau d'Asie a deux bosses, le chameau d'Arabie n'en a qu'une.
- La femelle du chameau est la chamelle.
- Celui qui garde, conduit les chameaux est un chamelier.
- Le chamelon est le petit du chameau.
- Le cri du chameau : il blatère.

chamois nom masc.

Dans la montagne, les chamois, très agiles, sautent de rocher en rocher.

AUTOUR DE

L'isard est le nom du chamois des Pyrénées.

champ nom masc.

1. *Les agriculteurs cultivent des terrains, des champs.*
2. *Lorsque j'apprends des choses nouvelles, j'agrandis le champ de mes connaissances.* → le domaine.

EXPRESSIONS

- **Sur-le-champ.** → tout de suite.
- **Prendre la clef des champs.** → partir.

champignon nom masc.

En automne, dès qu'il a plu, les champignons apparaissent dans le sous-bois. → des plantes formées d'un pied et d'un chapeau.

◄ 1. Des girolles.
2. Une morille.
3. Des cèpes.
4. Des fistulines.

EXPRESSIONS

- **Pousser comme un champignon.** → très facilement.
- **Une ville-champignon.** → une ville qui se construit, « pousse » très vite.

champion, championne nom masc., nom fém., adj.

1. n. m. *Le champion du monde de vitesse sur route porte un maillot arc-en-ciel.* → le meilleur sportif dans ce domaine. ≃ as (fam.).

2. adj. *Une coupe sera remise à l'équipe championne.* → à l'équipe qui aura triomphé.

■ **championnat,** n. m. *Le championnat de France de football se fait au classement par points.* → une épreuve sportive disputée entre les meilleures équipes. ≃ compétition.

ORTHOGRAPHE

- Attention au **m** devant le **p**.
- N'oublie pas le **t** final de **championnat**.

VOCABULAIRE

Voici d'autres épreuves sportives : un challenge, un concours, une coupe, les jeux Olympiques, un match, un rallye, une rencontre, un tournoi, un trophée.

chance nom fém.

1. *Jérôme vient de gagner au Loto : quelle chance il a !* → veine (fam.). ≠ déveine (fam.), malchance.

2. *Je devais partir : c'est une chance que vous me trouviez là.* → un hasard heureux.

3. *Il y a de fortes chances pour qu'il pleuve avant la fin de la journée.* → il est probable qu'il pleuvra avant la fin de la journée.

■ **chanceux, euse,** adj. *Pierre est plus chanceux que moi.* → veinard (fam.). ≠ malchanceux.

EXPRESSIONS

- *On dit qu'un trèfle à quatre feuilles* **porte chance.** → porte bonheur.
- *Je n'ai pas de parapluie et il pleut :* **c'est bien ma chance !** → je n'ai pas de chance.
- **Bonne chance !** → je vous souhaite de réussir.

changer 19 verbe

1. *Le pneu avant droit est crevé : Papa doit changer la roue.* → la remplacer.

2. *Le ciel se couvre, le temps va changer.* → il va se modifier, varier.

3. *La fée changea Cendrillon en une belle princesse.* → elle transforma.

4. *Veux-tu changer de place avec moi ?* → échanger ta place contre la mienne.

■ **changeant, e,** adj. *Dans nos montagnes, le temps est changeant.* → il varie souvent. ■ **changement,** n. m. *Quand tu seras en sixième, il y aura des changements dans ta vie d'écolier.* → des modifications, des transformations. ■ **se changer,** v. *Je suis rentré sous la pluie, je n'ai plus qu'à me changer.* → mettre d'autres vêtements.

EXPRESSION

Tu **gagnes au change.** → tu as avantage à faire l'échange.

VOCABULAIRE

On peut changer : d'adresse, d'air, d'avis, de direction, de gouvernement, de place, de programme, de vitesse.

chanson nom fém.

Je fredonne le refrain d'une chanson entendue à la radio. → un chant.

■ **chant,** n. m. **1.** *« La Marseillaise » est un chant patriotique composé par Rouget de Lisle.* → une chanson. ≃ hymne. **2.** *C'est l'heure de la leçon de chant.* **3.** *Au printemps, le parc est plein de chants d'oiseaux.* → de gazouillis. ■ **chanter,** v. *Annette est toujours de bonne humeur et chante du soir au matin.* ≃ fredonner. ■ **chanteur, euse,** n. m. et f. *J'ai acheté un disque de mon chanteur préféré.* → celui qui interprète des chansons.

EXPRESSIONS

- *Avec lui,* **c'est toujours la même chanson.** → il dit toujours la même chose.
- **Si ça vous chante,** *nous irons au cinéma* (fam.). → si vous en avez envie.

chantier — nom masc.

1. *Le chantier est entouré d'une palissade : il est interdit d'y entrer sans autorisation.* → un lieu où l'on entrepose des matériaux et où travaillent des ouvriers.
2. *La construction de la nouvelle tour avance bien : le chantier est ouvert depuis six mois.* → les travaux ont commencé depuis six mois.

■ **chantier naval,** mot comp. masc. → une installation, près d'un port, où l'on construit des navires.

EXPRESSION

Quand avez-vous mis ce travail **en chantier ?** → quand l'avez-vous commencé ?

chapeau — nom masc.

1. *Rien de tel qu'un chapeau de paille pour se protéger du soleil.*
2. *Le pied du champignon est surmonté d'un chapeau.*

ORTHOGRAPHE

Des chapeau**x**.

EXPRESSIONS

- *L'automobiliste prit son virage* **sur les chapeaux de roues.** → très rapidement.
- *C'est un garçon très courageux : je lui* **tire mon chapeau.** → je l'admire.
- *Tu as réussi à ton examen!* **chapeau !** (fam.) → bravo !

chapitre — nom masc.

Ce livre est passionnant : j'ai lu les cinq premiers chapitres en deux heures. → les cinq premières parties.

chaque — mot inv.

1. *Je donne six cartes à chaque joueur.* → à chacun des joueurs.
2. *N'ouvre pas cette porte à chaque instant.* → à tout instant. ≃ tout le temps.

ORTHOGRAPHE

Le nom qui suit **chaque** est toujours au singulier : chaque morceau, chaque jour...

char — nom masc.

1. *Les Romains étaient grands amateurs de courses de chars.* → de voitures à deux roues tirées par deux ou quatre chevaux.
2. *C'est Carnaval : ne manque pas le défilé des chars.* → des voitures décorées pour la fête.
3. *Mon grand-frère fait son service militaire comme conducteur de char.* ≃ blindé, tank.

ORIGINE

Vient du latin carrus, qui a donné char, chariot, charrette, carrosse...

charbon — nom masc.

1. *En France, le bassin minier du Nord est celui qui produit le plus de charbon.* ≃ houille.
2. *Pour le barbecue, on utilise du charbon de bois.* → un corps combustible noir provenant du bois incomplètement brûlé.

EXPRESSION

Ma sœur attend les résultats de son examen : elle **est sur des charbons ardents.** → elle est impatiente et inquiète.

charcuterie — nom fém.

1. *J'ai acheté un peu de charcuterie pour manger en entrée.* → des produits fabriqués avec de la viande de porc.
2. *Cours acheter deux tranches de jambon, la charcuterie va fermer.* → la boutique du charcutier.

■ **charcutier, ière,** n. m. et f. *Notre charcutière fait de très bons pâtés en croûte.* → une commerçante tenant une charcuterie.

GRAMMAIRE

On va **à la** charcuterie, mais **chez** le charcutier.

ORIGINE

A partir du 15ᵉ siècle, le charcutier était celui qui vendait de la chair cuite.

charge — nom fém.

1. *Le petit âne porte une lourde charge.* → un chargement. ≃ fardeau, poids.
2. *Le mercredi, Pierre a la charge de ses deux jeunes frères.* → il s'en occupe.
3. *Les charges qui pèsent contre l'accusé ne sont pas suffisantes.* → les accusations.
4. *La charge de la cavalerie surprit les Indiens.* ≃ assaut, attaque.
5. *Ils firent sauter le pont avec une forte charge de dynamite.* → une grande quantité de.

■ **chargé, e,** adj. **1.** *Michèle est revenue très chargée du marché.* → en portant de lourdes charges. **2.** *En colonie, Serge était chargé d'allumer le feu.* → il avait la responsabilité de. **3.** *Attention ! ce fusil de chasse est chargé.* → prêt à faire feu. **4.** *Le pommier est chargé de fruits.* → couvert, plein de, rempli. ■ **chargement,** n. m. **1.** *Le chargement du cargo demanda plusieurs jours.* → le remplissage. **2.** *Votre chargement est-il bien attaché ?* ≃ cargaison. ■ **charger,** v. **1.** *Les terrassiers chargent le camion de sable.* → ils remplissent. **2.** *Je vous charge de lui remettre cette lettre.* → je vous confie cette mission. **3.** *Le cow-boy chargea son pistolet.* → il y mit des balles. ■ **se charger,** v. *Je me charge de cette affaire.* → je m'en occupe.

ORTHOGRAPHE

Attention : le son [ʒ] s'écrit **g** ou **ge**.

EXPRESSIONS

- *A vingt ans, Daniel est encore* **à la charge de** *ses parents.* → il dépend d'eux.
- *Il* **revient** *sans arrêt* **à la charge.** → il insiste, il redemande sans arrêt.
- *Voulez-vous* **prendre** *cette affaire* **en charge ?** → vous en occuper ?

VOCABULAIRE

Au sens 3, on charge un appareil photographique, une batterie d'accumulateurs, une caméra, un canon, un fusil, un magnétophone, un revolver...

charité — nom fém.

1. *La charité est une grande vertu chrétienne.* → l'amour de son prochain. ≠ égoïsme.
2. *Un mendiant demandait la charité à la porte de l'église.* → il demandait l'aumône.

ORTHOGRAPHE

Charit**é** désigne une qualité et ne prend pas de e final, comme : la beaut**é**, la bont**é**, la sant**é**...

charmer [3] — verbe

1. *Ce qui me charme chez lui, c'est sa gentillesse.* → ce qui m'attire, me plaît, me séduit. ≠ déplaire.
2. *Je serais charmé de faire sa connaissance.* → enchanté, ravi.

■ **charmant, e,** adj. *Voici un endroit charmant pour pique-niquer.* → agréable, attrayant. ≠ déplaisant. ■ **charme,** n. m. *Ce paysage boisé a beaucoup de charme.* → d'attrait, de beauté.

EXPRESSIONS

- *Mon grand-père* **se porte comme un charme.** → il est en excellente santé.
- **Etre sous le charme.** → être enchanté, subjugué par quelqu'un.

charnière — nom fém.

En fermant ma valise, une des charnières s'est cassée. → l'une des articulations métalliques qui tiennent le couvercle.

VOCABULAIRE

Une boîte, un coffre, une malle, un volet peuvent avoir des charnières.

charpente nom fém.

Pour remettre en état la toiture, il faudra d'abord refaire la charpente de cette maison. → l'assemblage de pièces de bois ou de métal soutenant le toit.

■ **charpentier,** n. m. *Le charpentier est en train d'ajuster une poutre.*

charrette nom fém.

A la campagne, nous avons déménagé quelques vieux meubles dans une charrette à bras. → un véhicule léger à deux roues muni de brancards.

charrue nom fém.

La charrue était utilisée en Europe dès le 6ᵉ siècle → une machine servant au labourage et tirée par des chevaux, des bœufs ou un tracteur.

chasse nom fém.

1. *La chasse est interdite pendant le printemps et l'été.*
2. *L'aviation de chasse est composée d'avions légers et rapides chargés d'abattre les avions ennemis.*

■ **chasser,** v. **1.** *En Afrique, on chassait les éléphants pour leur ivoire.* **2.** *Les bœufs chassent les mouches avec leur queue.* → ils écartent. **3.** *L'employeur a chassé son comptable malhonnête.* → il a renvoyé. **4.** *Le vent chasse les nuages dans le ciel.* → il fait avancer, pousse. ■ **chasseur,** n. m. **1.** *Les chasseurs sont rentrés bredouilles.* **2.** *Les chasseurs à réaction actuels volent à plus de deux fois la vitesse du son.* → les avions de chasse.

chat, chatte nom masc., nom fém.

Le chat est un mammifère carnivore au corps couvert de poils, muni de moustaches et de griffes rétractiles.

■ **chaton,** n. m. **1.** *Ma chatte vient d'avoir une portée de six chatons.* → six petits chats. **2.** *Les fleurs mâles du noisetier donnent des chatons.* → sorte de petite grappe longue chargée de grains.

◄ 1. Le siamois.
2. Le chat européen Tabby.
3. Le chat persan.
4. Le chartreux.

AUTOUR DE

Le charpentier assemble la charpente, le menuisier pose parquets, portes et fenêtres, l'ébéniste fabrique des meubles précieux.

C

ORTHOGRAPHE

Attention ! Deux **r** et deux **t** à char**r**e**tt**e.

EXPRESSION

Ne mets pas la charrue avant les bœufs ! → ne commence pas par où il faut finir.

EXPRESSIONS

- **Donner la chasse.** → pourchasser.
- **Prendre en chasse.** → poursuivre.

VOCABULAIRE

- L'ouverture de la chasse ≠ la fermeture de la chasse.
- Un chien, un cor, un fusil, une partie, un permis, un rendez-vous, une sonnerie, un tableau de chasse.

ORTHOGRAPHE

- mâle → chat
- femelle → chatte (deux **t**)
- petit → chaton (un **t**).

EXPRESSIONS

- *Viens-tu* **jouer à chat perché** *avec nous ?* → un jeu où il faut se percher pour éviter d'être pris.
- **Ils s'entendent comme chien et chat.** → ils ne s'entendent pas.
- *La rue est déserte :* **il n'y a pas un chat.** → il n'y a personne.
- **Il n'y a pas de quoi fouetter un chat.** → c'est sans importance.
- **Je donne ma langue au chat.** → je n'arrive pas à deviner.

châtaigne nom fém.

Pendant longtemps, la châtaigne fut la principale nourriture des paysans pauvres. ≃ marron.

■ **châtaignier,** n. m. *En Ardèche, il y a de nombreuses forêts de châtaigniers.* → des arbres qui produisent des châtaignes.

AUTOUR DE

- Le bois du châtaignier est utilisé en menuiserie.
- La couleur châtaigne désigne une couleur marron rouge comme celle de la châtaigne.

château nom masc.

1. *Louis XIV fit construire le château de Versailles en 1661.* ≃ palais.
2. *Au Moyen Age, les seigneurs vivaient à l'abri dans des châteaux forts.* → des bâtisses fortifiées, protégées par de hautes et puissantes murailles. ≃ forteresse.

ORTHOGRAPHE

- N'oublie pas l'accent circonflexe sur le **â**.
- Des châte**aux**.

chaud, chaude adj.

1. *Ne te brûle pas en prenant ce plat : il est très chaud.* → bouillant, brûlant. ≠ frais, froid, glacé.
2. *Le catch ? Je ne suis pas très chaud pour ce genre de spectacle.* → enthousiaste.

■ **chaud,** n. m. *Restez au chaud, il ne fait pas bon sortir par ce mauvais temps.* → à la chaleur. ≠ le froid. ■ **chaudement,** mot inv. **1.** *Habille-toi chaudement quand tu seras à la montagne.* **2.** *Le match a été chaudement disputé.* → avec ardeur. ≃ vivement. ■ **chaudière,** n. f. *Appelle le plombier, la chaudière du chauffage central est en panne.* → un appareil produisant de l'eau chaude.

GRAMMAIRE

Chaud peut aussi être mot invariable dans les exemples suivants : *boire* **chaud**, *servir* **chaud**, *tenir* **chaud**...

EXPRESSIONS

- **Pleurer à chaudes larmes.** → abondamment.
- **J'ai eu chaud !** (fam.). → j'ai eu peur.
- **Cela ne lui fait ni chaud, ni froid.** → le laisse indifférent.

chauffage nom masc.

1. *Le chauffage de cet appartement est insuffisant.* → la chaleur qui y règne. ≃ température.
2. *Le chauffage central de notre immeuble est en panne.* → l'installation permettant de chauffer l'immeuble à partir d'une chaudière.

■ **se chauffer,** v. *Le lézard se chauffe au soleil.*

AUTOUR DE

Les inventeurs du chauffage central sont les Romains. En effet, les établissements de bains des anciens Romains étaient équipés d'installations de chauffage au bois ressemblant à notre système actuel de chauffage central.

chaussée nom fém.

Ne traversez pas la chaussée sans avoir regardé s'il vient une voiture. → la partie de la route où circulent les voitures.

■ **rez-de-chaussée,** mot comp. masc. *Nous habitons au rez-de-chaussée de l'immeuble.* → au niveau de la rue. ≠ étage.

AUTOUR DE

Le service des Ponts et Chaussées est chargé de la construction et de l'entretien des voies publiques.

chausser [3] verbe

1. *Bernard chausse du 36.* → c'est sa pointure.
2. *Annie, veux-tu chausser ta petite sœur ?* → lui mettre ses chaussures.

■ **chaussette,** n. f. *Où sont donc mes chaussettes ?* ■ **chausson,** n. m. **1.** *Il m'a reçu en robe de chambre et en chaussons.* ≃ pantoufle, savate. **2.** *Comme dessert, Françoise avait préparé des chaussons aux pommes.* → des gâteaux feuilletés contenant de la compote de pommes. ■ **se chausser,** v. *Chausse-toi et descends vite !* → mets tes chaussures. ≠ se déchausser.

VOCABULAIRE

On peut chausser des bottes, des chaussons, des chaussures, des escarpins, des patins, des sabots, des skis...

C

chef — nom masc.

1. *Pierre est le chef de notre petite troupe.* → celui qui dirige, commande. ≃ commandant, responsable.
2. *Quel repas ! Vous féliciterez le chef.* → le chef cuisinier.

■ **chef-d'œuvre,** mot comp. masc. *La Joconde est un chef-d'œuvre de Léonard de Vinci.* → un de ses meilleurs tableaux. ■ **chef-lieu,** mot comp. masc. *Il y a un chef-lieu dans chaque département.* → une ville où se trouve la préfecture.

ORTHOGRAPHE

Des chef**s**-d'œuvre [ʃɛdœvʀ]. Des chef**s**-lieux [ʃɛfljø].

VOCABULAIRE

On trouve aussi le chef de gare, le chef de train, le chef d'orchestre...

chemin — nom masc.

1. *Ce chemin cahoteux mène à une vieille ferme.* → une petite route souvent en terre.
2. *Nous ferons ensemble la moitié du chemin.* → du trajet. ≃ parcours.
3. *Il avait commencé des études, mais il s'est arrêté en chemin.* → il n'a pas continué.

■ **chemin de fer,** mot comp. masc. *Il y a peu d'accidents de chemin de fer.* → de train.

EXPRESSIONS

- **Chemin faisant,** *ils parlaient de leurs affaires.* → tout en marchant, en cheminant.
- *Nous prendrons* **le chemin des écoliers.** → le plus long, mais le plus agréable.
- *Pierre* **a fait son chemin.** → Il a réussi dans la vie, dans son métier.

cheminée — nom fém.

1. *Le soir de Noël, n'oublie pas de mettre tes souliers devant la cheminée.* ≃ âtre, foyer.
2. *Au loin, on voyait fumer les cheminées du village.* → les conduits de fumée sortant des toits.

chemise — nom fém.

1. *L'été, je porte des chemises sans manches.*
2. *Pour ne pas perdre tes documents, mets-les dans une chemise.* → une double feuille cartonnée.

■ **chemisier,** n. m. *Aujourd'hui, Mathilde porte un chemisier brodé.* ≃ corsage.

EXPRESSION

Je reste **en manches de chemise.** → sans autre vêtement par-dessus ma chemise.

chêne — nom masc.

Un chêne peut atteindre une hauteur de trente mètres. → un arbre dont le bois très dur est utilisé en menuiserie.

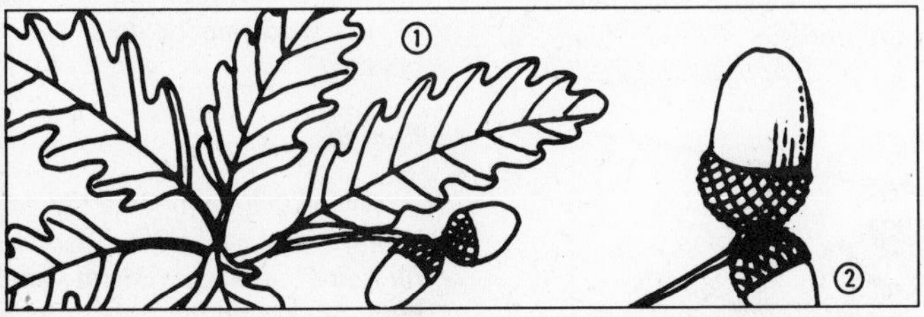

◀ 1. Des feuilles de chênes.
2. Des glands.

ORTHOGRAPHE

N'oublie pas l'accent circonflexe sur le **ê**.

AUTOUR DE

Un endroit planté de chênes est une chênaie.

chenille [ʃənij] — nom fém.

1. *La chenille s'est métamorphosée en un ravissant papillon.* → la larve du papillon.
2. *Grâce à ses chenilles, le char se déplace sur tous les terrains.* → ses bandes métalliques articulées.

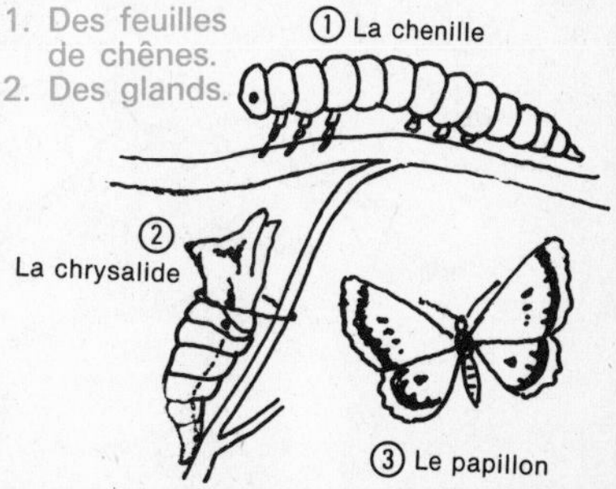

cher, chère — adj.

1. *Enfin, je vous retrouve, mes chers amis !* → mes amis que j'aime beaucoup.
2. *La santé est le bien le plus cher.* → le plus précieux.
3. *Cher Monsieur est une formule de politesse qu'on peut utiliser pour commencer une lettre.*
4. *Le chauffage électrique est très pratique, mais aussi très cher.* → coûteux, onéreux. ≠ avantageux, bon marché, économique.

■ **cher,** mot inv. *Ces livres coûtent cher.* → ils sont d'un prix élevé. ■ **chèrement,** mot inv. *Il était décidé à vendre chèrement sa vie.* → à se défendre jusqu'à la mort.

ORTHOGRAPHE

Au féminin, chère prend un accent grave.

EXPRESSION

Ce peuple **a payé cher** *sa liberté.* → il a fait de grands sacrifices pour l'obtenir.

chercher [3] — verbe

1. *J'ai beau chercher partout : impossible de retrouver ma montre !* ≃ mettre la main sur (fam.).
2. *Le prisonnier cherche un moyen de s'évader.* → il s'efforce d'imaginer, de découvrir.
3. *Je viendrai te chercher à deux heures pour aller au stade.* → te prendre, t'emmener.

■ **chercheur, euse,** n. m. et f. *Les chercheurs finiront bien par trouver un jour un remède contre le cancer.* → les savants qui font des recherches scientifiques.

EXPRESSIONS

- **Chercher la petite bête.** → le petit détail qui ne va pas.
- **Ne cherchez pas midi à quatorze heures.** → ne compliquez pas ce qui est simple.

cheval — nom masc.

1. *Le cheval fut introduit en Amérique au 16e siècle par les conquérants espagnols.*
2. *Pierre aime s'asseoir à cheval sur son banc.* ≃ à califourchon.
3. *A la fête, mon petit frère fait des tours sur les chevaux de bois.*
4. *Nous descendions faire les courses au village à bord d'une deux-chevaux.* → une automobile d'une puissance égale à 2 chevaux fiscaux (2 CV).

■ **chevalier,** n. m. *Armé chevalier, le jeune seigneur jurait d'être loyal et de protéger les faibles.* ■ **chevaucher,** v. **1.** *Les gardians chevauchaient des pur-sang en Camargue.* **2.** *Les tuiles d'un toit doivent se chevaucher.* → se recouvrir en partie.

ORTHOGRAPHE

Des chevaux.

EXPRESSIONS

- *Le directeur* **est à cheval sur** *le règlement.* → il exige qu'on le respecte.
- **Ne monte pas sur tes grands chevaux.** → ne te mets pas en colère.
- *Claude a une* **fièvre de cheval** *aujourd'hui.* → une très forte fièvre.
- *Il a pris un* **remède de cheval.** → un médicament très énergique.

AUTOUR DE

- Le cheval galope, hennit, rue, se cabre, trotte.
- Sa femelle est la jument, son petit, le poulain.

VOCABULAIRE

Des chevaux de trait, de labour, de manège, de cirque, de course...

C

chevelure — nom fém.

Céline a une jolie chevelure blonde bouclée. → l'ensemble des cheveux.

■ **chevelu, e,** adj. **1.** *Une personne chevelue.* → qui a beaucoup de cheveux, ou les cheveux longs. ≠ chauve. **2.** *Voilà une friction excellente pour le cuir chevelu.* → la peau du crâne. ■ **cheveu,** n. m. *La coiffeuse coupe, lave, frise ou ondule les cheveux de ses clientes.*

ORTHOGRAPHE

Un chev**eu**, mais une chev**e**lure.

EXPRESSIONS

- **Il s'en est fallu d'un cheveu.** → de très peu.
- *Ce récit lui* **fit dresser les cheveux sur la tête.** → il l'épouvanta.
- *Votre explication* **est tirée par les cheveux.** → elle est peu vraisemblable.

cheville — nom fém.

1. *Claude s'est foulé la cheville en sautant de l'arbre.* → l'articulation de la jambe et du pied.
2. *Les pieds de cette table ne sont pas cloués, mais tenus par des chevilles.* → de petites tiges de bois utilisées dans des assemblages.

AUTOUR DE

On enfonce également des chevilles de bois, de plastique ou de plomb dans un mur de béton, lorsqu'on veut fixer une vis.

chèvre — nom fém.

Les chèvres sont surtout élevées pour leur lait, dont on fait d'excellents fromages.

AUTOUR DE

Le mâle s'appelle le bouc, et son petit, le chevreau, ou cabri.

chez — mot inv.

1. *Nous irons goûter chez nos amis.* → dans leur maison.
2. *Chez certains peuples d'Afrique, le blanc est la couleur du deuil.* → dans leur pays.
3. *Chez La Fontaine, les animaux agissent comme des humains.* → dans son œuvre.

Dans ces trois cas, la préposition *chez* indique le lieu.

GRAMMAIRE

- *je viens* **de chez** *Sylvie,*
- *je passe* **par chez** *Sylvie,*
- *je loge* **à côté de chez** *Sylvie...*
- On dit **aller chez** le boulanger, **chez** le coiffeur, **chez** le médecin, etc.

chien, chienne — nom masc., nom fém.

Le chien est le plus fidèle compagnon de l'homme.

ORTHOGRAPHE

Des chiens**-**loup**s**.

EXPRESSIONS

- **S'entendre comme chien et chat.** → s'entendre très mal.
- **Etre couché en chien de fusil.** → les genoux ramenés sur le corps.
- **Entre chien et loup.** → à la tombée de la nuit (au crépuscule).

VOCABULAIRE

- Le chien aboie, gémit, grogne, gronde, jappe, lape, lèche, mord.
- Un mal, une vie, un temps de chien.
- La femelle du chien s'appelle la chienne, et ses petits sont des chiots.

chiffre — nom masc.

1. *La numérotation décimale utilise dix chiffres pour écrire tous les nombres.* → des signes mathématiques.
2. *Le prix de l'essence atteint maintenant un chiffre élevé.* → le montant, la valeur.

■ **chiffrer,** v. *A combien chiffrez-vous le montant des réparations ?* → évaluez-vous.

VOCABULAIRE

Chiffres arabes :
1 – 2 – 3 – 4 – 5 – 6 – 7 – 8 – 9 – 0.
Chiffres romains :
I – V – X – L – C – D – M (un, cinq, dix, cinquante, cent, cinq cents, mille).

chirurgie — nom fém.

Les greffes sont l'un des succès de la chirurgie moderne.

■ **chirurgical, e,** adj. *J'ai dû subir une intervention chirurgicale pour me faire retirer l'appendice.* ■ **chirurgien, ienne,** n. m. et f. *Le médecin ou le spécialiste diagnostiquent, mais c'est le chirurgien qui opère.* → le médecin qui opère les malades et les blessés.

ORTHOGRAPHE

- Des soins chirurgic**aux**/Des interventions chirurgicales.
- On dit plus couramment une **femme chirurgien** ou elle est **chirurgien** plutôt que chirurgienne.

choc — nom masc.

1. *Le choc a été si violent que l'automobiliste a été tué sur le coup.* ≃ coup, heurt.
2. *J'ai eu un choc en apprenant cette triste nouvelle.* → une violente émotion.

AUTOUR DE

Des troupes de choc. → spécialement préparées pour le combat.

choisir [4] — verbe

Je vais choisir un livre à la bibliothèque. → prendre celui que je préfère. ≃ opter pour, sélectionner, retenir.

■ **choix,** n. m. **1.** *Veux-tu un éclair ou une tartelette ? Je te laisse le choix.* → la possibilité de choisir. **2.** *Que pensez-vous de mon choix ?* → de ce que j'ai choisi. **3.** *Cette librairie offre un grand choix de romans d'aventures.* ≃ variété.

ORTHOGRAPHE

N'oublie pas le **x** final de choi**x**.

GRAMMAIRE

On choisit **de** faire quelque chose, **où** l'on veut aller, **quand** on veut partir.

choquer [3] — verbe

1. *J'ai été très choqué en apprenant l'accident de mon meilleur ami.* → touché, ému.
2. *Il choque les autres par son attitude et ses paroles grossières.* ≃ scandaliser.

chose — nom fém.

1. *Dans l'unique épicerie du village, on trouvait toutes sortes de choses.* → de produits.
2. *Il lui est arrivé des choses extraordinaires au cours de son voyage.* ≃ événement, fait.

EXPRESSIONS

- *Y comprends-tu* **quelque chose ?** *Moi, je n'y comprends pas* **grand-chose.** → je ne comprends pas bien.
- *Pour mon anniversaire, Maman* **avait bien fait les choses.** → bien organisé la fête.

chou — nom masc.

1. *En hiver, ma grand-mère prépare toujours une bonne soupe aux choux.*
2. *Pour le dessert, voici de délicieux choux à la crème.* → une petite pâtisserie en forme de boule remplie de crème.

ORTHOGRAPHE

Des ch**oux** – des ch**oux**-fleur**s**. Comme les bij**oux**, les caill**oux**, les gen**oux**, les hib**oux**, les jouj**oux**, les p**oux**.

chronomètre [kʀɔnɔmɛtʀ] nom masc.

Le match est bientôt terminé l'arbitre regarde son chronomètre. → une montre très précise, donnant les secondes, les dixièmes et centièmes de seconde.

ORTHOGRAPHE

Ch devant **r** se prononce [kʀ] comme dans : **ch**rétien, **Ch**ristian.

C

chuchoter 3 verbe

Mon voisin me chuchote à l'oreille la réponse du problème. → il me la dit à voix basse. ≃ murmurer, souffler. ≠ crier, hurler.

■ **chuchotement,** n. m. *De qui viennent ces chuchotements au fond de la classe ?* ≃ murmure.

ORTHOGRAPHE

Chuchoter ne prend qu'un **t**, comme piano**t**er, rado**t**er, sifflo**t**er, tousso**t**er.

chute nom fém.

1. *Le champion de ski a fait une chute dans l'épreuve de descente.* → il est tombé. ≃ culbute, dégringolade (fam.).
2. *Sur cette route de montagne, des chutes de pierres sont à craindre.* ≃ avalanche, éboulement.
3. *La Révolution de 1789 annonce la chute de l'Ancien Régime.* → le renversement.
4. *Nadine a habillé sa poupée avec des chutes de tissu.* → des restes.

AUTOUR DE

Les chutes du Niagara, en Amérique, forment une cataracte (→ chute d'eau très importante) de 50 mètres de hauteur entre les lacs Erié et Ontario.

cible nom fém.

Le tireur à l'arc a placé trois flèches sur cinq au centre de la cible. ≃ but.

EXPRESSION

Avec ce costume ridicule, il **était la cible de** *tous les rires.*

cicatrice nom fém.

Mon opération de l'appendicite ne m'a laissé qu'une petite cicatrice. → une trace laissée par une coupure de la peau. ≃ marque.

AUTOUR DE

On appelle balafre, la cicatrice d'une coupure au visage.

ciel [sjɛl] nom masc.

1. *Quelle belle nuit ! Regarde ce ciel étoilé.*
2. *La plupart des religions enseignent que l'âme monte au ciel après la mort.* ≃ paradis. ≠ enfer.

ORTHOGRAPHE

Deux pluriels sont possibles : **ciels** et **cieux**, mais **cieux** est plus courant.

cigogne nom fém.

Les cigognes, qui arrivaient au printemps en Alsace, ont pratiquement disparu de cette région. → un oiseau échassier migrateur, au long bec rouge et au plumage blanc et noir.

AUTOUR DE

- L'assèchement des marécages, où elles trouvaient leur nourriture (reptiles, grenouilles et petits rongeurs), est la cause de la désertion des cigognes de l'Alsace. Cet oiseau migrateur est protégé.
- Son petit s'appelle un cigogneau. Son cri : elle claquète, craquète ou glottore.

cime — nom fém.

Un pigeon vient de se poser sur la cime du peuplier. ≃ faîte, sommet. ≠ base, pied.

ORTHOGRAPHE

Attention ! la **cime** : pas d'accent.

cimetière — nom masc.

Voici un petit cimetière de Provence : on distingue la tache noire de quelques cyprès parmi les tombes blanches.
→ l'endroit où l'on enterre les morts.

ORIGINE

Vient d'un mot grec signifiant : lieu où l'on dort.

cinéma — nom masc.

1. *Si on allait au cinéma, samedi soir ?* → la salle où l'on projette des films.
2. *Ce sont les frères Lumière qui, en 1895, ont mis au point le cinéma.* → la projection d'images mobiles sur un écran.

■ **cinéaste** [sineast], n. m. *Ce film sur la vie de Napoléon a été réalisé par un célèbre cinéaste.* → personne qui tourne un film.

VOCABULAIRE

Un acteur, une ouvreuse, un plateau, un réalisateur, une salle, un studio, une vedette de cinéma.

cinq [sɛ̃k] — adj. num. ou nom masc.

1. adj. num. *Une équipe de basket comprend cinq joueurs.*
2. n. m. inv. *Tu fais tes cinq comme des S !*

■ **cinquième,** adj. num., n. m. et f. **1.** adj. num. *Pierre est classé cinquième.* **2.** n. f. *L'année prochaine, Christine entrera en cinquième.* → la seconde année de collège. **3.** n. m. *J'ai coupé la tarte en cinq : chaque part représente un cinquième de la tarte.* → une des cinq divisions. **4.** n. m. ou f. *Chez les garçons, François est arrivé le cinquième de la course, et chez les filles, Marielle est arrivée la cinquième.*

GRAMMAIRE

- Cinq : **5.** → Indique le nombre, la quantité.
- Cinquième : **5e.** → Indique le rang.
- **Un cinquième : $\frac{1}{5}$** → Indique une fraction.

cinquante — adj. num. inv.

Avez-vous la monnaie de cinquante francs ? → cinq fois dix francs.

■ **cinquantaine,** n. f. **1.** *J'ai une cinquantaine de livres sur les animaux.* → environ cinquante. **2.** *Mon voisin a dépassé la cinquantaine.* → cinquante ans. ■ **cinquantième,** adj. num., n. m. et f. **1.** adj. num. *Mon frère a été reçu cinquantième au concours d'entrée à l'École Normale.* → 50e. **2.** n. m. *Vingt est le cinquantième de mille.* → le $\frac{1}{50}$.

VOCABULAIRE

- Cinq → cinquante → cinquantaine.
- Trois → trente → trentaine.
- Six → soixante → soixantaine.

circonférence — nom fém.

On calcule la longueur de la circonférence en multipliant le diamètre du cercle par 3,14. ≃ pourtour, périmètre.

AUTOUR DE

On trace une circonférence avec un compas. Elle délimite un cercle.

circonflexe — adj.

Bateau ne prend pas d'accent circonflexe sur le a, *mais gâteau en prend un.*

circonstance nom fém.

1. *Il y a une grève des trains et des métros : en raison de ces circonstances, je ne pourrai venir te voir.* → à cause de cela. ≃ événement, situation.
2. *Dites-moi dans quelles circonstances s'est produit l'accident.* → comment il est arrivé. ≃ condition.

■ **circonstanciel, ielle,** adj. *Dans la grammaire française, les compléments circonstanciels peuvent indiquer le lieu, le temps, la manière, la cause, le but, etc.*

EXPRESSIONS

- *Nous nous sommes revus grâce à* **un concours de circonstances.** → un hasard.
- *Il sait* **se montrer à la hauteur des circonstances.** → se montrer capable quand cela est nécessaire.

C

circulation nom fém.

1. *La circulation du sang est assurée par le cœur.*
2. *La circulation devient difficile dans ces rues étroites.* ≃ trafic.

■ **circuler,** v. **1.** *Le sang circule dans les artères et dans les veines.* → il se déplace en partant du cœur et en y retournant. **2.** *Les jours de marché, on circule mal dans la vieille ville.* → on a du mal à se déplacer en voiture. **3.** *Des bruits circulent sur le nouveau projet.* ≃ courir, se répandre.

EXPRESSIONS

- *De nouveaux billets de cent francs seront bientôt* **mis en circulation.** → à la disposition du public.
- *Allons,* **circulez !** → avancez ! ne stationnez pas.

cire nom fém.

Produite dans les ruches, la cire des abeilles est utilisée dans la fabrication de cirages et d'encaustiques.

■ **cirer,** v. *Je viens de cirer le parquet : fais attention de ne pas glisser.* ≃ encaustiquer.

AUTOUR DE

La cire à cacheter, qui ferme le goulot des bouteilles de vin vieux, est un mélange de gomme et de résine.

cirque nom masc.

1. *Le cirque a dressé son chapiteau sur la place de la gare.*
2. *Dans l'Antiquité, les courses de chars et les combats de gladiateurs étaient les jeux du cirque préférés des Romains.* → une grande piste sablée, entourée de gradins. ≃ arène.

ORIGINE

Du latin *circus*, cercle, car la plupart des pistes de cirque ont cette forme.

◀ Le Colisée de Rome était utilisé pour les jeux du cirque.

ciseau [sizo] nom masc.

Le menuisier affûte son ciseau à bois. → une lame d'acier à l'extrémité coupante, et munie d'un manche.

■ **ciseaux,** n. m. pl. *Sois prudent ! Ne te blesse pas avec ces ciseaux.* ≃ paire de ciseaux.

EXPRESSION

Notre professeur d'éducation physique nous apprend à sauter **en ciseaux.** → en lançant d'abord une jambe, puis en rapprochant l'autre comme deux lames de ciseaux.

cité nom fém.

1. *Dans ma cité, les immeubles sont entourés de larges pelouses.* → un groupe d'immeubles, d'habitations.
2. *La vie dans les grandes cités est très éprouvante.* ≃ ville. ≠ campagne.

■ **citadin, ine,** adj. et n. m. et f. *En été, les citadins quittent la ville et partent à la campagne.* → les habitants des villes.

ORTHOGRAPHE

Attention ! Pas de **e** final à cit**é**.

AUTOUR DE

La cité désigne parfois la plus ancienne partie d'une ville, comme la cité de Carcassonne ou l'île de la Cité, à Paris.

citoyen [sitwajɛ̃], **citoyenne** [sitwajɛn] nom masc. et fém.

Pour élire un président de la République, les citoyens français se rendent au bureau de vote. → les habitants de ce pays. ≠ étranger.

civil, civile adj.

1. *Le mariage religieux se fait à l'église, le mariage civil, à la mairie.* → reconnu par l'Etat.
2. *De 1936 à 1939, une terrible guerre civile a meurtri l'Espagne.* → une guerre entre gens d'un même pays.

■ **civil,** n. m. *La guerre a fait de nombreuses victimes parmi les civils.* → les personnes qui ne sont pas des militaires. ■ **civilisation,** n. f. *Paul étudie la civilisation grecque.* → la manière de penser et de vivre des anciens Grecs. ■ **civilisé, e,** adj. *Conduisons-nous comme des gens civilisés et non comme des sauvages.*

EXPRESSION

Le malfaiteur est arrêté par deux policiers **en civil.** → qui ne portent pas leur uniforme.

AUTOUR DE

Chaque naissance doit être déclarée à la mairie et enregistrée sur le registre de l'état civil.

clair, claire adj.

1. *Choisis plutôt une pièce claire pour lire.* → où il y a beaucoup de lumière. ≃ éclairé. ≠ sombre.
2. *L'eau du ruisseau est si claire qu'on voit les poissons nager.* → limpide, transparente. ≠ trouble.
3. *Je crains que cette sauce ne soit trop claire.* → trop liquide. ≠ consistant, épais.
4. *Il fit son discours d'une voix claire et fut entendu de tous.* ≃ net, sonore. ≠ sourd.
5. *Ce que tu dis là n'est pas très clair.* → facile à comprendre. ≠ confus, obscur.

■ **clair,** n. m. *L'étang miroitait au clair de lune.* → sous la lumière de la Lune. ■ **clair,** mot inv. *Allume la lampe : on verra plus clair.* ■ **clairière,** n. f. *La nuit, les lapins quittent le sous-bois et viennent s'ébattre dans la clairière.* → endroit dégagé de la forêt, sans arbres.

ORTHOGRAPHE

Attention ! Des yeux clair**s**, mais des yeux bleu clair.

EXPRESSIONS

- *C'est* **clair comme le jour** (*ou* **comme de l'eau de roche**). → très facile à comprendre.
- *Il faut* **tirer cette affaire au clair.** → découvrir la vérité.
- *Il passe* **le plus clair de son temps** *à dormir.* → la plus grande partie.

claquer 3 verbe

1. *Ferme donc ces volets qui claquent sans arrêt !* ≃ battre.
2. *Furieux, il sortit en claquant la porte.* → en la fermant brusquement et bruyamment.

■ **claquement,** n. m. *On entendit le claquement du fouet du dompteur de lions.* → le bruit sec.

EXPRESSIONS

- *On m'a* **claqué la porte au nez.** → on n'a pas voulu me laisser entrer.
- *Bertrand* **claque des dents.** → il grelotte et tremble.

C

clarté — nom fém.

1. *Les campeurs dînaient à la clarté d'un feu de bois.* → à la lumière.
2. *Sous le soleil, le ciel de Provence est d'une clarté incomparable.* ≃ limpidité, luminosité.
3. *Votre explication est d'une grande clarté.* → facile à comprendre. ≠ confusion.

ORTHOGRAPHE

Clarté désigne une qualité et ne prend pas de **e** final.

classe — nom fém.

1. *Notre classe se trouve au bout du couloir.* → la salle où travaillent les élèves.
2. *Annie est la plus grande de la classe.* → le groupe des élèves.
3. *Pour être mieux assise, grand-mère voyage en première classe.* → la partie du train où il y a le plus de confort.
4. *Les conditions de vie de la classe ouvrière étaient très pénibles au 19ᵉ siècle.* → l'ensemble des ouvriers.

■ **classement,** n. m. **1.** *Le classement de tous ces papiers me prendra tout l'après-midi.* → la mise en ordre. ≃ rangement. **2.** *Pierre est reçu au concours d'entrée, mais il ignore son classement.* ≃ place, rang. ■ **classer,** v. **1.** *J'ai classé mes timbres-poste dans mon album.* → je les ai rangés suivant un certain ordre. **2.** *Ne classez pas les araignées parmi les insectes !* ≃ mettre, placer. ■ **se classer,** v. *Yves s'est classé troisième du mille mètres.*

EXPRESSIONS

- *Aimerais-tu* **faire la classe ?** ≃ enseigner.
- *Il est l'heure d'***aller en classe.** ≃ aller à l'école.
- *C'est un peintre* **de grande classe.** → de grand talent.
- *Cette personne* **a de la classe.** → de la distinction.
- *Au régiment, mon cousin* **a fait ses classes.** → il a reçu une instruction militaire.

clé — nom fém.

1. *Pas moyen de retrouver mes clés : comment rentrer chez moi ?*
2. *Tu trouveras la clé pour dévisser cet écrou dans ma boîte à outils.* → un outil permettant de serrer ou de desserrer un écrou.
3. *Enfin ! je crois avoir trouvé la clé de ce mystère.* → l'explication, la solution.

ORTHOGRAPHE

On trouve aussi **clef.**

EXPRESSIONS

- *Ne crains rien : ces documents sont* **sous clé.** → dans un endroit fermé à clé.
- *Ils ont* **pris la clé des champs.** → ils se sont sauvés.

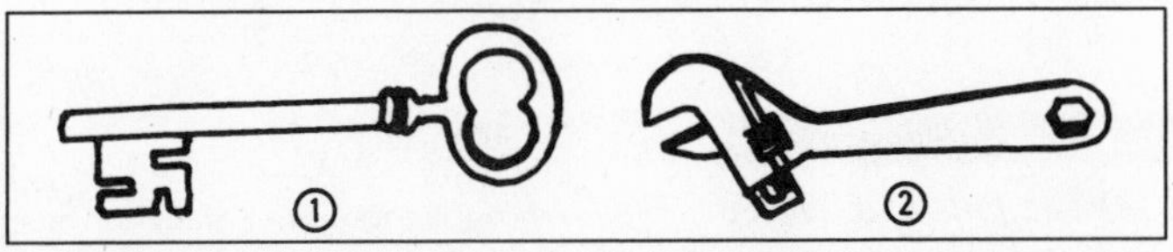

◄ 1. La clé d'une serrure de porte.
2. Une clé à molette.

client, cliente — nom masc., nom fém.

Sur le marché, les clients affluaient chez le marchand de fruits et légumes. ≃ acheteur, acheteuse. ≠ vendeur, vendeuse.

■ **clientèle,** n. f. *Installé depuis peu dans la région, le docteur Dubois possède déjà une belle clientèle.* → un grand nombre de clients.

ORTHOGRAPHE

Un client → une cliente,
comme un patient → une patiente.

climat — nom masc.

1. *La France est située dans une zone de climat tempéré.* → l'ensemble des conditions du temps : pluie, vents, températures.
2. *Il règne dans notre classe un climat de confiance très agréable.* ≃ ambiance, atmosphère.

ORTHOGRAPHE

Attention au **t** à la fin de climat. Pense à climatique, climatiser.

cloche nom fém.

1. *Quand les mariés sont sortis de l'église, les cloches ont sonné à toute volée.*

2. *Autrefois, les maraîchers protégeaient leurs salades sous des cloches de verre.* → un abri en forme de cloche.

■ **clocher,** n. m. *La girouette en haut du clocher indique d'où vient le vent.* → la tour de l'église abritant les cloches. ■ **clochette,** n. f. *Les plus vieilles brebis du troupeau portent des clochettes au cou.* ≃ grelot.

ORTHOGRAPHE

Le suffixe diminutif **-ette** a donné :
cloche → cloch**ette**
comme :
bûche → bûch**ette**.

clos [klo], **close** [kloz] adj.

1. *Elle n'est pas chez elle : ses volets sont clos.* → fermés. ≠ ouvert.

2. *Les inscriptions pour ce concours sont closes depuis hier.* ≃ terminé.

EXPRESSION

N'en parlons plus : **l'incident est clos.** → l'affaire est terminée.

clôture nom fém.

1. *Dès que je m'approchais de la clôture, le poulain accourait vers moi.* → la barrière qui empêche de passer.

2. *Dépêchez-vous afin d'arriver avant la clôture de l'exposition.* → la fermeture, la fin. ≠ début, ouverture.

■ **clôturer,** v. **1.** *Le pré est clôturé : on peut y mettre des moutons maintenant.* → entouré d'une clôture. ≃ clore, enclore. **2.** *Au cirque, la parade clôture le spectacle.* → elle achève, termine. ≠ commencer, ouvrir.

ORTHOGRAPHE

N'oublie pas l'accent circonflexe sur le **o**.

VOCABULAIRE

(Sens 1) La clôture d'un champ, d'un domaine, d'un jardin, d'un parc, d'un pré, d'une propriété, d'un verger...

clou nom masc.

1. *Ne te tape pas sur les doigts en enfonçant ce clou !* ≃ pointe.

2. *Le numéro de prestidigitateur était le clou du spectacle.* → la meilleure attraction.

■ **clouer,** v. *Le menuisier assemble les planches avant de les clouer.* → fixer au moyen de clous.

ORTHOGRAPHE

Des clou**s**.

EXPRESSION

- *Traversez* **dans les clous !** → dans le passage (clouté) protégé.

clown [klun] nom masc.

Les enfants crient de joie dès que les clowns font leur entrée sur la piste. ≃ guignol, pitre.

ORTHOGRAPHE

- N'oublie pas le **w** dans ce mot.
- Au pluriel, des clown**s**.
- Il existe un féminin : **clownesse,** qui est peu employé.

C

coccinelle [kɔksinɛl] nom fém.

La coccinelle est un insecte très utile dans nos jardins, puisqu'elle dévore les pucerons. → petit insecte de forme ronde, montrant un dos rouge brillant semé de points noirs.

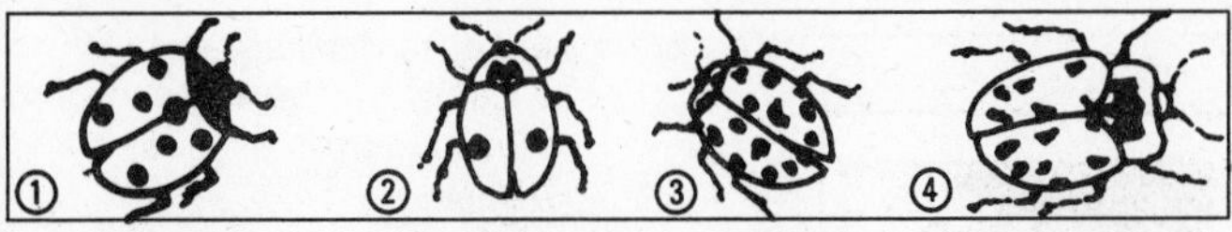

Coccinelles : 1 – à 8 points ; 2 – à 2 points ; 3 – à 18 points ; 4 – ocellée.

ORTHOGRAPHE

N'oublie pas les deux **c** entre le **o** et le **i**. Par contre, un seul **n**.

ORIGINE

Vient d'un mot latin, coccinus, écarlate.

cochon nom masc.

La porcherie n'est pas loin : on entend les grognements des cochons. ≃ porc, goret.

cochon, onne, n. m. et f. *Veux-tu ne pas te salir, petit cochon !* (fam.) ≃ malpropre.

code nom masc.

1. *Pour conduire correctement, il faut d'abord bien connaître le code de la route.* → l'ensemble des règles à respecter sur la route.
2. *L'espion a transmis son message en code.* → dans un langage secret.
3. *A la tombée de la nuit, les automobilistes doivent rouler en codes.* → lumières éclairant à faible distance devant la voiture. ≃ feu de croisement.

VOCABULAIRE

Coder → codage : écriture en code. Décoder → décodage : transcription en langage clair d'un message codé.

cœur nom masc.

1. *Après avoir couru, mon cœur battait plus vite.* → le muscle creux dont les contractions permettent la circulation du sang dans le corps.
2. *Danièle aime ses parents de tout son cœur.* → avec tout l'amour dont elle est capable.
3. *Le garde forestier habite une maison au cœur de la forêt.* ≃ centre, milieu.
4. *J'ai pris ton roi de pique avec mon as de cœur.* → l'une des quatre couleurs du jeu de cartes.

EXPRESSIONS

- **Avoir le cœur gai.** ≠ **le cœur gros.**
- **J'ai mal au cœur.** → j'ai envie de rendre.
- **Il a bon cœur.** → il est bon. ≠ **il est sans cœur.**
- **Il a le cœur sur la main.** → il est généreux.
- ***Il prend son travail* à cœur.** → il s'applique.
- ***Je sais ma leçon* par cœur.** → entièrement et parfaitement bien.

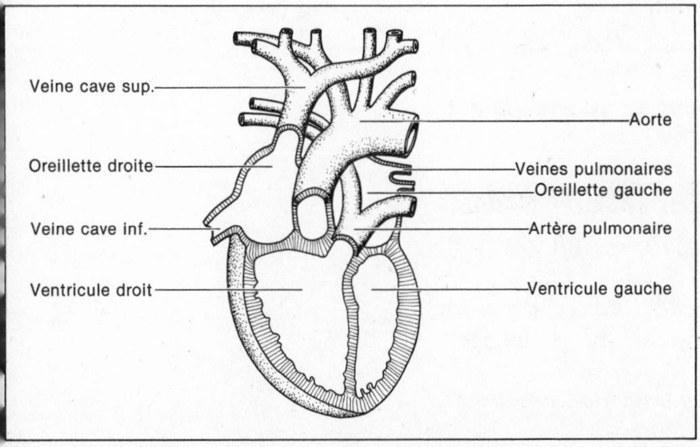

La coupe du cœur :
Les artères distribuent le sang à tous les organes et toutes les parties du corps. Les veines recueillent le sang et le ramènent au cœur.

coffre — nom masc.

1. *Au Moyen Age, le coffre était la pièce essentielle du mobilier.* → un meuble de bois en forme de caisse muni d'un couvercle.

2. *Mets ta valise dans le coffre de la voiture.*

Un coffre ancien

Un coffre-fort

ORTHOGRAPHE

- N'oublie pas les deux **f**.
- Des coffre**s**-fort**s**.

VOCABULAIRE

- Le suffixe diminutif « et » : le coffre → le coffret (petit coffre) comme le jardin → le jardinet.
- Il existe des coffres à bois, à jouets, à linge, à outils.

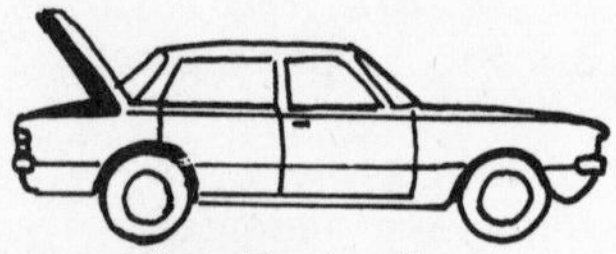

Un coffre de voiture

cogner [3] — verbe

J'ai entendu du bruit : il me semble qu'on a cogné à la porte. ≃ frapper, taper.

■ **se cogner,** v. *Je me suis fait un bleu au genou en me cognant dans un pied de la table.* ≃ se heurter.

GRAMMAIRE

On peut : cogner quelque chose ou cogner **à, avec, contre, dans, sur** quelque chose.

coiffer [3] — verbe

1. *Chaque matin, Sylvie coiffe ses longs cheveux blonds en deux tresses.* → elle les peigne.

2. *Le coureur a coiffé ses adversaires sur le poteau.* → il les a devancés d'une tête à l'arrivée.

■ **se coiffer,** v. **1.** *Je me coiffe devant la glace avec mon peigne.* ≃ se peigner. **2.** *En hiver, grand-père se coiffe d'un gros bonnet pour sortir.* → il met sur sa tête. ■ **coiffeur, euse,** n. m. et f. *Mercredi après-midi, je conduirai Guy chez le coiffeur.* → celui qui coiffe ou coupe les cheveux. ■ **coiffure,** n. f. *Voilà une coiffure bouclée qui vous irait très bien.* → une façon de se coiffer.

ORTHOGRAPHE

Les dérivés de coiffe prennent deux **f** : coiffer, coiffeur, coiffeuse, coiffure.

coin — nom masc.

1. *Mets ce fauteuil dans un coin de la pièce et place ce vase sur un coin de la table.* → un angle.

2. *La boulangerie se trouve juste au coin de la rue.* → au croisement.

3. *Nous avons passé nos vacances dans un coin tranquille.* → un endroit, un lieu.

EXPRESSION

Il me regarde **du coin de l'œil.** → de côté, en biais.

coincer [26] — verbe

1. *C'est ce petit caillou qui coinçait la porte.* → qui bloquait. ≠ décoincer.

2. *Dimanche soir, nous sommes restés coincés dans un embouteillage.* → serrés sans pouvoir nous dégager.

■ **se coincer,** v. *Emilie a crié de douleur en se coinçant le doigt dans la porte.* ≃ se pincer.

C

col nom masc.

1. *Boutonne ton col de chemise.*
2. *Aujourd'hui dans les Alpes, les coureurs du Tour de France auront à franchir le col de la Madeleine.* → le passage le moins élevé à travers une chaîne de montagnes.
3. *Albert s'est fracturé le col du fémur.* → la partie étroite sous la tête de l'os.

AUTOUR DE

A 2 760 mètres, le col de l'Iseran, situé entre les vallées de l'Arc et de l'Isère, est le plus haut col routier français.

colère nom fém.

Comme personne ne cédait à ses caprices, Rémi entra dans une colère terrible. → une fureur, une rage. ≠ calme.

■ **coléreux, euse,** adj. *Il est d'un tempérament très coléreux.* → il fait de fréquentes colères. ≃ emporté, furieux.

ORTHOGRAPHE

Attention ! col**è**re → accent grave, col**é**reux → accent aigu.

colis nom masc.

Va ouvrir la porte, le livreur apporte un colis. ≃ un paquet.

ORTHOGRAPHE

N'oublie pas le **s** final.

colle nom fém.

1. *Un peu de colle et ta poupée cassée sera vite réparée.*
2. *Alors là, tu me poses une colle !* → une question embarrassante. ≃ problème.

■ **collage,** n. m. *A la maternelle, Michel fait des découpages et des collages.* ■ **coller,** v. **1.** *Avant d'envoyer cette lettre, colle un timbre en haut à droite.* ≃ fixer. ≠ décoller. **2.** *Il colla son oreille à la porte pour écouter ce qu'on disait de lui.* → il l'appuya contre la porte. **3.** *Patrick a été collé à son examen.* → il n'a pas été reçu. ≃ refuser. ≠ admettre.

ORTHOGRAPHE

Attention ! N'oublie pas les deux **l**.

VOCABULAIRE

- On peut coller : une affiche sur un mur, un timbre sur une enveloppe, du papier peint au mur, une vignette sur un pare-brise.
- On peut aussi coller : son oreille à la porte, son nez à la vitre, son œil au trou de la serrure.

collection [kɔlɛksjɔ̃] nom fém.

Cet été, j'ai commencé une collection de minéraux. → une réunion d'objets que l'on rassemble pour son plaisir.

■ **collectionner,** v. *Maman collectionne les pots en étain.* → elle en fait la collection. ≃ amasser, grouper, réunir. ■ **collectionneur, euse,** n. m. et f. *Cette vieille voiture ne peut intéresser qu'un collectionneur.* → une personne qui en fait collection. ≃ amateur.

VOCABULAIRE

Voici des collectionneurs :

- Le bibliophile collectionne les livres rares ou précieux.
- Le numismate collectionne les monnaies anciennes.
- Le philatéliste collectionne les timbres-poste.

collège nom masc.

L'an prochain, Antoine entrera au collège.

■ **collégien, ienne,** n. m. et f. *Les collégiens ne sont plus des écoliers, mais pas encore des étudiants.*

VOCABULAIRE

Le collégien fréquente un collège (de la 6e à la 3e).
Le lycéen fréquente un lycée (de la seconde à la classe terminale).

collier nom masc.

1. *Pour son anniversaire, Maman a reçu un splendide collier de perles fines.* → un bijou qu'on porte autour du cou.
2. *Mon chien porte son nom et notre adresse gravés sur son collier.* → la courroie qui entoure son cou et permet de l'attacher.

ORTHOGRAPHE

N'oublie pas les deux **l**.

colline nom fém.

Du haut de cette colline, on peut admirer le paysage entier. → une élévation de terrain de forme arrondie. ≃ butte, hauteur.

ORTHOGRAPHE

N'oublie pas les deux **l**.

colonne nom fém.

1. *Des chapiteaux sculptés surmontent les colonnes des temples grecs.* → des supports verticaux cylindriques importants. ≃ pilier.
2. *En faisant une chute, le trapéziste s'est brisé la colonne vertébrale.* → le soutien principal du corps, formé de l'emboîtement de 33 vertèbres.
3. *Le compte rendu du match figure à la page sportive, en deuxième colonne.* → la partie de la page écrite de haut en bas dans un journal, une revue.
4. *Le chemin est étroit ; le petit groupe marche en colonne.* → en file.

ORTHOGRAPHE

Attention : **colonne** et **colonnade** ne prennent qu'un seul **l** mais deux **n**.

AUTOUR DE

La colonne Vendôme et la colonne de la Bastille sont deux monuments célèbres de Paris.

colorer 3 verbe

Le soleil couchant colore le ciel d'un rouge flamboyant. ≃ teinter. ≠ décolorer.

■ **coloré, e,** adj. *Chez les oiseaux, le mâle possède un plumage plus coloré que celui de la femelle.* → il a des couleurs plus vives. ≠ pâle.

ORIGINE

Vient du mot latin color, couleur.

colorier 3 verbe

Prête-moi tes crayons de couleur que je colorie ma carte de France. → que j'ajoute des couleurs.

■ **coloriage,** n. m. *Mon petit cousin aime beaucoup les albums de coloriages.* → des livrets contenant des dessins à colorier.

VOCABULAIRE

On peut colorier : un album, une carte, un dessin, une gravure..., en utilisant de l'aquarelle, des crayons de couleur, des crayons-feutres, de la gouache, des pastels...

combattre verbe

1. *Les assiégés combattaient à un contre dix.* ≃ se battre, lutter.
2. *Ce médicament combat la fièvre.* → il lutte contre.

■ **combat,** n. m. *Les Romains appréciaient beaucoup les combats de gladiateurs dans l'arène.* ≃ bataille, lutte. ■ **combattant, e,** n. m. et f. *Grand-père fait partie d'une association d'anciens combattants.* → de personnes qui ont fait la guerre. ≃ soldat.

ORTHOGRAPHE

- Attention ! Comba**tt**ant, comba**tt**re prennent deux **t**.
- Un **t** final à combat.

EXPRESSION

Il fut rapidement **mis hors de combat.** → dans l'impossibilité de poursuivre la lutte.

combien mot inv.

1. *Combien coûte ce livre ?* → quel est son prix ?
   Combien pèses-tu ? Combien mesures-tu ? → quel est ton poids ? ta taille ?
   Combien as-tu d'images ? → quel est leur nombre ?
2. *Si tu savais combien je suis heureux de partir à la montagne !* ≃ comme, à quel point.

GRAMMAIRE

- Au sens 1 : **combien** indique la quantité en nombre, la valeur de quelque chose.
- Au sens 2 : **combien** est suivi du point exclamatif.

C

comble — adj.

Pour la finale de la coupe, le stade était comble. ≃ bondé, plein, rempli. ≠ désert, vide.

■ **comblé, e,** adj. *J'ai reçu tant de cadeaux pour mon anniversaire ! J'ai été comblée !* → très contente. ≃ satisfait. ≠ déçu. ■ **combler,** v. **1.** *Il faudra combler cette tranchée avant que quelqu'un n'y tombe.* → la boucher. ≠ creuser. **2.** *Ce champion cycliste a été comblé de récompenses.* → il en a reçu beaucoup. ≃ couvrir.

EXPRESSION

La mesure est comble. → je ne peux en supporter davantage.

comble — nom masc.

Pour moi, le comble de l'injustice, c'est d'être condamné alors qu'on est innocent. → le plus haut degré. ≃ le sommet.

EXPRESSION

C'est un comble ! → c'est trop fort !

comédie — nom fém.

1. *En fin d'année, un groupe d'élèves a joué une scène de la comédie de Molière : « l'Avare ».* → une pièce de théâtre qui amuse. ≃ divertissement, farce. ≠ drame, tragédie.
2. *Arrête de faire la comédie à chaque fois qu'il faut aller chez le dentiste.* ≃ se montrer insupportable.

■ **comédien, ienne,** n. m. et f. *Fernandel et Jean Gabin furent deux grands comédiens.* → des artistes de théâtre ou de cinéma. ≃ acteur, actrice.

AUTOUR DE

Créée sur ordre de Louis XIV, en 1680, la Comédie-Française réunit des comédiens de talent qui ont pour mission de faire connaître les meilleures pièces du répertoire théâtral.

comestible — adj.

Le cèpe et la girolle sont deux champignons comestibles. → bons à manger. ≃ consommable. ≠ vénéneux.

VOCABULAIRE

Un aliment, des champignons, des denrées, des fruits, des produits, de la viande comestibles.

comique — adj. et nom masc.

1. adj. *On ne compte plus les films comiques tournés par Charlot.* → qui font rire. ≃ amusant, drôle. ≠ tragique, triste.
2. n. m. *Le cinéaste a confié le rôle du clown à un grand comique français.* → un acteur comique. ≃ fantaisiste.

VOCABULAIRE

- Un acteur, un auteur, un film, une pièce, une scène comiques.
- Une aventure, une histoire, une situation comiques.

commande — nom fém.

1. *Le fleuriste a reçu notre commande : il livrera le bouquet demain.*
2. *Le pilote se mit aux commandes de l'avion, prêt à s'envoler.*

■ **commandement,** n. m. *Le chef de groupe prit le commandement de son équipe.* → il la dirigea, lui donna des ordres. ■ **commander,** v. **1.** *Dans l'armée française, un capitaine commande une compagnie d'une centaine de soldats.* → il la dirige. 2. *Mes parents viennent de commander un poste de télévision en couleurs.* → de charger un commerçant de leur livrer. ≠ décommander. **3.** *Voilà la tirette qui commande l'ouverture du parachute.* → qui la provoque.

ORTHOGRAPHE

Attention ! N'oublie pas les deux **m**.

EXPRESSIONS

- *La sympathie ?* **ça ne se commande pas.** → ça vient naturellement, on ne peut pas l'imposer.
- *Vous partirez* **à mon commandement !** → sur mon ordre.

comme — mot inv.

1. *Impossible de le réveiller, il dort comme un loir.* → à la manière des loirs (qui dorment tout l'hiver). → Indique une comparaison.
2. *Comme j'étais malade, je ne suis pas venu.* ≃ puisque, étant donné que. → Indique la cause.
3. *Tout se passe comme nous l'avions prévu.* ≃ ainsi que. → Indique la manière.
4. *J'ai travaillé chez lui comme apprenti.* ≃ en tant que. → Indique la qualité.
5. *J'arrivais comme il partait.* ≃ alors que, au moment où. → Indique le temps.
6. *Comme je suis content de te voir !* ≃ que ... ! → Marque une exclamation et indique l'intensité.

EXPRESSIONS

- *Ce n'est pas un parent, mais* **c'est tout comme.** → c'est presque la même chose.
- *Mon petit frère est mignon* **comme tout.** → très mignon.
- « *Comment ça va ?* – **Comme ci, comme ça !** » → ni bien, ni mal.

commencer [26] — verbe

1. *Nous commencerons à faire des travaux lundi prochain.* ≃ entreprendre. ≠ finir.
2. *Attends que tous les invités soient servis avant de commencer à manger.* → d'entamer le repas.
3. *Le match commencera dans une demi-heure.* → il débutera. ≠ se terminer.

■ **commencement,** n. m. *La nuit du 31 décembre au 1*[er] *janvier nous avons fêté le commencement de la nouvelle année.* → le début. ≠ fin.

ORTHOGRAPHE

Attention à la cédille : je commence mais je commençais, nous commençons mais nous commencions.

EXPRESSIONS

- *Doucement,* **commençons par le commencement.** → prenons les choses dans l'ordre.
- *Tu* **commences à** *m'ennuyer.* → ma patience a des limites.

comment — mot inv.

1. *Comment prépares-tu ce gâteau ?* ≃ de quelle façon. → Indique la manière.
2. *Comment ! Tu n'es pas encore prêt ?* ≃ quoi ! → Marque l'exclamation, la surprise, l'étonnement.
3. *« Alors, ça va ? – Et comment ! »* ≃ mais certainement. → Marque l'exclamation.

EXPRESSION

N'écris pas **n'importe comment.** → sans t'appliquer.

commerçant, commerçante — nom masc. et fém. ou adj.

1. n. m. et f. *Le lundi, la plupart des commerçants ferment leurs boutiques.* ≃ marchand.
2. adj. *J'habite dans une rue très commerçante.* → où se trouvent de nombreux magasins et boutiques.

■ **commerce,** n. m. **1.** *Il a réussi dans le commerce.* → l'achat et la revente de marchandises. **2.** *Ma tante tient un petit commerce de fleurs.* → une boutique.

ORTHOGRAPHE

Attention ! Commerçant prend deux **m** et un **ç** devant le **a**.

AUTOUR DE

On appelle grossiste, un commerçant qui achète et revend par grandes quantités, et détaillant, un commerçant qui revend par petites quantités.

commettre [20] — verbe

Vous avez commis une grave erreur en le punissant sans raison. → vous avez fait.

■ **se commettre,** v. *De nombreuses atrocités se sont commises pendant la dernière guerre.* ≃ avoir lieu.

VOCABULAIRE

On peut commettre : un attentat, un cambriolage, un crime, une erreur, une faute, une mauvaise action, un vol.

C

commission — nom fém.

1. *Fais les commissions de cette dame âgée, tu lui rendras service.* ≃ course(s).
2. *Le maire a chargé une commission d'étudier les problèmes de la circulation.* → un groupe de personnes à qui l'on confie une mission.

VOCABULAIRE

Com/mission est dérivé de com/mettre comme :
émettre → émission,
mettre → mission.
permettre → permission,

commode — adj.

1. *Les appareils électro-ménagers sont très commodes dans la vie quotidienne.* ≃ pratique.
2. *Avec la grève des trains, ça ne sera pas commode de venir te voir.* → aisé, facile. ≠ compliqué, difficile.

ORTHOGRAPHE

N'oublie pas les deux **m**.

EXPRESSION

Il n'est pas commode ! → pas aimable, pas facile à vivre.

commode — nom fém.

Plie tes affaires et range-les dans la commode. → un large meuble à tiroirs.

commun, commune — adj.

1. *Ce projecteur de diapositives sera commun aux deux classes.* → elles s'en serviront toutes les deux. ≠ particulier, propre à.
2. *Les membres de la coopérative travaillent dans l'intérêt commun.* → de tous. ≃ collectif, général. ≠ individuel, particulier.
3. *En mettant nos efforts en commun, nous réaliserons notre grand projet.* → en groupant nos efforts.
4. *Mr Dupont :* Dupont *est un nom propre ; Le chat :* chat *est un nom commun.*
5. *Les cigales sont des insectes très communs dans le Midi de la France.* → que l'on rencontre très souvent. ≃ courant, fréquent. ≠ exceptionnel, rare.

ORTHOGRAPHE

N'oublie pas les deux **m**.

EXPRESSIONS

- *Nous agissons* **d'un commun accord.** → unanimement.
- *Il est d'une force* **peu commune.** → peu courante, inhabituelle.
- *Cela n'a* **rien de commun.** → rien de comparable.
- *C'est un exploit* **hors du commun.** → extraordinaire.

commune — nom fém.

La France compte près de 40 000 communes. ≃ municipalité.

■ **communal, e,** adj. *La mairie et l'école sont des bâtiments communaux.* → qui appartiennent à la commune. ≃ municipal.

VOCABULAIRE

La commune est administrée par le maire, ses adjoints et le conseil municipal.

communication — nom fém.

1. *A la suite d'une avalanche, les communications sont coupées avec ce hameau de montagne.* → on ne peut plus y aller ni correspondre avec les habitants.
2. *J'ai une importante communication à vous faire.* → quelque chose à vous dire. ≃ information, message, nouvelle.
3. *Combien vous dois-je pour cette communication ?* → pour cette conversation par téléphone.

■ **communiquer,** v. **1.** *Je vais vous communiquer mes projets pour dimanche prochain.* → vous les faire savoir. ≃ dire, révéler. **2.** *Ma chambre communique avec celle de mon frère.* → on peut passer de l'une dans l'autre.

ORTHOGRAPHE

Attention !
communi**qu**er → la communi**c**ation
appli**qu**er → l'appli**c**ation
compli**qu**er → la compli**c**ation
expli**qu**er → l'expli**c**ation
indi**qu**er → l'indi**c**ation.

compagnie — nom fém.

1. *Nous aimons bien la compagnie de nos voisins.* → la présence. ≃ société.
2. *Nous irons au cinéma en compagnie de Françoise et Michel.* → avec eux.
3. *Mon oncle travaille dans une compagnie d'assurances.* ≃ entreprise, société.
4. *Un capitaine d'infanterie commande une compagnie de 100 à 200 soldats.* → une troupe.

■ **compagnon, compagne,** n. m., n. f. *Le chien est un fidèle compagnon de l'homme.* → celui qui l'accompagne. ≃ ami.

ORTHOGRAPHE

N'oublie pas le **m** devant le **p**.

ORIGINE

Compagnon est formé de deux mots latins cum, avec, et panis, pain. Le compagnon est celui qui partage le pain avec (une autre personne).

comparer [3] — verbe

1. *Compare ces deux photos : tu verras qu'en deux ans tu as bien grandi.* ≃ confronter, rapprocher.
2. *Le poète compare la vie à un long voyage.* → il dit qu'elle lui ressemble.

■ **comparable,** adj. *Ces deux dessins se ressemblent : ils sont comparables.* ■ **comparaison,** n. f. *Pour que tu comprennes bien, je vais faire une comparaison.*

ORTHOGRAPHE

N'oublie pas le **m** devant le **p**.

ORTHOGRAPHE

Attention ! Devant **m, b, p,** on met toujours un **m**, sauf dans bo**n**bon, bo**n**bonne, bo**n**bonnière, embo**n**point, néa**n**moins.

compétition — nom fém.

A trente ans, ce footballeur abandonne la compétition. → il ne participe plus à des épreuves sportives.

compas — nom masc.

Prenez votre compas et tracez un cercle. → un instrument à deux branches permettant de tracer des cercles.

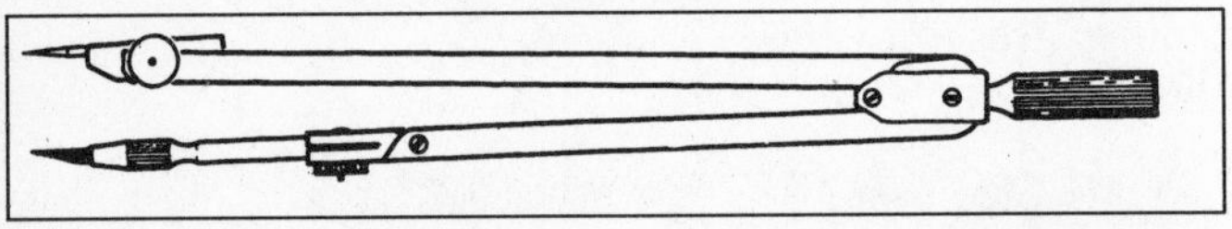

VOCABULAIRE

Avec mon compas, je peux tracer des cercles, dessiner des rosaces, construire des figures géométriques, reporter une mesure.

complément — nom masc.

1. *Dans :* la poupée de Sylvie, Sylvie *est le complément du nom* poupée. → il le complète, apporte une précision.
2. *Payez-moi ce que vous pouvez, vous me donnerez le complément demain.* → le reste de ce qui est dû. ≃ solde.

■ **complémentaire,** adj. *Avez-vous des renseignements complémentaires sur les circonstances de l'accident ?* → davantage de renseignements.

GRAMMAIRE

Ne confonds pas les compléments :
- du verbe : *Pierre embrasse* **ses parents,**
- du nom : *Le livre* **de géographie,**
- de l'adjectif : *Le mur couvert* **de mousse.**

complet, complète — adj.

1. *L'autobus est complet : attendons le suivant.* ≃ bondé, plein, rempli. ≠ vide.
2. *Il est interdit de descendre avant l'arrêt complet du train.* → absolu, total.
3. *J'ai la collection complète des aventures d'Astérix.* ≃ entier. ≠ incomplet.

ORTHOGRAPHE

Un récit complet/une histoire compl**è**te,
comme :
discret → discr**è**te,
inquiet → inqui**è**te,
secret → secr**è**te.

C

complication — nom fém.

Répondez simplement, sans chercher de complications. → sans tout embrouiller. ≃ détour, difficulté. ≠ simplicité.

complice — nom masc. ou fém. et adj.

1. n. m. ou f. *Le voleur fut pris, mais ses complices purent s'échapper.* → ceux qui l'aidaient dans sa mauvaise action. ≃ associé.
2. adj. *Les deux garnements échangèrent un clin d'œil complice.* → qui montrait qu'ils étaient d'accord.

■ **complicité,** n. f. *Pierre a fait une farce à Sylvie avec la complicité de Marc.*

EXPRESSION

Je ne veux pas **être complice de** *cette mauvaise action.* → y être mêlé.

compliment — nom masc.

Le patron a fait des compliments à son apprenti pour son bon travail. → des éloges, des félicitations. ≠ reproche.

VOCABULAIRE

On peut : adresser, écrire, faire ou recevoir un compliment.

composé, composée — adj.

Voici un beau bouquet composé de quelques fleurs des champs.

■ **composer,** v. **1.** *Notre alphabet est composé de 20 consonnes et de 6 voyelles.* **2.** *Mozart composa dès l'âge de six ans.* → il écrivit des œuvres musicales. ■ **composition,** n. f. **1.** *Des produits dangereux entrent dans la composition de ce médicament.* → ils font partie des éléments entrant dans sa fabrication. **2.** *Je pense avoir réussi ma composition de calcul.* → une épreuve notée en vue d'un classement. ≃ devoir. ■ **se composer,** v. *Mon train électrique se compose d'une motrice et de six wagons.* ≃ comprendre, être formé de.

EXPRESSIONS

- *C'est un rafraîchissement* **de ma composition.** → fait à ma façon.
- *Voici un homme* **de bonne composition.** → qui a bon caractère. ≃ accommodant.

compréhensible [kɔ̃pʀeɑ̃sibl] — adj.

Il ne veut pas dénoncer son camarade : son silence est compréhensible. → facile à comprendre. ≃ naturel, normal. ≠ incompréhensible.

■ **comprendre,** v. **1.** *Comprenez-vous mes explications ?* → avez-vous saisi le sens de. **2.** *Prendre le temps de lire, de faire du sport, de se détendre : voilà comment je comprends les vacances.* ≃ concevoir, imaginer, voir. **3.** *Ce roman comprend dix chapitres.* → il est composé de.

ORTHOGRAPHE

N'oublie pas le **h** dans compréhensible.

EXPRESSION

- *Léa* **comprend** *bien* **la plaisanterie.** → elle l'accepte bien.
- *Nous resterons toute la semaine,* **y compris** *le dimanche.* → le dimanche aussi.

compter [3] — verbe

1. *Mon petit frère sait déjà compter jusqu'à vingt.* → il sait donner la suite des nombres.
2. *Le berger comptait ses moutons.* → il en calculait le nombre.
3. *Cette ville compte environ 20 000 habitants.* ≃ avoir.
4. *Le mécanicien facture le pare-brise mais ne compte pas la pose.* → il ne la fait pas payer. ≃ tenir compte de.

■ **compte,** n. m. *Chaque soir, le commerçant fait ses comptes.*

EXPRESSIONS

- **Ça ne compte pas !** → ça n'a pas d'importance, de valeur.
- **On ne compte plus** *ses bêtises.* → elles sont innombrables.
- *Elle dépense* **sans compter.** → sans faire attention.
- *On ne peut pas* **compter sur lui.** → lui faire confiance.

concert — nom masc.

De grands musiciens viennent donner des concerts dans notre ville. ≃ récital.

EXPRESSION

De concert. → en parfait accord, ensemble.

conclure — verbe

1. *Pour équiper la nouvelle bibliothèque, nous avons conclu un marché avec notre fournisseur.* → nous nous sommes mis d'accord. ≃ signer, traiter.
2. *Vous avez assez parlé, il faut conclure maintenant.* ≃ achever, terminer.
3. *Gilles n'a pas répondu à mon invitation ; je me demande ce qu'il faut en conclure.* → en déduire, en penser.

■ **conclusion,** n. f. **1.** *Les deux pays sont parvenus à la conclusion d'un accord.* **2.** *N'oublie pas la conclusion à la fin de ta rédaction.* → le paragraphe final.

EXPRESSIONS

- **Marché conclu !** → c'est d'accord.
- **Conclusion,** *je dois tout recommencer.* → bref, donc, en fin de compte. ≃ pour conclure.

concours — nom masc.

1. *Micheline s'est présentée au concours et elle a été reçue dans les premières.*
2. *Corinne a participé au concours de châteaux de sable et a remporté un prix.*

ORTHOGRAPHE

Concours prend un **s**, même au singulier.

concurrent, concurrente — nom masc., nom fém.

La course va commencer : les concurrents sont prêts à partir. → ceux qui participent à la course pour essayer de la gagner. ≃ rival.

ORTHOGRAPHE

Attention ! N'oublie pas les deux **r**.

condamner [kɔ̃danə] 3 — verbe

François a été condamné pour un excès de vitesse et a dû payer une amende. → il a été puni par la loi. ≠ acquitter.

■ **condamnation,** n. f. *Une condamnation à deux ans de prison.* → une punition par un tribunal.

ORTHOGRAPHE

Attention au **m** avant le **n**, qui ne se prononce pas ! [kɔ̃dane].

condition [kɔ̃disjɔ̃] — nom fém.

1. *Pour trouver un mot dans le dictionnaire, il faut savoir comment il s'écrit : c'est une condition indispensable.* → sinon, il est impossible de le trouver.
2. au pl. *Didier n'a pas de table pour poser ses livres, il ne peut pas travailler dans ces conditions.* → de cette façon, ainsi.

ORTHOGRAPHE

Les noms féminins terminés en [sjɔ̃] peuvent s'écrire :
- **tion** → la condi**tion**,
- **sion** → la pen**sion**,
- **ssion** → la mi**ssion**.

conditionnel [kɔ̃disjɔnɛl] — nom masc.

« Evelyne irait à la piscine s'il faisait chaud. » Dans cette phrase, le verbe « aller » est au conditionnel présent.
→ L'action est soumise à une certaine condition : « s'il faisait chaud... ».

GRAMMAIRE

Le conditionnel est un mode du verbe comme : l'infinitif, l'indicatif, le subjonctif, l'impératif et le participe.

C

conduire [13] — verbe

1. *Georges n'aime pas conduire la nuit : les phares l'éblouissent.*
2. *Henri a eu un accident ; on l'a conduit à l'hôpital.* ≃ accompagner, emmener.

■ **conducteur, trice,** n. m. et f. *Le conducteur du camion a donné un coup de volant pour éviter le chien.* ≃ chauffeur. ■ **conduite,** n. f. **1.** *La conduite en ville ; la conduite sur route mouillée.* → la façon dont on conduit un véhicule. **2.** *La conduite de Karine nous a surpris.* → le comportement. ≃ attitude. **3.** *Une conduite de gaz, une conduite d'eau.* → une canalisation, un tuyau. ■ **se conduire,** v. **1.** *Ce vélomoteur se conduit facilement.* → on le manie, le dirige facilement. **2.** *Irène avait peur de l'orage, mais elle s'est conduite courageusement.* → elle a agi. ≃ se comporter.

EXPRESSIONS

- **Un permis de conduire.**
- **Sous la conduite de.** → accompagné(e) par.

confiance — nom fém.

Nicole laisse Rémi prendre de l'argent dans son porte-monnaie, car elle a confiance en lui. → elle sait qu'il ne la volera pas. ≠ doute, méfiance.

■ **confiant, e,** adj. *Un sourire, un regard confiant.* ≠ méfiant. ■ **confier,** v. **1.** *Rosalie nous a confié son chien pendant les vacances.* → elle nous l'a laissé. **2.** *Marc m'a confié quelque chose qu'il n'avait jamais dit à personne.* → il me l'a dit personnellement.

EXPRESSION

Une personne de confiance. → une personne sûre.

VOCABULAIRE

- Faire confiance. Une preuve de confiance. Etre digne de confiance.
- Se confier à. → dire des choses personnelles à (quelqu'un).

confisquer [3] — verbe

Les transistors sont interdits : le surveillant a dit que s'il en voyait un, il le confisquerait.

VOCABULAIRE

Confisquer des marchandises de contrebande.

confiture — nom fém.

Julien étale de la confiture de fraises sur sa tartine.

confondre [31] — verbe

Noëlle et Christine sont jumelles : elles se ressemblent tellement qu'on les confond. → on les prend l'une pour l'autre. ≠ distinguer.

confortable — adj.

1. *Un fauteuil est un siège plus confortable qu'un tabouret.* → on y est mieux assis. ≃ agréable, douillet. ≠ inconfortable.
2. *Ce cheval a pris une confortable avance.* → il a une avance importante.

■ **confort,** n. m. *Cette maison n'est pas chauffée et n'a pas de salle de bains : elle manque de confort.* ≃ commodité.

VOCABULAIRE

Une maison confortable. Le confort moderne. Se plaindre du manque de confort. Avoir tout le confort.

conjonction — nom fém.

« Et », « mais », « ou » sont des conjonctions de coordination. « Comme », « quand », « que » sont des conjonctions de subordination. → des mots qui relient des mots ou des groupes de mots.

GRAMMAIRE

Les propositions qui commencent par une conjonction de subordination sont des subordonnées.

conjuguer [3] — verbe

Pascal conjugue le verbe être *au futur :* je serai, tu seras, etc.

■ **conjugaison,** n. f. *Pascal apprend la conjugaison du verbe être à l'indicatif futur.*

GRAMMAIRE

« Etre » et « avoir » sont les auxiliaires employés dans les temps composés d'une conjugaison.
Voir tableau des conjugaisons des verbes page 470.

connaître [23] — verbe

1. *Eric connaît bien la recette de la mousse au chocolat.* ≠ ignorer.
2. *Michèle ne connaît pas encore les nouveaux locataires.* → elle n'a pas fait leur connaissance, elle n'a pas parlé avec eux.
3. *Tu crois qu'il est méchant, mais tu le connais mal.* ≃ comprendre, juger.

■ **connaissance,** n. f. *Marc a une grande connaissance de l'histoire du cinéma.* → il sait beaucoup de choses sur. ■ **connu, e,** adj. **1.** *Ghislaine est connue pour son habileté.* → réputée pour. **2.** *C'est un artiste connu.* → célèbre.

ORTHOGRAPHE

Attention à l'accent circonflexe sur le **i** devant un **t** ! comme dans naître, paraître.

EXPRESSIONS

- **S'y connaître.** → savoir (faire quelque chose), être compétent.
- **Ni vu, ni connu.** → personne n'en saura rien.

conseil — nom masc.

1. *Marie m'a dit de faire plus de sport : c'est un bon conseil.* → un bon avis.
2. *Le conseil municipal a décidé la construction d'une piscine.* → le maire, ses adjoints et les conseillers municipaux.

■ **conseiller,** v. *Pierre a conseillé à Jean de passer ses vacances en Auvergne.* → il a recommandé. ≠ déconseiller. ■ **conseiller, ère,** n. m. et f. **1.** *Bernard est un bon conseiller.* → il donne de bons conseils. **2.** *Eliane est conseillère municipale.* → une personne qui fait partie du conseil de la commune.

PROVERBE

La nuit porte conseil. (Il vaut mieux attendre le lendemain pour résoudre un problème.)

conséquence — nom fém.

La tristesse de Laurent est la conséquence du départ de son amie. → elle résulte de. ≠ cause.

EXPRESSION

Sans conséquence. → sans inconvénient.

conserver [3] — verbe

1. *Liliane a conservé le souvenir de sa première baignade.* → elle a gardé.
2. *Pour conserver des champignons, on peut les faire sécher.* → pour garder en bon état.

■ **conserve,** n. f. *Dans la cave, des boîtes de conserve de toutes sortes étaient disposées sur des étagères.*

EXPRESSION

En conserve. → en boîte (≠ frais).

considérable — adj.

Faire une tapisserie demande un temps considérable. → beaucoup de temps. ≃ important. ≠ faible, insignifiant.

■ **considérer,** v. **1.** *Ils ont considéré mon travail et l'ont déclaré satisfaisant.* → ils l'ont examiné, regardé. **2.** *A la maison, on considère mon ami Pierre comme faisant partie de la famille.* → on tient Pierre pour mon ami.

VOCABULAIRE

Une dépense, une somme ou un travail considérable.

consigne nom fém.

1. *Patricia a déposé sa valise à la consigne de la gare.* → un endroit où les bagages sont gardés.
2. *Sur le chantier, il faut porter un casque : c'est une consigne de sécurité.* → une instruction stricte.

EXPRESSION

Une consigne automatique (dans une gare, une aérogare). → un casier où l'on dépose ses affaires et que l'on ferme avec une clef.

C

consoler 3 verbe

Louis a du chagrin, il sera difficile de le consoler. → de lui faire oublier son chagrin.

■ **consolation,** n. f. *C'est une consolation d'avoir sa sœur auprès d'elle pour partager sa peine.* ≃ réconfort, soulagement.

EXPRESSION

Un prix, lot de consolation. → pour atténuer la déception des gens qui ont perdu (dans un jeu, une tombola, etc.).

consommateur, consommatrice nom masc. et fém.

1. *Pour protéger leurs droits, les consommateurs se sont organisés en association.*
2. *François est un grand consommateur de chocolat.* → il en mange beaucoup.

■ **consommer,** v. *Le poêle consomme beaucoup de charbon.* ≃ user, utiliser.

ORTHOGRAPHE

Attention aux deux **m** !

consonne nom fém.

Dans l'alphabet français, il y a six voyelles et vingt consonnes.

ORTHOGRAPHE

Attention ! N'oublie pas les deux **n** !

constater 3 verbe

Rémi a constaté que l'armoire était vide. → il l'a vu par lui-même.

■ **constatation,** n. f. *Cette constatation l'a surpris.* → ce qu'il a vu, observé.

construire 13 verbe

Les parents de Damien font construire une maison. ≃ bâtir, édifier.

■ **construction,** n. f. **1.** *Pour la construction de leur cabane, Mireille et Thierry ont utilisé des planches, des branches, des cordes, etc.* ≠ destruction. **2.** *On ne reconnaît plus le quartier avec toutes ces nouvelles constructions.* → ces nouveaux bâtiments.

EXPRESSION

Jeu de construction.

VOCABULAIRE

Construire un mur, un immeuble.

consulter 3 verbe

1. *Charles a consulté son professeur pour savoir quelles études il lui conseillait.* → il lui a demandé son avis.
2. *Quand tu n'es pas sûr du sens d'un mot, consulte le dictionnaire.* → cherches-y ce renseignement.

■ **consultation,** n. f. **1.** *La consultation d'un livre, d'une carte.* ≃ examen. **2.** *Le médecin donne ses consultations le matin.* → il reçoit les malades.

VOCABULAIRE

- (Sens 1) Consulter un expert, un spécialiste.
- (Sens 2) Consulter sa montre, un atlas.

contact nom masc.

1. *Adrien n'aime pas le contact du plastique.* → il n'aime pas le toucher.
2. *Brigitte tourne la clef pour mettre le contact et faire démarrer la voiture.* → mettre en route. ≠ couper le contact.
3. au pl. *Nos voisins sont gentils, nous avons beaucoup de contacts avec eux.* ≃ relations.

ORTHOGRAPHE

Attention au **c** et au **t** qui se prononcent.

AUTOUR DE

Des verres de contact. → qu'on applique directement sur l'œil (pour remplacer les lunettes). ≃ lentilles.

contagieux, contagieuse adj.

La rougeole, la varicelle, la grippe sont des maladies contagieuses. → on peut les attraper si on est très proche d'une personne malade.

AUTOUR DE

Quand une maladie contagieuse atteint un très grand nombre de personnes, il y a une épidémie.

■ **contagion,** n. f. *Pour éviter la contagion, on a isolé l'enfant malade.* → pour éviter de propager la maladie.

conte nom masc.

Souvent, les contes commencent par : « Il était une fois... »

contempler 3 verbe

Frédéric est heureux de ses cadeaux ; il les contemple avec ravissement. ≃ regarder.

VOCABULAIRE

On peut contempler un monument, un spectacle, un coucher de soleil...

■ **contemplation,** n. f. *Jean est en contemplation devant ce paysage.*

contemporain, contemporaine adj. ou nom masc. et fém.

1. adj. *Indira Gandhi est une femme politique contemporaine.* → elle vit à la même époque que nous.
2. n. m. et f. *Beethoven et Napoléon étaient des contemporains.* → ils vivaient tous deux à la même époque.

Indira Gandhi.

content, contente adj.

Jeanne est contente de voir son émission préférée. → ravie. ≃ enchanté, heureux. ≠ ennuyé, mécontent, triste.

continent nom masc.

L'Afrique et l'Asie sont deux continents. → une grande étendue de terre bordée par l'océan.

EXPRESSION

Le continent → l'Europe (par rapport aux îles Britanniques).

continu, continue adj.

1. *L'usine fonctionne jour et nuit : le bruit des machines est continu.* → il ne s'arrête jamais.
2. *Sur la route, il est interdit de franchir une ligne blanche continue.* → ininterrompue.

EXPRESSION

Une journée continue. → une journée de travail avec une brève interruption pour le déjeuner.

continuer 3 verbe

1. *Je lui ai demandé d'arrêter, mais il continue ses bêtises.* ≠ interrompre, s'arrêter de.
2. *Pendant les travaux, la vente continue.* → elle se poursuit. ≠ cesser.

GRAMMAIRE

- *La pluie* **continue de** *tomber.*
- *Jean-Marc* **continue à** *parler.*

contour — nom masc.

Nathalie dessine une maison, elle commence par en tracer les contours. → les limites extérieures.

contradiction — nom fém.

1. *Paul n'aime pas la contradiction.* → qu'on dise le contraire de ce qu'il dit.
2. *Jean affirme une chose, puis une autre contraire ; c'est une contradiction.* → des idées qui s'opposent.

■ **contradictoire,** adj. *Le coupable s'est trahi : il a fait deux déclarations contradictoires.* ■ **contredire,** v. *« Il pleut », dit Louise. « Non, il ne pleut pas », dit Henri. Henri a contredit Louise.* ■ **se contredire,** v. *Rosalie et Louis se contredisent sans cesse.* → ils ne sont jamais d'accord entre eux.

ORTHOGRAPHE

Contredire se conjugue comme *dire*, sauf pour la forme « vous contredisez » (≠ vous dites) au présent de l'indicatif.

EXPRESSION

Avoir l'esprit de contradiction. → avoir tendance à s'opposer à ce que disent ou font les autres.

contraire — adj. ou nom masc.

1. adj. *Grégoire n'aime pas ce qui est contraire à ses habitudes.* → ce qui s'oppose à.
2. adj. *Jacques voulait aller au cinéma, Laure était d'un avis contraire.* → opposé. ≠ identique, pareil.
3. n. m. *Il ne faut pas croire Gérard, il fait le contraire de ce qu'il dit.* → il fait l'inverse. ≃ opposé.

EXPRESSION

Elle ne lui a pas donné une claque, **au contraire,** *elle l'a embrassée.*

contre — mot inv.

1. *Paul s'est cogné contre la table.*
2. *Hélène m'a donné son carnet contre trois cartes.* → en échange de.
3. *Une sortie en plein air : êtes-vous pour ou contre ?* → y êtes-vous ou non favorable ?

contribuer [3] — verbe

Fabrice a découpé le papier, Laetitia a noué les ficelles, Nicole les a réglées : toute la famille a contribué à la fabrication du cerf-volant. → elle a participé à.

■ **contribution,** n. f. *Pour organiser cette fête, chacun a apporté sa contribution.* → chacun a collaboré.

VOCABULAIRE

Contribuer à un travail collectif, au succès d'une entreprise, à la réussite d'un projet.

contrôle — nom masc.

Il ne faut pas jeter son billet, car il peut y avoir un contrôle dans le train. → une vérification effectuée par le contrôleur.

■ **contrôler,** v. ≃ vérifier. ■ **contrôleur, euse,** n. m. et f. *Le contrôleur vérifie les billets.*

ORTHOGRAPHE

Attention à l'accent circonflexe sur le **o** comme dans **rôle**, **drôle**...

convaincre [35] — verbe

Monique ne voulait pas croire au retour de Jacques, mais elle a eu des preuves qui l'ont convaincue. → qui l'ont persuadée.

■ **convaincu, e,** adj. *Jean parle d'un ton convaincu de ce qu'il fera plus tard.* → très assuré.

GRAMMAIRE

- **Convaincre** *quelqu'un* **de** *quelque chose.*
- **Je suis convaincu qu'***il a raison.*

convalescence nom fém.

Juliette est presque guérie : elle va passer sa convalescence dans un centre de repos. → la période de repos avant la guérison totale.

■ **convalescent, e,** adj. ou n. m. et f. *Claude n'est pas encore remis de son angine : il est convalescent.*

ORTHOGRAPHE

Attention au **s** avant le **c** !

convenir 34 verbe

Damien propose de goûter chez lui : est-ce que ça te convient ? → est-ce que ça te plaît ? ≃ aller.

EXPRESSION

Nous nous retrouvons, **comme convenu,** *à 8 heures.* → comme il a été décidé.

conversation nom fém.

Emilie et Jacques parlaient de la fête quand Marie-Laure a interrompu leur conversation. ≃ dialogue, discussion.

convoquer 3 verbe

Julie a cassé une vitre : elle a été convoquée dans le bureau de la directrice pour s'expliquer. → on l'a fait venir, elle a été appelée.

■ **convocation,** n. f. *Mon grand frère a reçu une convocation pour aller passer son baccalauréat.*

copain, copine (fam.) nom masc., nom fém.

En vacances, Marie retrouve avec joie sa bande de copains et de copines. → d'amis, de camarades.

ORIGINE

Vient de compagnon. (V. ce mot.)

copier 3 verbe

1. *Bertrand apprend à écrire : il copie ce que l'instituteur écrit sur le tableau.* ≃ reproduire.
2. *Xavier a eu un zéro, car il a copié sur sa voisine.* → il a triché en reproduisant ce que sa voisine avait écrit.

copie nom fém.

1. *Ce tableau est une copie.* → une reproduction du tableau original. ≃ imitation.
2. *Le professeur a corrigé les copies.* → les devoirs rendus par des élèves.
3. *Sophie achète des copies à petits carreaux.* → des feuilles de papier doubles.

coq nom masc.

« Cocorico ! » fait le coq en chantant dès le matin.

AUTOUR DE

- Le coq est le mâle de la poule, et le père des poussins.
- Le coq gaulois est le symbole de la France.

coquillage — nom masc.

1. *Les huîtres, les moules, les bigorneaux sont des coquillages.* → des animaux au corps mou recouvert d'une coquille.
2. *Agnès s'est fait un collier de coquillages.* → de coquilles vides.

■ **coquille,** n. f. **1.** *Quand l'escargot a peur, il rentre dans sa coquille.* → l'enveloppe calcaire qui protège son corps. **2.** *Jeanne fabrique un petit bateau avec une coquille de noix.*

VOCABULAIRE

- Coquillages comestibles (bons à manger),
- Coquillages fossiles (conservés dans une roche).
- Autres coquillages : moule, coquille Saint-Jacques, couteau, palourde, praire.

C

◄ 1. Une coquille Saint-Jacques.
2. Un bernard-l'ermite.
3. Une moule.

corbeau — nom masc.

Le corbeau est un grand oiseau noir qui croasse.

EXPRESSION

Noir comme un corbeau. → très noir.

corbeille — nom fém.

Martin met la corbeille à pain sur la table, et la corbeille du chat près du radiateur. → un objet de forme arrondie, qui sert à recevoir différentes choses ou un animal.

VOCABULAIRE

Corbeille en osier, corbeille à papier.

corde — nom fém.

1. *La balançoire est accrochée au portique par des cordes.*
2. *Le piano, le violon, la guitare sont des instruments à cordes.* → munis de fils tendus et solides.

EXPRESSION

Les cordes vocales. → les deux replis dans la gorge qui vibrent pour produire des sons.

cordonnier — nom masc.

Tes semelles sont usées, porte tes chaussures chez le cordonnier.

corne — nom fém.

Les vaches, les chèvres, les chamois ont deux cornes sur la tête. Les rhinocéros ont une corne (parfois deux) sur le nez.

EXPRESSION

Prendre le taureau par les cornes. → attaquer un problème de front.

corps [kɔʀ] — nom masc.

1. *En gymnastique, nous exerçons notre corps par des mouvements.*
2. *L'huile et le beurre sont des corps gras.* → des matières, des substances grasses.
3. *Un professeur appartient au corps enseignant, un médecin, au corps médical.* → un groupe de personnes ayant le même métier.

ORTHOGRAPHE

Attention au **ps** qui ne se prononce pas ! On ne fait pas la liaison : un corps agile [kɔʀaʒil].

EXPRESSION

Trembler de tout son corps. → des pieds à la tête.

correct, correcte — adj.

1. *Il n'y a pas de faute dans ta lettre : tes phrases sont correctes.* ≠ faux, incorrect.
2. *Sylvie a tenu sa promesse : elle a été correcte avec Jean-Louis.* → honnête, loyale.

correspondre 31 verbe

1. *Le fil gauche correspond à la main gauche de la marionnette et le fil droit à la main droite.* ≃ se rapporter à.
2. *Marianne a correspondu longtemps avec une jeune Anglaise.* → elle a échangé des lettres avec elle.

■ **correspondance,** n. f. **1.** *Il n'y a pas de correspondance entre ce que tu dis et ce que tu fais.* → de liaison, de relation. **2.** *A Lyon, il faut changer de train et prendre la correspondance pour Saint-Etienne.* → un autre train. **3.** *Grâce à sa correspondance avec une jeune Anglaise, Marianne perfectionne son anglais.* → un échange de lettres. ■ **correspondant, e,** adj. ou n. m. et f. **1.** adj. *Daniel a peint les volets et les fenêtres correspondantes.* → qui vont ensemble. **2.** n. *La correspondante anglaise de Marianne s'appelle Sandy.*

EXPRESSION

Le (la) correspondant(e) d'un journal *dans une ville, un pays.* → le (la) journaliste qui envoie des informations.

corriger 19 verbe

Michel demande à René de corriger sa lettre avant de l'envoyer à son grand-père. → de supprimer les fautes.

ORTHOGRAPHE

Attention au **e** dans la conjugaison : nous corrig**e**ons, je corrig**e**ais.

cosmonaute [kɔsmonot] nom masc. ou fém.

Pour devenir cosmonaute, il faut un entraînement sévère. → une personne qui navigue dans l'espace.

■ **cosmos** [kɔsmos], n. m. *Les vaisseaux spatiaux explorent le cosmos.* → l'espace qui se trouve en dehors de l'atmosphère (la couche d'air qui entoure la Terre).

costume nom masc.

1. *Suzanne portait un costume de marquise au bal de son école.* → un déguisement.
2. *Paul choisit une cravate pour aller avec son costume gris.*

■ **se costumer,** v. *Eric se costume en cow-boy.* → il s'habille en.

ORIGINE

Costume vient de coutume, c'est-à-dire : habitudes, traditions dans un pays. Le costume est la façon de s'habiller d'un pays, d'un groupe de gens.

côte [kot] nom fém.

1. *Ce chien est si maigre qu'on voit ses côtes.* → les os du thorax.
2. *Gaëlle aime les côtes de porc.* → la viande qui entoure la côte (sens 1).
3. *Sylvie change de vitesse pour monter la côte.* → la route en pente.
4. *La route longe la côte.* → le bord de la mer.

EXPRESSIONS

- **Côte à côte.** → l'un à côté de l'autre.
- **Se tenir les côtes.** → rire énormément.
- **La Côte d'Azur.** → la côte maritime entre Marseille et la frontière italienne.

côté nom masc.

1. *Le cœur se trouve au côté gauche du corps, le foie au côté droit.* → dans la partie droite ou gauche.
2. *Il y a une porte de chaque côté de la maison.*
3. *Un rectangle a quatre côtés.* ≃ limite.
4. *Au début, Pierre n'a vu que les bons côtés du projet.* → les aspects favorables.

EXPRESSIONS

- **Du côté de.** → dans la direction de, près de.
- **De mon (ton, son) côté.** → pour ma part, en ce qui me concerne.
- **Laisser de côté.** → ne pas s'occuper de, écarter.
- **De tous côtés.** → de toutes parts.
- **A côté (de).** → près (de).

coton nom masc.

1. *Je supporte mieux la chaleur avec des vêtements en coton.*
2. *Gilles saigne du nez, il s'est mis un morceau de coton dans la narine.* ≃ coton hydrophile, ouate.

AUTOUR DE

On file et on tisse le coton qui provient des filaments entourant les graines du cotonnier.

C

cou nom masc.

Le chien porte un collier autour du cou.

EXPRESSION

Sauter au cou de quelqu'un. → l'embrasser avec vivacité.

couche nom fém.

1. *Jeanine passe une couche de vernis sur la table.*
2. *La nourrice change la couche du bébé.*

coucher 3 verbe

1. *Pierre couche le bébé dans le berceau.* → il allonge, place le bébé. ≠ lever.
2. *Le samedi, Viviane couche chez sa grand-mère.* → elle passe la nuit.
3. *Le vent a couché les fleurs.* → il a incliné. ≠ redresser.

■ **se coucher,** v. **1.** *Jeanne se couche trop tard.* → elle se met au lit. ≠ se lever. **2.** *Murielle s'est couchée dans un hamac.* → elle s'est étendue. **3.** *Le soleil se couche.* → il semble descendre sur l'horizon. ≠ se lever.

AUTOUR DE

On peut se coucher dans un lit, dans un hamac, par terre, sur une natte, dans un sac de couchage...

coucou nom masc.

Le coucou est un oiseau gris et noir. La femelle pond ses œufs dans le nid d'autres oiseaux.

ORIGINE

Le nom du coucou vient de son cri.

coude nom masc.

Le coude est l'articulation du bras avec l'avant-bras.

EXPRESSION

Se serrer les coudes. → être solidaire, s'entraider.

coudre verbe

Xavier coud un écusson sur son blouson.

VOCABULAIRE

Une machine à coudre, un dé à coudre.

couler 3 verbe

1. *Jérôme pleure : des larmes coulent sur ses joues.* ≃ s'écouler.
2. *Attention, ton stylo coule !* → il fuit.
3. *Le navire a coulé au fond de l'eau.* → il a sombré.
4. *Le sous-marin coule les navires ennemis.* → il les fait sombrer.

VOCABULAIRE

- (Sens 1) Le sang coule dans les veines. Le fleuve coule de la source à l'embouchure.
- (Sens 3) Couler à pic (tout droit au fond de l'eau).

couleur nom fém.

1. *Les trois couleurs fondamentales sont le rouge, le bleu et le jaune.*
2. *Dans un jeu de cartes, il y a quatre couleurs : trèfle, carreau, cœur et pique.*
3. *Quand Loïc a vu le serpent, il a changé de couleur.* → sa figure est devenue toute pâle (ou toute rouge).
4. *C'est plus agréable de regarder le match sur un téléviseur en couleurs que sur un téléviseur en noir et blanc.*

AUTOUR DE

En mélangeant :
- du jaune et du bleu, on obtient du vert,
- du rouge et du jaune, de l'orangé,
- du bleu et du rouge, du violet,
- du rouge et du noir, du marron,
- du rouge et du blanc, du rose.

couleuvre nom fém.

La couleuvre n'est pas un serpent dangereux, elle n'a pas de venin.

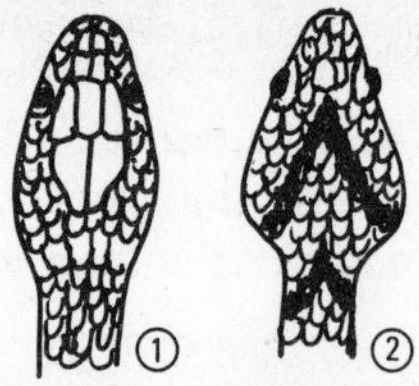

1. Une couleuvre.
2. Une vipère.

couloir nom masc.

Dans l'école, toutes les salles de classe donnent sur le couloir. → le corridor.

coup nom masc.

1. *Julie donne des coups de pied dans la porte.* → elle frappe avec son pied.
2. *La chasse est ouverte, on entend des coups de fusil.* ≃ détonation.
3. *Martin a besoin d'un coup de peigne.*
4. *Rosalie a attrapé un coup de soleil.* → une brûlure plus ou moins importante que fait le soleil sur la peau.
5. *Virginie a réussi du premier coup.* → la première fois.

EXPRESSIONS

- **Coup sur coup.** → l'un après l'autre sans interruption.
- **Sur le coup.** → immédiatement.
- **Après coup.** → plus tard, ensuite.
- **A coup sûr.** → avec certitude.
- **Tout d'un coup, tout à coup.** → soudain, brusquement.

coupable adj. et nom masc. ou fém.

Un vol a été commis, on recherche le coupable. → la personne qui a commis cette faute. ≠ innocent.

couper 3 verbe

1. *La coiffeuse a coupé les cheveux de Marinette.*
2. *Ce couteau ne coupe pas bien.* → il n'est pas assez tranchant.
3. *La cour a été coupée par un mur.* → elle a été partagée. ≃ diviser.
4. *On gagne du temps en coupant par la forêt.* → en passant (par un chemin plus court).
5. *Ta rédaction est trop longue, il faut en couper une partie.* → en enlever, en supprimer.
6. *Le plombier a coupé l'eau.* ≃ arrêter, interrompre.

■ **se couper,** v. *Nicolas s'est coupé le doigt avec un morceau de verre.* → il s'est entaillé, entamé.

EXPRESSIONS

- *Cette mauvaise nouvelle* **lui a coupé l'appétit.** → elle l'a empêché de manger.
- **Couper la parole.** → interrompre quelqu'un qui parle.

couple nom masc.

Un homme et une femme mariés forment un couple.

coupure nom fém.

1. *Jean soigne sa coupure au doigt.*
2. *Encore une coupure de courant !* → une interruption. ≃ arrêt ≠ rétablissement.

EXPRESSION

Une coupure de journal. → un article découpé dans un journal.

cour nom fém.

1. *Les enfants jouent dans la cour de récréation.*
2. *Autrefois, les rois vivaient au milieu de leur cour.* → l'ensemble des seigneurs et des sujets qui les entouraient.

VOCABULAIRE

- Une cour d'école.
- La basse-cour.
- La cour de Louis XIV à Versailles.

C

courage nom masc.

Laetitia n'aime pas les piqûres, mais elle les supporte avec courage. ≃ bravoure, fermeté. ≠ faiblesse, lâcheté, peur.

■ **courageux, euse,** adj. *Laetitia est courageuse.* → brave.

ORIGINE

Courage vient de cœur.

1. courant, courante adj.

1. *Le pain, les pommes de terre sont des aliments courants.* → ordinaires. ≃ banal. ≠ inhabituel, rare.

2. *Cette vieille maison n'a pas l'eau courante.* → il n'y a pas de tuyaux qui conduisent l'eau à l'intérieur de la maison.

■ **couramment,** mot inv. **1.** *La lettre « e » est la plus couramment utilisée en français.* ≠ rarement. **2.** *Henrik parle couramment le français.* ≠ difficilement, mal.

ORTHOGRAPHE

Attention aux deux **m** de couramment !

VOCABULAIRE

Un mot courant.

2. courant nom masc.

1. *Il faut fortement ramer pour remonter le courant.* → le mouvement de l'eau.

2. *Ferme la fenêtre, il y a un courant d'air.* → un passage d'air froid.

3. *Le courant a été coupé pendant les travaux.* → l'électricité.

EXPRESSIONS

- **Etre au courant de quelque chose.** → être informé(e).
- **Mettre, tenir quelqu'un au courant de quelque chose.** → *Il me tient régulièrement au courant de ses projets.* → il m'en informe.

courber 3 verbe

Le vent courbe les tiges. → il incline. ≃ pencher. ≠ redresser.

■ **courbe,** adj. ou n. f. *Le train ralentit dans cette courbe.* ≃ tournant, virage.

EXPRESSION

Une ligne courbe. → une ligne arrondie, centrée, incurvée.

courir 11 verbe

1. *Jean court pour attraper l'autobus.*

2. *Brigitte court le 100 mètres en 14 secondes.*

3. *Si tu n'écris pas le numéro de téléphone, tu cours le risque de l'oublier.* → tu t'exposes à.

4. *Le bruit court que les vacances seront avancées de deux jours.* → cette nouvelle circule.

EXPRESSIONS

- (Sens 1) **Courir à toutes jambes.** → très vite.
- (Sens 3) **Courir l'aventure, sa chance, un danger.**

couronne nom fém.

Aurélie a trouvé la fève dans sa part de galette : elle a posé sur sa tête la couronne de reine. → une coiffe dorée.

ORTHOGRAPHE

N'oublie pas les deux **n**.

courrier [kurje] nom masc.

Loïc aime bien recevoir du courrier. → des lettres.

cours nom masc.

1. *Les fleuves, les ruisseaux, les torrents sont des cours d'eau.*

2. *Dans cette école, il y a cinq classes : le cours préparatoire, les deux cours élémentaires et les deux cours moyens.*

3. *Martin est arrivé en retard, il a manqué le cours d'anglais.* ≃ classe.

EXPRESSIONS

- *La guérison* **suit son cours.** → elle évolue normalement.
- **Au cours de** (quelque chose). → pendant.
- **En cours (de).** → pendant.

course nom fém.

1. *Bravo, Nathalie ! C'est toi qui as gagné la course !*
→ une épreuve de vitesse.

2. *Le samedi, toute la famille va faire les courses.*
→ des achats.

VOCABULAIRE

- Une course à pied, une course de voitures, de motos, de chevaux...
- Une course de fond, de vitesse, de haies, de relais, de plat, d'obstacles...

court, courte adj.

1. *Martin a les cheveux longs, Nicolas a les cheveux courts.*

2. *Ce récit est court, tu le liras vite.* ≃ bref.

EXPRESSIONS

- **Avoir la mémoire courte.** → oublier vite.
- **Je suis à court** *d'argent.* → je n'en ai plus.

cousin [kuzɛ̃], **cousine** [kuzin] nom masc., nom fém.

Les enfants de mon oncle et de ma tante sont mes cousins germains.

couteau nom masc.

Muriel coupe sa viande avec un couteau. → un instrument comprenant un manche et une lame tranchante.

ORTHOGRAPHE

Des couteaux.

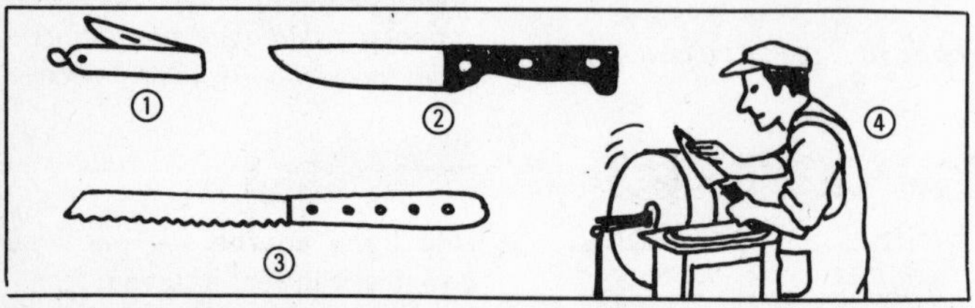

1. Un canif.
2. Un couteau à découper.
3. Un couteau à dents de scie.
4. Un rémouleur.

coûter 3 verbe

1. *Combien coûte ce livre ?* → quel est le prix de ?

2. *Il coûte 20 francs. Il ne coûte pas cher.* ≃ valoir.

EXPRESSION

Coûte que coûte. → à tout prix, quelles que soient les difficultés.

coutume nom fém.

Le baptême d'un navire à sa sortie du chantier est une coutume dans la marine. → une tradition. ≃ habitude.

EXPRESSION

- **Avoir coutume de.** → avoir l'habitude de.

couture nom fém.

1. *Dès la maternelle, les enfants peuvent apprendre la couture.*
→ ils apprennent à coudre.

2. *La couture de mon gant s'est décousue.* → un assemblage formé d'une suite de points.

EXPRESSIONS

- **Examiner sur toutes les coutures.** → très attentivement.
- **Battre à plate couture.** → complètement.

couvert nom masc.

1. *Pendant que les parents préparent le repas, les enfants mettent le couvert.*

2. au plur. *Les couverts sont rangés dans un tiroir.*

VOCABULAIRE

Les assiettes, les verres, les couteaux, les fourchettes, les cuillers, les serviettes forment le couvert.

couverture nom fém.

1. *Louis a eu froid cette nuit, il ajoute une couverture sur son lit.*

2. *Claire a déchiré la couverture de son cahier.* → ce qui recouvrait son cahier.

couvrir 22 verbe

1. *Une moquette grise couvre le sol.* ≃ recouvrir. ≠ découvrir.
2. *La blouse de Nicolas est couverte de taches de peinture.* → elle est pleine de.

se couvrir, v. **1.** *Il fait froid, couvrez-vous bien !* → mettez des vêtements chauds. **2.** *Le ciel se couvre.* → les nuages assombrissent progressivent le ciel.

EXPRESSION

Couvrir quelqu'un de caresses, de baisers. → lui en donner beaucoup.

VOCABULAIRE

(Sens 2) Un arbre couvert de fruits. Un front couvert de sueur.

C

crabe nom masc.

Le crabe marche de côté. → un petit animal marin à dix pattes, protégé par une carapace, et qui a deux pinces à l'avant.

EXPRESSION

Marcher en crabe. → marcher de côté.

craie nom fém.

En classe, on écrit sur le tableau noir avec de la craie.

VOCABULAIRE

Un bâton de craie.

craindre 25 verbe

Charlotte a fait une bêtise et elle craint la colère de ses parents. → elle redoute.

crainte, n. f. *Les craintes de Charlotte étaient justifiées.* ≃ appréhension, peur.

GRAMMAIRE

Elle **craint d'***être punie.*
Elle **craint qu'***on ne la prive de sortie.*

crâne nom masc.

Il a été opéré d'une fracture du crâne. → l'ensemble des os qui forment la tête.

crânien, ienne, adj. *La boîte crânienne renferme le cerveau.*

ORTHOGRAPHE

N'oublie pas l'accent circonflexe sur le **a**.

crapaud nom masc.

Le crapaud est un batracien comme la grenouille ; il est plus gros qu'elle et sa peau est rugueuse.

AUTOUR DE

Les crapauds sont utiles dans les jardins, car ils mangent des insectes.

craquer 3 verbe

1. *La neige craque sous les pas.* → elle fait un bruit sec.
2. *Ma blouse est trop petite, elle a craqué à la couture.* → elle s'est déchirée.

craquement, n. m. *On entend les craquements du plancher quand je marche dans ma chambre.*

ORIGINE

Craquer vient du son : « crac ».

EXPRESSION

Plein à craquer. → complètement plein.

cratère nom masc.

Ce volcan est en activité, de temps en temps on voit de la fumée sortir du cratère.

crayon [kʀɛjɔ̃] nom masc.

Céline taille son crayon avant de dessiner.

ORTHOGRAPHE

Attention aux deux **n** et au **y** dans crayonner.

crêpe nom fém.

Grégoire fait sauter les crêpes dans la poêle. → fines galettes que l'on fait saisir dans une poêle.

AUTOUR DE

Traditionnellement, on mange des crêpes à la Chandeleur et le mardi gras.

crépuscule nom masc.

Après le coucher du soleil, c'est le crépuscule : la nuit commence à tomber et on voit de moins en moins clair.

creuser 3 verbe

1. *Le chien creuse la terre pour enfouir son os.* → il fait un trou dans.
2. *On a creusé un tunnel sous la montagne.* ≠ combler, remplir.

■ **creux, creuse,** adj. *Pose les assiettes creuses sur les assiettes plates !*
■ **creux,** n. m. *Jean s'est caché dans le creux d'un rocher.*

ORTHOGRAPHE

Attention au **-eu-**

EXPRESSIONS

- **Se creuser la tête.** → réfléchir beaucoup.
- **Le creux de la main.** → l'intérieur, la paume.

créer 3 verbe

Dans la Bible, il est écrit que Dieu créa l'homme à son image. → il fit, forma, inventa.

EXPRESSION

Créer de toutes pièces. → inventer à partir de rien.

crème nom fém.

1. *Sandrine aime les fraises à la crème.*
2. *Au dessert, il y a des choux à la crème ou des crèmes glacées.* → un mets sucré à base de lait et d'œufs.
3. *Jean se met de la crème pour soigner ses boutons.* → une pommade.

AUTOUR DE

La crème (sens 1) est une matière grasse, d'un blanc jaunâtre, qui est contenue dans le lait et avec laquelle on fait le beurre.

crever 6 verbe

1. *La bulle de savon s'envole et crève.* → elle éclate.
2. *Olivier n'a pas pu continuer la course, car son vélo a crevé.*

ORTHOGRAPHE

Dans la conjugaison, le premier **e** prend un accent grave devant une syllabe muette.

crevette nom fém.

A marée basse, nous allons pêcher les crevettes avec un filet.

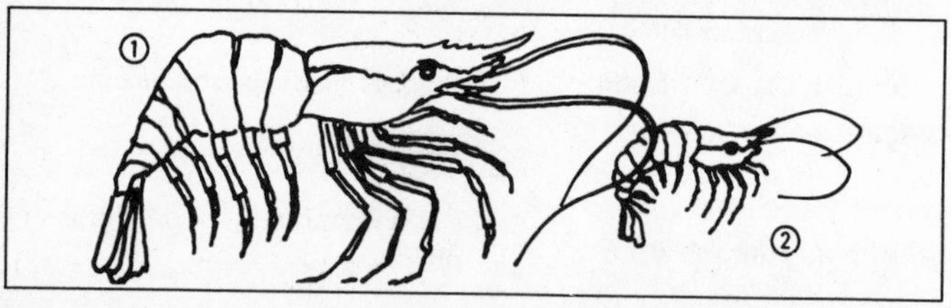

◄ 1. Un bouquet.
2. Une crevette.

AUTOUR DE

La crevette est un petit crustacé à dix pattes. Certaines sortes de crevettes sont comestibles : les grosses crevettes roses, ou bouquets, et certaines crevettes grises (qui rosissent à la cuisson).

C

cri — nom masc.

1. *Quand j'ai marché sur le pied de Charlotte, elle a poussé un cri.* → un bruit aigu émis par sa voix.
2. *Le cri du chat est le miaulement, le cri de la vache est le meuglement.* → le nom donné au bruit émis par ces animaux

crier, v. **1.** *Les enfants criaient de joie en apprenant la bonne nouvelle.* → ils poussaient des cris. **2.** *Lucienne est un peu sourde : il faut crier quand on s'adresse à elle.* → parler très fort.

EXPRESSIONS

- **Pousser les hauts cris.** → protester.
- *Une robe* **dernier cri** (fam.). → de la mode la plus récente.

AUTOUR DE

Un cri de douleur (aïe !), de triomphe (hourrah !), de surprise (ah ! oh !).

crise — nom fém.

Marie a été prise d'une crise d'asthme. → d'un accès, d'une attaque.

VOCABULAIRE

Une crise d'appendicite, de foie. Une crise cardiaque. Une crise de larmes. Une crise grave.

cristal — nom masc.

1. *Quand on choque deux verres en cristal, on entend un beau son clair.*
2. *Des cristaux de glace sont collés sur la vitre.* → des petits morceaux (se dit pour le givre, la neige, la glace, ou certaines pierres).

AUTOUR DE

A l'origine, le cristal est une roche qu'on appelle cristal de roche. Le cristal (au sens 1) est un verre très transparent, qui est aussi clair que le cristal de roche, d'où son nom.

crocodile — nom masc.

Les crocodiles vivent dans les pays chauds. Ce sont des reptiles munis de courtes pattes et d'une puissante mâchoire.

AUTOUR DE

On utilise la peau du crocodile, couverte d'écailles, en maroquinerie pour faire des sacs, des chaussures, des ceintures, des porte-monnaie...

croire [12] — verbe

1. *Martin a peur que la maîtresse ne croie pas son excuse.* → qu'elle n'admette pas.
2. *Il a cru qu'elle mentait.* → il a pensé.
3. *Elle ne croit pas à son histoire.* → elle ne pense pas qu'il dise la vérité.
4. *Serge croit en Dieu.* → il est persuadé que Dieu existe.

EXPRESSIONS

- **Faire croire (quelque chose à quelqu'un).** → (le) convaincre (le plus souvent en mentant).
- **Croire sur parole.** → sans vérifier.
- **Ne pas en croire ses yeux, ses oreilles.** → être très étonné de ce qu'on voit ou entend.

croiser [3] — verbe

1. *Sébastien a les bras croisés sur la poitrine.* ≠ décroiser.
2. *Le chemin croise la route.* ≃ couper, traverser.
3. *J'ai croisé Monique dans la rue.* → je suis passé à côté d'elle en allant en sens contraire.

croisement, n. m. **1.** *Au prochain croisement, prenez à droite.* ≃ carrefour. **2.** *Sur cette route étroite, le croisement avec un camion est difficile.* → le passage d'un véhicule dans un sens différent.

ORIGINE

Croiser vient de croix, car croiser, c'est disposer deux choses en forme de croix.

EXPRESSION

Se croiser les bras. → ne rien faire.

croissant nom masc.

1. *La semaine dernière, la lune était pleine ; cette nuit, on n'en voit qu'un croissant.*
2. *Liliane a mangé un croissant au petit déjeuner.* → une pâtisserie en pâte feuilletée.

ORIGINE

Croissant vient de croître, c'est-à-dire grandir progressivement.

croix nom fém.

1. *Jésus-Christ est mort sur la croix.* → deux poteaux assemblés sur lesquels on attachait les condamnés à mort.
2. *Il y a une croix rouge sur le toit de l'ambulance.*

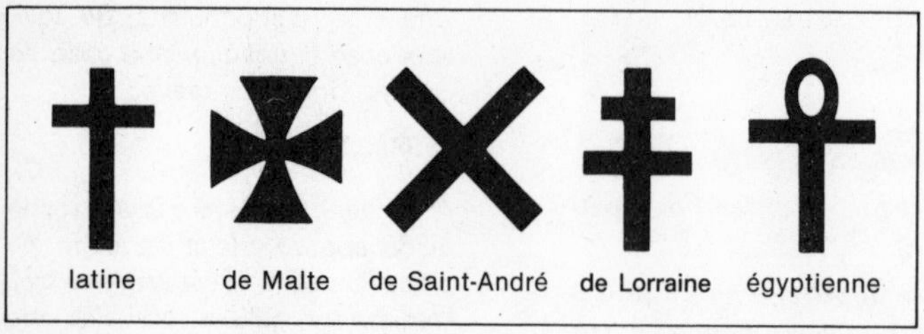

◀ Différentes sortes de croix.

ORTHOGRAPHE

Attention au **x** final !

EXPRESSION

Une croix de guerre. → une médaille donnée aux soldats courageux.

croquis nom masc.

Sylvie a fait un croquis pour nous expliquer où se trouve sa maison. → dessin, schéma.

ORTHOGRAPHE

Croquis prend un **s**, même au singulier.

croûte nom fém.

1. *Quand le pain est bien cuit, la croûte est dorée.* → ce qui recouvre le pain. ≠ mie.
2. *Jean enlève la croûte de son morceau de gruyère.* → la partie en surface qui ne se mange pas.
3. *N'arrache pas la croûte, ton bouton va saigner.*

ORTHOGRAPHE

Attention à l'accent circonflexe sur le **u** !

cru, crue adj.

Les radis se mangent crus. ≠ cuit.

AUTOUR DE

Les crudités sont des légumes qui se mangent crus, rapés ou coupés : des tomates, du céleri, de la betterave, des carottes...

cru nom masc.

La France produit de grands crus. → des vins de qualité.

crue nom fém.

Après des pluies abondantes, les rivières sont en crue. → elles débordent.

cruel, cruelle adj.

Nicole est cruelle avec les animaux. → elle les fait souffrir. ≠ bon.

cube nom masc.

Sébastien empile des cubes.

■ **cubique,** adj. *Ma chambre a une forme cubique.* → la forme d'un cube.

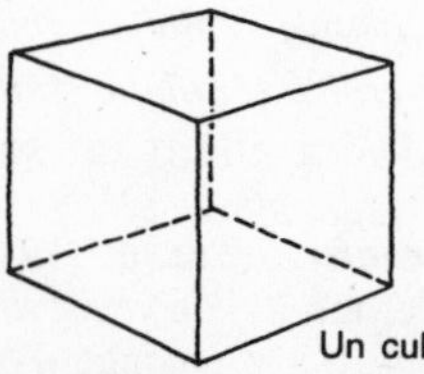

Un cube

C

cueillir verbe

Au printemps, Vincent a cueilli un bouquet de jonquilles ; en automne, il cueillera des pommes.

■ **cueillette,** n. f. *La cueillette des cerises, des champignons.*

AUTOUR DE

Cueillir, c'est détacher de la tige, à la main ou avec un sécateur mais on ramasse des champignons, on arrache des pommes de terre.

cuiller ou **cuillère** nom fém.

Sabine mange sa soupe avec une cuillère.

■ **cuillerée,** n. f. *Mange encore trois cuillerées de soupe !* → le contenu de trois cuillers.

ORTHOGRAPHE

Attention aux deux orthographes possibles !

cuir nom masc.

Laetitia a de belles chaussures en cuir. → une matière solide faite de la peau d'un animal.

cuire 13 verbe

Il y a plusieurs manières de cuire des pommes de terre : à l'eau, dans l'huile, sous la cendre...

VOCABULAIRE

Le potier cuit ses poteries dans un four.

cuisine nom fém.

1. *Dans la cuisine se trouvent un évier, une cuisinière, un réfrigérateur, un placard, une table et quatre chaises.*
2. *Nicolas et Marion apprennent à faire la cuisine avec des recettes simples.* → à confectionner des plats que l'on mange.

■ **cuisiner,** v. **1.** *Nicolas aime bien cuisiner.* → faire la cuisine. **2.** *Marion cuisine de bons petits plats.* → elle fait.

ORIGINE

Cuisine vient de cuire.

EXPRESSION

Une batterie de cuisine. → des casseroles.

cuisse nom fém.

En tombant de cheval, elle s'est blessée à la cuisse. → la partie du corps qui s'étend du dessus du genou jusqu'à l'articulation de la hanche.

VOCABULAIRE

L'os de la cuisse s'appelle le fémur.

cuivre nom masc.

Il faut frotter très fort cette casserole en cuivre, pour qu'elle brille. → en métal jaune rouge.

VOCABULAIRE

- Une mine, un minerai de cuivre.
- Faire de la confiture dans une bassine en cuivre.

cultiver 3 verbe

1. *A l'école, nous cultivons un coin de terre et nous faisons pousser des légumes.* → nous retournons la terre, nous plantons ou semons des légumes, des plantes. ≠ laisser en friche.
2. *Dans le Midi, on cultive la vigne.* → on fait pousser.
3. *Magali a des dons pour le chant, il faut les cultiver.* ≃ perfectionner.

■ **cultivateur, trice,** n. m. et f. *Les cultivateurs portent le blé à la coopérative agricole.*

culture — nom fém.

1. *La culture de la vigne demande beaucoup de soins.* → l'action de cultiver.
2. *Jean est passionné par la peinture et la musique ; il a une culture artistique très développée.* → de grandes connaissances.

AUTOUR DE

agriculture → culture de la terre,
apiculture → culture (élevage) des abeilles,
arboriculture → culture des arbres.

curé — nom masc.

Le curé est un prêtre catholique chargé d'une ou de plusieurs paroisses.

VOCABULAIRE

Un curé de village, de campagne.
Monsieur le Curé.

curieux, euse — adj.

1. *Delphine est une enfant très éveillée, elle est curieuse de tout.* → intéressée par. ≠ indifférent à.
2. *Marc voudrait savoir ce que j'ai acheté comme cadeau, il est curieux.* ≃ indiscret. ≠ discret.
3. *Il s'est passé une chose curieuse : je me suis retourné et il avait disparu.* → bizarre, étrange. ≠ banal, normal.

■ **curiosité,** n. f. **1.** *La curiosité est un vilain défaut.* ≃ indiscrétion. **2.** *Marc a plus de curiosité pour les sciences que pour les arts.* ≃ intérêt.

GRAMMAIRE

curieux → curiosité
comme généreux → générosité
ingénieux → ingéniosité

cycle — nom masc.

1. *Le cycle des saisons dure un an.* → le retour régulier des saisons.
2. *Si Pierre réusit l'examen, il suivra un nouveau cycle d'études.* → un ensemble d'années d'études.
3. *Le marchand de cycles vend des bicyclettes, des vélomoteurs, des motos et des accessoires.*

■ **cycliste,** adj. ou n. m. et f. **1.** adj. *Les coureurs cyclistes portent un dossard.* **2.** n. m. et f. *Le dimanche, beaucoup de cyclistes roulent sur les routes qui traversent la forêt.*

ORTHOGRAPHE

Attention au **y** !

VOCABULAIRE

Course, champion cycliste.
Maillot, peloton de coureurs cyclistes.
Tenue, itinéraire de cycliste.

cygne — nom masc.

Marcel lance du pain au cygne qui nage sur le bassin. → un grand oiseau aux pattes palmées et au plumage blanc ou noir.

◄ Des cygnes.

Dd

d'abord mot inv.

Avant d'être distribué, le courrier doit d'abord être trié. ≃ premièrement. ≠ après, ensuite.

EXPRESSION

Au premier abord, *il le trouva sympathique.* → à première vue.

d'accord mot inv.

1. *« Tu viens avec nous ? – D'accord ! ».* → j'accepte.
2. *Je suis d'accord avec toi : il faut protéger les arbres, les animaux, le milieu naturel.* → du même avis, de la même opinion.

EXPRESSION

Se mettre d'accord. → parvenir à s'entendre.

d'ailleurs mot inv.

Il est temps de rentrer à la maison, d'ailleurs il commence à pleuvoir. ≃ de toute façon.

EXPRESSION

Il vient d'écrire un livre ; **par ailleurs,** *il se consacre à la peinture.* ≃ d'autre part.

dame nom fém.

1. *Dans le salon de coiffure, plusieurs dames attendent leur tour pour être coiffées.* ≃ femme.
2. *Dans un jeu de cartes, les quatre dames représentent quatre reines.*
3. *Commençons une partie de dames ! Je prends les blancs, toi, les noirs !*

■ **damier,** n. m. *Le jeu de dames se joue à deux sur un damier.* → un plateau carré divisé en 100 cases noires et blanches.

AUTOUR DE

Au Moyen Age, une dame était une femme noble.

Un damier.

danger nom masc.

Il y a du danger à s'approcher trop près du quai. → un risque.

■ **dangereux, euse,** adj. **1.** *Il est dangereux de traverser une rue hors des passages cloutés.* ≃ risqué. ≠ prudent. **2.** *La vipère est un animal dangereux : sa morsure peut être mortelle.* ≠ inoffensif.

EXPRESSIONS

- **Il n'y a pas de danger à.** → il n'y a pas de risque grave à.
- *Il est* **hors de danger, ses jours ne sont plus en danger.** → il est sauvé.

dans mot inv.

1. *Dimanche, nous irons cueillir des jonquilles dans la forêt.* ≃ à l'intérieur de, dedans. ≠ hors de. → Introduit un complément de lieu.
2. *Viens manger avec nous dans deux jours.* → Introduit un complément de temps.
3. *Ta chambre est dans le plus grand désordre !* → Introduit un complément de manière.

AUTOUR DE

Familièrement, on dit : ce joli vase coûte dans les 300 francs. C'est-à-dire : environ ou à peu près 300 francs.

danse — nom fém.

Chaque mercredi, Virginie suit un cours de danse classique.

■ **danser,** v. *Beaucoup de personnes ont dansé au bal de la municipalité.* ■ **danseur, euse,** n. m. et f. *A l'Opéra, le corps de ballet se compose de danseurs et de danseuses.*

Une danse moderne

Une danse ancienne

AUTOUR DE

- Le menuet est une danse ancienne,
- La bourrée est une danse régionale,
- Le rock and roll est une danse moderne.
- Les petits rats de l'Opéra sont de jeunes danseurs ou danseuses qui se destinent à devenir professionnels.

La danse classique et les petits rats.

date — nom fém.

Connais-tu ta date de naissance ? → le jour, le mois, l'année où tu es né.

■ **dater,** v. **1.** *Le médecin date chaque ordonnance qu'il délivre.* → il inscrit la date. **2.** *Le château de Blois date de la Renaissance.* → il a été construit pendant la Renaissance.

EXPRESSION

Des amis **de longue date.** → qui se connaissent depuis longtemps.

davantage — mot inv.

1. *Vingt timbres pour faire une collection, c'est peu : il en faudrait davantage.* ≃ plus. ≠ moins.
2. *Nous allons être en retard ! Je ne t'attendrai pas davantage !* → plus longtemps.

GRAMMAIRE

- *J'ai besoin de* **davantage de** *temps pour relire ma dictée.*
- *La bande dessinée me plaît* **davantage que** *les romans d'aventures.*

dauphin [dofɛ̃] — nom masc.

Les dauphins sont des cétacés qui se dressent et s'apprivoisent facilement. → des mammifères marins, d'environ deux mètres, qui font des sauts hors de l'eau.

AUTOUR DE

- Les dauphins vivent en groupe.
- Le dauphin est un animal inoffensif. Il porte une sorte de « bec » séparé du front par un pli et garni de dents. C'est un carnivore.

◄ Un groupe de dauphins.

de mot inv.

« De » introduit des compléments du verbe :

1. *Arrête de te moquer d'elle !* → Introduit un complément d'objet indirect.
2. *Le vent vient du nord.* → Indique l'origine, le point de départ.
3. *Je meurs de soif.* → Indique la cause.
4. *Il me parle d'une voix coléreuse.* → Indique la manière.

« De » introduit des compléments du nom et de l'adjectif :

1. *Le parapluie de ma tante.* → Indique la possession.
2. *« La Grande Randonnée » est un film de Walt Disney.* → Indique l'auteur d'une œuvre.
3. *Goûte ces dattes d'Egypte.* → Indique l'origine, la provenance.
4. *Un verre de vin. Des collants de Nylon.* → Indique le contenu, la matière.
5. *Un bracelet de six mille francs.* → Indique le prix, la valeur.
6. *Une femme de valeur. Une voiture de voyageurs.* → Indique la catégorie, la qualité ou l'usage.

GRAMMAIRE

- **De** devient **d', du, des** selon le nom qui suit.
- *Il est l'heure* **de** *déjeuner.* Après **de,** le verbe s'écrit à l'infinitif.
- On emploie aussi **de** pour introduire le complément de : *le plus, le moins ... de.*
  - *Il est* **le plus** *fort* **de** *tous les joueurs.*
  - *Elle est* **la moins** *rapide* **de** *toutes les nageuses.*

D

dé nom masc.

1. *Pour pousser l'aiguille, la couturière place un dé à son doigt.* → un petit objet métallique qui se met au bout du doigt.
2. *Au jeu des petits chevaux, chaque joueur lance son dé à tour de rôle.* → un petit cube servant à jouer.
3. *Pour faire une jardinière, tu couperas les carottes et les navets en petits dés.* ≃ cube.

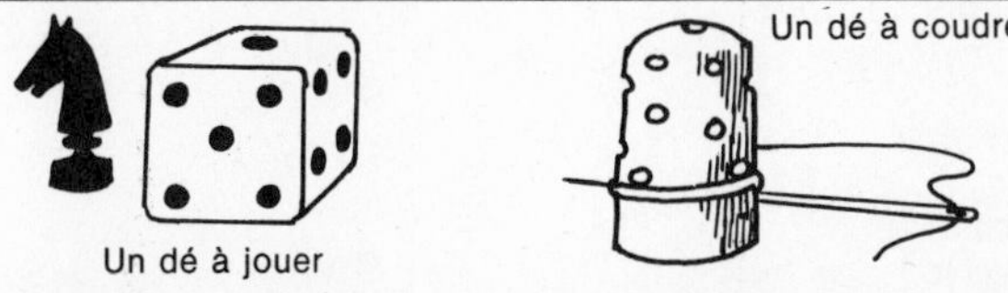

EXPRESSION

Les dés sont jetés ! → l'action est engagée, il est impossible de revenir en arrière.

AUTOUR DE

Un dé à jouer comporte 6 faces. Sur chacune d'elles, des points correspondent aux 6 chiffres : 1, 2, 3, 4, 5, 6. La somme des points de deux faces directement opposées est égale à 7.

débarquer [3] verbe

Pour aller en Corse, nous avons débarqué au port d'Ajaccio. → nous sommes descendus du bateau. ≠ embarquer.

■ **débarquement,** n. m. *A l'arrivée au port, le débarquement des marchandises se fait après celui des passagers.* ≠ embarquement.

VOCABULAIRE

On débarque :
- d'un bateau, dans un port,
- d'un avion, dans un aéroport.

débat nom masc.

La projection de ce film a donné lieu à un débat animé. → une discussion organisée entre plusieurs personnes.

■ **débattre,** v. *Le maire envisage la construction d'une piscine : le conseil municipal débattra de ce problème.* → il en discutera. ■ **se débattre,** v. *Le renard, pris au piège, se débat avec force.* → il fait des efforts pour se libérer. ≃ se démener.

EXPRESSIONS

- **Un débat télévisé.** → une discussion entre plusieurs personnes, retransmise à la télévision.
- *Le prix de cette voiture d'occasion est* **à débattre.** → à discuter.

4. Le gymnase *(page ci-contre)*

LE GYMNASE
(1) Anneaux (2) Corde lisse (3) Corde à nœuds (4) Espalier (5) Corde à sauter (6) Haltères (7) Ballon (8) Tapis de sol (9) Cheval d'arçons (10) Barres parallèles (11) Cerceau (12) Professeur d'éducation physique (13) Barre fixe (14) Portique (15) Tremplin (16) Chaussons de danses (17) Basket (18) Tennis (19) Short (20) Survêtement (21) Justaucorps

J'appartiens à une association sportive et le mercredi après-midi, je vais au gymnase. C'est beaucoup plus amusant que les cours de gymnastique ! On peut faire ce que l'on veut : monter à la corde, utiliser la barre fixe ou les barres parallèles. J'admire beaucoup Pierre qui arrive à soulever les haltères sans effort. Moi, ce que je préfère, c'est le cheval d'arçons. Il faut installer un tremplin, prendre son élan, sauter et atterrir sur un épais tapis. Le plus difficile est d'oser se lancer.

Marc

J'emploie le mot juste.
- Regarde ta planche et donne le nom exact de tous les appareils.
- Cite les matières qui composent les différents instruments.
- Donne des mots de la même famille que gymnase.

Des mots aux idées
- Quand tu fais de la gymnastique : pratiques-tu un sport ou t'amuses-tu ? Explique ce que tu ressens.
- Quel autre sport te donne la même impression ?

Des mots pour parler
- Regarde à la télévision des athlètes (coureurs, sauteurs...) et explique ce que tu as vu.
- Quelles qualités faut-il avoir, à ton avis, pour être un champion ?

5. Les jeux du stade *(p. 134 et 135)*

Le stade
Un **stade** est un lieu aménagé pour s'exercer à certains sports.
Sur le stade, on peut pratiquer des sports **individuels** ou des sports **collectifs** ou **d'équipe** : on y voit surtout les **sports de ballon** et l'**athlétisme**.
L'athlétisme est l'ensemble des exercices et des sports pratiqués par des **athlètes**, hommes et femmes forts et adroits aux exercices du corps.
On pratique d'autres sports dans des lieux conçus pour eux :
- la **gymnastique** dans le **gymnase,**
- la **course hippique** sur l'**hippodrome,**
- la **course automobile** sur le **circuit** automobile,
- la **natation** dans la **piscine**,
- la **boxe** sur le **ring** et dans la **salle de boxe,**
- le **patinage** dans la **patinoire**.

L'athlétisme
Les **disciplines athlétiques** se classent en trois catégories :
- les **courses**
- les **sauts**
- les **lancers**

Parmi les *courses* les plus connues : le *sprint*, course de vitesse sur une distance réduite (100 mètres, 200 mètres...), les *courses de haies* avec franchissement d'obstacles (110 mètres haies, 400 mètres haies), les courses de *demi-fond* (1 000 mètres, 1 500 mètres), les courses *de fond* (du 5 000 mètres au *marathon*), les courses *de relais* qui se pratiquent en équipes, et les *cross-country.*
Parmi les *sauts*, il existe le *saut en hauteur*, le *saut en longueur*, le *triple saut*, le *saut à la perche.* Parmi les *lancers*, on relève le *lancer du poids*, le *lancer du disque*, le *lancer du marteau*, le *lancer du javelot.*
L'athlétisme vient de la Grèce ancienne qui nous a également légué les *jeux Olympiques.*

Les jeux de ballon et de balle
En France, on pratique cinq grands *jeux de ballon* : le *football*, le *rugby*, le *basket-ball*, le *volley-ball*, le *hand-ball.*
Il existe par ailleurs des *jeux de balle* : le *tennis*, la *pelote basque*, le *golf*, le *cricket*, le *base-ball.*

(suite à la p. 137)

douches
vestiaire
1
2
4
5
6
7
8
9
10
11
12
13
14
15
16
17
18
19
20
21

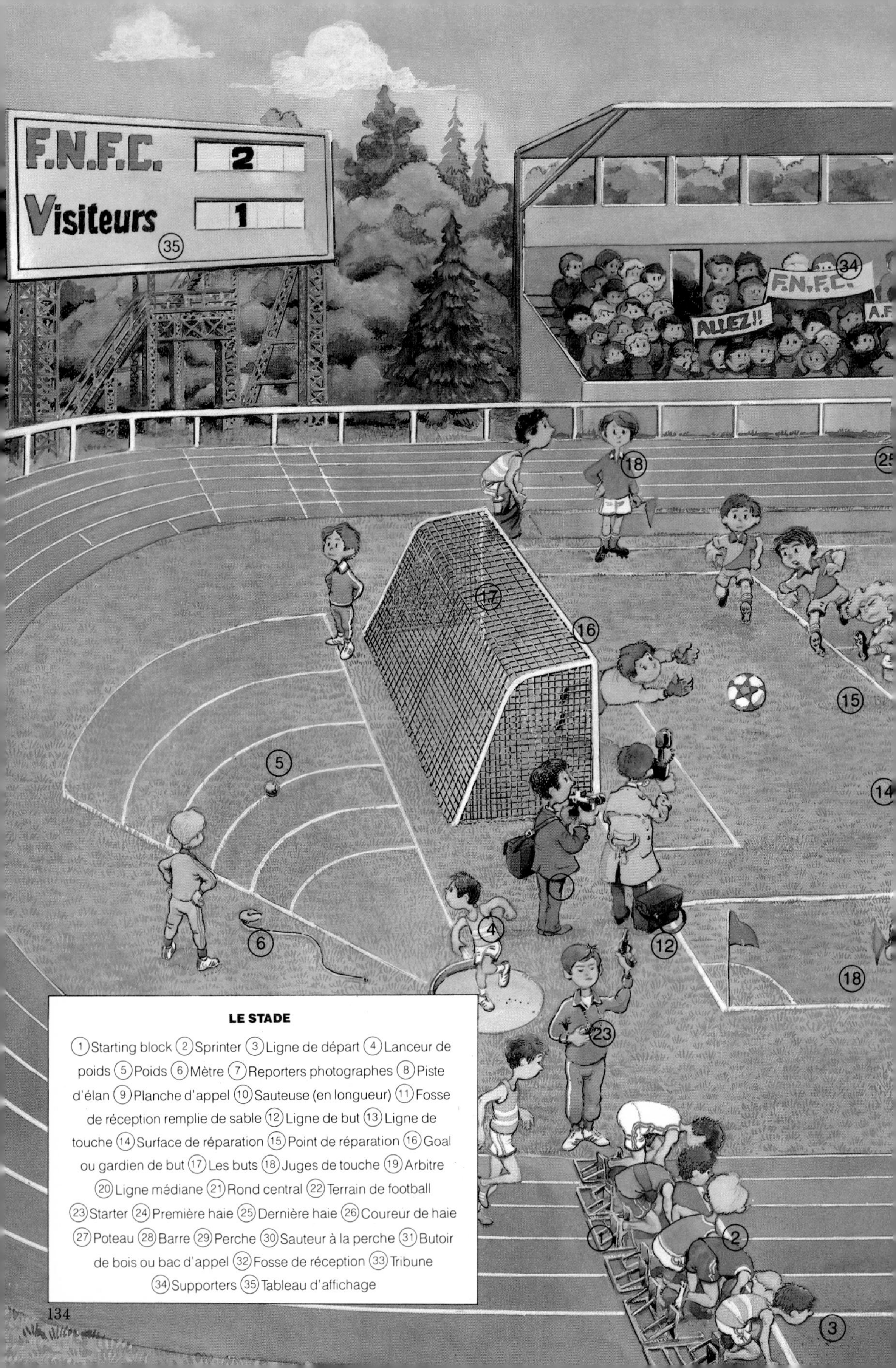

LE STADE

① Starting block ② Sprinter ③ Ligne de départ ④ Lanceur de poids ⑤ Poids ⑥ Mètre ⑦ Reporters photographes ⑧ Piste d'élan ⑨ Planche d'appel ⑩ Sauteuse (en longueur) ⑪ Fosse de réception remplie de sable ⑫ Ligne de but ⑬ Ligne de touche ⑭ Surface de réparation ⑮ Point de réparation ⑯ Goal ou gardien de but ⑰ Les buts ⑱ Juges de touche ⑲ Arbitre ⑳ Ligne médiane ㉑ Rond central ㉒ Terrain de football ㉓ Starter ㉔ Première haie ㉕ Dernière haie ㉖ Coureur de haie ㉗ Poteau ㉘ Barre ㉙ Perche ㉚ Sauteur à la perche ㉛ Butoir de bois ou bac d'appel ㉜ Fosse de réception ㉝ Tribune ㉞ Supporters ㉟ Tableau d'affichage

33
30
28
27
29
19
26
24
31
32
20
21
22
10
11
9
8

18
14
18
1
1
3
15
2
4
16
17
11
5
8
6
12
10
7
13
9

Les lois du football

1. Le *terrain de jeu* est un rectangle de 120 mètres au plus pour la longueur, de 90 mètres au plus pour la largeur. Le terrain est *marqué* par des lignes qui distinguent plusieurs parties : la *surface de but*, la *surface de réparation*, la *surface de coin*, le *centre du terrain*.
2. Le *ballon* a une circonférence de 68 à 71 centimètres, son poids est de 396 à 453 grammes.
3. Une équipe est constituée de onze joueurs dont un *gardien de but*. Les joueurs blessés en cours de partie peuvent être *remplacés*.
4. Les chaussures des joueurs sont pourvues de *crampons* en cuir.
5. Un *arbitre* est nommé pour diriger le match.
6. Le *juge de touche* signale les sorties en *touche* et en *corner*.
7. La partie compte deux *périodes* égales de 45 minutes.
8. Le *coup d'envoi* de la partie se termine par un tirage au sort.
9. Un but est *marqué* quand le ballon franchit la ligne de but.
10. Un joueur est *hors-jeu* s'il est plus rapproché de la ligne de but que du ballon au moment où celui-ci est joué.
11. Différentes sanctions pénalisent les joueurs pour leurs fautes : *coup franc direct* ou *indirect, penalty, avertissement, exclusion du terrain.*

Autour du sport

Les sports *aériens* sont les activités sportives liées à l'aviation : le *parachutisme*, le *vol à voile*, l'*ULM*.
Les sports *de combat* sont les sports qui opposent deux hommes : *boxe, lutte, catch, judo, escrime.*
Les sports *équestres* sont les sports pratiqués à cheval : *courses hippiques, jumping.*
Les sports *nautiques* sont pratiqués dans l'eau ou sur l'eau : *aviron, canoë-kayak, natation, water-polo, yachting à voile.*
Les *sports d'hiver* sont pratiqués sur la neige ou la glace : *ski, hockey sur glace, patinage.*

6. Le cirque *(page ci-contre)*

Le cirque est arrivé ! J'ai vu les affiches étaler leurs vives couleurs sur les murs. Une longue caravane de camions a traversé la ville. Déjà l'on décharge le matériel et on plante le chapiteau. Le spectacle commencera demain soir. Je voudrais que les heures passent vite. Quelle émotion quand la fanfare fera résonner ses cuivres, quand les clowns entreront en piste, quand les dompteurs, les jongleurs, les trapézistes viendront effectuer leur numéro devant nous ! Ingrid

J'emploie le mot juste

- Que font les personnages représentés sur la planche ? Emploie un verbe différent pour qualifier l'action de chacun d'entre eux.
- Quels sont les instruments que tu reconnais dans l'orchestre ? Donne leur un nom.
- Quelle est la principale qualité :
  a) du jongleur ; b) du trapéziste ; c) du clown ?

Des mots aux idées

- Le cirque est un spectacle. Quels autres spectacles connais-tu ?
- Quel rapport y a-t-il entre le mot cirque et les mots suivants (qui sont de la même famille que lui) ?
  a) cercle ; b) cerne ; c) circulation.

LE CIRQUE

① Trapézistes ② Funambule ③ Orchestre du cirque ④ Public sur les gradins ⑤ Dresseur de chevaux ⑥ Monsieur Loyal ⑦ Acrobates ⑧ Ours brun ⑨ Clowns ⑩ Jongleur ⑪ Otarie ⑫ Équilibriste ⑬ Piste du cirque ⑭ Chapiteau ⑮ Balancier ⑯ Entrée sur la piste ⑰ Cheval dressé ⑱ Trapèzes

Des mots pour parler

- Fais le discours de M. Loyal qui doit présenter les personnages que tu vois sur la planche.
- Le jongleur veut persuader le clown qu'il fait un meilleur métier que lui. Imagine leur discussion.

déborder [3] verbe

1. *La casserole de lait est restée trop longtemps sur le feu, et le lait a débordé.* → il est passé par-dessus bord.
2. *Les enfants débordent de joie en découvrant leurs cadeaux.* → ils sont extrêmement joyeux.

EXPRESSION

Un verre **plein à déborder.** → trop plein.

AUTOUR DE

S'il pleut trop, le fleuve déborde : il est en crue.

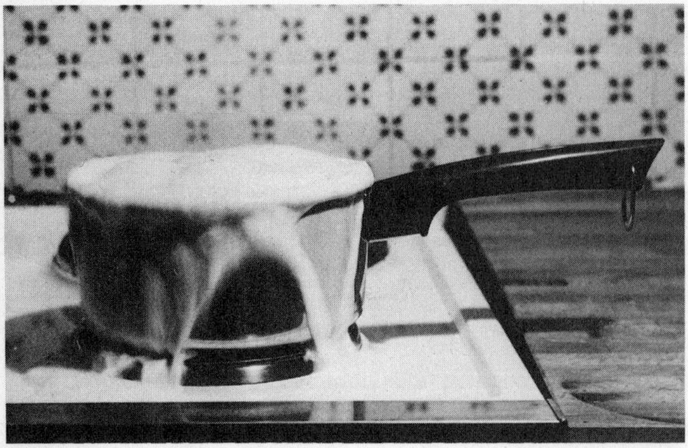

◄ Le lait déborde de la casserole.

déboucher [3] verbe

1. *Pour fêter mon anniversaire, Papa débouche une bouteille de champagne.* → il enlève le bouchon, il l'ouvre. ≠ boucher.
2. *Il faut déboucher le lavabo : l'eau ne s'écoule plus.* → enlever ce qui bouche. ≠ boucher.

EXPRESSIONS

- *Notre rue* **débouche sur** *une place.* → elle aboutit à.
- *La voiture* **débouchait d'***une petite rue à grande vitesse.* → elle surgissait.

debout mot inv.

1. *Restons debout, il n'y a plus de places assises dans le train.* ≠ assis.
2. *Christian se lève tôt en vacances : à 6 heures, il est debout.* → il est levé.

EXPRESSIONS

- *Le poulain vient de naître, il a encore du mal* **à se tenir debout.**
- **Debout !** → ordre de se lever.

début nom masc.

Nous avons manqué le début du film. → la première partie. ≃ commencement. ≠ fin.

■ **débutant, e,** n. m. et f. *Véronique apprend à skier : ce n'est encore qu'une débutante.* ■ **débuter,** v. *Le dictionnaire débute à la lettre A.* ≠ s'achever, finir, se terminer.

EXPRESSIONS

- **Faire ses débuts** *dans un métier.* → débuter, commencer sa carrière.
- **Au début,** *il voulait que nous le suivions.* → au commencement.

décalquer [3] verbe

La carte de France est difficile à dessiner, Paul préfère la décalquer. → en reproduire le tracé à l'aide d'un papier transparent.

AUTOUR DE

Pour décalquer, on utilise du papier transparent appelé papier-calque.

décéder [3] verbe

M. Dupont est décédé la semaine dernière. → il est mort.

■ **décès,** n. m. *Le décès de notre grand-mère nous a causé beaucoup de chagrin.* → la mort.

GRAMMAIRE

Décéder se conjugue toujours avec l'auxiliaire être.
Au passé composé : il **est décédé**.

déception [desɛpsjɔ̃] nom fém.

Nous ne partons plus aux sports d'hiver. Quelle déception ! ≃ désappointement.

■ **décevant, e,** adj. *Ce film que l'on attendait avec impatience est très décevant.* → il ne correspond pas à ce que l'on attendait. ■ **décevoir,** v. *Je le croyais honnête et loyal : il m'a déçu.* ≃ tromper.

ORTHOGRAPHE

Déçu s'écrit avec un **c cédille.**

VOCABULAIRE

On cause, provoque, éprouve, inflige, épargne, évite une déception.

D

déchaîner 3 verbe

Par ses grimaces, le clown déchaîne les rires du public. → il provoque, soulève.

■ **se déchaîner,** v. *L'ouragan se déchaîne ; il arrache tout sur son passage.* ■ **déchaîné, e,** adj. *La tempête s'est levée et la mer est déchaînée.*

◄ La mer déchaînée.

ORTHOGRAPHE

N'oublie pas l'accent circonflexe sur le **i**.

VOCABULAIRE

- Une mer déchaînée est agitée, démontée.
- Un fauve déchaîné est excité, furieux.

décharger 19 verbe

1. *A son arrivée à Lyon, le routier déchargera son camion.* → il le videra de ce qu'il transporte. ≠ charger.
2. *Le chasseur a déchargé son fusil sur le lièvre.* → il a tiré la (ou les) cartouche(s) qu'il contient.

■ **décharge,** n. f. **1.** *Une décharge est un endroit où l'on dépose les ordures et les objets dont on veut se débarrasser.* **2.** *Il a blessé le rôdeur en lui envoyant une décharge de plomb.* → un coup tiré avec une arme à feu. **3.** *Ne touche pas à ces fils électriques, tu risques de prendre une décharge.* → une sensation de choc provoquée par le passage du courant électrique dans le corps humain. ■ **se décharger,** v. *Ma lampe de poche ne fonctionne plus : la pile s'est déchargée.* → elle ne contient plus d'énergie.

EXPRESSIONS

- **Décharger quelqu'un d'un travail, d'un souci.** → le soulager.
- **Se décharger sur quelqu'un.** → compter sur lui.

GRAMMAIRE

Décharger est le contraire de **charger,** comme :
défaire ≠ faire
découdre ≠ coudre.

déchirant, déchirante adj.

1. *Des enfants qui meurent de faim : quel spectacle déchirant !* → douloureux, pénible.
2. *L'animal blessé poussait des cris déchirants.* → aigus, perçants.

■ **déchirer,** v. **1.** *Un vent violent a déchiré la toile de la tente.* → il a fait un accroc, une fente. **2.** *Après l'avoir recopié, Véronique déchire le brouillon de sa lettre.* → elle le met en morceaux. ≃ déchiqueter. ■ **déchirure,** n. f. **1.** *Laure a fait une déchirure à sa robe en s'accrochant aux ronces.* → une longue fente dans le tissu. **2.** *L'athlète blessé souffrait d'une déchirure musculaire.* → une blessure.

VOCABULAIRE

On peut déchirer une étoffe, une feuille, un papier, un tissu, un vêtement.

AUTOUR DE

Une attitude, un événement douloureux, une prise de position peuvent déchirer le cœur de quelqu'un. (→ lui fendre le cœur.).

décider [3] verbe

1. *Egarée dans la forêt, Blanche-Neige décida d'entrer dans la maison des sept nains.* → elle choisit d'y entrer. ≠ hésiter.
2. *Mon frère m'a décidé à partir avec lui en vacances.* ≃ convaincre.

■ **décidé, e,** adj. *Les trois mousquetaires sont des héros décidés et pleins d'audace.* → hardis, volontaires. ■ **se décider,** v. *Mowgli s'est décidé à vivre avec les hommes.* → il s'est résolu à.

EXPRESSIONS

- **Etre décidé à.** → vouloir.
- **Un air décidé, une allure décidée.** ≃ déterminé(e), volontaire.
- **C'est une chose décidée !** → ce n'est plus la peine d'en discuter.
- **A toi de décider !** → à toi de juger, de choisir, de trancher.

décimal, décimale adj.

Tu as appris à compter en base dix : c'est la base du système décimal.

■ **décimale,** n. f. *1,30 m, 3,50 F sont des nombres décimaux : chaque chiffre placé après la virgule est une décimale.* ■ **décimer,** v. *Au Moyen Age, la famine décimait les populations.* → elle faisait mourir un grand nombre de personnes.

ORTHOGRAPHE

Un nombre décim**al**/des nombres décim**aux**.

VOCABULAIRE

Déci = 1/10 ou un dixième,
Décimètre = 0,10 mètre,
Décilitre = 0,10 litre,
Décigramme = 0,10 gramme,
Décibel = 0,10 bel.

décisif, décisive adj.

Le classement du Tour de France est très serré, la dernière étape sera décisive. → capitale, déterminante.

■ **décision,** n. f. **1.** *Faut-il opérer d'urgence ce blessé de la route ? La décision sera prise par le chirurgien.* → la résolution. **2.** *Dans ce conflit, le directeur a fait preuve de décision.* → de fermeté. ≠ indécision.

VOCABULAIRE

- Une décision peut être énergique, ferme, irrévocable, prompte.
- Un argument, un coup, un jugement ou un moment décisif.
- Une étape, une heure ou une preuve décisive.

déclaration nom fém.

Après son élection, le président de la République a fait une déclaration aux journalistes. ≃ discours.

■ **déclarer,** v. **1.** *Michel a déclaré qu'il viendrait au mariage de sa cousine.* → il a annoncé, il a fait savoir. **2.** *Papa déclare la naissance de mon petit frère à la mairie.* → il fait inscrire son nom sur le registre de la mairie. **3.** *Après l'invasion de la Pologne en 1939, la France a déclaré la guerre à l'Allemagne.* ■ **se déclarer,** v. **1.** *Paul a une angine ; la fièvre s'est déclarée dans la nuit.* → elle s'est manifestée. **2.** *Les pompiers se déclarent prêts à intervenir en cas d'incendie.* → ils annoncent qu'ils sont prêts à intervenir.

VOCABULAIRE

On enregistre, fait, lit, maintient une déclaration.

AUTOUR DE

Les douaniers demandent aux personnes qui franchissent la frontière s'ils n'ont rien à déclarer. → s'ils n'ont pas d'objets de valeur, etc., que l'on ne peut transporter sans autorisation spéciale hors des frontières.

déclenchement nom masc.

Le déclenchement d'une minuterie assure l'éclairage de l'escalier. → la mise en marche.

■ **déclencher,** v. **1.** *Une sonnerie retentit dans le musée : quelqu'un a déclenché le signal d'alarme.* → il a fait fonctionner. **2.** *Les pitreries du clown déclenchent les rires du public.* → elles entraînent, provoquent. ■ **se déclencher,** v. *La sonnerie du réveil se déclenche automatiquement.*

ORIGINE

De l'ancien français cliquer, faire du bruit.

décollage nom masc.

L'hôtesse de l'air vient d'annoncer le décollage de l'avion. → l'action de quitter la terre et de s'élever dans les airs. ≠ atterrissage.

■ **décoller,** v. **1.** *Avant que l'avion décolle, les passagers doivent attacher leur ceinture et ne plus fumer.* ≃ s'envoler. ≠ atterrir. **2.** *Pour compléter sa collection, Virginie décolle les timbres des enveloppes.* → elle enlève, retire.

AUTOUR DE

Un avion décolle et atterrit sur la piste d'un aéroport.

D

décor nom masc.

1. *Pierre a peint et monté les décors de la pièce de théâtre.*
2. *Nous avons choisi un décor très agréable pour pique-niquer : la forêt de Fontainebleau.* → un cadre, un paysage.

◄ Un décor de théâtre.

■ **décorateur, trice,** n. m. et f. *Nous avons confié l'installation de notre appartement à un décorateur.* ■ **décoratif, ive,** adj. *Voilà un bouquet de fleurs séchées très décoratif.* ■ **décoration,** n. f. **1.** *La décoration de ces assiettes a été exécutée à la main.* → les dessins qui y sont peints. **2.** *Pour le défilé du 14 juillet, les soldats accrochent leurs décorations à leur uniforme.* → des médailles, des rubans. ■ **décorer,** v. **1.** *Pour décorer l'entrée de leur immeuble, les locataires ont placé des plantes vertes.* ≃ embellir, orner. **2.** *Le pompier a été décoré pour avoir risqué sa vie et sauvé trois personnes dans un incendie.*

AUTOUR DE

- La Légion d'honneur, la croix de guerre, les palmes académiques sont des décorations (≃ des médailles).
- On décore des militaires, mais aussi des savants, des écrivains, des acteurs.

La médaille de la Légion d'honneur.

découpage nom masc.

A l'école maternelle, les enfants font des découpages dans du papier avec des ciseaux.

■ **découper,** v. **1.** *Pierre découpe les articles de journaux qui l'intéressent.* **2.** *Le maître d'hôtel découpe le poulet avant de le servir.* ■ **se découper,** v. *Par temps clair, la chaîne de montagnes se découpe sur le ciel.* → elle se détache nettement, elle est très visible.

AUTOUR DE

La côte bretonne est une côte découpée, aux contours très irréguliers.

décourageant, décourageante adj.

Les résultats de notre équipe sont décourageants : nous avons perdu quatre matches sur cinq. ≃ démoralisant. ≠ encourageant.

■ **découragement,** n. m. *Pris de découragement, le cycliste a abandonné à l'avant-dernière étape.* ■ **décourager,** v. *Les mauvaises conditions atmosphériques n'ont pas découragé les alpinistes.* ■ **se décourager,** v. *Ne te décourage pas, il n'y a pas de raison pour que tu échoues à cet examen.*

ORIGINE

Décourager vient de courage et appartient à la même famille que cœur.

découverte — nom fém.

En fouillant le grenier de cette vieille maison, Nathalie a fait de grandes découvertes. → elle a trouvé des choses inconnues.

■ **découvrir,** v. **1.** *Christophe Colomb a découvert l'Amérique en 1492.* **2.** *Léa porte une robe échancrée qui découvre ses épaules.* → elle les fait apparaître. ≠ cacher. ■ **se découvrir,** v. **1.** *Il s'est découvert une nouvelle passion pour les insectes.* → il s'est trouvé une nouvelle passion. **2.** *Découvre-toi, il fait très chaud ici !* → retire un vêtement.

◄ L'une des trois caravelles avec laquelle Christophe Colomb partit découvrir l'Amérique s'appelait la Santa Maria (longue de 23 m et large de 7,9 m, elle avait un équipage de 60 hommes).

EXPRESSION

Aller, partir à la découverte (de) → aller chercher au hasard, à l'aventure.

AUTOUR DE

Voici quelques grands navigateurs qui ont découvert un continent :
- C. Colomb → l'Amérique,
- F. de Magellan → les Philippines,
- Jean Cabot → l'Amérique du Nord.

dedans — mot inv. ou nom masc. inv.

1. mot inv. *N'oublie pas ton sac, ton goûter est dedans !* → à l'intérieur. ≠ dehors, à l'extérieur.

2. n. m. *Le dedans de cette vieille chapelle vient d'être restauré.* → l'intérieur.

EXPRESSIONS

- *On n'y voit pas très clair,* **là-dedans !** → à l'intérieur de cet endroit.
- **Au-dedans,** *ce château contient de magnifiques tapisseries.* → à l'intérieur.

défaire [17] — verbe

Aussitôt arrivés à l'hôtel, nous avons défait nos valises. → nous avons vidé. ≠ faire.

■ **défait, e,** adj. *Le visage défait, les parents assistaient à l'enterrement de leur fils.* ≃ décomposé, marqué. ■ **se défaire,** v. **1.** *La boucle de tes lacets se défait : prends garde de ne pas tomber.* → elle se dénoue. **2.** *Sous aucun prétexte, Carole ne voudrait se défaire de sa vieille poupée.* ≃ se débarrasser.

VOCABULAIRE

On peut défaire : des cheveux, une couture, un lit, un nœud, un paquet.

défaite — nom fém.

Tout le monde a été surpris par la défaite de ce grand champion. → l'échec. ≠ réussite, victoire.

◄ Gravure du 19e siècle représentant Napoléon Ier à la bataille de Waterloo.

AUTOUR DE

A la suite de la défaite de Waterloo, Napoléon Ier fut fait prisonnier et conduit à l'île de Sainte-Hélène.

D

défaut — nom masc.

1. *Ce pantalon est soldé : il y avait un défaut dans le tissu.* → une imperfection.

2. *Le seul défaut de Pierre est de vouloir toujours avoir raison.* ≠ qualité.

EXPRESSIONS

- **Faire défaut.** → manquer.
- **A défaut de.** → puisqu'il n'y a pas de.

défendre 31 — verbe

1. *Dans la cour de récréation, Emmanuel défend toujours sa petite sœur.* ≃ protéger.

2. *Ne marche pas sur cette pelouse, c'est défendu.* → c'est interdit. ≠ autoriser.

■ **défense,** n. f. **1.** *Sur la porte du chantier, un panneau indique : « Défense d'entrer ».* → interdiction de. **2.** *Pour sa défense, l'accusé possède deux alibis.* ≠ accusation. ■ **se défendre,** v. **1.** *Le lion attaque la gazelle, qui essaie en vain de se défendre.* → de lutter contre le lion. **2.** *Il se défend d'avoir cassé la lampe.* → il nie. **3.** *En mathématiques, je me défends* (fam.). → je me débrouille bien.

EXPRESSION

Etre sans défense. → être faible, sans moyen de se défendre...

AUTOUR DE

- Grâce aux anticorps, notre corps se défend contre les microbes.
- Au tribunal, l'avocat défend son client.

défi — nom masc.

Dans la fable de La Fontaine, « le Lièvre et la Tortue », c'est la tortue qui, sûre d'arriver la première, lance un défi au lièvre. ≃ une provocation.

■ **défier,** v. **1.** *Jean-Pierre me défie de sauter du haut du grand plongeoir.* → il me propose de le faire, en pensant que j'en suis incapable. ≃ provoquer. **2.** *Il m'a défié à la course de fond.* → il m'a proposé de l'affronter. ≃ braver.

EXPRESSION

Ces prix **défient toute concurrence.** → on ne peut pas trouver des prix plus bas.

VOCABULAIRE

On peut : jeter, lancer, relever, accepter un défi, répondre à un défi.

défilé — nom masc.

1. *Un défilé de majorettes annonce l'ouverture de la fête.*

2. *Un défilé est un passage très étroit entre deux montagnes.* ≃ col, couloir, étranglement, gorge.

■ **défiler,** v. **1.** *Les manifestants défilent, en portant des pancartes et des banderoles.* → ils marchent ensemble au milieu de la rue. **2.** *Au Salon de l'automobile, les visiteurs défilèrent toute la journée.* → ils se pressèrent sans interruption. **3.** *Dans le train, les paysages défilent devant nos yeux.* → ils passent de façon continue.

AUTOUR DE

C'est en souvenir de la prise de la Bastille (le 14 juillet 1789) qu'on organise des défilés le jour du 14 juillet.

◄ Le défilé du 14 juillet sur les Champs-Elysées, à Paris.

définir 4 — verbe

Dans un dictionnaire, on définit le sens des mots. → on explique.

■ **défini, e,** adj. *Virginie sait ce qu'elle doit faire : son travail est bien défini.* → déterminé, précis. ≠ indéfini. ■ **définition,** n. f. *Voici la définition du triangle équilatéral : figure géométrique aux trois côtés et aux trois angles égaux.* → l'explication de son sens.

GRAMMAIRE

- *Le, la, les* sont des articles **définis.**
- *Un, une, des* sont des articles **indéfinis.**

dégager [19] verbe

1. *Vite, dégagez la rue, une ambulance veut passer !* → libérez le passage.
2. *Les fleurs de jasmin dégagent un parfum suave.* → elles répandent.

■ **se dégager,** v. *Prise dans la toile d'araignée, la mouche essaie en vain de se dégager.* → se libérer.

AUTOUR DE

Les plantes absorbent le gaz carbonique et dégagent de l'oxygène.

dégel nom masc.

En montagne, le printemps est la saison du dégel : c'est à cette époque que fondent la neige et la glace.

■ **dégeler,** v. **1.** *Le temps s'est radouci : sur les trottoirs, la glace commence à dégeler.* → elle redevient eau. **2.** *Une histoire drôle a dégelé l'assemblée* (fam.). → elle a détendu.

◄ Trois états de l'eau :
1. Vapeur d'eau.
2. Liquide.
3. Glace.

VOCABULAIRE

- Sous l'action du froid, l'eau se transforme en glace : elle se solidifie. Lors du dégel, la glace redevient liquide : elle se liquéfie.
- Quand l'eau bout, elle se transforme en vapeur : elle s'évapore.

dégoûter [3] verbe

1. *Ce plat dégoûte Jérôme.* → il ne lui fait pas envie. ≃ écœurer.
2. *Sa trahison et sa lâcheté ont dégoûté tous ses camarades.* → elles leur ont déplu fortement.
3. *Cette sévère punition l'a dégoûté de recommencer ses bêtises.* → elle lui en a retiré l'envie. ≃ dissuader.

■ **dégoût,** n. m. *Les riverains regardent maintenant avec dégoût leur rivière polluée.* ■ **dégoûtant, e,** adj. *Porte cet imperméable dégoûtant au nettoyage.*

ORTHOGRAPHE

N'oublie pas l'accent circonflexe sur le **u** : dégo**û**t, go**û**t, dégo**û**ter, go**û**ter, dégo**û**tant.

EXPRESSION

Faire le dégoûté. → le difficile.

VOCABULAIRE

On peut : éprouver, inspirer, manifester, provoquer, témoigner du dégoût pour quelque chose.

degré nom masc.

L'eau bout à 100 degrés. → quand elle atteint 100 degrés (100°).

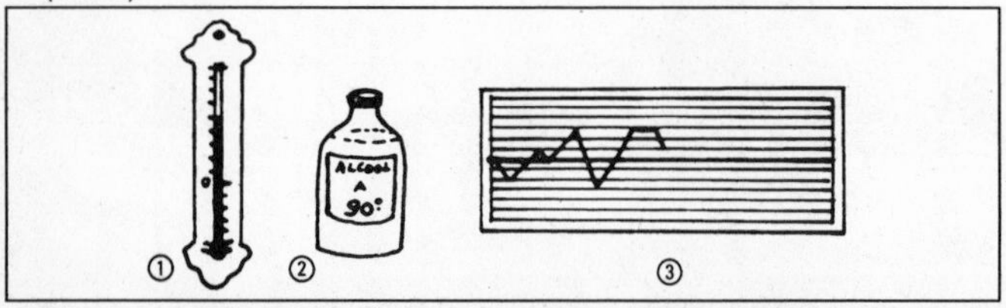

◄ 1. Les degrés du thermomètre.
2. Un flacon d'alcool à 90 °.
3. La feuille des températures (médecine).

EXPRESSIONS

- **Jusqu'à un certain degré.** → jusqu'à un certain point.
- **Monter, s'avancer par degré.** → par étape. ≃ graduellement, progressivement.

se déguiser [3] verbe

La reine mère s'est déguisée en vieille femme pour que Blanche-Neige ne la reconnaisse pas. ≃ se travestir.

■ **déguisement,** n. m. *Que tu es drôle dans ton déguisement de clown.* → dans ton costume, ton habit. ■ **déguiser,** v. *On peut déguiser sa voix ou son écriture pour ne pas être reconnu.* ≃ changer.

GRAMMAIRE

Benjamin s'est déguis**é**, Catherine s'est déguis**ée**.

dehors [dəɔʀ] mot inv.

Il fait beau. Allez jouer dehors ! → à l'extérieur.
≠ à l'intérieur, au-dedans.

■ **dehors,** n. m. **1.** *De la rue, nous parviennent les bruits du dehors.* → de l'extérieur. **2.** *Malgré ses dehors très froids, cette femme possède un cœur d'or.* → ses apparences.

GRAMMAIRE

Au sens 2, s'emploie toujours au pluriel.

D

déjà mot inv.

1. *La sonnerie retentit, la récréation est déjà finie.*
→ Indique que l'action commencée semble de courte durée (pour celui qui parle).

2. *J'ai déjà vu ce film : je me souviens très bien des premières images.*
→ Indique que l'action a été faite avant, autrefois.

ORTHOGRAPHE

N'oublie pas les deux accents : aigu sur le **e**, grave sur le **a**.

déjeuner 3 verbe

Pour fêter ta réussite au bac, je t'invite à déjeuner au restaurant. → prendre le repas de midi.

■ **déjeuner,** n. m. *Pour le déjeuner, Michel a préparé des brochettes, et Sophie, une tarte aux pommes.*

VOCABULAIRE

matin	le petit déjeuner
midi	le déjeuner
après-midi	le goûter
soir	le dîner ou le souper
nuit	le réveillon (Noël et fin d'année).

délai nom masc.

1. *Les livres empruntés à la bibliothèque doivent être rendus dans un délai de quinze jours.* → un temps fixé, à ne pas dépasser.

2. *Le charpentier a demandé un délai pour finir les travaux.* → un temps supplémentaire.

EXPRESSIONS

- *Faire quelque chose* **dans les délais.** → dans le temps prévu.
- *Répondre, payer* **sans délai.** → immédiatement.

délicat, délicate adj.

1. *Au restaurant chinois, nous avons goûté des mets délicats.* → raffinés, savoureux.

2. *Cet enfant est d'une santé délicate.* → fragile. ≠ robuste.

3. *Il se trouve dans une situation délicate.* → difficile.

■ **délicatement,** mot inv. *Florence saisit délicatement le verre de cristal.* ■ **délicatesse,** n. f. *L'artiste a peint chaque rose avec délicatesse.* → avec finesse, minutie.

délice nom masc.

Cette pêche fond dans la bouche, c'est un délice. → un régal.

■ **délicieux, euse,** adj. **1.** *Merci, ton repas était délicieux.* → très bon. **2.** *Quel plaisir j'ai eu à la rencontrer : c'est une personne délicieuse !* ≃ agréable, charmant.

VOCABULAIRE

Un repas délicieux : exquis, savoureux, succulent.

délivrer 3 verbe

1. *Julie délivre sa chatte qui était enfermée dans la cave.* → elle lui rend la liberté. ≠ emprisonner, enfermer.

2. *Après l'auscultation, le médecin délivre une ordonnance.* → il écrit, remet.

VOCABULAIRE

On peut délivrer : un reçu, une ordonnance, une carte d'identité, un passeport, un permis de conduire...

demain — mot inv. ou nom masc.

1. mot inv. *Aujourd'hui, le Tour de France est à Bordeaux, demain il se rendra à Pau.* → le jour suivant.
2. n. m. *Papa hésite à acheter cette voiture, il n'a plus que demain pour réfléchir.* → il n'a plus qu'une journée.

EXPRESSION

A demain ! → nous nous reverrons demain.

demander [3] — verbe

Il m'a demandé 5 francs pour acheter un paquet de bonbons.

■ **demande,** n. f. *Philippe a fait de nombreuses demandes d'emploi, il attend maintenant des réponses.* ■ **se demander,** v. *Je me demande si Chantal sera à l'heure pour le dîner.* ≃ réfléchir, s'interroger.

GRAMMAIRE

- *Guillaume* **demande à** *faire un tour de manège.*
- *Grand-mère nous* **demande de** *venir la voir.*

démarrer [3] — verbe

Le feu est passé au vert, les voitures démarrent rapidement. → elles commencent à partir.

ORTHOGRAPHE

Attention : un **m** et deux **r**.

démêler [3] — verbe

1. *Chaque matin, Sandrine démêle ses cheveux en les brossant.* ≠ emmêler.
2. *L'inspecteur chargé de l'enquête a démêlé cette affaire bien compliquée.* ≃ éclaircir.

EXPRESSION

Avoir des démêlés avec quelqu'un. → se disputer.

déménager [19] — verbe

1. *L'appartement étant devenu trop petit, nous avons été forcés de déménager.* → de changer de logement. ≠ emménager.
2. *On a dû déménager les meubles de la salle à manger avant de nettoyer la moquette.* ≃ enlever, retirer.

■ **déménagement,** n. m. *Rien n'a été cassé au cours du déménagement.* ■ **déménageur,** n. m. *Les déménageurs ont descendu les objets fragiles avec précaution.*

VOCABULAIRE

Déménager est le contraire d'emménager, comme :
débarrasser ≠ embarrasser,
décourager ≠ encourager.

demeurer [3] — verbe

« Où demeurez-vous ? – Rue de Rivoli. » ≃ habiter.

■ **demeure,** n. f. *Les châteaux de la Renaissance étaient de somptueuses demeures pour les nobles et les rois.* → des constructions, des habitations, des maisons.

AUTOUR DE

Sous Louis XIV, la famille royale et la cour demeuraient à Versailles.

◄ Le château de Chambord, construit pour François Ier est un chef-d'œuvre de la Renaissance.

demi — adj.

1. *N'oublie pas de rapporter une demi-baguette et une demi-livre de beurre.* → la moitié de.

2. *Nous quittons l'école à quatre heures et demie.* → à quatre heures et trente minutes.

■ **demi,** n. m. *Garçon, apportez-moi un demi de bière, s'il vous plaît.* → un grand verre de bière. ■ **demie,** n. f. *Quand il est la demie, l'horloge sonne un coup.*

GRAMMAIRE

Quand l'adjectif **demi** est placé devant le nom, il reste invariable. Ex. *deux* **demi**-*livres de beurre.* Dans les autres cas, il s'accorde. Ex. : *il est deux heures et* **demie.**

VOCABULAIRE

- Un demi-litre est la moitié d'un litre, une demi-heure, la moitié d'une heure.
- Une pièce de 50 centimes est une pièce d'un demi-franc.

démolir [4] — verbe

1. *Le vieil immeuble menace de s'écrouler, on va le démolir.* ≃ abattre, détruire. ≠ bâtir, construire.

2. *Vincent a démoli sa moto en rentrant dans un mur.* → il a abîmé, endommagé.

■ **démolition,** n. f. *La démolition de cette vieille maison permettra de construire un immeuble.*

dénoncer [26] — verbe

1. *Victor est bon camarade : en aucun cas, il ne dénoncera ses amis.* → il ne les accusera pas.

2. *Le ministère de la Santé dénonce l'abus du tabac.* → il prévient le public.

■ **dénonciateur, trice,** n. m. et f. → personne qui dénonce. ■ **dénonciation,** n. f. *Le voleur a été arrêté sur une dénonciation anonyme.* ■ **se dénoncer,** v. *Le coupable s'est dénoncé à la police.* → il est venu avouer qu'il était coupable.

ORTHOGRAPHE

Attention à la cédille : je dénonce/nous dénonçons.

dent — nom fém.

1. *Matin et soir, Martine n'oublie pas de se brosser les dents.*

2. *J'ai cassé deux dents de mon peigne en essayant de démêler mes cheveux.*

■ **dentaire,** adj. *Manger trop de sucre provoque des caries dentaires.* ■ **dentifrice,** n. m. → sorte de pâte pour nettoyer les dents. ■ **dentiste,** n. m. ou f. *Celui ou celle qui soigne les dents est un dentiste ou un chirurgien-dentiste.* ■ **dentition,** n. f. *La seconde dentition apparaît vers huit ans.*

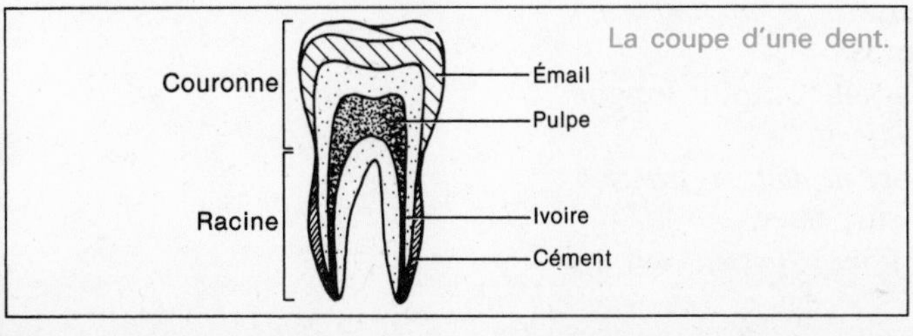

La coupe d'une dent.

EXPRESSIONS

- **Manger du bout des dents.** → sans appétit.
- **Parler entre ses dents.** → d'une manière indistincte.
- **Avoir la dent dure.** → critiquer sévèrement.
- **Avoir une dent contre quelqu'un.** → lui en vouloir.
- **Mordre à belles dents.** → franchement.

VOCABULAIRE

- On serre les dents quand on a mal, quand on est en colère.
- On claque des dents quand on a froid.
- Le dentiste peut arracher, extraire une dent.

dentelle nom fém.

Au bas de sa robe, la mariée portait un volant de dentelle. → une sorte de tissu ajouré, orné de dessins.

département nom masc.

Troyes se trouve dans le département de l'Aube, Soissons, dans le département de l'Aisne. → la partie administrative du territoire français.

■ **départemental, e,** adj. *Pour nous rendre de Paris à Caen, nous prendrons les routes départementales qui sont plus pittoresques.* → qui dépendent du département.

◄ Voici les quatre départements qui constituent la Lorraine :
1. La Moselle.
2. La Meurthe-et-Moselle.
3. La Meuse.
4. Les Vosges.

AUTOUR DE

- Certains départements portent des noms de rivière comme la Loire, l'Hérault, la Dordogne ; d'autres, des noms de montagnes, comme les Alpes-Maritimes, le Jura ou les Pyrénées-Orientales...
- Dans le numéro d'immatriculation d'une voiture, il y a le numéro du département : Ex : 9180 GX 59 ; 59 est le numéro du département du Nord.

dépasser 3 verbe

1. *Il est interdit de dépasser un véhicule en haut d'une côte.* → de doubler.
2. *Le cycliste a maintenant dépassé la ligne d'arrivée.* → il a franchi.
3. *Dépêchons-nous, nous avons dépassé le temps imparti.* → nous avons mis trop de temps.
4. *Ta robe dépasse de ton manteau.* → elle est plus longue que.
5. *Dans un budget, le total des dépenses ne doit pas dépasser le total des recettes.* → excéder, surpasser.
6. *Je ne comprends pas ce problème, il me dépasse.* → il est trop compliqué pour moi.

EXPRESSION

Etre dépassé par les événements. → ne pas réussir à les surmonter.

se dépêcher [3] verbe

Il faut nous dépêcher si nous voulons prendre le train de 7 heures. → nous presser, nous hâter.

ORTHOGRAPHE

Dépêcher est de la même famille que **empêcher.** N'oublie pas l'accent circonflexe sur le deuxième **e**.

dépendre [31] verbe

1. *La réussite de ce cycliste dépendra de son entraînement avant la course.* → elle sera la conséquence de. ≃ résulter.
2. *« Viendras-tu au cinéma ? – Cela dépendra de mes parents. »* → ce sont eux qui prendront la décision.
3. *Les écoles, les lycées, les collèges dépendent du ministère de l'Éducation nationale.* → ils relèvent du.

■ **dépendant, e,** adj. *Bien qu'il ait vingt-cinq ans, Fabien est encore dépendant de ses parents.* → il est soumis à l'autorité de. ≠ indépendant, libre.

EXPRESSION

« Irez-vous à la piscine ? – **Cela dépend !** » ≃ peut-être. ≠ certainement, sûrement.

AUTOUR DE

Au Moyen Age, les serfs étaient sous la dépendance de leur seigneur (→ ils leur appartenaient). Si le seigneur vendait des terres, il vendait en même temps les paysans qui vivaient sur celles-ci.

D

dépenser [3] verbe

1. *En vacances, nous dépensons toujours un peu plus d'argent.* ≃ débourser. ≠ économiser.
2. *Cet appareil de chauffage dépense beaucoup d'électricité.* → il consomme.

■ **dépense,** n. f. *Chaque jour, Véronique note le montant de ses dépenses sur un carnet.* ■ **se dépenser,** v. *Quand on danse, court, nage, saute, on se dépense beaucoup.* → on utilise ses forces. ≃ faire des efforts.

EXPRESSIONS

- **Dépenser sans compter.** → dissiper, gaspiller, dilapider son argent.
- **Pousser quelqu'un à la dépense.** → l'inciter à dépenser de l'argent.

déplacer [26] verbe

1. *J'ai déplacé les meubles de ma chambre.* → je les ai changés de place.
2. *Ce fonctionnaire a été déplacé et affecté à un autre poste.* ≃ muter.

■ **déplacé, e,** adj. *Tu aurais pu te garder de faire cette remarque déplacée !* → inconvenante. ■ **déplacement,** n. m. *Ce voyageur de commerce doit effectuer de nombreux déplacements.* → des voyages d'un lieu à un autre. ■ **se déplacer,** v. *Pour se rendre à leur travail, certaines personnes se déplacent en voiture.* → elles circulent. ≃ voyager.

VOCABULAIRE

On peut se déplacer : en autobus, en avion, en bateau, à bicyclette, à cheval, en métro, à pied, en train, en voiture.

AUTOUR DE

L'oiseau se déplace en volant, le poisson en nageant, le reptile en rampant.

déplaire [27] verbe

1. *Ce film, pourtant célèbre, m'a beaucoup déplu.* → je ne l'ai pas aimé. ≠ plaire.
2. *Pourvu que je ne lui aie pas déplu !* → que je ne l'aie pas déçu. ≃ choquer, contrarier, offenser.

■ **déplaisant, e,** adj. *Ce temps froid et humide est très déplaisant.* → désagréable. ≠ agréable, plaisant.

déplier [3] verbe

Déplie ces draps, nous allons faire le lit. → étends ces draps qui étaient pliés. ≠ plier.

ORTHOGRAPHE

*Il dépli**e**ra sa chemise* (futur de l'indicatif). N'oublie pas le **e**.

déployer [deplwaje] 21 verbe

1. *Prêt à s'envoler, l'aigle déploie ses ailes.* → il les étend largement.
2. *Pour mieux repérer les routes, nous déployons la carte sur la table.* → nous la déplions et l'étalons.
3. *Les pompiers ont déployé un grand courage pour éteindre cet incendie.* → ils ont fait preuve de, ils ont manifesté.

ORTHOGRAPHE

Dans déploi**e**ment, n'oublie pas le **e**.

EXPRESSION

Rire à gorge déployée. → rire de bon cœur, sans retenue.

déposer 3 verbe

1. *Déposez d'abord vos valises dans votre chambre, puis descendez dîner.* ≃ se décharger de, poser.
2. *Chaque matin, notre voisin nous emmène et nous dépose à l'école.* → il nous conduit et nous laisse.
3. *Au procès, plusieurs témoins sont venus déposer à la barre.* → ils sont venus témoigner.

■ **déposition,** n. f. *Le témoin vient de signer sa déposition au commissariat.* → sa déclaration. ■ **se déposer,** v. *Les grains de poussière se déposent sur les meubles.*

EXPRESSION

Déposer les armes. → cesser le combat.

VOCABULAIRE

On dépose de l'argent à la banque, des documents, des objets précieux dans un coffre, un testament chez un notaire.

depuis mot inv.

1. *Depuis trois jours, il est au lit avec une bonne grippe.* → Indique le moment où commence une action.
2. *Le train s'est arrêté deux fois depuis Marseille.* → Indique le lieu de départ.
3. *Victor a connu Vincent aux sports d'hiver, mais ne l'a pas revu depuis.* → à compter du jour où il l'a connu.

■ **depuis que,** loc. inv. *Depuis que je suis inscrite à la bibliothèque, je lis beaucoup plus.* ≃ à partir du moment où.

EXPRESSION

Depuis peu. ≠ depuis longtemps.

déranger 19 verbe

1. *Catherine a dérangé toutes ses affaires pour retrouver son maillot de bain.* → elle les a mises en désordre. ≠ ranger.
2. *Le chien n'aime pas qu'on le dérange quand il mange.* ≃ ennuyer, gêner.

■ **dérangement,** n. m. *Reste dîner avec nous, cela ne nous cause aucun dérangement.* → aucune gêne. ■ **se déranger,** v. *Le médecin s'est dérangé au milieu de la nuit pour un cas urgent.* → il s'est déplacé.

EXPRESSION

Le téléphone de la cabine publique est **en dérangement.** → il ne fonctionne pas.

dernier, dernière adj. ou nom masc. et fém.

1. adj. *Dépêchons-nous pour ne pas manquer le dernier train !* ≠ premier.
2. adj. *Le mois dernier, il faisait un temps chaud et ensoleillé.* → précédent. ≠ suivant.
3. n. m. et f. *« Reste-t-il des bonbons ? – Non, j'ai pris le dernier. »* ≠ le premier.

■ **dernièrement,** mot inv. *Dernièrement, j'ai revu « les 101 Dalmatiens ».* → il y a peu de temps. ≃ récemment.

EXPRESSIONS

- **En dernier.** → pour terminer, après tout le reste.
- *Ce manteau est* **à la dernière mode.** → à la mode la plus récente.
- **Avoir le dernier mot** *dans une discussion.* → avoir raison.
- *Une information* **de dernière minute.** → une ultime information.

D

dérouler 3 verbe

On a déroulé la moquette avant de la poser. ≠ enrouler.

■ **déroulement,** n. m. *Le déroulement de l'histoire s'effectue en trois temps.* → la manière dont elle s'est passée. ■ **se dérouler,** v. *Cette opération chirurgicale se déroulera dans les meilleures conditions.* → elle aura lieu, se passera.

AUTOUR DE

Les pompiers déroulent les tuyaux d'incendie pour combattre les flammes.

derrière mot inv. et nom masc.

1. mot inv. *Le balai se trouve derrière la porte de la cuisine.* → de l'autre côté de la porte.
2. mot inv. *L'équipe marchait en file derrière son chef.* → à la suite de son chef.
3. mot inv. *En voiture, les enfants doivent monter derrière.* → à l'arrière.
4. mot inv. *La ceinture de ma robe se noue derrière.* → dans le dos.
5. n. m. *Voici notre chalet : le devant donne sur la route, le derrière sur les montagnes.* → le côté opposé au devant.

EXPRESSIONS

- *La porte* **de derrière** *est restée ouverte.* ≠ la porte de devant.
- *Il est arrivé* **par-derrière.** ≠ de face.
- **Derrière** *son air gai, le clown cache parfois de la tristesse.* ≃ sous.

des mot inv.

1. *Rémi est le plus grand des enfants.* → *Des* est la contraction de « de les ».
2. *Noémie mange des épinards.* → *Des* s'emploie au pluriel avec un nom qui n'a pas de singulier.
3. *Fabrice a fait des taches sur son pull.* → *Des* est le pluriel de « un » ou « une ».

GRAMMAIRE

Devant un adjectif, on dit plutôt **de** au lieu de **des** : *Fabrice a fait* **de** *grosses taches.*

dès mot inv.

Carole s'est mise à travailler dès son retour. → aussitôt.

■ **dès que,** mot inv. *Dès que le réveil sonne, Gilles saute du lit.* ≃ aussitôt que.

VOCABULAIRE

Dès maintenant, dès demain, dès 4 heures, dès la sortie de l'école.

désastre nom masc.

Cette inondation est un vrai désastre pour notre région. → une catastrophe.

■ **désastreux, euse,** adj. *A cause du mauvais temps, les récoltes ont été désastreuses.* → catastrophiques.

descendre 31 verbe

1. *Le perroquet est descendu de son perchoir.* ≠ monter.
2. *Yvette descend au prochain arrêt du car.*
3. *Loïc en a assez de ces chaussettes qui descendent toujours.*
4. *La route descend, il n'y a pas besoin de pédaler.*
5. *Charlotte descend d'une famille russe immigrée.* → ce sont ses ancêtres.

■ **descente,** n. f. **1.** *Prenez l'escalier pour la descente !* **2.** *En vélo, on va plus vite dans les descentes que dans les montées.*

ORTHOGRAPHE

Attention au **s** avant le **c** !

EXPRESSIONS

- **A la descente.** → en descendant.
- **Une descente de lit.** → un petit tapis placé au pied du lit.

désert — nom masc.

Aucune plante ne pousse dans le désert.

■ **désert, e,** adj. *Tôt le matin, Paul promène son chien dans les rues désertes.* → où il n'y a absolument personne.

AUTOUR DE

- Les régions polaires sont des déserts glacés.
- Le Sahara est un désert chaud, parmi les plus grands du monde.

désespoir — nom masc.

Quand il a appris la mort de son grand-père, Christian a eu un accès de désespoir. → il a éprouvé un très vif chagrin.

■ **désespéré, e,** adj. *Il nous a lancé un regard désespéré.* ≃ triste. ≠ plein d'espoir. ■ **désespérer,** v. *Il ne faut jamais désespérer : travaille et tu auras une chance d'être reçu !* ≠ espérer.

EXPRESSIONS

- **Etre dans un état désespéré.** → être près de mourir, sans pouvoir être sauvé(e).
- **Faire des efforts désespérés.** → les plus grands efforts possibles.

désigner [3] — verbe

1. *Désigne l'endroit où tu as mal.* → indique, montre.
2. *La maîtresse a désigné Jeanne pour s'occuper de la bibliothèque.* → elle a choisi.

désirer [3] — verbe

Julienne demande à son amie ce qu'elle désire pour son anniversaire. → ce dont elle a envie, ce qu'elle voudrait avoir.

■ **désir,** n. m. *A la fin des vacances, je n'avais qu'un désir : retourner à l'école.* ≃ envie, souhait.

GRAMMAIRE

- *Elle* **désire que** *vous vous* **taisiez.**
- *Elle* **désire le** *silence.*

désobéir [3] — verbe

Jean-Marc n'avait pas le droit de sortir : il a désobéi à ses parents. ≠ obéir.

■ **désobéissance,** n. f. *Jean-Marc a été puni pour sa désobéissance.* ■ **désobéissant, e,** adj. *Un enfant désobéissant.*

GRAMMAIRE

Désobéir se construit avec **à** : **désobéir à** *ses parents.*

désolé, désolée — adj.

Catherine est désolée d'avoir cassé le vase. → elle regrette. ≃ contrarié, ennuyé. ≠ enchanté, ravi.

désordre — nom masc.

Le mercredi soir, quel désordre dans la maison ! ≠ ordre.

■ **désordonné, e,** adj. *La chambre de Lise est toujours mal rangée. Quelle enfant désordonnée !* ≠ ordonné, soigneux.

EXPRESSION

La maison est **en désordre.** → elle n'est pas rangée. ≠ en ordre.

D

désormais mot inv.

Victor est un menteur ; désormais, je ne le croirai plus. → à l'avenir, dorénavant.

ORTHOGRAPHE

Attention au **s** final.

dessert nom masc.

Comme dessert, Gilles mange une pomme, et Marie-Hélène, un yaourt. ≠ entrée, hors-d'œuvre.

dessiner 3 verbe

Lise ne sait pas écrire, mais elle dessine déjà.

■ **dessin,** n. m. *Les dessins des enfants sont accrochés au mur de la classe.*

EXPRESSIONS

- **Un dessin animé.** → un film composé d'une suite de dessins.
- **Une bande dessinée.** → une suite de dessins qui racontent une histoire.

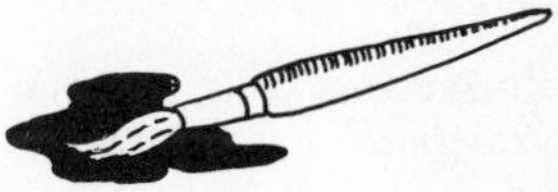

dessous mot inv. ou nom masc.

1. mot inv. *La souris s'est cachée sous l'armoire : elle est dessous. Le chat se glisse par-dessous. La souris a filé, le chat est encore là-dessous.* ≠ dessus.
2. n. m. *Le dessous de cette boîte est peint en vert.*

EXPRESSIONS

- **Au-dessous de.** → plus bas que.
- **Il y a quelque chose là-dessous.** → cela cache quelque chose.
- **En dessous.** ≠ dessus, au-dessus.

dessus mot inv. ou nom masc.

1. mot inv. *Bruno met du beurre sur sa tartine, et de la confiture dessus.* ≠ dessous.
2. n. m. *Josiane range la valise sur le dessus de l'armoire.*

EXPRESSIONS

- **Au-dessus.** → en haut.
- **Par-dessus tout.** → principalement.

destinataire nom masc.

Viviane écrit sur l'enveloppe le nom du destinataire et son adresse. → la personne à laquelle elle envoie la lettre.

VOCABULAIRE

Le destinataire reçoit la lettre, l'expéditeur l'envoie.

détacher 3 verbe

Avant de sortir de la voiture, Marie détache sa ceinture. ≠ attacher.

■ **se détacher,** v. *Des morceaux d'écorce se sont détachés du tronc.*

EXPRESSION

Des pièces détachées (d'une machine). → des éléments séparés.

détail nom masc.

1. *Marcel nous a raconté son voyage avec tous les détails.* → en racontant vraiment tout.
2. *Dans ce magasin, on vend en gros, on ne vend pas au détail.* → aux particuliers, à tout le monde.

EXPRESSIONS

- **Raconter en détail.** → entièrement, même les petites choses.
- **Se perdre dans les détails.** → insister sur des petites choses.

détester 3 verbe

1. *Sylvain doit me détester, il ne m'adresse jamais la parole.* → il ne doit pas m'aimer. ≃ haïr. ≠ adorer.
2. *Céline déteste les épinards.* → elle a horreur de.

détour — nom masc.

Sur le chemin de l'école, Bernard a fait un détour pour aller acheter un pain. → il a pris un chemin plus long.

VOCABULAIRE

Faire un long détour. ≠ prendre un raccourci.

détruire [13] — verbe

Laetitia avait construit un château de sable, mais la mer en montant l'a détruit. ≃ démolir, renverser. ≠ bâtir, construire.

deux — adj. ou nom masc.

1. adj. *Chacun de nous possède deux bras et deux jambes.*
2. n. m. *1 + 1 = 2 (*un *plus* un *égale* deux*).*
3. n. m. *J'ai un deux de trèfle dans mon jeu.* → une carte à jouer.

■ **deuxième,** adj. *Bruno a fini sa tartine, il en voudrait une deuxième.* → une seconde.

EXPRESSIONS

- *Ce pull n'est ni vert, ni bleu, il est* **entre les deux.**
- **Ne faire ni une ni deux** (fam.). → ne pas hésiter.

devant — mot inv. ou nom masc.

1. mot inv. *Caroline a laissé son vélo devant l'école.*
2. mot inv. *La robe de Nicole se boutonne devant.* → sur le devant.
3. n. m. *Le chien a mal à sa patte de devant.* ≠ derrière.

EXPRESSIONS

- **Au-devant de.** → à la rencontre de.
- **Aller droit devant soi.** → aller tout droit.

développer [3] — verbe

1. *Faire de la bicyclette développe les muscles des jambes.* → cela les fortifie.
2. *Catherine apprend à développer des photos.* → à faire apparaître les images fixées sur la pellicule.

■ **développement,** n. m. **1.** *Les efforts de chaque membre ont permis le développement des activités du club.* → l'accroissement. **2.** *Le développement d'une photo.* ■ **se développer,** v. **1.** *La plante est bien arrosée : elle se développe bien.* ≃ croître, pousser. **2.** *Le village s'est développé : il y a beaucoup de maisons neuves.* → il s'est agrandi.

ORTHOGRAPHE

Attention : un **l** et deux **p**.

devenir [34] — verbe

Le jour tombe ; ma chambre devient obscure. → elle s'obscurcit peu à peu.

GRAMMAIRE

Devenir comme **être, paraître, sembler, rester** fait partie des verbes d'état.

deviner [3] — verbe

Je t'ai apporté une surprise, devine ce que c'est. → essaie de trouver.

■ **devinette,** n. f. *Jérôme nous a posé une devinette : « Pourquoi les éléphants sont-ils gris ? »*

dévoiler [3] — verbe

Romain est très soupçonneux, il ne veut pas dévoiler ses projets. → faire connaître, révéler. ≠ cacher.

devoir 30 verbe

1. *J'ai acheté un cahier pour toi, tu me dois 5 francs.*
2. *Gauthier doit rentrer, ses parents l'attendent.* → il faut qu'il rentre.
3. *Nous devions pique-niquer, mais il a plu.* → nous avions le projet de.
4. *J'ai téléphoné, mais ça ne répond pas : ils ont dû sortir.* → ils sont probablement sortis.

■ **devoir,** n. m. **1.** *Gilles n'a pas envie d'aller chez sa grand-mère, mais c'est un devoir.* → une obligation. **2.** *Roseline fait son devoir de calcul.* → le travail donné par la maîtresse ou le maître.

EXPRESSION

La mauvaise récolte **est due à** *la sécheresse.* → elle a pour cause.

VOCABULAIRE

On peut : accomplir, assumer, remplir, suivre son devoir.

D

dévorer 3 verbe

1. *Le lion dévore sa proie.* → il la mange en déchirant.
2. *Delphine avait tellement faim qu'elle a dévoré son sandwich.* → elle l'a mangé à toute vitesse. ≃ engloutir.

EXPRESSIONS

- **Etre dévoré(e) par** la curiosité, par la jalousie, etc.
- **Dévorer un livre.** → le lire avec passion et rapidité.
- **Dévorer des yeux.** → regarder intensément.
- **Dévorer à belles dents.** → manger avec appétit.

se dévouer 3 verbe

Les voisins avaient besoin d'un coup de main : Frédéric et Charlotte se sont dévoués. → ils ont proposé leur aide.

■ **dévoué, e,** adj. *Martine m'a toujours aidée, c'est une amie dévouée.* ≠ égoïste. ■ **dévouement,** n. m. *Quand son père a été malade, Éric l'a soigné avec beaucoup de dévouement.* → de générosité.

ORTHOGRAPHE

N'oublie pas le **e** dans dévou**e**ment.

dialogue nom masc.

Christelle et Véronique étaient en train de parler quand Agnès a interrompu leur dialogue. → leur conversation à deux. ≃ tête-à-tête.

EXPRESSION

Les dialogues d'un film (ou d'une pièce de théâtre, d'un livre) → les paroles qu'échangent les personnages.

diamant nom masc.

Le diamant est la pierre précieuse la plus brillante et la plus dure.

VOCABULAIRE

Tailler, monter un diamant. Les facettes d'un diamant.

dictée nom fém.

Sébastien a fait deux fautes dans sa dictée. → un exercice que l'on fait en classe pour contrôler, vérifier l'orthographe.

■ **dicter,** v. *Le maître dicte le texte de l'exercice.*

ORTHOGRAPHE

Attention : n'oublie pas le **e** final comme dans rosé**e**, pelleté**e**, jeté**e**, etc.

dictionnaire nom masc.

Pour trouver un mot dans le dictionnaire, il faut bien connaître l'ordre alphabétique.

ORTHOGRAPHE

Attention aux deux **n** !

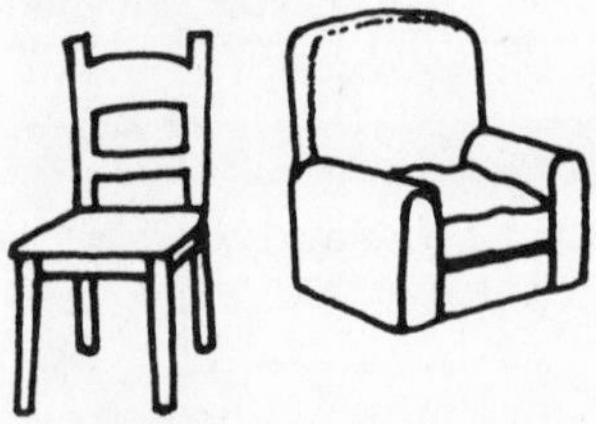

différence nom fém.

« Quelle est la différence entre un fauteuil et une chaise ? – L'un a des bras, l'autre n'en a pas. » ≠ ressemblance.

■ **différent, e,** adj. **1.** *Jean et Annick ne sont pas d'accord : ils sont d'un avis différent.* ≠ identique, semblable. **2.** *Chloé a différents exercices à faire.* ≃ divers, plusieurs.

difficile adj.

1. *Arnaud n'arrive pas à faire son problème : il est trop difficile.* → dur. ≠ facile.
2. *Magali se plaint souvent, elle a vraiment un caractère difficile.* ≠ agréable.

■ **difficulté,** n. f. **1.** *La difficulté d'une dictée.* ≠ facilité. **2.** au pl. *Béatrice a des difficultés pour s'exprimer.* → du mal, de la peine, des problèmes.

EXPRESSIONS

- **Il m'est difficile de.** → j'ai du mal à.
- **Surmonter des difficultés.** → vaincre des problèmes.
- **En difficulté.** → dans une situation difficile, dangereuse.

digne adj.

1. *Charlotte a agi courageusement : sa conduite est digne d'estime.* → elle mérite l'estime.
2. *Pourquoi as-tu triché ? Ce n'est pas digne de toi.* → cela ne correspond pas à ton caractère. ≠ indigne.

VOCABULAIRE

Etre digne d'une punition ou d'une récompense. Une personne digne d'intérêt.

dimanche nom masc.

Dimanche, mes frères et moi allons au cinéma.

dimension nom fém.

« Quelles sont les dimensions de ce tableau ? – Il mesure 1 mètre sur 2. » → la longueur et la largeur. ≃ mesure.

AUTOUR DE

Une surface a deux dimensions. Un volume en a trois.

diminuer [3] verbe

1. *Le médicament a fait diminuer la fièvre.* ≃ décroître, tomber. ≠ augmenter.
2. *L'amitié entre Thomas et Nicolas a diminué.* → elle est devenue moins intense. ≠ augmenter, s'accroître.

■ **diminution,** n. f. *Profitons de la diminution des prix pour acheter ces vêtements.* ≃ baisse.

EXPRESSION

Diminuer à vue d'œil (pour des réserves, de la nourriture, etc.). → baisser vite.

D

dîner [3] verbe

Cécile dîne à 7 heures et se couche à 8 heures.

■ **dîner,** n. m. *Le dîner est le repas du soir.*

ORTHOGRAPHE

Attention à l'accent circonflexe sur le **i** !

dire [14] verbe

1. *Lucas m'a dit qu'il était content de partir.* → il m'en a informé, il me l'a annoncé.
2. *Françoise nous a dit de mettre le couvert.* → elle nous l'a demandé.
3. *Qu'est-ce que c'est ? On dirait un hanneton.* → on a l'impression que c'est.

■ **se dire,** v. **1.** *Je me disais bien qu'il allait pleuvoir.* → je le pensais, j'en étais sûr. **2.** *Merci se dit « Danke ! » en allemand.* → se traduit par.

GRAMMAIRE

Attention à la deuxième personne du pluriel de l'indicatif présent et de l'impératif : Vous **dites**. **Dites**-moi !

EXPRESSIONS

- **Cela ne me dit rien.** → je n'ai pas envie de.
- **Vouloir dire.** → signifier, avoir pour sens.

direct, directe adj.

1. *Pour aller à l'école, le métro est direct.* → il n'y a pas à changer de métro.
2. *Dans la phrase* La souris mange le fromage, fromage *est un complément d'objet direct.* ≠ indirect.

■ **directement,** mot inv. **1.** *Après l'école, Alexis rentre directement à la maison.* → sans faire de détour. **2.** *La chambre de Paul donne directement dans celle de Lucie.* → sans aucune pièce entre les deux.

VOCABULAIRE

- Ce chemin-là est plus direct que celui-ci.
- Un train direct ≠ un omnibus.

diriger [19] verbe

1. *L'école est dirigée par M. Dumas, le directeur.* ≃ commander.
2. *La plaisanterie était dirigée contre Maxime.* → c'est de lui qu'on voulait se moquer.

EXPRESSIONS

- (Travailler) **sous la direction de quelqu'un.** → en étant dirigé(e) par une personne.
- **Changer de direction.** → aller dans une autre voie ; tourner.
- **En direction de.** → vers.

◄ Le chef d'orchestre dirige ses musiciens.

■ **directeur, trice,** n. m. et f. *M. Revel est le directeur de cette usine.* ■ **direction,** n. f. **1.** *Sophie a été chargée de la direction de l'équipe.* **2.** *« De quelle direction vient le vent ? – Il vient de l'ouest. »*

VOCABULAIRE

Diriger un orchestre, une chorale.

discipline nom. fém.

1. *Arrêtez de crier et tenez-vous bien ! Un peu de discipline !* → obéissance aux règles d'ordre et de bonne tenue.
2. *« Quelles disciplines enseigne-t-il ? – L'histoire et la géographie. »* ≃ matière.

■ **discipliné, e,** adj. *Dans cette classe, les élèves sont disciplinés.* ≃ obéissant. ≠ indiscipliné.

ORTHOGRAPHE

Attention au **sc** !

discours nom masc.

Avant de remettre les prix, la présidente fait un discours pour féliciter les gagnants.

ORTHOGRAPHE

Attention au **s** final, même au singulier !

discret, discrète adj.

Tu peux confier un secret à Vincent : il est discret. ≃ réservé. ≠ indiscret, sans-gêne.

■ **discrétion,** n. f. *Quand Paul a vu que je parlais avec Martin, il a fermé la porte avec discrétion.* → de façon à ne pas nous déranger.

discuter 3 verbe

Agnès a des idées originales, c'est intéressant de discuter avec elle. → de parler.

■ **discussion,** n. f. *Jean parlait de son projet à Magali, quand Nicolas a pris part à la discussion.* → la conversation.

VOCABULAIRE

Une discussion peut être : animée, grave, sérieuse, violente.

disparaître 23 verbe

1. *Le mur disparaît sous le lierre.* → il est recouvert. ≠ apparaître.
2. *J'ai vu l'oiseau sur le balcon, puis il a disparu.* → il n'y est plus.
3. *Sylvie s'est brûlée, mais les traces de brûlure ont déjà disparu.* → elles n'existent plus. ≃ s'effacer.

■ **disparition,** n. f. **1.** *La disparition de Sophie avait inquiété ses parents.* **2.** *Tous pleurent la disparition de ce brave homme.* ≃ mort.

ORTHOGRAPHE

Attention à l'accent circonflexe sur le **i** avant le **t** : elle dispara**î**t.

disposer 3 verbe

1. *Joël dispose des fruits sur une coupe.* ≃ arranger.
2. *Marie ne dispose que d'une demi-heure pour déjeuner.* ≃ avoir, pouvoir prendre.

■ **disponible,** adj. *Quelques places sont encore disponibles pour ce concert.* ≃ libre. ■ **disposition,** n. f. *La disposition des chaises autour de la table.* → la façon dont elles sont placées. ■ **se disposer,** v. *Guy se disposait à sortir quand l'orage a éclaté.* → il se préparait à.

EXPRESSIONS

- **Etre bien** (ou **mal**) **disposé(e) à l'égard de quelqu'un.**
- **Etre dans de bonnes** (ou **mauvaises**) **dispositions.** → se comporter avec bonne (ou mauvaise) humeur.
- **Etre à la disposition de quelqu'un.** → (pour une personne) s'apprêter à lui obéir ; (pour une chose) être disponible.

disputer 3 verbe

Les meilleurs concurrents disputeront la finale. → ils essaieront de la gagner.

■ **dispute,** n. f. *Liliane ne se rappelle pas comment la dispute a commencé.* → la querelle. ■ **se disputer,** v. *Liliane se dispute toujours avec son frère.* → elle se chamaille (fam.), se querelle.

EXPRESSION

Se faire disputer. → se faire gronder.

VOCABULAIRE

- Disputer un match.
- Arrêtez de vous disputer !

dissimuler 3 verbe

Benoît tremble et il est pâle : il ne peut dissimuler sa peur. ≃ cacher. ≠ montrer.

VOCABULAIRE

Se dissimuler derrière un rideau. → se cacher.

distance — nom fém.

La distance de la Terre à la Lune est de 384 400 km. → leur éloignement.

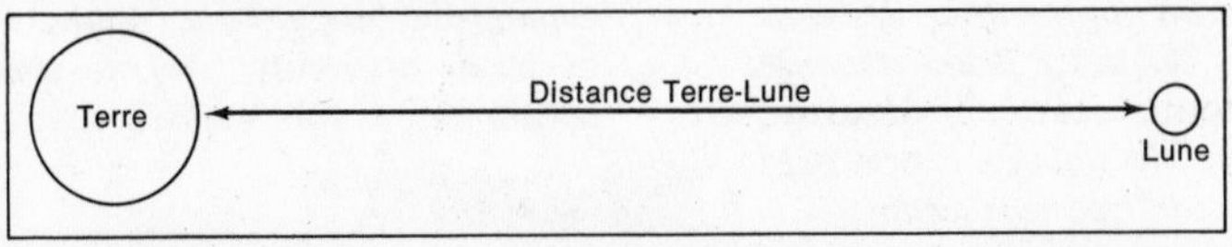

EXPRESSION

Luc habite **à égale distance de** *la mairie et de la poste.*

distinguer [3] — verbe

1. *Ces jumelles se ressemblent tellement qu'on n'arrive pas à les distinguer.* → les reconnaître l'une de l'autre. ≃ différencier.
2. *Au loin, on distingue un drapeau sur la tour.* ≃ voir.

■ **distinctement,** mot inv. *Parlez distinctement !* → en prononçant bien. ■ **distinctif, ive,** adj. *Les deux bosses du chameau sont un de ses caractères distinctifs.* → qui le différencient des autres animaux.

VOCABULAIRE

- Voir, entendre distinctement.
- Distinguer un chameau d'un dromadaire. → faire la distinction.

distraire [15] — verbe

Gisèle est triste : si nous l'emmenions au cinéma pour la distraire ? → pour lui faire passer un moment agréable, lui changer les idées.

■ **distraction,** n. f. **1.** *Le jardinage est ma distraction favorite.* ≃ loisir, passe-temps. **2.** *Par distraction, Jean a mis du sel sur ses fraises.* ≃ étourderie, inattention. ■ **distrait, e,** adj. *Estelle est distraite : elle oublie souvent son cartable.*

EXPRESSION

Écouter d'une oreille distraite. → ne pas être très attentif.

distribuer [3] — verbe

Pour jouer à ce jeu, on distribue sept lettres à chaque joueur. → on donne, répartit. ≠ rassembler, regrouper.

■ **distributeur, trice,** n. m. et f. *Patrick a pris un ticket au distributeur automatique.* ■ **distribution,** n. f. **1.** *La distribution du courrier par le facteur.* **2.** *Dans la distribution de ce film figurent les noms de quatre grands acteurs.* → l'ensemble des acteurs et actrices qui jouent dans le film ou la pièce.

ORTHOGRAPHE

Attention au **e** dans la conjugaison : au futur de l'indicatif : je distribuerai.

EXPRESSION

La distribution des prix. → la cérémonie au cours de laquelle les meilleurs élèves sont récompensés.

divers [divɛʀ], diverse — adj.

Le mot « passer » a divers sens. → différents, plusieurs.

division — nom fém.

1. *54 : 6 = 9. La division est juste. : est le signe de la division.*
2. *Sur la balance, chaque division représente 100 grammes.* → l'intervalle entre deux traits.
3. *Notre équipe a gagné le match, elle passe en seconde division.* → l'ensemble des équipes de ce niveau.
4. *Les joueurs ne s'entendent pas : il règne une grande division dans l'équipe.* ≃ désaccord. ≠ union.

■ **diviser,** v. **1.** *Pour savoir combien d'heures il y a dans 120 minutes, il faut diviser 120 par 60.* ≠ multiplier. **2.** *Pour faire une natte, il faut diviser les cheveux en trois parties.* → les séparer.

EXPRESSION

Une table de division.

AUTOUR DE

La division est l'une des quatre opérations de calcul, avec l'addition, la soustraction et la multiplication.

dividende	24	5	diviseur
reste	4	4	quotient

dix — adj.

Il reste dix jours avant les vacances.

■ **dixième,** adj. ou n. m. **1.** adj. *Il y a neuf noyaux de cerises dans l'assiette, et Céline mange la dixième cerise.* **2.** n. m. *Bruno a mangé les neuf dixièmes de la tarte.* → presque toute la tarte. ■ **dizaine,** n. f. **1.** *Il reste une dizaine de radis dans le plat.* ≃ à peu près dix, environ dix. **2.** *Après 20 commence la troisième dizaine : 21, 22, etc.*

ORTHOGRAPHE

Dix, employé seul, se prononce [dis] ; devant une voyelle ou un **h** aspiré [diz] (**dix** *enfants,* **dix-huit**, et aussi **dix-neuf**) ; devant une consonne [di] (**dix** *fraises*).

GRAMMAIRE

17, 18, 19 s'écrivent *dix-sept, dix-huit, dix-neuf ;* 70 et 90, *soixante-dix* et *quatre-vingt-dix.*

docteur — nom masc.

« Comment s'appelle le médecin ? – C'est le docteur Dumas, il vient soigner Muriel. » → nom donné au médecin à qui l'on s'adresse ou dont on parle.

ORTHOGRAPHE

Au féminin, on dit parfois la doctoresse, mais plutôt le docteur. Ex. : « Docteur Francine Dumas ».

document — nom masc.

La grand-mère de Christine lui a prêté des documents sur la vie à la campagne avant la guerre. → des objets ou des textes servant de témoignages.

■ **documentaire,** n. m. ou adj. **1.** n. m. *Nous avons vu un documentaire sur la vie des abeilles.* **2.** adj. *Un film documentaire.* ■ **documentation,** n. f. *Luc possède toute une documentation sur les champignons.* → un ensemble de documents. ■ **se documenter,** v. *La maîtresse nous a demandé de nous documenter sur l'histoire de notre région.* → de rechercher des documents.

VOCABULAIRE

Rechercher des documents. Une documentation abondante. Se documenter pour faire un exposé, pour écrire un article.

doigt — nom masc.

Les cinq doigts de la main sont : le pouce, l'index, le majeur, l'annulaire et l'auriculaire.

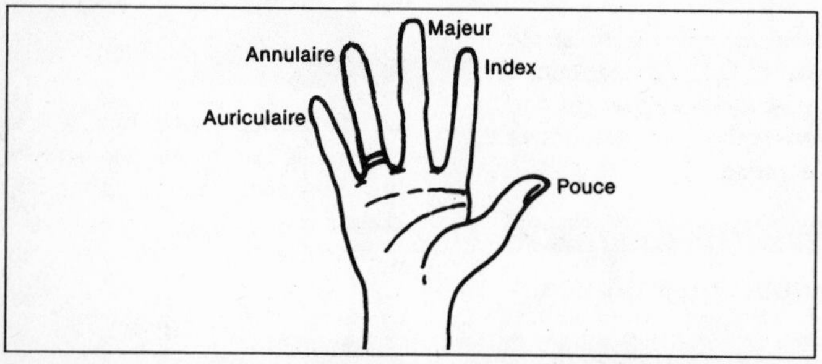

◄ Les cinq doigts de la main.

EXPRESSION

Etre à deux doigts de. → être tout près de.

AUTOUR DE

Pour les pieds, on dit les doigts de pied ou les orteils.

domaine — nom masc.

1. *Le seigneur chassait sur son domaine.* → sur les terres qui lui appartenaient.
2. *Monique est chimiste, c'est l'une des meilleures chercheuses dans son domaine.* ≃ matière, spécialité.

EXPRESSION

Le domaine public. → les biens appartenant à l'État.

domestique — adj.

Le chien, le chat, la vache, la poule sont des animaux domestiques. → qui sont habitués à vivre auprès des hommes. ≠ sauvage.

domicile nom masc.

Sur la carte d'identité figurent notre nom, notre prénom, et notre domicile. → l'endroit où l'on habite. ≃ adresse.

EXPRESSION

A domicile. → dans la maison de quelqu'un (ou dans sa maison).

dominer [3] verbe

1. *Ce pic domine les autres montagnes.* ≃ dépasser.
2. *Ce qui domine dans son caractère, c'est la volonté.* → ce qui apparaît le plus, ce qui l'emporte.
3. *Dominant sa colère, Cécile a essayé de répondre calmement.* → maîtrisant.

■ **domination,** n. f. *Ce pays s'est révolté contre la domination étrangère.* → l'autorité.

EXPRESSION

Etre sous la domination de. → sous l'autorité de.

D

dommage nom masc.

1. *Martin m'invite à jouer. Quel dommage ! Je dois justement sortir.* → comme c'est ennuyeux !
2. *L'incendie a ravagé l'usine : les dommages sont importants.* → les dégâts.

GRAMMAIRE

Au sens 2, dommage est le plus souvent au pluriel.

dompteur [dɔ̃tœʀ], **dompteuse** nom masc. et fém.

Le dompteur fait sauter le tigre à travers un cerceau.

■ **dompter,** v. *Marina a appris à dompter des ours.* → à les faire obéir. ≃ dresser.

ORTHOGRAPHE

Attention aux **-mpt** : **p** ne se prononce pas.

don nom masc.

1. *Les victimes du tremblement de terre ont reçu des dons : couvertures, médicaments, argent.* ≃ cadeau.
2. *Laure voudrait apprendre à jouer de la flûte, elle a des dons pour la musique.* → elle est douée pour cela. ≃ talent.

VOCABULAIRE

Faire un don généreux.

donc mot inv.

1. *Lucie a raté le car, elle est donc arrivée en retard.* ≃ par conséquent. → Introduit une conclusion ou une conséquence.
2. *Prenez donc un chocolat !* → Sert à renforcer une phrase exclamative ou interrogative.

GRAMMAIRE

Au sens 1, **donc** introduit une conséquence ou une conclusion de ce qui précède.
Au sens 2, **donc** sert à renforcer une phrase interrogative ou exclamative : – *Où est-il* **donc** *parti ?* – *Viens* **donc** *ici !*

donner [3] — verbe

1. *Xavier m'a donné une de ses billes.* → il m'a remis. ≠ prêter, vendre.
2. *Magali donne son billet au contrôleur.* → elle tend.
3. *Ce cerisier donne des petites cerises acides.* → il produit.
4. *Cette porte donne sur le jardin.* → elle ouvre sur.

VOCABULAIRE

Donner soif, donner faim, donner froid, donner de l'appétit.

dont — mot inv.

1. *La maison dont on aperçoit la cheminée est celle de Julien.* → de laquelle.
2. *L'amie dont je parle s'appelle Nadine.* → de qui.
3. *J'ai des timbres, dont certains sont très rares.* → parmi lesquels.

GRAMMAIRE

Le pronom **dont** sert à relier une proposition correspondant à un complément introduit par **de**.

dormir [24] — verbe

Si on ne dort pas assez, on est fatigué.

■ **dormant, e,** adj. *Une eau dormante ne s'écoule pas.* ■ **dormeur, euse,** n. m. et f. *Charlotte a besoin de beaucoup de sommeil, c'est une grande dormeuse.*

EXPRESSIONS

- **Dormir comme un loir, dormir à poings fermés.** → dormir d'un sommeil profond.
- **Dormir debout.** → tomber de sommeil.
- **Une histoire à dormir debout.** → une histoire invraisemblable.

dos — nom masc.

1. *La robe de Chloé est décolletée dans le dos.* ≠ le devant.
2. *Nathalie est couchée sur le dos.* ≠ la poitrine, le ventre.
3. *Le dos de la main.* ≠ paume.

EXPRESSIONS

- **Un sac à dos.** → un sac équipé pour le camping, les randonnées, etc., et que l'on porte sur le dos.
- **Faire froid dans le dos.** → faire peur.
- *Tu ne peux pas aller à la gare, tu lui* **tournes le dos.** → tu vas dans la direction opposée.
- **Faire le gros dos** (pour un chat).
- *Se promener* **à dos de** *poney.* → assis sur son dos.

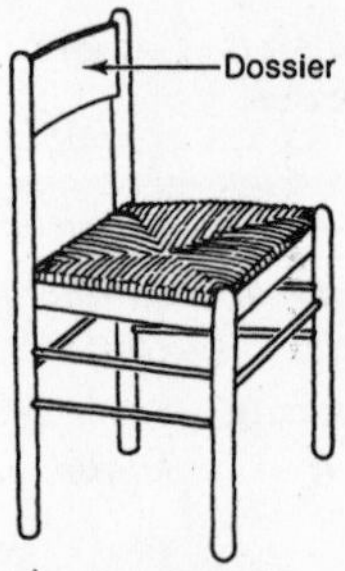

dossier — nom masc.

1. *Une chaise, un fauteuil, un canapé possèdent un dossier, mais pas le tabouret ni le banc.* → une partie sur laquelle on appuie le dos.
2. *La maîtresse a mis toutes les copies dans une chemise et a rangé la chemise dans un dossier.* → un classeur.

double — nom masc. ou adj.

1. n. m. *18 est le double de 9. Laurent a dix billes, Lucie en a le double.*
2. adj. *Il faut faire une demande en double exemplaire.* ≃ deux.
3. n. m. *Je n'ai pas gardé le double de ce document.* → une copie.

EXPRESSIONS

- **Un double décimètre.** → un instrument qui mesure deux fois 10 centimètres.
- **Fermer la porte à double tour.** → en tournant deux fois la clef.

douche — nom fém.

Pour se laver, Christian aime les douches, Jérôme préfère prendre un bain.

■ **se doucher,** v. *Après le sport, Émilie se douche.* → elle prend une douche.

EXPRESSION

Une douche écossaise. → une douche alternativement froide puis chaude.

D

douleur — nom fém.

1. *Frédéric a crié de douleur quand il s'est brûlé.* ≃ souffrance. ≠ plaisir.
2. *Stéphanie aime bien aller en colonie, malgré la douleur de la séparation.* → la tristesse.

■ **douloureux, euse,** adj. **1.** *Le bras du blessé est douloureux.* **2.** *Laure garde un souvenir douloureux de la rentrée des classes.* ≠ agréable, gai.

VOCABULAIRE

On peut ressentir une douleur aiguë, amère, atroce, immense, insupportable ou supportable, intolérable, passagère, profonde, terrible.

douter [3] — verbe

Nicolas voudrait faire son lit tout seul, Jean-Claude doute qu'il y arrive. → il n'en est pas sûr.

■ **se douter,** v. *Bruno et Céline préparent une surprise pour la fête des mères. Est-ce que Maman se doute de quelque chose ?* ≃ deviner, imaginer. ■ **doute,** n. m. *Fabrice a un doute : il ne sait plus s'il doit apprendre toute la récitation ou seulement la moitié de celle-ci.*

EXPRESSIONS

- **Sans doute.** → probablement. *Elle viendra* **sans aucun doute,** *elle me l'a promis.* → certainement.
- **Il n'y a pas l'ombre d'un doute.** → c'est absolument sûr.

doux, douce — adj.

1. *La publicité prétend que ce savon rend la peau douce.*
2. *Elle ne crie pas, sa voix est douce.* → agréable.
3. *Le nouveau surveillant est très doux avec les enfants.* → gentil. ≠ brutal.

■ **doucement,** mot inv. **1.** *Parlez doucement, le bébé dort !* ≠ fort. **2.** *Freine doucement, la route est glissante.* ≠ brutalement. ■ **douceur,** n. f. **1.** *J'aime la douceur de sa voix.* **2.** *Grâce à la douceur de son caractère, Anne a beaucoup d'amis.*

EXPRESSIONS

- **Eau douce.** → eau non salée.
- **En pente douce.** → en pente faible.
- **Cuire à feu doux** ≠ à feu vif.
- **Doux comme un agneau, comme un mouton.** → très doux.
- **En douceur** (fam.). → sans heurter.

douze — adj. ou nom masc.

1. adj. *Il y a douze mois dans l'année.*
2. n. m. *9 + 3 = 12 (*neuf *plus* trois *égale* douze*).*

■ **douzaine,** n. f. **1.** *Cyrille achète une douzaine d'œufs.* ≃ 12. **2.** *Une douzaine d'enfants ont levé le doigt.* → environ douze enfants. ■ **douzième,** adj. *Décembre est le douzième mois de l'année.*

AUTOUR DE

Douze est un nombre important. Autrefois, les Grecs comptaient sur la base de 12. Aujourd'hui, nous utilisons le système décimal (base de 10).

dramatique — adj. ou nom fém.

1. adj. *Ils sont perdus dans le désert et ils n'ont plus de provisions ; leur situation est dramatique.* → terrible, tragique, très grave.
2. n. f. *Nous avons regardé une dramatique à la télévision.* → une émission de théâtre.

■ **drame,** n. m. *Quand il a fallu faire piquer notre chien, ce fut un drame pour toute la famille.* → une chose très triste.

EXPRESSION

Il ne faut pas **faire un drame** *de cette partie perdue.* → donner une importance exagérée à.

drapeau nom masc.

Un drapeau tricolore flotte à la façade de la mairie.

ORTHOGRAPHE

Des drapeaux.

EXPRESSIONS

- **Etre sous les drapeaux.** → faire son service militaire.
- **Un drapeau blanc** *indique (dans un conflit) qu'on veut se rendre ou discuter.*

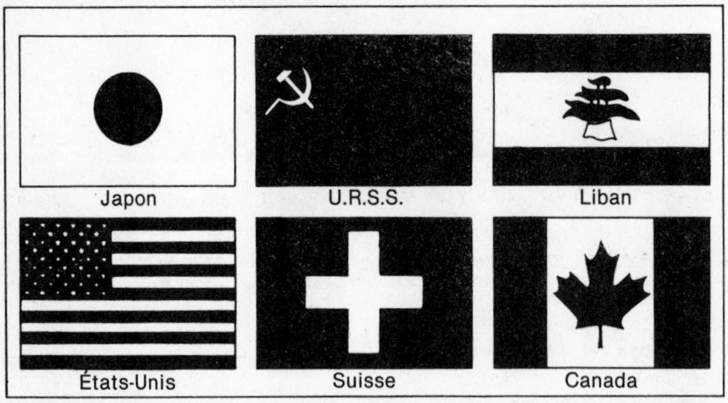

◀ Les drapeaux de six pays du monde.

dresser 3 verbe

1. *Le chien a entendu du bruit : il a dressé les oreilles.* ≃ lever. ≠ baisser, coucher.
2. *Martine a dressé son cheval à sauter par-dessus la haie.* ≃ habituer.

■ **dressage,** n. m. *Le dressage des animaux du cirque.* ■ **se dresser,** v. *La statue se dresse au milieu de la place.* → elle s'élève.

EXPRESSIONS

- **Dresser l'oreille.** → écouter avec attention.
- **Dresser une liste.** → faire une liste.
- **Se dresser sur la pointe des pieds.** → se faire le plus grand possible.

◀ On dresse les otaries à jouer avec des balles.

1. droit, droite adj.

1. *On dit souvent à Fabienne : « Tiens-toi droite ! ».*
2. *Ariane écrit de la main droite.* ≠ gauche.
3. *Ce tableau n'est pas droit.* → il est penché.

■ **droit,** mot inv. *Pour aller à l'école, c'est tout droit.* → en ligne droite. ■ **droite,** n. f. **1.** *La voiture a été heurtée sur la droite.* → sur son côté droit. **2.** *Avec sa règle, Brigitte trace une droite.* ≠ courbe.

EXPRESSIONS

- **Un angle droit.** → un angle à 90°.
- **La rive droite** (d'un cours d'eau). → celle qui est du côté droit quand on se place dans le sens du courant.
- **Aller droit au but.** → directement, sans détour.

VOCABULAIRE

A droite, à votre droite, du côté droit.

2. droit nom masc.

1. *Bastien n'a pas le droit de faire du vélo sur la route.* → la permission. ≠ interdiction.
2. *Philippe a bien travaillé, il a droit à une récompense.* → il la mérite.
3. *Nathalie voudrait étudier le droit pour devenir avocate ou juge.*

EXPRESSIONS

- **Les Droits de l'homme.** → ce qui doit être garanti à tout être humain.
- *Pour s'inscrire dans le club, il faut payer un* **droit d'entrée.**

drôle adj.

1. *La tête de Gérard, quand il a découvert le poisson d'avril, était si drôle que tout le monde a ri.* → amusant, comique. ≠ triste.
2. *Quelle drôle d'idée de mettre des patins à roulettes pour aller se baigner !* ≃ bizarre, curieux. ≠ normal.

ORTHOGRAPHE

Attention à l'accent circonflexe sur le **o**.

dune nom fém.

Alice a du mal à escalader la dune, car ses pieds s'enfoncent dans le sable. → une colline de sable fin.

AUTOUR DE

Il y a des dunes au bord de la mer, sur les plages de sable, mais il y en a surtout dans les déserts, par exemple dans le Sahara, où elles s'appellent des ergs. C'est le vent qui, en poussant le sable, provoque ces accumulations.

◄ Des dunes de sable en Algérie, dans le désert du Sahara.

dur, dure adj.

1. *François aime les lits durs : il met une planche sous son matelas.* ≠ mou.
2. *Benoît n'arrive pas à monter à la corde lisse, c'est trop dur pour lui.* ≃ difficile.
3. *Les surveillants sont durs, ils nous donnent beaucoup de punitions.* ≃ sévère. ≠ doux.

■ **dur,** mot inv. *Elle a travaillé dur pour réussir son examen.* → avec acharnement, beaucoup. ■ **dureté,** n. f. **1.** *Aucune pierre n'a la dureté du diamant.* ≠ douceur, mollesse. **2.** *Florence a protesté contre la dureté de la punition.* → la sévérité.

EXPRESSION

Mener la vie dure à quelqu'un. → le rendre malheureux.

VOCABULAIRE

La dureté de la pierre, du ciment, du métal. La dureté d'une critique, d'une parole.

durer 3 verbe

1. *Ce dessin animé dure cinq minutes.*
2. *Gabrielle use vite ses chaussures, Marie les fait durer.* → elle les garde longtemps.

■ **durée,** n. f. *« Quelle est la durée de l'émission ? – 1 heure 30. »* → combien de temps dure-t-elle ?

EXPRESSIONS

- **Pendant une durée de.** → durant.
- **De longue (courte) durée.** → qui dure longtemps (ou non).

duvet nom masc.

1. *Les oisillons sont recouverts de duvet.* → de petites plumes très légères.
2. *Au camp, Angéline dort dans un duvet.* → un sac de couchage bien chaud.

AUTOUR DE

On appelle aussi duvet des poils fins et doux, par exemple ceux que l'on trouve sur les pêches ou sur le corps humain.

dynamique adj.

Comme elle est dynamique ! ≃ actif, énergique. ≠ mou.

ORTHOGRAPHE

Attention au **y** !

Ee

eau — nom fém.

A la cantine, Paul ne boit que de l'eau.

ORTHOGRAPHE

Des eaux.

éblouir [4] — verbe

1. *Les phares de cette voiture m'éblouissent.* → ils m'aveuglent.
2. *Tu m'éblouis par tes connaissances !* → tu m'impressionnes.

■ **éblouissant, e,** adj. *Une blancheur éblouissante.* → éclatante.

VOCABULAIRE

Éblouir → éblouissant → éblouissement,
comme :
jaillir → jaillissant → jaillissement.

ébullition — nom fém.

Jetez les pâtes dans l'eau au moment de l'ébullition. → au moment où l'eau bout.

AUTOUR DE

L'eau entre en ébullition à la température de 100°.

écarter [3] — verbe

1. *Écartez les branches du compas pour tracer un cercle.*
2. *Les policiers essayaient d'écarter la foule.* → de disperser.
3. *Nous nous sommes écartés de notre chemin.* → éloignés.

■ **écart,** n. m. *Depuis hier, on enregistre un écart de température de 7°.* ■ **écartement,** n. m. *L'écartement des rails du chemin de fer.* → la distance entre les deux rails.

EXPRESSIONS

- *Il vit dans* **un endroit écarté.** ≃ retiré.
- **Mettre, tenir, laisser** *quelqu'un* **à l'écart.** → loin des autres. (≃ rejeter.)

échange — nom masc.

Annie a proposé à Marie un échange : un livre contre un disque.

■ **échanger,** v. *Pierre et Anne échangent des timbres pour leur collection.*

EXPRESSIONS

- **En échange de** *ta bille, je te donne un soldat.*
- *Il m'a donné une bille : je lui ai donné un soldat* **en échange.**

échapper [3] — verbe

1. *Attention ! Le chien nous a échappé !* → il s'est sauvé. ≃ s'enfuir.
2. *Le vase m'a échappé des mains et s'est brisé sur le sol.* → il m'a glissé des mains.
3. *Jean a échappé à de graves dangers.* → il a évité.
4. *Encore un détail qui t'a échappé !* → que tu n'as pas remarqué.
5. *Il a laissé échapper un cri de douleur.* → il n'a pas pu s'empêcher de crier.

■ **s'échapper,** v. *Le prisonnier s'est échappé de la tour.* → il s'est enfui.

GRAMMAIRE

Attention ! il faut dire : *il* **a échappé à** *son maître.*

EXPRESSIONS

- **Tu l'as échappé belle !** → tu as échappé de justesse à un danger. (Le participe est invariable : Elles l'ont échappé belle !)
- **Son nom m'échappe.** → je n'arrive pas à m'en souvenir.

E

échec nom masc.

Son échec à l'examen l'a beaucoup déçu. ≠ réussite, succès.

EXPRESSION

Tenir en échec. → empêcher d'agir.

échelle nom fém.

Les pompiers ont monté la grande échelle pour atteindre le sixième étage.

échelon, n. m. *Attention ! Ne monte pas sur cette échelle : deux échelons sont cassés.* ≃ barreau.

EXPRESSION

Faire la courte échelle à quelqu'un. → l'aider à s'élever en lui offrant comme point d'appui ses mains, son dos, ses épaules.

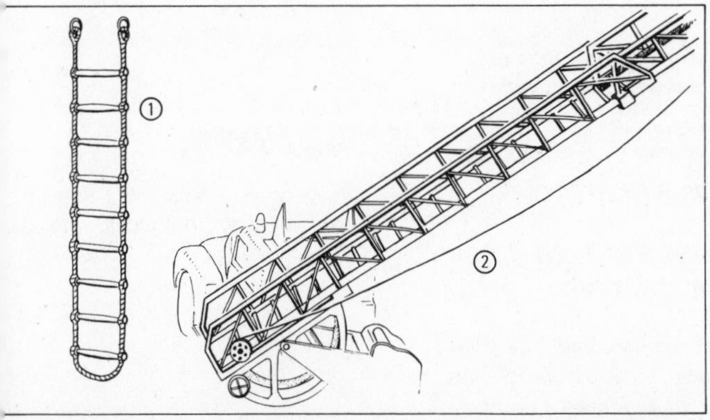

◄ Deux sortes d'échelles :
1. L'échelle de corde.
2. L'échelle de pompier.

écho [eko] nom masc.

Jean crie son nom dans la montagne, l'écho lui répond. → un obstacle renvoie le son qui est ainsi répété.

ORTHOGRAPHE

Dans **écho**, **ch** se lit [k] comme dans **ch**œur, **ch**orale.

échouer 3 verbe

1. *Le marin a échoué son bateau.* → il l'a poussé sur la côte.
2. *Christine est déçue d'avoir échoué à cet examen.* ≠ réussir.

s'échouer, v. *Après une tempête, le navire était venu s'échouer sur la plage.*

éclair nom masc.

L'orage était violent : des éclairs zébraient le ciel.

EXPRESSION

Marc est **rapide comme l'éclair.** → très rapide.

◄ Certains éclairs prennent la forme d'arbres : on dit qu'ils sont *arborescents*. (Voir un éclair – plus courant – au mot FOUDRE).

éclaircir [4] verbe

Jean éclaircit ce bleu foncé en y ajoutant un peu de blanc. → il le rend plus clair.

■ **éclaircie,** n. f. *Cette éclaircie annonce la fin de l'orage.* ■ **éclaircissement,** n. m. *Cette histoire demande des éclaircissements.* → des explications.

VOCABULAIRE

La police éclaircit une affaire.
→ elle débrouille, élucide.

éclairer [3] verbe

Dans la nuit sombre, Jean éclairait le chemin avec sa lampe de poche. → il jetait, répandait.

■ **éclairage,** n. m. *L'éclairage de la rue est insuffisant.* ■ **s'éclairer,** v. *Il s'éclaire avec une lampe pour descendre à la cave.*

EXPRESSION

La joie **éclaire** *le visage de Suzy.*

éclater [3] verbe

1. *Le pneu de la voiture a éclaté dans un tournant.* ≃ exploser.
2. *A la fin du spectacle, les applaudissements éclatèrent dans la salle.* → ils retentirent avec grand bruit.

■ **éclat,** n. m. **1.** *A l'endroit de l'accident, il reste de nombreux éclats de verre.* **2.** *De la salle à manger montaient les éclats de rire des enfants.* ■ **éclatant, e,** adj. *La nouvelle robe de Lise est d'un rouge éclatant.* ≃ brillant, voyant.

VOCABULAIRE

Peuvent être éclatants : une couleur, un rire, un succès, une victoire...

éclore verbe

En utilisant une couveuse artificielle, nous pouvons faire éclore beaucoup d'œufs en même temps. → faire naître les poussins de l'œuf.

■ **éclosion,** n. f. **1.** *L'éclosion a eu lieu : dix poussins ont vu le jour.* → la naissance. **2.** *Les fleurs peuvent être cueillies avant leur éclosion.* → leur épanouissement.

VOCABULAIRE

Lorsqu'une fleur est ouverte, elle est éclose. (On dit fraîche éclose, juste éclose.)

écluse nom fém.

Les portes de l'écluse s'ouvrent pour laisser passer la péniche.

◄ L'écluse est construite sur une voie d'eau. Elle permet aux bateaux – notamment aux péniches – de franchir un cours d'eau dont le niveau est différent d'un endroit à un autre.

AUTOUR DE

Les écluses rendent une rivière navigable. Grâce à elles, le cours de l'eau est régulier : les bateaux peuvent ainsi l'emprunter.

école nom fém.

1. *Jean conduit son petit frère à l'école.*
2. *Pendant mon séjour au bord de la mer, je me suis inscrit dans une école de voile.* ≃ cours.

■ **écolier, ière,** n. m. et f. → élève.

EXPRESSIONS

- **Faire l'école buissonnière.** → ne pas aller à l'école.
- *Prendre* **le chemin des écoliers.** → prendre le chemin le plus long, mais le plus agréable.

écorce nom fém.

1. *L'écorce de cet arbre est couverte de mousse.*
2. *La peau de l'orange et du citron s'appelle l'écorce.*

AUTOUR DE

L'écorce terrestre est la couche qui entoure la Terre. Elle peut atteindre une épaisseur de 30 à 70 km.

E

écorcher 3 verbe

Dans les bois, les ronces nous écorchaient les jambes. → elles nous égratignaient. ≃ érafler.

■ **écorchure,** n. f. *Il s'est fait une écorchure au genou.* ≃ égratignure, éraflure. ■ **s'écorcher,** v. *Paul s'est écorché en tombant.*

EXPRESSION

Écorcher un nom. → mal le prononcer.

écouter 3 verbe

1. *Pierre écoute un disque de jazz.*
2. *Tu devrais écouter les conseils de ton frère.* → les suivre, en tenir compte.

■ **écoute,** n. f. *Ce transistor permet l'écoute d'émissions canadiennes.* → d'écouter, d'entendre. ■ **écouteur,** n. m. → une partie séparée de l'appareil téléphonique que l'on porte à l'oreille.

EXPRESSIONS

- **N'écouter que d'une oreille.** → écouter distraitement.
- *Marc* **n'écoute que son courage.** → rien ne l'arrête.
- **Il est à l'écoute de** *toutes les nouvelles du quartier.* → il se tient au courant de, il est attentif à.

écran nom masc.

1. *Le film s'achève sur l'écran : on lit le mot « fin ».*
2. *Cette maison près de la route ne se voit pas : elle est cachée par un écran d'arbres.* ≃ rideau.

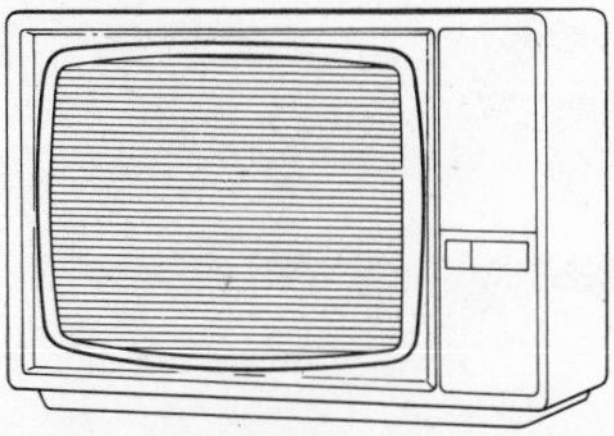

◄ L'écran d'un téléviseur.

EXPRESSION

Ce livre a été porté à l'écran. → le récit a été utilisé pour tourner un film.

écraser 3 verbe

Ne marche pas sur ces jeunes plantes, tu vas les écraser.

■ **écrasant, e,** adj. *Par une chaleur écrasante, les coureurs ont monté le col du Tourmalet.* → torride. ■ **s'écraser,** v. *Un avion s'est écrasé au sol juste après le décollage.* → il est tombé brutalement et s'est fracassé.

EXPRESSION

L'équipe de notre ville **a écrasé** *l'équipe adverse.* → elle l'a battue de façon très nette.

s'écrier 3 verbe

Braquant le canon de son pistolet sur le bandit, le shérif s'écria : « Les bras en l'air ! » → il s'exclama.

ORIGINE

S'écrier appartient à la famille du mot cri.

écrire 16 verbe

1. *Dominique écrit un poème sur son cahier.*
2. *C'est Alexandre Dumas qui a écrit « les Trois Mousquetaires ».* → qui est l'auteur de.

■ **écriture,** n. f. **1.** *Marie possède une très belle écriture.* → la façon dont elle forme les lettres. **2.** *Grâce à l'invention de l'écriture, les hommes ont pu plus facilement communiquer entre eux.*

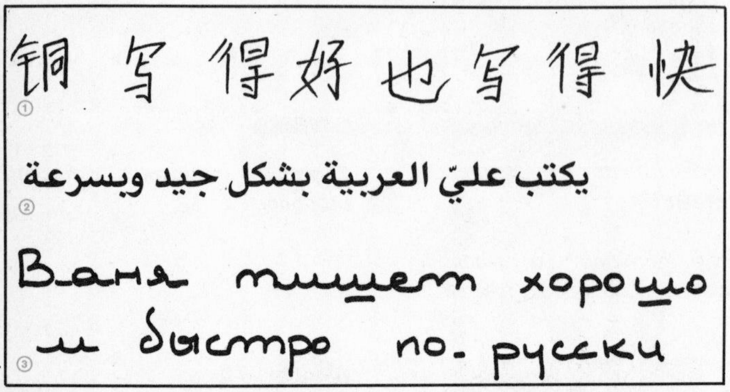

◀ Trois écritures :
1. Chinoise.
2. Arabe.
3. Russe.

VOCABULAIRE

Une machine à écrire.

AUTOUR DE

- A l'origine, les hommes traçaient des dessins sur les murs des grottes.
- Ensuite, ils ont inventé des signes pour les mots, puis pour les sons. Ainsi est né l'alphabet.

écrivain nom masc.

Victor Hugo est un grand écrivain du 19e siècle. ≃ auteur.

écureuil nom masc.

En hiver, l'écureuil mange les provisions qu'il a faites à la belle saison. → un petit animal au pelage généralement roux et blanc, et à la queue en panache, très touffue.

éducation nom fém.

1. *Mon oncle veille sérieusement à l'éducation de mes cousins.* → à l'instruction.
2. *Cette personne n'a vraiment aucune éducation !* → elle se conduit mal envers les autres, elle ne respecte pas les règles de la politesse.

ORTHOGRAPHE

édu**qu**er → édu**c**ation
comme :
convo**qu**er → convo**c**ation.

effacer 26 verbe

Efface tout ce que tu viens d'écrire. ≃ gommer.

■ **s'effacer,** v. *Les souvenirs s'effacent peu à peu de notre mémoire.* → on les oublie.

ORTHOGRAPHE

e devant **2 f** s'écrit sans accent.

effet nom masc.

Ces médicaments ont eu un effet surprenant. → une action.

■ **en effet,** mot inv. *Le jardin est très sec : en effet, il n'a pas plu depuis quinze jours.*

EXPRESSIONS

- *Au moins, ce que j'ai dit* **a fait de l'effet !** → cela a provoqué une réaction.
- **A cet effet.** → pour cela.

efficace adj.

Élise est très efficace dans son travail. ≠ inefficace.

■ **efficacement,** mot inv. *Cet ouvrier travaille efficacement.* → activement et sûrement. ■ **efficacité,** n. f. *Voilà un médicament dont je vous garantis l'efficacité.* → de l'action.

effort nom masc.

Encore un effort ! La ligne d'arrivée n'est pas loin.

■ **s'efforcer,** v. *Il s'efforce de vaincre sa peur.* → il essaie de. ≃ tenter.

EXPRESSION

Elle **fait un effort de mémoire.** → elle recherche dans sa mémoire.

E

effrayant [efʀɛjɑ̃], **effrayante** adj.

La sorcière est un personnage effrayant. → qui fait peur. ≠ rassurant.

■ **effrayer** [efʀɛje], v. *Ce chien m'effraie, il a l'air si féroce !*

VOCABULAIRE

Devant un danger, on peut être : apeuré, effrayé, épouvanté, horrifié, terrifié.

égal, égale adj.

1. *Prends un couteau et partage cette galette en cinq parts égales.* → identiques, semblables. ≠ inégal.
2. *Lorsqu'on marche en montagne, mieux vaut aller d'un pas égal.* → régulier.

■ **égaler,** v. *Deux plus deux égale quatre.* ■ **égalité,** n. f. *Les deux équipes sont à égalité : 2 à 2.*

ORTHOGRAPHE

Un pas **égal**/des pas **égaux**.

AUTOUR DE

Liberté, Égalité, Fraternité : cette devise est inscrite sur la façade des mairies de France.

église nom fém.

1. *De la route, on aperçoit le clocher de l'église.* → édifice religieux.
2. *Dans la religion chrétienne, le pape est le chef de l'Église.* → de l'ensemble des fidèles catholiques.

AUTOUR DE

Voici d'autres lieux et constructions où peuvent se réunir les fidèles d'une religion : la basilique, la cathédrale, la chapelle, la mosquée, la synagogue, le temple.

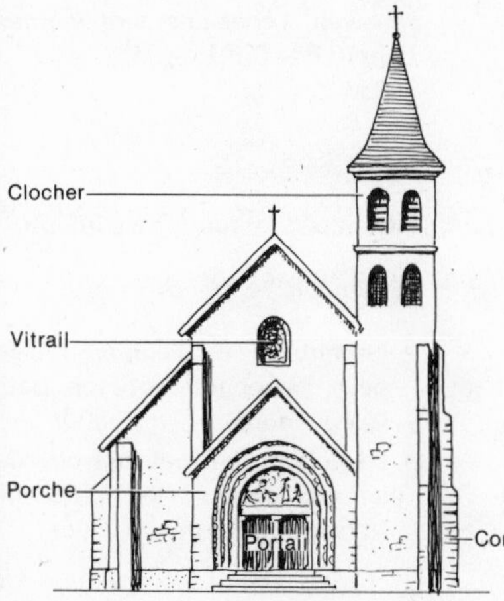

La façade d'une église

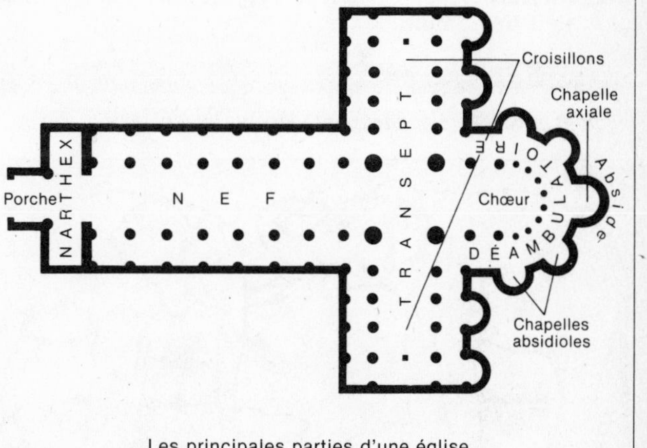

Les principales parties d'une église.

égoïste [egɔist] adj. ou nom masc. ou fém.

1. adj. *Ne sois pas si égoïste, prête tes jouets à ton petit frère.* ≠ généreux.
2. n. m. ou f. *Quel égoïste ! Jamais il ne partage ce qu'il reçoit.*

■ **égoïsme,** n. m. ≠ générosité.

ORTHOGRAPHE

Dans égoïste, n'oublie pas le tréma ¨, comme dans mosaïque.

élan nom masc.

Prends ton élan et saute le plus haut possible !

■ **s'élancer,** v. *Les policiers s'élancèrent à la poursuite des voleurs.* → ils se précipitèrent.

électricité nom fém.

Grâce à l'électricité, on peut s'éclairer et se chauffer.

■ **électricien, ienne,** n. m. et f. *Voilà l'électricien qui vient vérifier notre installation.* ■ **électrique,** adj. *Un bon civet est en train de mijoter sur la plaque électrique de la cuisinière.*

EXPRESSION

Il y a de l'électricité dans l'air. → les gens sont nerveux.

élégance nom fém.

A cette soirée de gala, les invités étaient habillés avec beaucoup d'élégance. ≃ chic, distinction. ≠ négligé.

■ **élégant, e,** adj. *Cet ensemble te va bien. Comme tu es élégante !*

élément nom masc.

Marc ne peut pas finir son puzzle, il manque un élément. → un morceau, une partie, une pièce.

■ **élémentaire,** adj. *Compter jusqu'à 10, mais c'est élémentaire !* → c'est très simple.

AUTOUR DE

L'école élémentaire accueille les élèves de six à onze ans. Ils y reçoivent l'enseignement élémentaire (C.P. – C.E.1. – C.E.2. – C.M.1. – C.M.2).

éléphant [elefɑ̃] nom masc.

On trouve des éléphants en Afrique et en Asie.

ORTHOGRAPHE

Attention : le son [f] s'écrit **ph.**

VOCABULAIRE

- La femelle de l'éléphant s'appelle l'éléphante, et son petit, l'éléphanteau.
- L'éléphant barrit ou barrète. Celui qui conduit les éléphants s'appelle un cornac.

◄ 1. L'éléphant d'Asie.
2. L'éléphant d'Afrique.

élève nom masc. ou fém.

Il y a trente élèves dans notre classe.

ORTHOGRAPHE

Élève est un mot à la fois masculin et féminin.

élever 6 verbe

1. *Nicole a été élevée par sa grand-mère.* → elle a été soignée, nourrie, éduquée dès son jeune âge.
2. *Dans ce ranch, on élève des chevaux.* → on pratique l'élevage de.
3. *Il a dû élever la voix pour se faire entendre.* → parler plus fort.
4. *On a élevé l'obélisque place de la Concorde à Paris en 1836.* → on a dressé, érigé.
5. *« Élevez les bras ! », dit le professeur de gymnastique.* ≠ baisser.

■ **élevage,** n. m. *L'année prochaine, ce fermier se lancera dans l'élevage des lapins.* ■ **s'élever,** v. *Un ballon rouge s'élève dans le ciel.* → il monte.

EXPRESSION

Jean **est bien élevé.** → il est poli, il a de bonnes manières.

AUTOUR DE

La Normandie est une région d'élevage : on y élève des vaches pour leur lait.

E

éliminer 3 verbe

Si tu perds au prochain tour, tu seras éliminé de la partie. → tu ne joueras plus.

VOCABULAIRE

On élimine : on enlève, on ôte, on rejette, on retire, on supprime, on soustrait.

elle pron. pers.

Voilà Marie : cette personne qui porte une robe rouge, c'est elle.

GRAMMAIRE

Elle est le pronom personnel féminin qui désigne la troisième personne.

éloigner 3 verbe

Éloigne Marie du feu : c'est dangereux pour elle. ≃ écarter. ≠ approcher.

■ **éloigné, e,** adj. **1.** *Cette maison est éloignée du centre de la ville.* ≠ proche, voisine. **2.** *C'est un parent éloigné que je vois rarement.* ≠ proche. ■ **s'éloigner,** v. *Seul sur le quai de la gare, il regardait le train s'éloigner.*

ORIGINE

Éloigner appartient à la famille du mot loin.

émail [emaj] nom masc.

Ne casse pas de noisettes avec tes dents, tu en abîmerais l'émail.

ORTHOGRAPHE

Un ém**ail**/des ém**aux**.

embarquer 3 verbe

A la prochaine escale à la Martinique, les marins embarqueront des caisses de bananes sur le navire. → ils chargeront. ≠ débarquer.

■ **s'embarquer,** v. *Les passagers du paquebot s'embarquent pour Tahiti.* → ils montent à bord du bateau.

embellir 4 verbe

Les rosiers en fleurs embellissent le jardin. → ils le rendent plus beau. ≃ agrémenter, décorer, orner. ≠ enlaidir.

AUTOUR DE

L'embellie est une amélioration du temps.

embouchure nom fém.

Les saumons, venant de la mer, remontent les rivières en passant par l'embouchure du fleuve.

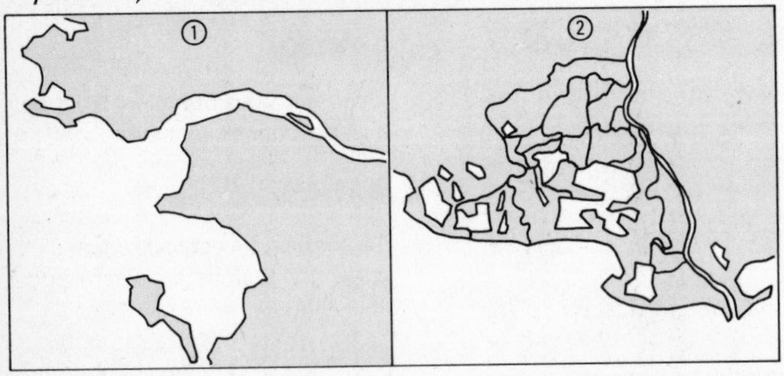

◄ 1. L'estuaire de la Loire.
2. Le delta du Rhône.

AUTOUR DE

L'embouchure d'un fleuve peut être un estuaire ou un delta.

emmêler 3 verbe

Le chat a emmêlé les fils de la boîte à couture. → il a embrouillé.

■ **emmêlé, e,** adj. *A son réveil, Sophie avait les cheveux tout emmêlés.*

ORTHOGRAPHE

Attention : deux **m** et un accent circonflexe sur le **e.**

emmener 6 verbe

Sur l'ordre de la reine, le chasseur avait emmené Blanche-Neige dans la forêt. → il l'avait conduit.

ORTHOGRAPHE

Attention : deux **m** et un **n**.

émotion nom fém.

En traversant la rue, une voiture m'a frôlé : quelle émotion j'ai eue !

ORTHOGRAPHE

Émotion se prononce [sjɔ̃], et s'écrit **-tion**.

s'emparer 3 verbe

Les pirates ont attaqué un vaisseau du roi et se sont emparés du trésor. ≃ s'approprier, se saisir de.

empêcher 3 verbe

Arrête de chanter, tu empêches les autres de travailler.

ORTHOGRAPHE

N'oublie pas le **m** devant le **p** et l'accent circonflexe sur le **e.**

empereur nom masc.

L'empereur Alexandre le Grand rêvait de conquérir le monde.

■ **empire,** n. m. *Dans l'Antiquité, l'Empire romain s'étendait tout autour de la Méditerranée.*

ORTHOGRAPHE

Un empereur/une impératrice.

AUTOUR DE

Charlemagne fut sacré empereur vers l'an 800, et Napoléon Ier, en 1804.

1.

2.

◄ 1. Napoléon Ier.
2. Charlemagne.

emplacement nom masc.

Ce supermarché a été construit sur l'emplacement d'un vieux cinéma. → à la place.

ORTHOGRAPHE

Attention au **m** devant le **p.**

emploi nom masc.

1. *Avant d'utiliser cet insecticide, lis bien le mode d'emploi.*
2. *Jean-Pierre vient de perdre son emploi.* → il n'a plus de travail.

EXPRESSION

Cet outil **fait double emploi.**
→ nous avions déjà un outil de cette sorte.

■ **employé, e,** n. m. et f. *Mardi, l'employé du gaz doit passer relever les compteurs.* ■ **employer,** v., *Employez des pommes bien mûres si vous voulez faire une tarte.* → prenez, utilisez.

E

empoisonner 3 verbe

Attention ! certains champignons peuvent vous empoisonner. ≃ intoxiquer.

ORIGINE

Empoisonner appartient à la famille du mot poison.

■ **empoisonnement,** n.m. *Ceux qui avaient mangé de ce plat ont été victimes d'un empoisonnement.* → d'une intoxication alimentaire.

emporter 3 verbe

1. *J'emporte mes bandes dessinées : je les lirai pendant le voyage.* → je prends avec moi.
2. *L'équipe l'a emporté par trois buts à un.* → elle a gagné.

ORIGINE

Est formé de en (le n devient m devant le p) et de porter.

■ **s'emporter,** v. *Ne t'emporte pas !* → ne te mets pas en colère.

empreinte nom fém.

1. *Le chasseur observe des empreintes de pas dans la neige.* ≃ marque, trace.
2. *Grâce aux empreintes digitales, la police a pu retrouver le cambrioleur.* → aux traces laissées par les doigts.

ORTHOGRAPHE

Attention ! **m** devant **p,** et le son [ɛ̃] s'écrit **ein.**

◀ Plusieurs empreintes sur le sol.

emprisonner verbe

1. *Le malfaiteur a été arrêté et emprisonné.* → il a été mis en prison.
2. *Julie a emprisonné une pie dans une cage.* ≃ enfermer.

ORTHOGRAPHE

Attention au **m** devant le **p,** et aux deux **n.**

■ **emprisonnement,** n. m. ≃ détention.

emprunter 3 verbe

1. *J'avais oublié mon livre de lecture : il m'a fallu emprunter celui de mon voisin.* ≠ prêter.
2. *Quel chemin avez-vous emprunté ?* → lequel avez-vous pris ?

ORTHOGRAPHE

- Attention au **m** devant le **p,** et au son [œ̃], qui s'écrit **un.**
- N'oublie pas le **t** final d'emprunt. Pense à emprunter.

■ **emprunt,** n. m. *Pour acheter notre maison, mes parents ont fait un emprunt.* → on leur a prêté de l'argent. ≃ prêt.

1. en — mot inv.

1. *« Où vas-tu ? – Je vais en Belgique. »*
   → Introduit un complément de lieu.
2. *« Quand part-il ? – Il part en mars. »*
   → Introduit un complément de temps.
3. *« Que veux-tu ? – Une table en bois. »*
   → Introduit un complément de nom, de matière.

GRAMMAIRE

On place aussi **en** avant un verbe au participe présent : *en montant, en criant, en chantant.*

2. en — pron.

Ce film lui a tellement plu qu'il n'arrête pas d'en parler.

enchaîner 3 — verbe

1. *Enchaîne ton chien, il est dangereux.* → attache-le.
2. *Il a parlé de François 1er, puis il a enchaîné sur le Moyen Age.*

ORTHOGRAPHE

N'oublie pas l'accent circonflexe sur le **i**.

enchanter 3 — verbe

Un voyage en Amérique : voilà qui m'enchante !

■ **enchanté,e** adj. *Suivez Mickey, il vous entraînera dans le monde enchanté de Walt Disney.* → magique, merveilleux. ■ **enchantement,** n. m. *Mon mal de tête a disparu comme par enchantement.* → par miracle. ■ **enchanteur,** n. m. *Merlin l'enchanteur était un magicien légendaire des forêts bretonnes.*

VOCABULAIRE

On peut être : captivé, charmé, émerveillé, enchanté, enthousiasmé, envoûté, ravi, satisfait, séduit.

encourager 3 — verbe

L'athlète va tenter de battre son record : la foule l'encourage.

■ **encourageant, e,** adj. *Sylvie a réussi la première partie de son examen : c'est encourageant.* ■ **encouragement,** n. m. *Avant la compétition, l'entraîneur adressait des paroles d'encouragement au jeune champion.*

VOCABULAIRE

Encourager ≠ décourager, comme enrouler ≠ dérouler.

encre — nom fém.

José remplit son stylo avec de l'encre bleue.

■ **encrier,** n. m. *Annie trempe sa plume dans l'encrier.*

AUTOUR DE

La pieuvre produit une encre brunâtre appelée sépia, dont les Romains se servaient pour écrire.

endormir — verbe

Ma mère endort mon petit frère en le berçant.

■ **s'endormir,** v. *Sitôt couché, il s'endort.*

EXPRESSION

Tu ne fais pas ton travail ! **Tu t'endors !** → tu manques d'attention.

endroit — nom masc.

1. *Josette a choisi cet endroit de la forêt pour construire une cabane.*
2. *A quel endroit ressentez-vous cette douleur ?*

EXPRESSION

Jacques a mis une chaussette **à l'endroit** *et l'autre à l'envers.* → du bon côté.

énergie nom fém.

Cet enfant déborde de vitalité ! Quelle énergie ! ≃ force vitale.

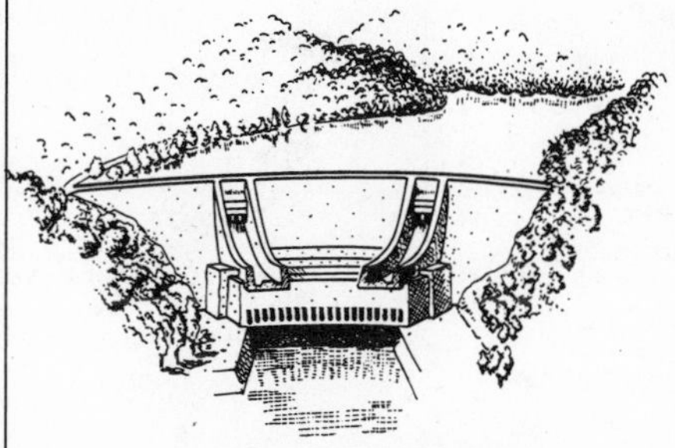

Un barrage hydroélectrique

Une éolienne

■ **énergique,** adj. *Pierre a pris une décision énergique ; il a décidé de ne plus fumer !* → très ferme. ≃ résolu.

VOCABULAIRE

Voici diverses sources d'énergie : l'atome, l'eau des rivières, l'électricité, les marées, le soleil, le vent, etc.

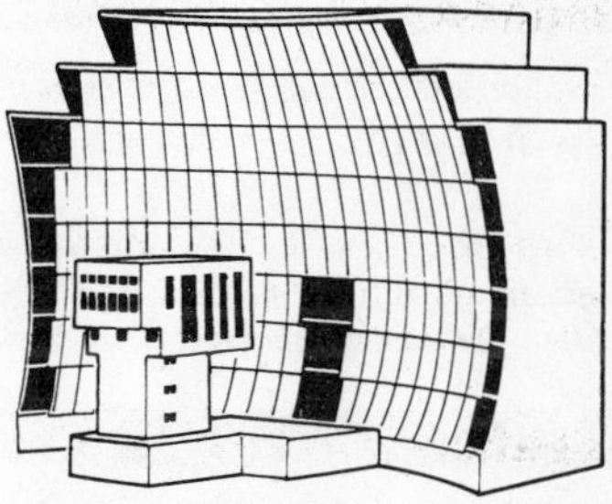

Un four solaire

énervant, énervante adj.

Rien de plus énervant que d'entendre le moteur de la tondeuse à gazon, du soir au matin ! → fortement agaçant.

■ **énerver,** v. → agacer, ennuyer fortement. ■ **s'énerver,** v. *Sois plus calme, ne t'énerve pas tant !*

VOCABULAIRE

Ce chien aboie sans cesse ; il est agaçant, crispant, énervant, exaspérant, insupportable, irritant.

enfant nom masc. ou fém.

Monique a besoin de plus de sommeil que ses parents : c'est encore une enfant.

■ **enfance,** n. f. *Elsa a voulu revoir la maison de son enfance.* → du temps où elle était enfant.

GRAMMAIRE

Enfant est à la fois masculin et féminin : **un** enfant / **une** enfant.

enfermer 3 verbe

Bruno a enfermé le hamster dans la cage.

■ **s'enfermer,** v. *Pour mieux travailler, Hélène s'est enfermée dans son bureau.*

EXPRESSION

Anne **s'est enfermée dans son silence.** → elle refuse de parler.

enfin mot inv.

1. *Colette s'impatientait, enfin Noël est arrivé.*
   → Indique la fin d'une attente.
2. *Enfin ! Je te retrouve.*
   → Marque le soulagement.

enflammer 3 verbe

Claude enflamme le bois dans la cheminée.

■ **s'enflammer,** v., *La paille sèche s'enflamme facilement.* → elle prend feu.

AUTOUR DE

Une matière que l'on enflamme facilement est inflammable. Une matière qui ne peut s'enflammer est ininflammable.

enfler [3] verbe

Marc s'est foulé la cheville : elle enfle rapidement. → elle augmente de volume.

■ **enflé, e,** adj. *Cécile a mal aux dents, sa joue est enflée.* → elle est devenue plus grosse.

enfoncer [26] verbe

Luc enfonce un clou dans le mur, à grands coups de marteau. → il plante.

■ **s'enfoncer,** v. **1.** *Le chasseur s'enfonce dans la forêt, guettant le gibier.* → il pénètre dans la forêt. **2.** *Attention à ne pas t'enfoncer dans les sables mouvants.* → à ne pas t'enliser.

s'enfuir verbe

Le chasseur tire, mais manque le lièvre qui s'enfuit.

engager [3] verbe

1. *Notre plombier vient d'engager un apprenti.* → d'embaucher, de recruter.
2. *Dans la rue, une passante m'a demandé l'heure, puis nous avons engagé la conversation.* → nous avons commencé à parler.
3. *Son mauvais caractère ne m'engage pas à lui rendre visite.* → il ne m'incite pas.

Une grande famille :
engageant
engagement **gage** dégagement
engager dégager

■ **engagement,** n. m. *On peut lui faire confiance, il respecte toujours ses engagements.* → il tient ses promesses. ■ **s'engager,** v. **1.** *Alice s'est engagée à garder le secret.* → elle a promis. **2.** *Cette année, plus de 150 coureurs seront engagés dans le Tour de France.* → ils seront inscrits et y participeront. **3.** *Philippe vient de s'engager dans l'armée de l'air comme pilote.*

enlever [6] verbe

1. *Enlève cette chaise, elle me gêne pour passer.* → ôte, retire.
2. *Voilà un produit qui enlève les taches de peinture.* → il les fait disparaître.
3. *Enlève ton manteau, mets-toi à l'aise.* → débarrasse-toi de.

VOCABULAIRE

Enlever, ce peut être aussi : arracher, emporter, ôter, retirer, soustraire, supprimer.

■ **enlèvement,** n. m. **1.** *Cette petite fille a disparu, on craint un enlèvement.* ≃ kidnapping, rapt. **2.** *L'enlèvement des ordures a lieu chaque jour de la semaine, sauf le dimanche.* → le ramassage.

ennemi, ennemie nom masc., nom fém., adj.

1. n. m. et f. *Il est si gentil qu'il n'a pas d'ennemis.* ≠ ami.
2. n. m. et f. *Pendant la dernière guerre, les Allemands étaient nos ennemis.* → ceux qui combattaient contre nous. ≠ allié.
3. n. m. et f. *Le tabac est l'ennemi de la santé.* → il est mauvais pour la santé.
4. adj. *Des pays ennemis.* → adversaires. ≠ allié.

EXPRESSIONS

- **Se rendre à l'ennemi.** → quand on est vaincu, on se rend à l'adversaire (à la guerre).
- **Traiter quelqu'un en ennemi.** → le traiter comme un adversaire.

ennuyer [21] verbe

Comme ce livre m'a ennuyé ! → il m'a agacé, embêté (fam.). ≠ captiver, distraire, intéresser, passionner, plaire.

■ **ennui,** n. m. **1.** *Quel ennui ! La voiture vient de tomber en panne !* **2.** *Il y a bien des moyens pour chasser l'ennui : lire, se promener, faire du sport...* ■ **ennuyeux, euse,** adj. *Le film était si ennuyeux que les spectateurs ont quitté la salle.*

énorme adj.

Un rocher énorme bloquait la route. → très gros, massif. ≃ gigantesque.

■ **énormément,** mot inv. *Il pleut énormément dans cette région.* ≃ beaucoup.

enquête nom fém.

Qui a volé les bijoux ? Un inspecteur mène l'enquête. → les recherches.

■ **enquêter,** v. *Marc enquête sur la disparition de son chien.* → il cherche une explication à.

VOCABULAIRE

Pour mener une enquête, il faut : 1° rechercher des indices, des traces ; 2° interroger des témoins ; 3° rassembler des preuves.

s'enrhumer [sɑ̃ʀymə] [3] verbe

En plein hiver, il faut s'habiller chaudement, sinon on s'enrhume très vite. → on attrape un rhume.

ORTHOGRAPHE

Attention : un **h** entre le **r** et le **u**.

enrouler [3] verbe

La mercière enroule le ruban autour d'une bobine. → elle le met autour.

■ **s'enrouler,** v. *Le serpent s'enroule autour de la branche.* ►

VOCABULAIRE

enrouler (du fil de fer) ≠ dérouler (un tapis).

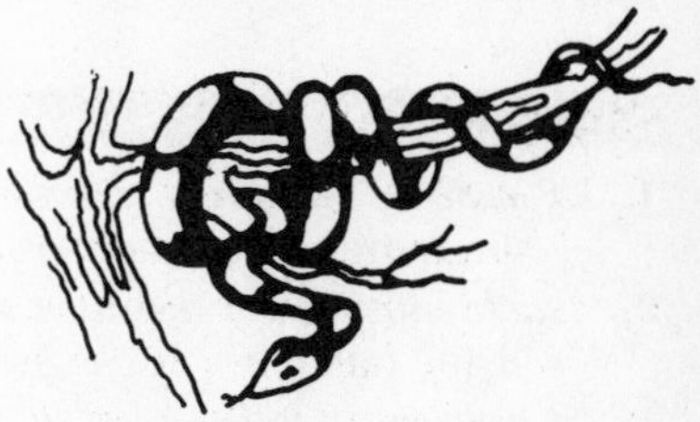

enseigner [3] verbe

Le père de Marc est professeur d'anglais, il enseigne au lycée Jules-Ferry.

■ **enseignement,** n. m. *L'enseignement du solfège se fait au conservatoire municipal.*

1. ensemble mot inv.

1. *Jacques et Jean-Claude sont revenus ensemble.* → l'un avec l'autre.

2. *Ces deux catastrophes sont arrivées ensemble.* → en même temps.

EXPRESSION

Etre bien ensemble. → se plaire l'un avec l'autre ou les uns avec les autres.

2. ensemble nom masc.

1. *Jeudi, l'ensemble de la classe ira visiter un zoo.* ≠ une partie.

2. *Maryse est venue me voir, elle avait mis son nouvel ensemble.* → des vêtements faits pour être portés l'un avec l'autre.

EXPRESSION

Avoir une vue d'ensemble. → une vue générale.

ensoleillé, ensoleillée [ɑ̃sɔlɛje] adj.

Le matin, notre classe est ensoleillée. → le soleil pénètre par les fenêtres.

ORIGINE

Ensoleillé appartient à la famille du mot soleil.

ensuite mot inv.

L'émission se déroule ainsi : d'abord chacun voit le film, ensuite le débat a lieu.

VOCABULAIRE

On peut dire : Tu mettras la table et ensuite (puis, après, par la suite, plus tard) tu déjeuneras.

entendre [31] verbe

En vacances, sitôt éveillée, Corinne entend le chant des oiseaux.

■ **s'entendre,** v. **1.** *Michel et Claude s'entendent bien.* → ils s'accordent bien. **2.** *En couture, je m'y entends !* → je m'y connais (fam.).

EXPRESSIONS

- *Je* **ne veux pas entendre parler** *de cette histoire !* → je veux l'ignorer.
- **A l'entendre,** *on dirait que tu es un menteur* → d'après ce qu'il (ou elle) dit.

enterrer [3] verbe

Les sept nains avaient déposé Blanche-Neige dans un cercueil en verre, mais ils refusaient de l'enterrer.

VOCABULAIRE

Le chien enterre (≠ déterre) un os.

enthousiasme [ɑ̃tuzjasm] nom masc.

Le public applaudit avec enthousiasme le numéro des trapézistes. ≠ froideur, indifférence.

ORTHOGRAPHE

Voici un mot difficile à écrire. N'oublie pas le **h** après le **t**.

entourer [3] verbe

Copiez ce texte, ensuite, entourez les verbes en rouge et les sujets en bleu.

■ **entourage,** n. m. → tout ce qui entoure une personne ou un objet.

ORTHOGRAPHE

Les verbes commençant par le son [ɑ̃] s'écrivent **em** (devant **m, b, p**). Ex. : **em**mener, **em**bobiner, **em**poigner. Dans tous les autres cas, ils s'écrivent **en :** **en**fuir, **en**rouler, **en**velopper, **en**nuyer, etc.

entraîner [3] verbe

1. *La rivière, déchaînée, entraînait tout sur son passage.* ≃ emmener, emporter, transporter.
2. *Claude entraîne son cheval en vue de gagner le grand prix.* → il lui fait faire des exercices.
3. *Le vent entraîne les ailes du moulin.* → il les met en mouvement.
4. *Tout manquement au règlement entraînera une grave sanction.* → il causera. ≃ provoquer.

■ **s'entraîner,** v. *Le champion s'entraîne activement pour la prochaine compétition.* → il s'exerce.

ORTHOGRAPHE

Attention à l'accent circonflexe sur le **i.**

EXPRESSION

Marc **s'est laissé entraîner par** *son voisin.* → il a suivi son exemple.

AUTOUR DE

Un sportif s'entraîne dans un gymnase, dans une piscine, sur une piste, sur un stade...

entre mot inv.

1. *Téléphone-moi entre midi et deux heures.* → Indique le temps.
2. *Il y a 116 km entre Paris et Orléans.* → Indique la distance.
3. *J'ai caché la lettre entre les deux vases.* → Indique un endroit précis.

entrée — nom fém.

1. *Au musée du Louvre, chaque dimanche, l'entrée est gratuite.* → l'accès.
2. *Accroche ta veste dans l'entrée.*
3. *Tout le monde applaudit à l'entrée du champion.* → l'apparition.
4. *En entrée, j'ai préparé une salade de tomates.* → un mets servi au début du repas.
5. *Pour mon entrée en sixième, mes parents m'ont offert un vélo.* ≃ passage.

ORTHOGRAPHE

Entrée appartient aux noms féminins en **-ée,** comme : cuiller**ée**, pellet**ée**.

EXPRESSION

L'artiste de théâtre, de music-hall, **fait son entrée** *sur scène.* → il apparaît.

E

entreprendre [29] — verbe

Plein d'ardeur, Luc a entrepris de repeindre sa chambre. ≃ se mettre à, se décider à.

entrer [3] — verbe

1. *Entrez, entrez, vous verrez le plus beau spectacle du monde !* ≠ sortir.
2. *Le bateau coulait, l'eau entrait de toutes parts.* → elle pénétrait, s'engouffrait.
3. *Nous entrons dans une ère de progrès.* → nous nous engageons.
4. *Elle est entrée dans cette entreprise comme secrétaire.*

GRAMMAIRE

Ce verbe se conjugue avec l'auxiliaire être.

EXPRESSIONS

- **Nous entrons dans l'hiver.**
- **Il est entré dans une violente colère.**

entretenir [34] — verbe

1. *Le palefrenier a beaucoup de travail pour entretenir les chevaux.* → pour les soigner.
2. *Les parents du Petit Poucet ne pouvaient plus entretenir leurs enfants.* → ils ne pouvaient plus les nourrir ni les élever.
3. *Entretiens le feu pendant que je vais chercher du bois.* → veille à ce qu'il ne s'éteigne pas.

■ **entretien,** n. m. *Mon père a eu un entretien avec le directeur de l'école.* → une conversation, une entrevue. ■ **s'entretenir,** v. *M. Durand n'est pas là : il s'entretient avec son directeur.* → il cause, discute.

VOCABULAIRE

Un entretien a lieu, roule, porte sur quelque chose, se prolonge, enfin s'achève, se termine, prend fin.

énumérer [3] — verbe

Pourrais-tu m'énumérer les départements français ? → les citer, les uns à la suite des autres.

■ **énumération,** n. f. *Fais l'énumération de tous les rois de France que tu connais.* → donne la liste.

ORIGINE

Énumérer appartient à la famille du mot nombre.

envahir [4] — verbe

A la fin du match de football, la foule a envahi la pelouse. ≃ se répandre, se presser en masse.

■ **envahissant, e,** adj. *Si tu n'enlèves pas les herbes du jardin, elles deviendront vite envahissantes.* → elles se répandront et se multiplieront rapidement. ■ **envahisseur,** n. m. *L'armée a repoussé les envahisseurs.* → les ennemis qui veulent occuper le territoire.

ORTHOGRAPHE

Attention au **h** entre le **a** et le **i**.

AUTOUR DE

En 1810, l'armée de Napoléon Ier a envahi l'Europe jusqu'en Russie.

enveloppe — nom fém.

1. *L'enveloppe de la châtaigne s'appelle la bogue.*
2. *N'oublie pas d'écrire le code postal et le nom de la ville sur l'enveloppe.*

■ **envelopper,** v. *L'épicier enveloppe la salade dans un papier.*

ORTHOGRAPHE

Attention, enve**loppe** s'écrit avec un **l** et deux **p**.

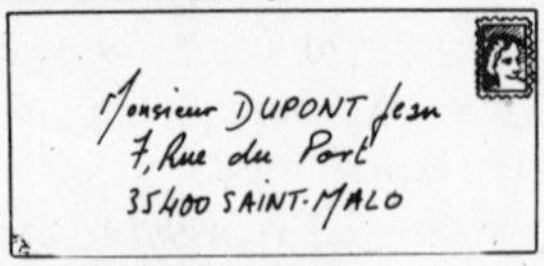

envers — nom masc.

1. *Luc a encore mis son pull à l'envers !* ≠ à l'endroit.
2. *L'envers de ce tissu écossais est aussi joli que l'endroit.* → la partie opposée à celle que l'on voit.

EXPRESSION

Envers et contre tout. → malgré tout.

envie — nom fém.

A force de te regarder manger ce gâteau, tu m'en donnes envie. → j'éprouve le désir d'en manger.

■ **enviable,** adj. *Le sort des enfants dans ce pays pauvre n'est pas enviable.* ■ **envier,** v. *Comme je t'envie de partir à la montagne !* → j'aimerais être à ta place.

EXPRESSION

Il brûle, il meurt d'envie de *raconter son histoire.* → il est impatient.

environ — mot inv.

1. *« Combien as-tu dépensé ? – Trente francs environ. »* → à peu près, approximativement.
2. *C'était un jeune homme d'environ 20 ans.* → d'à peu près.

■ **environs,** n. m. pl. *Il habite dans les environs de Marseille.* → près de Marseille.

EXPRESSIONS

- **Aux environs de** *Noël, les enfants deviennent impatients.* → à l'époque de Noël.
- **Il n'y a personne aux environs.** → dans l'espace tout autour d'ici.

envisager [3] — verbe

1. *Cette année, j'envisage de passer mes vacances en montagne.* → je projette.
2. *Au cas où elle échouerait au bac, Delphine a envisagé toutes les solutions possibles.* → elle a pensé à. ≃ considérer.

s'envoler [3] — verbe

Jacques a claqué la portière : aussitôt, tous les oiseaux se sont envolés. → ils ont pris leur vol.

■ **envol,** n. m. *Tout le monde fut surpris par le brusque envol des pigeons.*

EXPRESSION

La piste d'envol. → la piste d'où décollent les avions (près de l'aéroport).

envoyer [ɑ̃vwaje] [21] — verbe

1. *Il n'y a plus de pain à la maison : j'ai envoyé Marc en chercher chez le boulanger.* → je l'ai chargé de.
2. *Cette lettre est urgente : envoie-la le plus vite possible.* ≃ expédier.

■ **envoi,** n. m. *L'envoi d'un colis par la poste.* ≃ expédition.

ORTHOGRAPHE

Attention au futur : **j'enverrai.**

E

épais, épaisse — adj.

Julie se coupe une tranche de pain bien épaisse. ≠ mince.

ORTHOGRAPHE

Attention au **s** final au singulier.

■ **épaisseur,** n. f. *Les murs de ce vieux château fort ont plus d'un mètre d'épaisseur.*

s'épanouir [4] — verbe

Les boutons de rose s'épanouissent au soleil. ≃ s'ouvrir.

■ **épanoui, e,** adj. **1.** *Un bouquet d'anémones épanouies.* ≃ éclos, ouvert. **2.** *Un sourire épanoui éclairait son visage.* ≃ heureux, réjoui.

◄ 1. Un bouton de rose.
2.3. Le bouton en éclosion.
4. La fleur épanouie.

épaule — nom fém.

Leur sac à dos fixé sur les épaules, les randonneurs marchaient d'un bon pas.

EXPRESSION

Il hausse les épaules. → il montre son mécontentement.

épave — nom fém.

Ce coffre rempli d'or a été retrouvé dans une vieille épave. → ce qui reste d'un navire naufragé.

épée — nom fém.

Au cours de leurs duels, les trois mousquetaires se défendaient avec leur épée.

ORTHOGRAPHE

Attention : au **ée** final.

EXPRESSION

Un film de cape et d'épée. → un film qui se déroule à l'époque des duels.

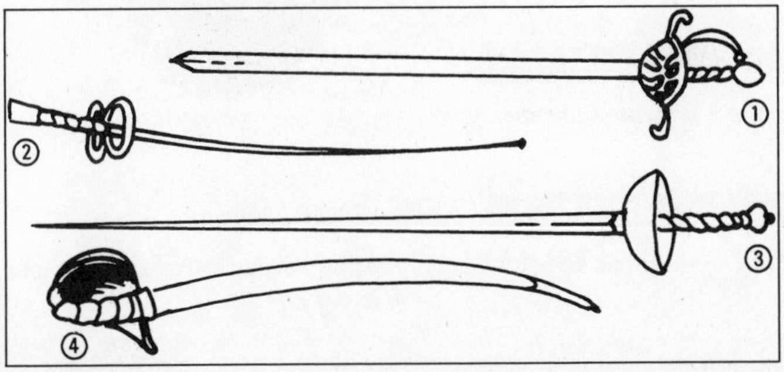

◄ 1. Une rapière.
2. Un fleuret.
3. Une épée.
4. Un sabre.

épeler [7] — verbe

« Je vais vous épeler les mots difficiles de la dictée », dit le maître. → vous énoncer, une à une, les lettres de.

ORTHOGRAPHE

Attention : à l'infinitif, **épeler** ne prend qu'un **p** et un **l**.
Mais à l'indicatif présent : j'é**p**e**ll**e, il é**p**e**ll**e.

épi — nom masc.

1. *Cette année, le blé est beau, les épis sont lourds et dorés.*
2. *Impossible d'aplatir cet épi sur le haut de ma tête.* → touffe de cheveux dressés qu'on ne peut facilement coiffer.

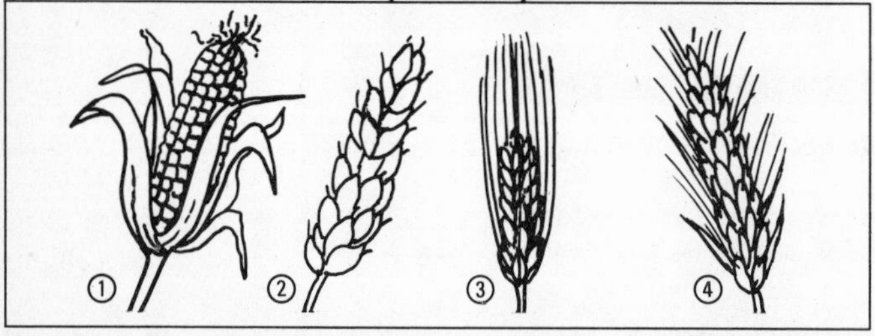

◄ 1. Le maïs.
2. Le blé.
3. L'orge.
4. Le seigle.

AUTOUR DE

Les plantes dont les fruits sont disposés en épis sont des graminées. Voici quelques graminées : le blé, l'orge, le seigle, le maïs, le riz.

épice — nom fém.

J'ai mis des épices dans le ragoût pour lui donner plus de saveur. → des plantes aromatiques

■ **épicer,** v. *On relève une sauce fade, en l'épiçant davantage.* ■ **épicerie,** n. f. *Dans l'épicerie du village, on trouve toutes sortes de denrées.* ■ **épicier, ière,** n. m. et f. *Je n'ai plus de sel, cours vite en chercher chez l'épicier.*

épine — nom fém.

La rose est une belle fleur, mais attention à ses épines !

■ **épineux, euse,** adj. *Le houx forme un buisson épineux.* → rempli d'épines.

EXPRESSION

Voilà une **question épineuse.** → difficile, embarrassante.

éponge — nom fém.

Le serveur vint essuyer la table avec une éponge avant de prendre notre commande.

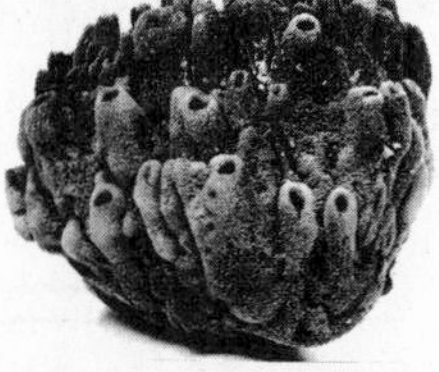

▲ L'éponge est aussi un animal aquatique.

époque — nom fém.

Claude a choisi de faire un exposé sur l'époque romaine. ≃ période.

épouser 3 — verbe

Valérie épousera Olivier samedi prochain. → elle se mariera avec.

■ **époux, épouse,** n. m., n. f. → mari, femme.

ORTHOGRAPHE

Attention : **x** final au singulier pour **époux.**

épouvantable — adj.

1. *Soudain l'héroïne se trouva face à face avec un monstre. C'était épouvantable !* → effroyable, horrible, terrifiant.
2. *Quel temps épouvantable !* → très mauvais.

VOCABULAIRE

Un film d'épouvante est destiné à faire peur aux spectateurs.

épreuve nom fém.

1. *Cet homme vient de traverser une douloureuse épreuve.*
2. *Aux jeux Olympiques, les sportifs participent à de nombreuses épreuves.* ≃ compétition
3. *Au bac, on passe des épreuves écrites et orales.*

EXPRESSIONS

- **Il a été mis à l'épreuve.** → il a fait un essai.
- *Ce vêtement est* **à toute épreuve.** → très résistant.

épuiser [3] verbe

Sa maladie l'a épuisé. → elle l'a beaucoup affaibli.

■ **épuisant, e,** adj. *Je viens de monter quatre étages en courant : c'est épuisant !* → exténuant, fatigant. ■ **épuisé, e,** adj. *Épuisé, Gilles abandonne la course.* ≃ à bout de forces, exténué.

EXPRESSION

Tu m'épuises ! → tu me fatigues.

E

équerre [ekɛʀ] nom fém.

Prends ton équerre et trace un angle droit. → un instrument à 3 côtés dont 2 forment ensemble un angle de 90°.

VOCABULAIRE

L'ajusteur, le dessinateur, l'élève utilisent une équerre.

équilibre nom masc.

Lorsqu'on monte pour la première fois à bicyclette, le plus difficile, c'est de garder l'équilibre. ≃ se maintenir sans tomber.

EXPRESSION

Il a perdu l'équilibre. → il est tombé.

◄ Un clown en équilibre sur un fil.

équipe nom fém.

Bravo ! C'est l'équipe française de football qui a gagné ! → un groupe de joueurs.

■ **équipage,** n. m. *Le bateau a coulé, mais les passagers et l'équipage ont pu être sauvés.* ■ **équipement,** n. m. *Chaque sport demande un équipement particulier.* ■ **équiper,** v. *Cette grande marque de cycles équipe les coureurs du Tour de France.* ■ **s'équiper,** v. *Pour faire de la plongée, il faut s'équiper d'une combinaison.*

EXPRESSIONS

- *Luc* **a l'esprit d'équipe.** → il aide les autres membres de l'équipe.
- **Travailler en équipe.** → tous ensemble.

erreur nom fém.

Refais ton opération, tu as fait une erreur. → tu as mal compté.

GRAMMAIRE

Erreur est un nom féminin sans **e**, comme : la peur.

éruption nom fém.

1. *En France, les volcans du Massif central ne sont plus en éruption depuis longtemps ; ce sont des volcans éteints.*
2. *La rougeole se caractérise par une éruption de boutons.* → l'apparition soudaine d'un grand nombre de boutons.

AUTOUR DE

Lorsqu'un volcan est en éruption, il projette des roches, des laves solides. Des gaz brûlants en sortent et des laves liquides coulent sur ses pentes.

escalader [3] verbe

Les malfaiteurs ont escaladé le petit mur, puis sont entrés dans la maison par une fenêtre. ≃ grimper (sur).

■ **escalade,** n. f. *L'escalade du mont Blanc est particulièrement difficile et dangereuse.* ≃ ascension.

◄ Un alpiniste faisant l'escalade d'un piton rocheux.

AUTOUR DE

Le docteur Paccard a escaladé le mont Blanc : il est le premier à en avoir atteint le sommet en 1786.

escalier nom masc.

Mme Dufour habite au 3e étage : prenez l'escalier au fond de la cour.

escargot nom masc.

C'est après une bonne pluie qu'il faut aller à la chasse aux escargots.

AUTOUR DE

L'escargot a un corps mou protégé par une coquille. C'est un mollusque tout comme : l'huître, la limace, la moule, la pieuvre.

espace nom masc.

1. *Cette cour est trop petite, on manque d'espace pour y jouer.*
2. *Recopie cette phrase en laissant un espace de deux carreaux entre chaque mot* ≃ intervalle.
3. *Les Américains ont envoyé un satellite dans l'espace.*
4. *En l'espace de vingt minutes, les cambrioleurs ont pénétré dans la bijouterie et dérobé tous les bijoux.* → dans le temps de.

◄ L'insigne officiel d'une mission de la NASA.

AUTOUR DE

On envoie dans l'espace :
- des satellites pour transmettre la télévision, pour recueillir des informations sur la Terre (par exemple, pour la météo) ;
- des stations habitées pour faire des expériences et observer la Terre ;
- des sondes automatiques, inhabitées, pour explorer le système solaire (Mars, Vénus par exemple).

Pour aller dans l'espace, les hommes utilisent soit des fusées, soit une navette spatiale (comme les Américains).

E

espèce — nom fém.

1. *On protège les espèces animales en voie de disparition, en interdisant de les chasser.*
2. *Choisis le tissu que tu préfères, parmi ces échantillons de toute espèce.* → de toute sorte.

AUTOUR DE

L'espèce humaine → les hommes, l'espèce animale → les animaux, l'espèce végétale → les plantes.

espérer 3 — verbe

Claude a beaucoup travaillé, il espère réussir son examen. ≠ désespérer.

■ **espérance,** n. f. *L'espérance de guérison du malade est heureusement très grande.*

ORTHOGRAPHE

Attention : esp**é**rer → accent aigu ; j'esp**è**re → accent grave.

espoir — nom masc.

1. *Des alpinistes se sont perdus dans la montagne, mais on garde l'espoir de les retrouver.* → on espère.
2. *« Voici maintenant un jeune espoir du ski français », annonce le journaliste.* → un jeune homme ou une jeune fille qui doit devenir un champion.

EXPRESSIONS

- **Avoir espoir.** → espérer.
- **Perdre espoir.** → désespérer.
- *Je suis venu* **avec l'espoir, dans l'espoir de** *te voir.* → en espérant.

esprit — nom masc.

1. *Pour résoudre ce problème, il faut avoir l'esprit clair.* ≃ pensée.
2. *Voici un écrivain brillant et plein d'esprit.* → plein d'humour. ≃ spirituel.
3. *On raconte que, toutes les nuits, des esprits viennent hanter ce vieux château.* → des fantômes, des spectres.

EXPRESSIONS

- **Il reprend ses esprits.** → il se remet après un grand choc.
- **Faire de l'esprit.** → faire de l'humour avec finesse.

essai — nom masc.

1. *Le pilote effectue des essais à bord de ce nouvel avion pour le tester.* → il l'expérimente.
2. *Apprêtez-vous à sauter ; vous avez droit à trois essais.* → trois tentatives.

EXPRESSION

Marquer un essai. → au rugby, aller poser le ballon derrière la ligne de but adverse.

essaim [ɛsɛ̃] — nom masc.

L'apiculteur avait repéré un essaim d'abeilles dans un poirier, et il l'a recueilli pour garnir une ruche vide.

ORTHOGRAPHE

Voici d'autres noms terminés par **-aim** : un **daim,** la **faim.**

AUTOUR DE

C'est au printemps qu'un groupe d'abeilles, composé d'une reine et de milliers d'ouvrières (formant l'essaim), quitte la ruche pour aller former une nouvelle colonie. On dit qu'elles essaiment.

essayer 21 — verbe

1. *Avant d'acheter une nouvelle robe, j'en ai essayé plusieurs.*
2. *Lise essaiera de mieux travailler le mois prochain.* → elle tâchera de.

VOCABULAIRE

Essayer de réussir, c'est chercher à, tenter de, tâcher de, s'efforcer de.

essence nom fém.

1. *De Paris à Marseille, nous avons fait deux fois le plein d'essence.* ≃ carburant
2. *Voici de l'essence de lavande.* → un extrait liquide obtenu à partir de fleurs de lavande.

EXPRESSION

Être en panne d'essence. → n'avoir plus d'essence dans le réservoir de la voiture.

essuyer 21 verbe

Sophie a essuyé la vaisselle, puis elle a essuyé les meubles.

estimer 3 verbe

1. *Denis est un ami franc et loyal : tout le monde l'estime.* → on a une bonne opinion de lui.
2. *J'estime qu'il a eu raison.* → je pense. ≃ juger.
3. *Le bijoutier a estimé ce diamant à plusieurs milliers de francs.* → il a évalué.

■ **s'estimer,** v. **1.** *Estime-toi heureux de n'avoir rien de cassé !* → sois heureux. **2.** *Les deux concurrents s'estiment beaucoup.* → ils ont du respect l'un pour l'autre.

VOCABULAIRE

Éprouver de l'estime pour quelqu'un, c'est : l'apprécier, avoir confiance en lui, avoir une bonne opinion de lui, le considérer, le respecter, lui attacher de l'importance.

estime nom fém.

J'ai une grande estime pour ce garçon courageux. → je l'apprécie.

estomac [ɛstɔma] nom masc.

J'ai mangé trop vite, maintenant, j'ai mal à l'estomac.

ORTHOGRAPHE

Dans estom**ac**, le **c** final ne se prononce pas, comme dans taba**c**.

EXPRESSION

Avoir l'estomac dans les talons. → être très affamé.

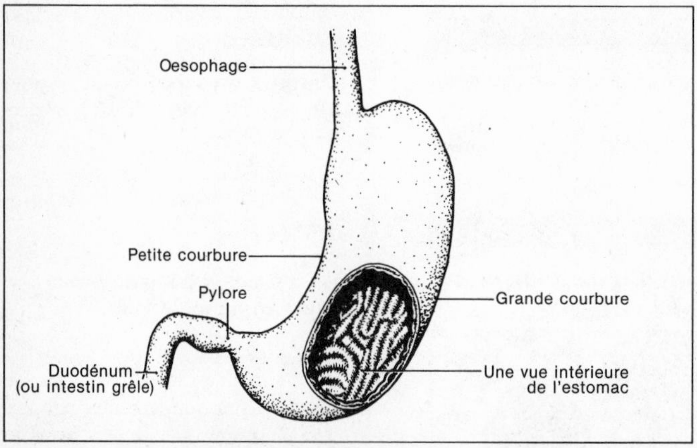

◄ L'estomac.

et mot inv.

1. *J'ai vu mon cousin et ma cousine.* → **Et** relie des noms.
2. *Marc élève de grands et beaux chevaux.* → **Et** relie des adjectifs.
3. *Sa robe est bleue et sa veste est noire.* → **Et** relie des propositions.

GRAMMAIRE

Et est un mot qui sert à lier. Ex. : il est grand **et** fort. Voici d'autres mots utilisés pour relier : **ou, mais, donc, car.** Ce sont des conjonctions de coordinations.

étable nom fém.

A la tombée de la nuit, le fermier rentre ses vaches à l'étable.

établi — nom masc.

Nicolas range ses outils sur son établi. → une table de travail pour couper, assembler, etc.

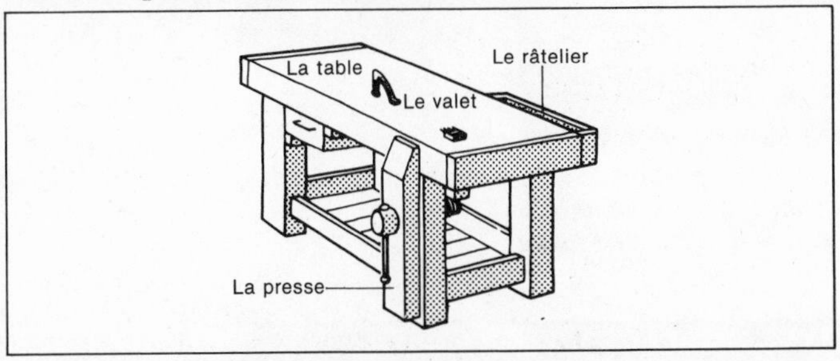

◄ Un établi de menuisier.

ORTHOGRAPHE

Etabli est un nom masculin terminé par un **i** comme : le céleri, un cri, un demi, un ski, un souci...

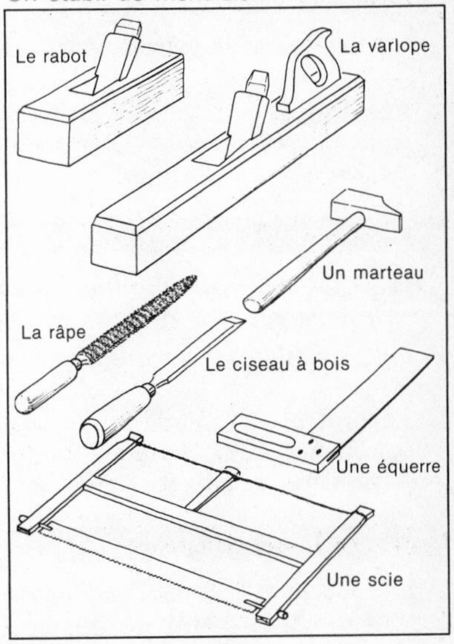

Des outils de menuiserie.

établir 4 — verbe

1. *On va établir une usine de textile dans notre ville.* → installer.
2. *Dès le début de l'année, il faudra établir la liste des élèves qui restent à la cantine.* → dresser, faire la liste.

■ **établissement,** n. m. *L'école est un établissement d'enseignement.* ■ **s'établir,** v. *Pour son travail, mon oncle Jean est parti s'établir à Strasbourg.* → s'installer.

étage — nom masc.

Michèle habite au troisième étage de cette tour.

étalage — nom masc.

Sur le marché, de bonne heure, les marchands préparent leurs étalages. → ils disposent leurs marchandises.

■ **étaler,** v. **1.** *Rémi a étalé tous ses jouets sur le tapis.* **2.** *Ta pâte à tarte est trop dure : je n'arrive pas à l'étaler.* → l'aplatir en l'élargissant.

GRAMMAIRE

Le nom étalage vient du verbe étaler, comme :
bricoler → bricolage.
essayer → essayage.
passer → passage.

étang — nom masc.

A l'aide d'un bâton et d'un chiffon rouge, Éric chasse la grenouille au bord de l'étang. → une étendue d'eau peu profonde.

AUTOUR DE

Voici d'autres étendues d'eau dormante : un lac, une lagune, un marais, une mare.

étape — nom fém.

1. *A la fin de l'étape, les coureurs, fatigués, se sont reposés.*
2. *Nous sommes descendus sur la Côte d'Azur en plusieurs étapes.* → en faisant plusieurs haltes.

EXPRESSION

Il brûle les étapes. → il est impatient, il va plus vite que prévu.

état — nom masc.

1. *Te voilà dans un triste état ! Regarde tes vêtements sales et déchirés !*
2. *La glace est de l'eau à l'état solide.*

EXPRESSIONS

- **Un état de santé.** → la manière dont on se porte.
- **En bon état** ≠ **en mauvais état.**

État — nom masc.

La France, la Belgique, la Suisse, le Danemark sont quatre États européens. → quatre nations.

E

été nom masc.

Il faisait si chaud, cet été, que nous recherchions sans cesse un coin d'ombre. → la saison s'étendant du 21 (ou 22) juin au 21 (ou 22-23) septembre.

ORTHOGRAPHE

Été est du genre masculin : **un** été, **un bel** été.

éteindre 25 verbe

N'oublie pas d'éteindre la lampe de ton bureau. ≠ allumer.

■ **s'éteindre,** v. **1.** *Le feu s'éteignait doucement dans la cheminée, faute de combustible.* → il mourait. **2.** *Le vieillard s'est éteint doucement.* → il est mort.

étendre 31 verbe

1. *Je viens d'étendre le linge dans le jardin, pourvu qu'il ne pleuve pas !* → déplier et suspendre.
2. *L'ambulancier étend le blessé sur la civière.* → il l'allonge.

■ **s'étendre,** v. **1.** *Marie va s'étendre sur le canapé.* → s'allonger, se coucher. **2.** *Le domaine s'étend sur 20 hectares.* → il couvre. ■ **étendu, e,** adj. *Son jardin est très étendu.* → vaste.

EXPRESSION

S'étendre sur un sujet. → en parler de façon complète, longuement.

éternel, éternelle adj.

1. *Le sommet de ces montagnes est recouvert de neiges éternelles.* → qui ne disparaissent jamais.
2. *Heureusement, cette pluie n'est pas éternelle.* → elle ne durera pas toujours.

◄ Des sommets montagneux couverts de neiges éternelles.

■ **éternellement,** mot inv. ≃ toujours. ■ **éternité,** n. f. *Ça fait une éternité que je ne l'ai pas rencontré !* → ça fait très longtemps.

GRAMMAIRE

Un souvenir éterne**l**/une douleur éterne**lle**.

EXPRESSION

De toute éternité. → depuis toujours.

étincelle nom fém.

1. *Du feu presque éteint jaillissaient encore quelques étincelles.*
2. *Méfie-toi de cette prise électrique, je viens de voir une étincelle.* → une sorte de petit éclair.

■ **étincelant, e,** adj. *Des guirlandes étincelantes ornaient le sapin de Noël.* ■ **étinceler,** v. *La neige étincelle au soleil.* ≃ briller.

EXPRESSION

Jeter des étincelles. → resplendir.

étoffe nom fém.

Choisissez-moi une étoffe chaude, je veux en faire un manteau. → un tissu.

EXPRESSION

Il a *déjà* **l'étoffe d'***un grand champion.* → il a la capacité, les qualités de.

étoile — nom fém.

1. *Quand la nuit est claire, Jean observe les étoiles de sa fenêtre.* ≃ astre.
2. *De nombreuses étoiles du cinéma s'étaient déplacées pour la remise des césars.* ≃ star, vedette.

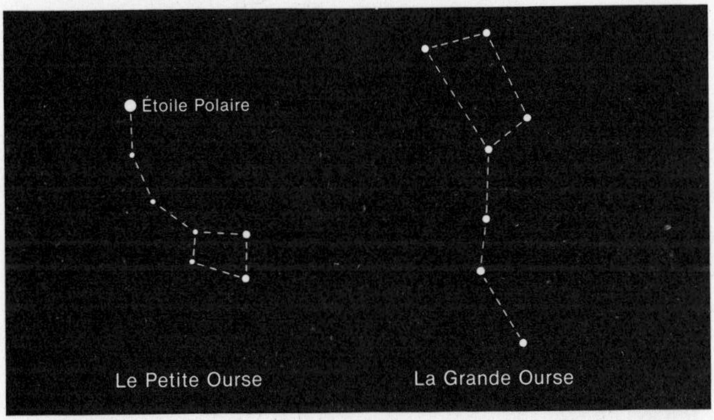

■ **étoilé, e,** adj. *Christine regarde la nuit étoilée.* → remplie d'étoiles.

EXPRESSIONS

- **Dormir à la belle étoile.** → dormir la nuit en plein air.
- **Être né sous une bonne étoile.** → avoir de la chance.

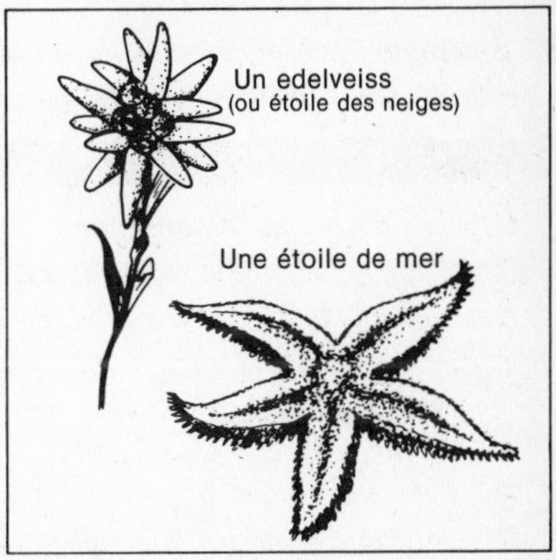

E

étonner [3] — verbe

Sa brillante réussite a étonné tous ses amis. → elle a surpris. ≃ stupéfier.

■ **étonnant, e,** adj. *Une nouvelle étonnante.* → surprenante. ■ **étonnement,** n. m. *L'exploit du coureur provoqua un grand étonnement.* → une surprise admirative. ■ **s'étonner,** v. *Je m'étonne de te voir arriver si tard !* → je suis surpris.

ORTHOGRAPHE

Voici d'autres verbes qui, comme éto**nn**er, prennent deux **n** : aban-do**nn**er, chanto**nn**er, do**nn**er, so**n**-**n**er, to**nn**er.

VOCABULAIRE

Un événement, un fait qui surprend est étonnant, surprenant, stupéfiant.

étouffer [3] — verbe

1. *Il y a trop de fumée dans cette salle, on étouffe.* → on ne peut plus respirer.
2. *Le tapis étouffe nos pas.* → il diminue le bruit de nos pas.
3. *Les mauvaises herbes étouffent les plantes.* → elles empêchent de pousser librement.

■ **étouffant, e,** adj. *Quelle chaleur étouffante !* ■ **s'étouffer,** v. *Elle va s'étouffer à manger si vite.* ≃ s'étrangler.

étourdi, étourdie, — nom masc., nom fém. ou adj.

1. n. m. et f. *Quel étourdi ! Il a encore oublié son cartable !* → une personne distraite. ≠ attentif, réfléchi (adj.).
2. adj. *Comme elle est étourdie !*

■ **étourderie,** n. f. *Tu perds bêtement quatre points pour cette faute d'étourderie.* → d'inattention.

étrange — adj.

1. *Soudain, dans la nuit, un bruit étrange m'a réveillé.* → étonnant, inquiétant.
2. *Ce passant nous a dévisagés de façon étrange.* → bizarre, inquiétante. ≠ normal, ordinaire.

ORTHOGRAPHE

Au féminin comme au masculin, on écrit étrange.

étranger, étrangère — adj.

1. *Beaucoup de coureurs étrangers participaient à cette compétition.* → originaires d'autres pays.
2. *Dans cette réunion, je connaissais tout le monde, il n'y avait aucun visage étranger.* → inconnu. ≠ connu, familier.

■ **étranger, ère,** n. m. et f. *Le musée du Louvre reçoit, surtout en été, un grand nombre d'étrangers.*

EXPRESSIONS

- **Aller à l'étranger.** → se rendre dans un pays hors de France.
- **Je reste étranger à** *toutes vos querelles.* → je ne m'en occupe pas.

être [2] — verbe

1. *Ce tableau est magnifique.*
2. *Il est en Espagne, son fils est à Paris.* → il se trouve.
3. *« Quelle heure est-il ? – Il est midi. »*
4. *Ce disque est à mon voisin.* → il appartient.
5. *Cette broche est en or.* → le métal dont elle est composée est de l'or.
6. *Votre dictée est à corriger.* → elle doit être corrigée.
7. *Ce grand écrivain n'est plus.* → il est mort.
8. *L'infirmière est en blouse blanche.* → elle porte une.
9. *Mon ami est de Marseille.* → il est originaire, il vient de.

■ **être,** n. m. *Il y a plusieurs milliards d'êtres humains sur terre.* → d'hommes.

GRAMMAIRE

- **Être** est un auxiliaire qui sert à conjuguer d'autres verbes :
  Ex. : je **suis** parti
  il **s'est** amusé
  elle **a été** prise.
- **Être** sert aussi à présenter et à interroger avec l'expression : **c'est**.
  Ex. : **c'est** mon frère
  est-ce que tu me vois ?

étroit, étroite — adj.

1. *La route qui borde ce précipice est très étroite.* ≠ large.
2. *Ces chaussures sont trop étroites : ne les mets pas pour aller te promener.* ≃ serré.

EXPRESSION

On est à l'étroit ici. → il y a peu de place.

étudier [3] — verbe

1. *Lise étudie le piano depuis six ans.* ≃ pratiquer.
2. *Depuis ce matin, penché sur une fourmilière, Marc étudie la vie des fourmis.* → il observe.

VOCABULAIRE

- On étudie une leçon, on l'apprend, on s'instruit, on travaille.
- On se livre, s'adonne à l'étude de quelque chose.

s'évaporer [3] — verbe

L'éther s'évapore très vite à l'air libre. → il se transforme en vapeur. ≠ se condenser.

■ **évaporation,** n. f. *L'évaporation de l'eau sous l'action de la chaleur.*

ORTHOGRAPHE

Attention : un **p** à s'éva**p**orer.

éveiller [3] — verbe

Marche sur la pointe des pieds pour ne pas éveiller ta sœur. → la réveiller.

■ **éveillé, e,** adj. *Voilà un enfant éveillé !* ≃ vif. ≠ endormi. ■ **s'éveiller,** v. *A la campagne, je m'éveillais au chant du coq.* → je me réveillais, j'ouvrais les yeux.

ORTHOGRAPHE

Le verbe donne le nom :
conseiller → le conseil,
éveiller → l'éveil,
réveiller → le réveil,
sommeiller → le sommeil.

événement — nom masc.

Regarde le journal télévisé si tu veux connaître les derniers événements de la journée. → les derniers faits.

EXPRESSION

Elle attend un heureux événement. → elle attend un bébé.

évidemment [evidamɑ̃] mot inv.

Évidemment, il a acheté son billet avant de prendre le train ! → bien sûr. ≃ certainement, bien entendu, sans aucun doute.

■ **évident, e,** adj. *2 et 2 font 4, c'est évident.* → il n'y a aucun doute là-dessus.

ORTHOGRAPHE

Tu entends [amɑ̃] et tu écris **emment,** comme :
fréquent → fréqu**emment**.
prudent → prud**emment,**
récent → réc**emment,**

éviter [3] verbe

1. *Évitez de manger des fruits qui ne sont pas lavés.* ≃ s'abstenir.
2. *Heureusement que le boxeur a su éviter les coups de son adversaire.* → esquiver, parer. ≠ s'exposer à.
3. *A chaque fois qu'il me voit, il m'évite.* → il fait son possible pour ne pas me rencontrer.
4. *Je viendrai te prendre chez toi, ça t'évitera de prendre le train.* → tu n'auras pas besoin de.

■ **s'éviter,** v. *Ils ne se parlent plus, ils s'évitent.* → ils agissent de façon à ne pas se rencontrer.

E

exact, exacte [ɛgzakt] adj.

La pendule de l'entrée donne l'heure exacte. → juste, précise. ≠ faux, inexact.

■ **exactement,** mot inv. **1.** *Il a suivi exactement le traitement de son médecin.* → fidèlement. ≃ à la lettre. **2.** *Au quatrième top, il sera exactement 7 heures 2 minutes.* → précisément. ≠ approximativement. ■ **exactitude,** n. f. ≃ précision.

ORTHOGRAPHE

Au masculin comme au féminin, le **t** final se prononce.

EXPRESSION

Il **est** *toujours* **très exact.** → il arrive toujours à l'heure.

exagérer [3] verbe

Tu manges trop de sucreries, tu exagères ! → tu dépasses les limites.

■ **exagération,** n. f. *Il prétend avoir pêché un poisson de deux mètres de long, quelle exagération !* ■ **exagéré, e,** adj. *C'est un prix exagéré pour un objet si ordinaire.* → trop fort, trop important.

EXPRESSION

Vraiment, là, **il exagère !** → il abuse, il se moque des autres.

examen [ɛgzamɛ̃] nom masc.

1. *La police procède à un examen très minutieux de l'arme du crime.* → à une étude, une observation.
2. *Demain, Pierre passe le bac ; c'est un examen important.* → une épreuve.

■ **examiner,** v. → regarder de près.

ORTHOGRAPHE

Tu entends [mɛ̃], mais il faut écrire : exa**men**.

excellent [ɛksɛlɑ̃], excellente adj.

1. *Manger des fruits, c'est excellent pour la santé.* → très bon. ≃ favorable à. ≠ mauvais.
2. *Cet orchestre est composé d'excellents musiciens.* ≃ admirable, parfait.

EXPRESSION

C'est un excellent homme. → il a très bon cœur.

exception [ɛksɛpsjɔ̃] nom fém.

Pour faire partie des minimes, il faut avoir treize ans ; Eric n'a que douze ans, mais nous ferons une exception. → nous n'appliquerons pas la règle.

■ **excepté, e,** mot inv. ou adj. *Ce train circule tous les jours, excepté le dimanche.* ≃ à part, sauf.

ORTHOGRAPHE

Excep**tion** s'écrit **-tion,** comme évolu**tion**, opéra**tion**, multiplica**tion**, ra**tion**.

excès [ɛksɛ] nom masc.

Marc est raisonnable, il dépense sans excès. ≠ mesure.

■ **excessif, ive** [ɛksesif, iv], adj. **1.** *Quel prix excessif !* → beaucoup trop élevé. **2.** *Il ne sait pas se maîtriser, il est excessif en tout.* → il dépasse la mesure normale.

ORTHOGRAPHE

- *Excès* ne change pas au pluriel, comme abcès, succès...
- Attention : **x + c** dans **excès**.

excuse [ɛkskyz] nom fém.

1. *J'arrive en retard, je vous présente mes excuses.*
2. *Ce n'est pas une excuse valable.* → une raison. ≃ justification.

■ **s'excuser,** v. *Sans le vouloir, Jean a bousculé cette dame : il s'est excusé poliment.*

ORTHOGRAPHE

Attention : **x + c.**

EXPRESSION

Apporter un mot d'excuse. → une lettre justificative.

exemple [ɛkzɑ̃pl] nom masc.

1. *Jean veut suivre l'exemple de son frère et devenir mécanicien.* ≃ modèle.
2. *« Donne-moi deux exemples de noms masculins terminés par* -ée. *– Un musée, un lycée ».* ≃ cas.

EXPRESSIONS

- **Par exemple !** *vous voilà !* → Indique la surprise.
- **A l'exemple de** → comme.
- **Par exemple** → notamment.

exercice [ɛkzɛʀsis] nom masc.

1. *Faire du vélo est un bon exercice pour les jambes.* → un bon entraînement.
2. *A la fin de la leçon, le maître nous a donné des exercices à faire.* → des devoirs.

■ **exercer,** v. *Ce docteur exerce dans un hôpital.* → il pratique la médecine, travaille. ■ **s'exercer,** v. *Pour taper à la machine, il faut s'exercer.* → recommencer souvent, répéter.

VOCABULAIRE

Voici divers emplois du verbe exercer :

- exercer les élèves à l'écriture,
- exercer un chien à la chasse,
- exercer la mémoire,
- exercer une profession.

exiger [ɛkziʒe] [19] verbe

1. *Certaines plantes exigent beaucoup d'eau.* → elles ont besoin de, elles demandent.
2. *J'exige que tu sortes.* ≃ ordonner.

■ **exigeant, e** [ɛkziʒɑ̃, ɑ̃t], adj. *Voici des parents très exigeants envers leurs enfants.* → durs, sévères.

expédier [3] verbe

Tu recevras bientôt ma lettre : je l'ai expédiée hier. → je l'ai envoyée.

■ **expédition,** n. f. *L'expédition des lettres se fait grâce aux services de la poste.* → l'envoi.

EXPRESSIONS

- *Rémi* **expédie** (fam.) *ses devoirs.* → il les fait vite, sans soin.
- **Partir en expédition.** → faire un voyage en vue d'explorer ou de découvrir.

expérience [ɛkspeʀjɑ̃s] nom fém.

1. *Pour nous aider à comprendre, le maître a fait une expérience.* → un exercice pratique.
2. *C'est un vieux marin : il a une longue expérience de la pêche en mer.* → une grande connaissance.

EXPRESSION

Faire l'expérience de, tenter l'expérience. → essayer.

expliquer 3 verbe

1. *Ce matin, j'ai expliqué à un touriste comment se rendre à la tour Eiffel.* → je lui ai donné tous les renseignements.
2. *Un soleil constant explique cette sécheresse.* → il est la cause de.

■ **explication,** n. f. *Je n'ai pas compris ce problème ; peux-tu m'en donner l'explication ?* → m'aider à le comprendre.

ORTHOGRAPHE

expli**qu**er → une expli**c**ation.
comme :
convo**qu**er → une convo**c**ation.

E

exploit [ɛksplwa] nom masc.

En 1969, pour la première fois, un homme a marché sur la Lune : quel exploit ! → quelle performance ! ≃ prouesse.

ORTHOGRAPHE

Beaucoup de noms terminés par [wa] prennent un **t** final : un expl**oit**, un dét**roit**, un **toit**, mais : un b**ois**, un ch**oix**, un p**oids**, un r**oi**.

explorateur, exploratrice nom masc., nom fém.

Jacques Cartier est un explorateur célèbre pour avoir découvert le Canada.

◄ Jacques Cartier est un navigateur français du XVIe siècle. C'est lui qui le premier prit possession du Canada au nom du roi François 1er.

■ **exploration,** n. f. *Au vingtième siècle, l'exploration de l'espace a fait de grands progrès.* ■ **explorer,** v. *En explorant le grenier, j'ai trouvé des livres d'autrefois.*

AUTOUR DE

Voici des explorateurs célèbres :
- Au 16e siècle, Magellan avait entrepris le tour du monde, mais il fut tué aux Philippines.
- Christophe Colomb, au 15e siècle, découvrit l'Amérique.

exploser [ɛksploze] 3 verbe

1. *Pour creuser une route dans la montagne, les ouvriers font exploser une charge de dynamite.* → ils font éclater, sauter.
2. *En apprenant cela, il a explosé de colère.* → il s'est mis violemment en colère.

■ **explosion,** n. f. *L'explosion d'une bombe a détruit l'immeuble.*

VOCABULAIRE

Une bombe, un obus, le gaz, la dynamite peuvent exploser.

exposer 3 verbe

1. *Le peintre expose ses œuvres dans une galerie parisienne.* → il les présente.
2. *Expose-moi ton problème.* → explique-moi, raconte-moi.
3. *Notre salle à manger est exposée à l'ouest.* → elle se trouve dans la direction de. ≃ orienter.

■ **exposition,** n. f. *Je viens d'aller voir l'exposition sur les plus beaux papillons d'Europe.*

EXPRESSION

Il a exposé sa vie pour *sauver un enfant.* → il a risqué sa vie.

VOCABULAIRE

L'exposition d'une maison est son orientation : sud, nord, est, ouest.

exprès [ɛksprɛ] mot inv.

Valérie est venue exprès pour me voir. → dans l'intention de.

EXPRESSION

Il le fait exprès. → volontairement.

exprimer 3 verbe

Un mime, par les gestes, peut exprimer ce qu'il ressent. ≃ manifester, montrer.

■ **expressif, ive,** adj. *Les traits expressifs de son visage.* → portant bien les sentiments de la personne. ≠ inexpressif. ■ **expression,** n. f. **1.** *A son expression triste, j'ai deviné qu'il était malheureux.* ≃ air. **2.** S'entendre comme chien et chat *est une expression française.* → une manière de dire. ■ **s'exprimer,** v. *Il s'exprime très bien en anglais.* → il parle.

EXPRESSION

Réduire à la plus simple expression. → diminuer le plus possible.

VOCABULAIRE

On peut exprimer sa joie : par la parole, par des gestes, par des attitudes, par des expressions du visage, par le ton de la voix...

extérieur, extérieure adj.

Le jardin extérieur de cet immeuble donne sur la rue. ≠ intérieur.

■ **extérieur,** n. m. **1.** *Au printemps, ils ont fait repeindre l'extérieur de leur maison.* **2.** *Allez jouer avec le chien à l'extérieur.* → dehors. ≠ à l'intérieur.

AUTOUR DE

Les boulevards extérieurs sont les boulevards qui entourent une ville.

extraordinaire [ɛkstʀaɔʀdinɛʀ] adj.

1. *Quel film extraordinaire !* → étonnant, exceptionnel. ≠ banal, commun, courant.
2. *Jean a toujours des inventions extraordinaires.* → bizarres, étranges. ≠ ordinaire.

extrémité nom fém.

Pour faire une canne à pêche, il faut prendre un bâton, un fil et accrocher un hameçon à l'extrémité. → au bout.

■ **extrême,** adj. *En retrouvant par hasard ce qu'il avait perdu, sa surprise fut extrême.* → très grande. ■ **extrêmement,** mot inv. *Je suis extrêmement pressé.* → très.

ORTHOGRAPHE

Attention : un accent circonflexe sur le **e** d'extr**ê**me et extr**ê**mement mais un accent aigu pour extr**é**mité.

Ff

fabrique — nom fém.

Ces chaises et ces tables viennent d'une fabrique du Jura. ≃ manufacture, usine.

■ **fabricant, e,** n. m. et f. *J'ai acheté ces chaussures directement chez le fabricant.* ■ **fabrication,** n. f. *La fabrication du sucre se fait à partir de la canne à sucre.* ■ **fabriquer,** v. *A l'atelier de menuiserie, on fabrique des meubles.*

GRAMMAIRE

Fabri**qu**er → fabri**c**ation.
comme : expli**qu**er → expli**c**ation.

façade [fasad] — nom fém.

La façade de la maison est orientée au nord. → la partie de devant.

face — nom fém.

1. *Un dé à jouer possède six faces.* → six côtés.
2. *Paul a la face entièrement barbouillée de chocolat.* → la figure, le visage.

EXPRESSIONS

- *Se placer* **de face.** ≠ de profil.
- *J'ai le soleil* **en face.** → juste devant moi.

fâcher 3 — verbe

Tu l'as fâché, avec tes moqueries. → tu l'as contrarié.

■ **fâché, e,** adj. *Elle semble fâchée.* → elle a l'air de nous en vouloir. ■ **se fâcher,** v. *François est si coléreux qu'il se fâche avec tout le monde.* → il se brouille.

GRAMMAIRE

- Elles sont fâchées **avec** José.
- Je suis fâché **de** ton travail.
- Ils sont fâchés **contre** moi.

facile — adj.

1. *Ce problème est facile à résoudre.* → aisé, simple. ≠ ardu, difficile.
2. *Elle est d'un caractère facile.* → elle s'entend avec tout le monde.

■ **facilement,** mot inv. *Il a trouvé facilement la solution du problème.* → aisément. ■ **facilité,** n. f. **1.** *Cette opération est d'une grande facilité !* → simple à faire. ≠ difficulté. **2.** au plur. *Paul a beaucoup de facilités pour apprendre.* → des dispositions.

EXPRESSIONS

- **Avoir la vie facile.** → agréable, sans problèmes.
- **Avoir de la facilité.** → avoir des dons.

façon — nom fém.

1. *La démonstratrice montre au client la façon de se servir de cet aspirateur.* → la manière, le mode d'emploi.
2. *De quelle façon voyageras-tu ? en voiture ou en train ?* → comment ? ≃ de quelle manière ?
3. au plur. *Ne fais pas de façons et viens dîner à la maison.* → ne te fais pas prier, ne fais pas de manières.

EXPRESSION

- *Il parle* **à la façon de** *son père.* → en imitant.
- *Elle travaille* **de façon à** *réussir.* → afin de réussir.

faible — adj.

1. *Après sa bronchite, Camille était encore faible.* → fragile. ≠ fort, robuste, vigoureux.
2. *Bertrand est faible en calcul.* ≠ capable, doué, fort.
3. *Ce professeur est trop faible avec ses élèves.* → il manque d'autorité. ≠ énergique, sévère.

■ **faible,** n. m. **1.** *Il faut défendre les faibles contre les forts.* → ceux qui ne peuvent pas résister. **2.** *Elle a un faible pour les friandises.* → elle les aime particulièrement. ■ **faiblement,** mot inv. ≠ fortement. ■ **faiblir,** v. *Le bruit faiblit.* → il diminue.

VOCABULAIRE

Une plante est faible : elle est fragile, frêle, grêle, menue, mince, rachitique.

faillir [fajiʀ] — verbe

J'ai failli perdre aux billes, mais je me suis rattrapé. → j'ai été sur le point de perdre.

GRAMMAIRE

Se conjugue surtout au passé composé : j'*ai failli* tomber, nous *avons failli* culbuter.

faim — nom fém.

C'est bientôt midi, j'ai faim. → j'ai envie de manger.

■ **famine,** n. f. *A notre époque, beaucoup d'enfants souffrent encore de la famine.* → ils ne mangent pas assez, ils manquent de nourriture.

EXPRESSIONS

- **Une faim de loup.** → une très grande faim.
- **Mourir de faim.** → avoir grande envie de manger.

faire [17] — verbe

1. *Cet écrivain fait un livre sur la vie des Indiens.* → il écrit.
2. *Le menuisier fait une étagère.* → il construit, fabrique.
3. *Chaque matin, Lydia fait son lit.* → elle le remet en ordre.
4. *Quel sport fais-tu ?* → pratiques-tu ?
5. *Qu'as-tu fait de ma brosse à dents ?* → où l'as-tu mise ?
6. *Comment ferez-vous pour nous rejoindre ?* → comment vous y prendrez-vous ?
7. *Quatre et quatre font huit.* → égalent.

■ **se faire,** v. **1.** *Elle s'est faite à l'idée de venir vous voir.* → elle s'est habituée. **2.** *Ce piéton imprudent s'est fait renverser par une auto.* → il a été renversé. **3.** *Je me fais couper les cheveux demain.* → je chargerai quelqu'un de me les couper. **4.** *En lui rendant ce service, je me suis fait un ami.* → il est devenu mon ami. **5.** *Ne t'en fais pas, il reviendra bientôt !* → ne t'inquiète pas.

EXPRESSIONS

- Il fait jour ≠ il fait nuit.
  Il fait chaud ≠ il fait froid.
  Il fait beau ≠ il fait mauvais.
- *Je te* **fais part de** *mon départ.* → je t'avertis de, je te l'apprends.

VOCABULAIRE

Faire, c'est : agir, bâtir, confectionner, créer, effectuer, exécuter (un travail), fabriquer, finir, opérer, pratiquer, etc.

fait — nom masc.

1. *La victoire de 1945 fut un fait important de l'Histoire de France.* → un événement.
2. *Le fait que tu sois venu, prouve que tu ne m'en veux pas.* → l'action de venir.
3. *Le cambrioleur a été pris sur le fait.* → en train de (voler).

■ **fait divers,** n. comp. m. → un événement de la vie de tous les jours.

EXPRESSIONS

- **Au fait !** → à propos !
- **Par le fait de.** → à cause de.
- **En fait,** *il ne m'avait pas menti.* → en réalité.

falaise nom fém.

C'est au bord de la Manche que se trouvent les falaises d'Étretat.

◄ Les falaises d'Etretat, au bord de la Manche, sont situées entre Fécamp et Le Havre.

AUTOUR DE

Une falaise se crée par l'effondrement de pans de roches creusées par la mer.

F

famille nom fém.

Une famille comprend principalement le père, la mère, les enfants, les grands-parents, les oncles, les tantes, les cousins et les cousines.

EXPRESSION

Un **nom de famille,** ex. : DURAND.

se faner 3 verbe

Les fleurs coupées se fanent très vite si on ne les met pas dans l'eau. → elles se flétrissent. ≃ dépérir, mourir.

■ **fané, e,** adj. *Jette ces fleurs fanées et va cueillir un nouveau bouquet.* → défraîchies, flétries. ≠ fraîches.

ORIGINE

Appartient à la famille du mot foin.

fantastique adj.

1. *Je vais te raconter l'histoire fantastique d'Ulysse et des sirènes.* → extraordinaire, fabuleuse.
2. *Ce pays possède des richesses fantastiques dans son sous-sol.* → très importantes. ≃ inouï.

VOCABULAIRE

Un conte, un livre, une aventure, une histoire, une légende ou un roman fantastique.

farine nom fém.

Pour faire des crêpes, on prépare une pâte avec de la farine, du lait et des œufs.

AUTOUR DE

Les grains de blé écrasés donnent la farine et le son.

fatigue nom fém.

En fin de match, la fatigue alourdissait les jambes des joueurs. → l'épuisement, la lassitude.

■ **fatigant, e,** adj. **1.** *« L'étape d'aujourd'hui a été très fatigante », déclara le vainqueur de la course.* → épuisante, harassante. **2.** *Que cette enfant est fatigante !* → ennuyeuse, lassante. ■ **fatiguer,** v. **1.** *Regarder longtemps la télévision fatigue la vue.* → lasse. **2.** *Ne me fatigue pas avec tes histoires !* → ne m'ennuie pas.

ORTHOGRAPHE

Au présent : je fati**gue**, nous fati**guons**. Ce travail est fati**gant** (adj.) ; mais en se fati**guant** (verbe).

7. Jardinage et bricolage
(page ci-contre)

Nous allons le dimanche à la campagne dans une petite maison que mes parents ont aménagée. Quel plaisir quand il fait beau, de jardiner et de travailler en plein air ! Ma sœur repeint la barrière, ma mère taille la haie pendant que je tonds la pelouse. Mon père préfère s'occuper dans l'atelier. Il y a toujours quelque chose à réparer. Tout le monde est heureux, même le chat et le chien !

Frédéric

JARDINAGE ET BRICOLAGE
(1) Perceuse électrique (2) Clé (3) Scie à main (4) Scie à métaux (5) Tenailles (6) Clous (7) Pince (8) Marteau (9) Delphiniums (10) Rouleau à peinture (11) Seau (12) Tondeuse à gazon (13) Râteau (14) Brouette (15) Ciseaux à haie (16) Carottes (17) Citrouilles (18) Échelle (19) Pelle (20) Pieds de tomates (21) Hortensias (22) Dahlias (23) Laitues (24) Choux (25) Ail (26) Plants de batavia (27) Poireaux (28) Rosier grimpant (29) Pommier (30) Lilas d'Espagne (31) Radis (32) Grille (33) Pinceau (34) Poiriers en espalier

J'emploie le mot juste
- Donne des noms d'outils (qu'ils figurent ou non sur la planche), avec lesquels on peut : a) serrer ; b) percer ; c) frapper.
- Quelle différence y a-t-il entre : a) une bêche et une pelle ; b) des tenailles et des pinces ?
- Décris l'un des arbres qui figurent sur la planche.

Des mots aux idées
- Classe les fleurs et les légumes de la planche par couleurs.
- Relève dans cette planche tout ce qui est en bois.
- Frédéric *tond* la pelouse avec une *tondeuse* : trouve d'autres exemples de noms d'outils ou d'engins composés d'après le radical du verbe.

Des mots pour parler
- Comment plante-t-on et fait-on pousser des salades ?
- Quel est le fonctionnement d'une tondeuse à gazon ? Explique-le.

8. L'agriculture *(p. 202-203)*

Les métiers
- **L'agriculteur** cultive les champs et cherche à augmenter les ressources des terres.
- **L'agronome** est un ingénieur ou un technicien qui met sa science au service de l'agriculteur.

  D'autres mots pour désigner les hommes qui cultivent la terre : **le cultivateur, le paysan, le fermier.**
- L'agriculteur qui se spécialise dans la culture des jardins est **un horticulteur.**
- Celui qui se spécialise dans la culture des arbres est **un arboriculteur** ou **un pépiniériste.**
- **Le viticulteur** s'occupe de la culture de la vigne, **le sylviculteur,** des bois et des forêts.

Le domaine agricole
L'agriculteur estime la grandeur de ses champs en *ares* (100 m²) et en *hectares* (10 000 m²).
Les champs sont *en friche* quand ils sont abandonnés, *en jachère* quand ils sont labourés sans être ensemencés.
Quand les semences sont arrivées à maturité, on procède à la *moisson.*
L'agriculteur cultive :
– **les céréales :** blé, seigle, orge, avoine, maïs, riz ;
– **les cultures fourragères :** luzerne, trèfle ;
– **les cultures maraîchères :** pommes de terre, navets, poireaux, carottes, pois, haricots, asperges, épinards, artichauts, radis, choux ;
– **les cultures industrielles :** betteraves sucrières, colza, houblon, lin, chanvre, tabac.

Les travaux des champs
Les principaux travaux sont *le labourage, le hersage, le roulage* des terres ; *l'enfouissement* des engrais, *l'ensemencement, la moisson.*

(suite à la p. 205)

21
20
34
25
24
29
19
26
31
23
27
15
17
22
13
30
14
16
2
3
4
9
5
6
28
18
22
7
12
8
33
22
32
10
11

27
1
2
6
7
9
10
18
11
12
4
14
17
13
15

LA FERME ET LES CHAMPS

(1) Tracteur (2) Soc s (3) Moissonneuse-batteuse ensileuse (4) Jardin potager (5) Cour (6) Terrain labouré
(7) Ferme (8) Dépendances de la ferme (9) Vache (10) Chat (11) Dindon (12) Puits (13) Poule (14) Coq (15) Poussins
(16) Oies (17) Canards (18) Cheval (19) Fermière (20) Lapins (21) Porcs (22) Ballots de paille (23) Silo (24) Chien
(25) Champ de maïs (26) Champ de blés (27) Village

Au Jardin Fleuri
LIBRAIR
A-C
1
2
3
4
5
6
7
8
9
10
11
12
13
14
15
16
17
18
19
20
21
22
23
24
25
26
27
28
29
31
32
35
36
37
38
39
40
41
42
43
44
45
46
47

(suite de la p. 200)

La ferme
La ferme comprend les bâtiments agricoles : la maison d'habitation, les hangars, les écuries, les étables, les porcheries, les bergeries, la basse-cour.

Les animaux de la ferme sont :
– *les chevaux et le bétail :* bœufs, veaux, vaches, porcs, moutons ;
– *la volaille :* poules, coqs, canards, dindons, oies...
On peut trouver aussi des lapins, des pigeons, des chiens ou des chats.

Le matériel agricole
On distingue :
– *les outils de jardinage :* bêches, pelles, pioches, fourches, râteaux, binettes, serpes, haches, faux, sécateurs, arrosoirs ;
– *les machines agricoles :* charrues, tracteurs, semoirs, herses, faucheuses-lieuses, moissonneuses-batteuses ;
– *les matériels de transport ou charroi :* tombereaux, chariots.

LES TÂCHES DE L'AGRICULTEUR

- **préparer les semences,**
- **semer le blé,**
- **couper les foins,**
- **sarcler les betteraves,**
- **préparer la litière des bestiaux.**

9. Le marché *(page ci-contre)*

Ce matin, j'ai accompagné ma tante Eliane au marché. Nous sommes allées place Nicolas Poussin où, chaque samedi, se réunissent les marchands. Nous avons acheté des légumes que Madame Delamare a cultivés elle-même dans son potager. Le poissonnier nous a conseillé ses huîtres et ses moules. Nous en avons pris. Ensuite, nous avons choisi de belles roses rouges chez le fleuriste.

Nadine

J'emploie le mot juste
- Note tous les noms (figurant sur la planche) qui peuvent s'employer avec l'adjectif « frais ».
- Même exercice avec l'adjectif « vert ».
- Classe les mots en deux séries : « végétaux » et « non – végétaux ».
- Propose un classement des produits de la nature que l'on voit sur la planche.

JE FAIS LES COURSES

(1) Tomates (2) Aubergines (3) Balance (4) Carottes
(5) Laitue (6) Chou-fleur (7) Citrons et oranges
(8) Raisin noir (9) Haricots verts (10) Pommes
(11) Quetsches (12) Abricots (13) Pommes de terre
(14) Pêches (15) Chapelet de saucisses (16) Saucisson
(17) Pâté (18) Jambon (19) Poulet (20) Côtes de porc
(21) Bifteck (22) Cervelle (23) Rôti (24) Lard (25) Crabe
(26) Langouste (27) Soles (28) Limandes (29) Maquereau
(30) Merlan (31) Sardines (32) Saumon (33) Rouget (34) Turbot
(35) Moules (36) Huîtres
(37) Cartes postales (38) Album de Bandes Dessinées
(39) Dictionnaire (40) Journal (41) Tulipe (42) Roses (43) Lierre
(44) Œillets (45) Primevères (46) Marguerites
(47) Philodendron

Des mots aux idées
- Que font les personnages figurant sur la planche ? Donne-leur un nom et fais une phrase pour chacun d'eux.
- Trouve le plus grand nombre possible de mots ayant rapport avec :
  – une charcuterie – une librairie – un fleuriste.

Des mots pour parler
- Raconte la scène du marché telle que la voit (et la flaire) le chien.
- Préfères-tu le marché dans la rue ou le supermarché ? Explique pourquoi.
- Le poissonnier et la marchande de légumes engagent la conversation à la fin de la matinée : imagine leur dialogue.

faucher [3] — verbe

1. *En été, les moissonneuses-batteuses fauchent les blés dans les champs.* → elles coupent les tiges des blés.
2. *Le piéton a été fauché par une voiture.* → il a été renversé.

1. Aujourd'hui, on fauche les blés avec une moissonneuse-batteuse.
2. Autrefois, on utilisait une faux.

VOCABULAIRE

On fauchait les blés autrefois avec une faux. On coupe les herbes avec une faucille.

faute — nom fém.

1. *Bravo ! Tu n'as fait qu'une faute dans ta dictée.* → qu'une erreur.
2. *Après avoir provoqué un accident, le conducteur ne s'est pas arrêté : il a commis une faute grave.* ≃ délit.

■ **fautif, ive,** n. m. et f. ou adj. → (celui, celle) qui est responsable d'une faute.

EXPRESSIONS

- **Une faute d'inattention.** → une étourderie.
- **Par sa faute.** → à cause de lui.
- **Sans faute.** → sûrement.
- **Faute de** *temps,* **d'***argent.* → par manque de...

fauve — nom masc.

Le lion, le tigre, la panthère sont des fauves.

■ **fauve,** adj. *L'écureuil de nos régions a un joli pelage fauve.* ≃ roux.

ORTHOGRAPHE

Les adjectifs de couleurs tirés d'un nom sont invariables, sauf fauve(s), mauve(s), pourpre(s), rose(s).

faux, fausse — adj.

Henri IV est mort d'une grave maladie : est-ce vrai ou faux ? → inexact. ≠ exact, juste.

VOCABULAIRE

De faux billets sont fabriqués par un faux-monnayeur.

fée — nom fém.

« La Belle au Bois dormant », « Cendrillon » sont des contes de fée.

Les trois fées se penchent sur le berceau de la « Belle au bois dormant ».

félicitations nom fém. plur.

L'équipe vainqueur de la coupe reçoit les félicitations du président de la République.

■ **féliciter,** v. *Le directeur a félicité Virginie pour son travail excellent.* → il l'a complimentée.

ORTHOGRAPHE

Félicitations est toujours au pluriel.

femelle nom fém. et adj.

1. n. f. *La femelle du lion est la lionne.* ≠ le mâle.
2. adj. *Une prise électrique mâle se branche dans la prise femelle.*

■ **féminin, e,** adj. **1.** *Virginie, Louisa, Catherine sont des prénoms féminins.* ≠ masculin. **2.** *Une voix féminine me répondit au bout du fil.* → de femme. **3.** Poupée, sœur, beauté *sont du genre féminin.* ≠ genre masculin. ■ **féminin,** n. m. Fraîche *est le féminin de* frais. ≠ masculin.

VOCABULAIRE

Mâles et femelles d'animaux :

– âne	ânesse
– bélier	brebis
– bouc	chèvre
– canard	cane
– cerf	biche
– chat	chatte
– cheval	jument
– chien	chienne
– coq	poule

F

femme nom fém.

1. *Une enfant devient une adolescente, puis une jeune fille, puis une femme.*
2. *Madame Masson est la femme de Monsieur Masson.* → l'épouse de.

EXPRESSIONS

- **Une femme de lettres.** ≃ écrivain.
- **Une sage-femme** pratique les accouchements.

fendre 31 verbe

1. *Avec une hache, Jacques fend les bûches en longueur.*
2. *Il fend la foule pour passer.* → il se fait un passage.

■ **se fendre,** v. *Les vieux murs de la maison se fendent sur toute leur longueur.* → ils se craquèlent, se fendillent, se fissurent, se lézardent.

EXPRESSIONS

- **Cela lui fend le cœur.** → cela lui fait de la peine.
- **Il gèle à pierre fendre.** → le froid est très vif.

fenêtre nom fém.

Cet appartement a trois fenêtres, dont deux donnent sur la rue, et une sur le jardin.

EXPRESSION

Jeter l'argent par les fenêtres. → le gaspiller.

fer nom masc.

La grille du portail est en fer forgé. → en métal.

Un fer à cheval

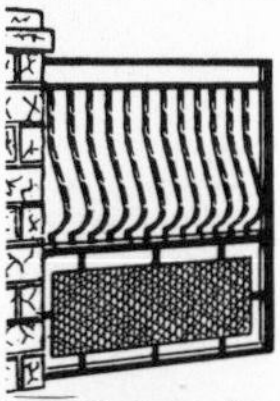
Un portail en fer forgé

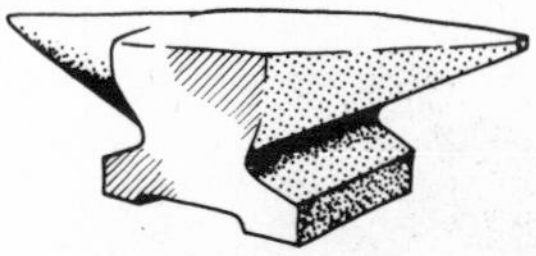
Une enclume

EXPRESSIONS

- **Il faut battre le fer quand il est chaud.** → il faut savoir agir au bon moment.
- **Tomber les quatre fers en l'air.** → tomber à la renverse.
- **Une santé de fer.** → une grande résistance, robustesse.

1. ferme nom fém.

Pour changer, nous irons passer nos vacances dans une ferme, à la campagne.

■ **fermier, ère,** n. m. et f. *Chaque jour, j'allais chercher mon lait chez la fermière.*

2. ferme — adj.

1. *Elle est ferme et sait se faire obéir.* ≠ faible, indécis.
2. *Voici des tomates bien fermes.* ≠ gâté, mou.

EXPRESSIONS

- **Attendre de pied ferme.** → être prêt à combattre à discuter,...
- **Tenir ferme.** → ne pas céder, ne pas lâcher.

fermer 3 — verbe

1. *Ferme la porte à clé, avant de sortir.* → verrouille la porte. ≠ ouvrir.
2. *Faute d'un nombre suffisant d'élèves, on a fermé l'école.* ≃ arrêter, mettre fin à.

EXPRESSIONS

- **Fermer la marche.** → se trouver le dernier dans un cortège.
- **Fermer la parenthèse.** → dans un texte.

féroce — adj.

Le tigre est un animal féroce. ≃ cruel, sauvage. ≠ doux, inoffensif.

EXPRESSION

Un appétit féroce. → un gros appétit.

fertile — adj.

Les terres du delta du Nil, riches en limon, sont très fertiles. → productives, riches. ≠ aride, pauvre.

EXPRESSION

Un voyage **fertile en** *aventures.* → riche en, plein de, rempli de.

fête — nom fém.

Pour ma fête, j'ai reçu une paire de patins à roulettes.

■ **fêter,** v. *Le 25 décembre, nous fêtons Noël.* → nous célébrons.

EXPRESSIONS

- **Avoir le cœur en fête.** → être plein de joie.
- **Faire fête à quelqu'un.** → l'accueillir avec gaieté.

feu — nom masc.

1. *En hiver, qu'il est bon d'allumer un grand feu dans la cheminée ! des bûches emflammées.*
2. *Les pompiers ont réussi à éteindre le feu.* → l'incendie, les flammes.
3. *Avant de traverser une route, regarde les feux tricolores et ne passe qu'au feu rouge.* → les signaux lumineux.

ORTHOGRAPHE

Des **feux.**

EXPRESSIONS

- **Au feu !** → alerte !
- *Les scouts allument* **un feu de camp.**
- Une **arme à feu.** → que l'on charge de cartouches, de poudre.

◀ Des enfants dansant autour d'un feu de camp.

feuille nom fém.

1. *Au printemps, les feuilles des arbres sont vertes.*
2. *J'écris mon courrier sur une feuille de papier.*

■ **feuillage,** n. m. *C'est l'ensemble des feuilles d'un arbre qui forme le feuillage.*

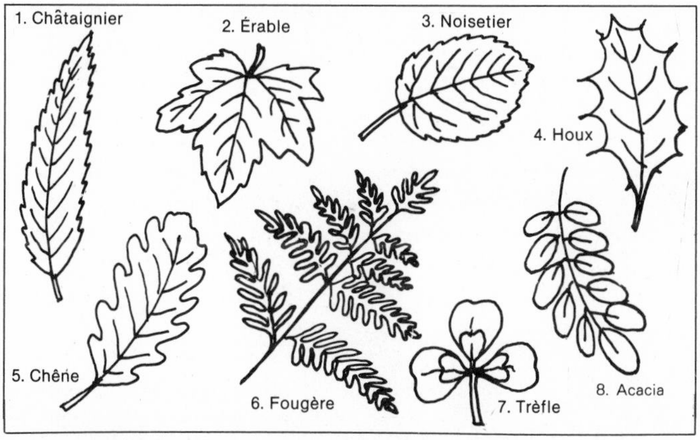

VOCABULAIRE

La feuille tremble, frémit, bouge, s'agite sur la branche. Elle jaunit, brunit, se détache, vole, tourbillonne. Les feuilles jonchent le sol.

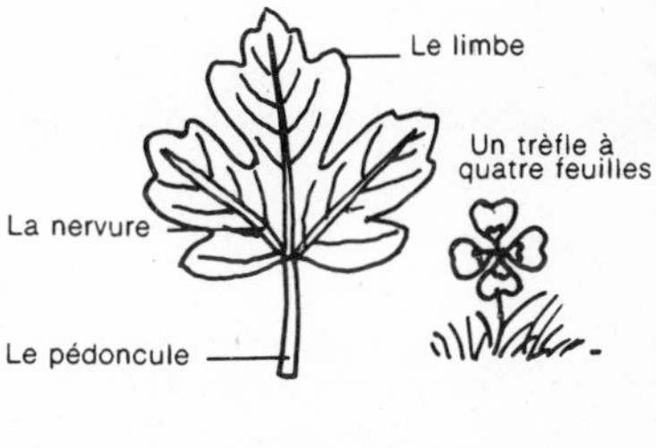

Une feuille.

ficelle nom fém.

1. *J'attache solidement mon paquet avec une ficelle.* → une petite corde.
2. *Notre boulanger vend des pains et des ficelles.* → des pains fantaisie longs, aux dessins rappelant celui d'une corde.

■ **ficeler,** v. *Ficelle bien ton colis avant de l'envoyer.* → passe une ficelle autour.

EXPRESSIONS

- **Tirer les ficelles.** → diriger secrètement d'autres personnes.
- **Connaître les ficelles** (fam.) *d'un métier.* → en connaître les astuces.

fidèle adj. ou nom masc. ou fém.

1. adj. *Le chien est un fidèle ami de l'homme.* → constant et dévoué.
2. n. m. ou f. *Les fidèles se rendent chaque dimanche à la messe.* → les croyants, les pratiquants.

■ **fidélité,** n. f. **1.** *Ce tableau a été reproduit avec fidélité.* → avec exactitude. **2.** *Cette longue amitié est un exemple de fidélité.* → constance, loyauté.

ORTHOGRAPHE

Les noms féminins finissant en **-té** ou **-tié** ne prennent pas de **e** final, sauf la dic**tée,** la je**tée,** la mon**tée,** la pâ**tée,** la por**tée,** et tous ceux qui indiquent un contenu, comme la brouet**tée,** la pelle**tée,** etc.

fier, fière adj.

Depuis qu'il a été nommé directeur, il est devenu fier. → distant, hautain. ≠ modeste, simple.

■ **fierté,** n. f. *Il marche avec fierté sans regarder personne.* → avec un air supérieur, distant.

EXPRESSIONS

- *Elle m'a rendu* **un fier service.** → un grand service.
- **Il fait le fier.** → il se croit supérieur aux autres.

fièvre nom fém.

Le médecin a ordonné des médicaments pour faire tomber la fièvre. → augmentation de la température.

■ **fiévreux, euse,** adj. *Renée a les yeux brillants et le front chaud : elle est fiévreuse.* → elle a de la fièvre.

EXPRESSIONS

- **Avoir (de) la fièvre.** → être malade.
- **Un accès de fièvre.** → une augmentation de la température du corps.

figure — nom fém.

1. *Le ramoneur a la figure noire de suie.* → le visage.
2. *Le triangle, le rectangle, le cercle sont des figures géométriques.* ≃ forme.
3. *Dans les concours de patinage artistique, les patineuses et les patineurs doivent exécuter des figures.* → des mouvements réglés.

■ **figurer,** v. **1.** *La scène figure un déjeuner sur l'herbe en été.* → elle montre, représente. **2.** *Son titre de « docteur » figure sur sa carte de visite.* → il est inscrit, se trouve sur.

EXPRESSIONS

- **Il a une bonne figure.** → il a l'air sympathique.
- **Faire bonne figure.** → être souriant.
- *Vercingétorix est* **une figure de l'histoire.** → un grand personnage.

fil — nom masc.

1. *Comme c'est difficile de passer le fil dans le chas de l'aiguille !*
2. *La barque suit le fil de l'eau.* → le courant de la rivière.

■ **filer,** v. *On file la laine du mouton puis on l'enroule en pelote.* → on la transforme en un fil.

◄ Un fil à plomb.
Un fil de couture.

EXPRESSIONS

- **De fil en aiguille.** → petit à petit.
- **Le fil à plomb** *du maçon.* → pour obtenir la verticale (d'un mur).
- **Ne tenir qu'à un fil.** → à très peu de choses.
- **Perdre le fil.** → ne plus savoir où on en était dans une histoire, un récit, une conversation.
- **Un coup de fil.** → un coup de téléphone.

filet — nom masc.

1. *Le pêcheur place ses filets pour capturer les poissons.* → d'amples pièges à mailles.
2. *Samedi, nous avons mangé des filets de merlan.* → des tranches de poisson coupées en longueur.
3. *Verse un filet de citron sur ces crudités, tu en relèveras le goût.* → quelques gouttes.

VOCABULAIRE

Plusieurs filets (sens 1) :
- un filet à papillons, à crevettes ;
- un filet (en sport) : football, tennis, volley-ball ;
- un filet à provisions. → pour faire ses courses.

fille — nom fém.

1. *Virginie est une fille.* ≠ garçon.
2. *Mes voisins ont une fille et un fils.*

■ **fillette,** n. f. → une fille très jeune.

VOCABULAIRE

Pour ses grand-mères, Virginie est leur petite-fille.

film [film] — nom masc.

1. *J'ai placé un film couleur dans la caméra.* → une pellicule.
2. *Ce soir passe à la télévision le célèbre film de Charlot : « la Ruée vers l'or ».*

■ **filmer,** v. *A la télévision, les reporters ont filmé l'arrivée de la course cycliste.*

VOCABULAIRE

Un film peut être un court (ou un long) métrage, un documentaire ; il peut être dramatique ou comique, policier, fantastique, de cape et d'épée...

fils [fis] — nom masc.

Le fils de M. et Mme Paris se prénomme Paul.

fin, fine adj.

1. *Le fil à coudre doit être très fin.* ≠ épais, gros.
2. *C'est une personne fine.* → intelligente, rusée. ≃ subtil.

■ **finement,** mot inv. *Sur l'assiette, des fleurs étaient finement dessinées.* → d'une manière délicate. ■ **finesse,** n. f. **1.** *La finesse des traits d'un visage.* **2.** *Avec finesse, elle lui a fait remarquer son étourderie.* → avec tact.

EXPRESSIONS

- **Le fin fond de** *la forêt.* → le plus profond.
- **Être fin prêt.** → tout à fait prêt.
- **Des fines herbes.** → du persil, de la ciboulette, de l'estragon...

fin nom fém.

1. *La Saint-Sylvestre et Noël sont des fêtes de fin d'année.* → le moment où l'année s'achève. ≠ commencement, début.
2. *Napoléon n'a pas eu une fin glorieuse.* → une mort.
3. *La conclusion marque la fin d'une histoire, d'un récit.* → l'achèvement.

■ **final, e,** adj. *A la fin d'une phrase, n'oublie pas de mettre un point final.* → qui marque la fin (sens 3). ■ **finale,** n. f. *La finale de la coupe de France se déroulera en juin.*

ORTHOGRAPHE

Attention : un **n** à final(e), finaliste.

EXPRESSIONS

- **Prendre fin.** → s'achever.
- **La fin d'un texte.** → sa conclusion.
- **La fin du match.** → son achèvement.
- **Le mot de la fin.** → la conclusion, le dernier mot.

F

finir [4] verbe

1. *Paul a fini sa rédaction.* ≃ achever, terminer.
2. *Hélas ! les vacances finissent demain.* → elles s'achèvent, se terminent. ≠ commencer, débuter.

EXPRESSION

Une discussion **à n'en plus finir.** → interminable.

fixer [fikse] [3] verbe

1. *Fixe ce tableau au mur du salon.* → accroche-le, suspends-le.
2. *Le chien obéissant fixait son maître.* → il le regardait, l'observait.
3. *Pour les vacances, je ne suis pas encore fixé !* → je suis incertain, indécis. ≃ hésiter.

■ **fixe,** adj. *Un objet à prix fixe.* → dont le prix ne varie pas. ■ **se fixer,** v. **1.** *Ma famille va se fixer à Marseille.* → s'installer définitivement. **2.** *Mon choix s'est fixé sur ce manteau bleu.* → il s'est arrêté.

EXPRESSIONS

- **Être au beau fixe.** → (en parlant du temps) beau temps qui ne cesse de durer.
- **Avoir une idée fixe.** → avoir toujours la même idée en tête.
- **A heure fixe.** → à une heure très précise.

flairer [3] verbe

Médor flaire la piste du lièvre. → il hume, sent les odeurs.

■ **flair,** n. m. *Le chien de chasse a un flair très développé.* ≃ odorat.

EXPRESSION

Avoir du flair (pour une personne). → avoir de la perspicacité, de l'intuition.

flamme — nom fém.

1. *La flamme de la bougie présente trois couleurs : bleu, orange et jaune.* ≃ feu.
2. *Il a prononcé son discours avec flamme.* → avec un grand enthousiasme.

EXPRESSIONS

- **Être tout feu, tout flamme.** → être très enthousiaste.
- **Être en flammes.** → brûler.

flanc [flɑ̃] — nom masc.

1. *Ces alpinistes escaladent le flanc de la montagne.* → le côté, l'arête, le versant.
2. *La balle a percé le flanc de la biche.* → le côté.

flèche — nom fém.

1. *L'archer décoche sa flèche en direction de la cible.*
2. *Une flèche indique la direction de Montélimar.* → signe sur un panneau.

EXPRESSIONS

- **Monter en flèche.** → grimper rapidement.
- **Filer, partir comme une flèche.** → aller très vite.

fleur — nom fém.

Dans le square, le jardinier entretient les parterres de fleurs.

■ **fleuriste,** n. m. ou f. *J'ai commandé un bouquet de roses chez le fleuriste.* → le marchand de fleurs.

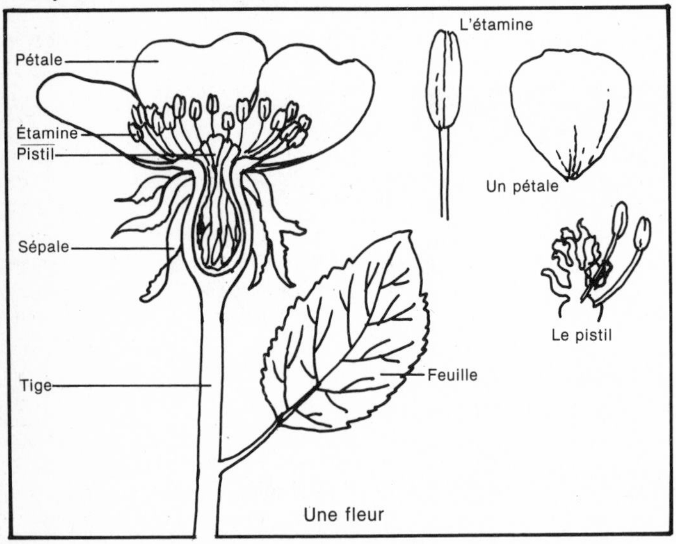

ORTHOGRAPHE

- Les noms à finale en [œʀ] s'écrivent -eur, sauf le **beurre,** une dem**eure,** l'**heure.**
- On dit le ou la fleuriste.

AUTOUR DE

Autrefois, l'emblème des rois était la fleur de lis.

La fleur de lys

fleuve — nom masc.

Voici les quatre plus grands fleuves français : la Seine, le Rhône, la Loire et la Garonne.

■ **fluvial, e,** adj. *Paris est le port fluvial français le plus important.* → situé sur un fleuve.

EXPRESSION

Un roman-fleuve. → un roman long, abondant en idées et en actions.

flocon — nom masc.

1. *Le matin, je mange des flocons d'avoine mélangés à du lait et à du sucre.*
2. *Ce Noël-là, la neige tombait à gros flocons.*

flotter [3] verbe

Le liège, le bois flottent à la surface de l'eau. ≃ surnager. ≠ couler, s'immerger.

■ **flot,** n. m. **1.** au plur. *Le bateau danse sur les flots.* → les vagues. **2.** *Un flot de marchandises arrive au marché.* → une masse importante.

Le radeau flotte sur l'eau.

flou, floue adj.

J'ai raté ma photo, elle est floue. → pas nette, trouble.

flûte nom fém.

1. *La flûte est un instrument de musique à vent.*
2. *Au dessert, Michel a versé le champagne dans des flûtes.* → des verres à pied, de forme longue et étroite.

ORTHOGRAPHE

N'oublie pas l'accent circonflexe sur le **u**.

VOCABULAIRE

Le musicien qui joue de la flûte est un flûtiste.

F

foie nom masc.

Paul a mangé trop de chocolats et il a mal au foie. → un organe de l'abdomen.

ORTHOGRAPHE

Le foi**e** prend un **e** final.

foin nom masc.

1. *En été, le fermier fauche le foin, le laisse sécher puis le rentre dans la grange.* → sorte d'herbes longues.
2. *En été, on peut voir des meules de foin dans les champs.* → d'herbe fauchée et séchée.

AUTOUR DE

Le foin, rentré en été, est destiné à nourrir les animaux en hiver.

fois nom fém.

1. *C'est la première fois que je vois la mer.*
2. *Deux fois trois font six.*

EXPRESSIONS

- **Une fois que.** → dès que.
- **Une fois pour toutes.** → une bonne fois, définitivement.
- **A la fois.** → en même temps.

foncer [26] verbe

1. *Ton dessin représente un ciel d'orage : fonce un peu plus les couleurs.* ≃ assombrir. ≠ éclaircir.
2. *Durant la course, les voitures fonçaient à une vitesse folle.* → elles allaient vite, filaient.

■ **foncé, e,** adj. *Une couleur foncée.* ≠ clair.

ORTHOGRAPHE

Un manteau vert foncé, une robe vert foncé donnent au féminin et au pluriel : des manteaux et des robes vert foncé : toujours invariable.

fonctionner [fɔ̃ksjɔne] [26] verbe

Le moteur du moulin à café fonctionne à l'électricité. → il est actionné par, marche à.

■ **fonction,** n. f. **1.** *Jean-Michel occupe la fonction de coursier dans une grande banque.* → l'emploi. **2.** *Quelle est la fonction de* pomme *dans la phrase suivante :* la fillette mange la pomme. → le rôle, l'emploi grammatical. ■ **fonctionnement,** n. m. *Le fonctionnement de cet ourson mécanique est simple : il suffit de tourner la clé.* → la façon dont il marche.

EXPRESSIONS

- *Comme cadeau, j'ai choisi un fer à repasser* **en fonction de** *son utilité.* → selon, à cause de.
- **Entrer en fonctions.** → commencer à exercer un travail.

fond — nom masc.

1. *Il reste un peu de café au fond de la tasse.*
2. *Le chœur se trouve au fond de l'église.*
3. *Ce paysage de neige se détache sur un fond gris.* → sur une surface unie où apparaît le tracé d'un dessin.

EXPRESSIONS

- **Courir à fond.** → à toute vitesse.
- **Ouvrir** *(un robinet)* **à fond.** → complètement.
- **Du fond du cœur.** → sincèrement.

fondre 31 — verbe

1. *Les morceaux de sucre fondent dans l'eau.* → ils se dissolvent.
2. *Au soleil, la neige fond.* → elle devient liquide, se transforme en eau.

EXPRESSION

Fondre en larmes. → pleurer.

fontaine — nom fém.

Dans certains villages, on voit encore des fontaines où l'on peut puiser et boire de l'eau.

Il y a de nombreuses fontaines à Aix-en-Provence. Celle-ci s'appelle ▶ *La Fontaine des Quatre Dauphins,* à cause des quatre statues de dauphins dont elle est ornée et d'où jaillit un jet d'eau.

force — nom fém.

1. *Il a beaucoup de force : il a réussi à soulever cette table tout seul.* → il est puissant, robuste, vigoureux. ≠ chétif, faible, frêle.
2. *Grâce à sa force de caractère, elle a surmonté sa peine.* → son courage, sa volonté.
3. *La force du vent fait tourner les ailes des moulins.* → la puissance, l'énergie.
4. *Ces deux champions d'échecs sont de force égale.* → ils ont les mêmes capacités.

■ **forcément,** mot inv. *Elle est dernière ; forcément, elle ne travaille pas !* ■ **forcer,** v. *Mon frère m'a forcé à aller voir ce film.* → il m'a contraint à, obligé.

EXPRESSIONS

- **De gré ou de force.** → qu'on le veuille ou pas.
- **Il est de force à** *réussir.* → il est capable de.
- **Reprendre des forces.** → se rétablir.
- **A force de.** → parce que.

forêt — nom fém.

Les bûcherons abattent des arbres dans la forêt. → une grande étendue plantée d'arbres.

■ **forestier, ière,** adj. *Cette allée forestière débouche sur la route.*

ORTHOGRAPHE

N'oublie pas l'accent circonflexe sur le **e**.

forme — nom fém.

1. *Le ballon a une forme ronde.* → un aspect.
2. *L'athlète s'entraîne pour garder sa forme.* → son bon état physique.

GRAMMAIRE

- *Je me lève :* forme pronominale.
- *Je lève :* forme active.
- *Le marteau est levé par le forgeron.* → forme passive.
- *Te lèveras-tu à 8 heures ?* → forme interrogative.
- *Tu ne te lèveras pas à 7 heures.* → forme négative.

former 3 verbe

1. *Forme bien les lettres en écrivant.* ≃ tracer.
2. *Ils forment un couple uni.* → ils constituent.
3. *L'entraîneur a formé son équipe pour le prochain match.* → il a composé.
4. *Le boucher a pris un jeune apprenti pour le former.* → pour lui apprendre le métier.

fort, forte adj.

1. *Les déménageurs sont des hommes forts.* → résistants, robustes, vigoureux. ≠ faible.
2. *Raoul est fort en dictée, mais faible en calcul.* → capable, compétent, doué. ≠ faible, nul.
3. *Emballé dans du papier fort, ton colis ne risque rien.* → résistant, solide.
4. *Au jeu de la bataille, le 7 est la carte la moins forte.* → celle qui a le moins de valeur.
5. *Un vent fort soufflait sur la mer.*→ violent.
6. *Donnez-moi un café bien fort !* → très concentré.
7. *D'une voix forte, il lui ordonna de sortir.* → puissante. ≠ bas, faible.

■ **fort,** mot inv. **1.** *Ne parlez pas si fort !* → si haut. ≠ bas. **2.** *Appuie fort sur l'accélérateur.* → avec énergie, force. **3.** *Il pleut très fort.* → abondamment. ■ **fort,** n. m. **1.** *Les soldats s'entraînent dans cet ancien fort.* → construction fortifiée. **2.** *L'orthographe, ce n'est pas mon fort.* → ce n'est pas la matière que je connais le mieux.

EXPRESSIONS

- **Un château fort.** → un château construit pour être bien protégé.
- **Prêter main-forte à quelqu'un.** → l'aider.
- **C'est plus fort que moi.** → je ne peux m'en empêcher.
- **C'est un peu fort !** → c'est exagéré !

Le château de Bonaguil en Lot-et-Garonne.

F

fortune nom fém.

Cet homme puissant est à la tête d'une immense fortune. → il est très riche.

■ **fortuné, e,** adj. → riche.

EXPRESSIONS

- **Faire fortune.** → s'enrichir.
- **Faire contre mauvaise fortune bon cœur.** → s'accommoder d'un échec.

fossé nom masc.

De chaque côté du chemin se trouve un fossé par où s'écoule l'eau de pluie. → une tranchée.

AUTOUR DE

Les châteaux forts étaient entourés de fossés remplis d'eau. ≃ douve.

fou, folle adj.

1. *C'est à la suite d'un accident que cet homme est devenu fou.* → il a perdu la raison.
2. *Traverser la Manche à la nage est une folle tentative.* → audacieuse, déraisonnable, insensée. ≠ raisonnable, sage, sensé.
3. *Paul est fou des timbres.* → il adore les timbres, il a la passion des timbres. ≠ indifférent.

■ **fou, folle,** n. m., n. f. → un (une) malade ayant perdu la raison.

ORTHOGRAPHE

Un homme **fou** / un **fol** espoir. Devant un mot masculin commençant par une voyelle ou un **h** muet, fou devient **fol.**

EXPRESSION

Un fou rire. → un rire qu'on ne peut pas interrompre.

foudre — nom fém.

Un jour d'orage, la foudre s'est abattue sur le vieux platane.

■ **foudroyer,** v. **1.** *Trois arbres ont été foudroyés lors du dernier orage.* → ils ont été abattus par la foudre. **2.** *D'un coup de fusil, le chasseur foudroya la perdrix.* ≃ abattre. **3.** *Cette terrible nouvelle l'a foudroyé.* → elle l'a bouleversé.

fouiller [3] — verbe

1. *José fouille ses poches pour retrouver une pièce de cinq francs.* → il cherche à l'intérieur.
2. *En fouillant le sol, les archéologues ont trouvé un vieux vase égyptien.* → en creusant, en inspectant avec minutie.

■ **fouille,** n. f. **1.** *Au cours de leurs fouilles, les archéologues ont retrouvé d'anciennes statues romaines.* → action de creuser la terre à la recherche de vestiges. **2.** *A l'aéroport nous sommes obligés de passer à la fouille.* → inspection des effets, des vêtements par la douane.

foule — nom fém.

1. *Une foule enthousiaste attendait la chanteuse après son récital.* → un très grand nombre de personnes.
2. *Les spectateurs vinrent en foule applaudir les vainqueurs.* → en grand nombre.

VOCABULAIRE

Une foule de clients, une foule d'amis, une foule d'idées, une foule de timbres, une foule de livres.

four — nom masc.

Le boulanger cuit son pain dans le four.

AUTOUR DE

Les petits fours sont des petits gâteaux de toutes sortes : macarons, meringues, sablés... cuits au four. Ils peuvent être salés ou sucrés.

fourmi — nom fém.

La fourmi est un insecte qui travaille et vit dans une fourmilière.

ORTHOGRAPHE

- Une fourmi/des fourmi**s**.
- Les noms féminins en [i] s'écrivent -**ie,** sauf la fourm**i**, la brebi**s**, la souri**s**, la perdri**x**.

fournir [4] — verbe

1. *Le dictionnaire fournit des renseignements sur le sens des mots.* → il donne. ≠ cacher, garder, taire.
2. *L'usine fournit des blouses à ses employés.* → elle procure.

fourrure nom fém.

L'ours blanc possède une épaisse fourrure qui le protège du froid. → une peau couverte de poils.

foyer [fwaje] nom masc.

1. *Après le travail, chacun regagne son foyer.* → sa maison.
2. *Les pompiers ont maîtrisé plusieurs foyers d'incendie.* → plusieurs endroits où s'est déclaré le feu.
3. *Le soir, à la campagne, nous allumons un feu dans le foyer de la cheminée.* → l'endroit central où l'on fait le feu. ≃ âtre.

ORIGINE

Appartient à la famille du mot feu.

EXPRESSIONS

- **Fonder un foyer.** → se marier.
- **Rester au foyer.** → ne pas travailler, rester à la maison.

F

fragile adj.

1. *Attention à ce vase ! Il est très fragile.* → délicat. ≠ incassable, robuste, solide.
2. *Maurice est d'une santé fragile.* → faible.

■ **fragilité,** n. f. **1.** *La fragilité d'un objet.* ≠ solidité. **2.** *La fragilité d'une personne.* ≠ robustesse, solidité.

frais, fraîche adj.

1. *Voici des œufs frais, ramassés ce matin au poulailler.* → du jour, récent. ≠ ancien.
2. *Le temps est frais ce matin.* → un peu froid. ≠ chaud.

■ **fraîcheur,** n. f. *Ces fruits cueillis ce matin sont d'une grande fraîcheur.*

ORTHOGRAPHE

N'oublie pas l'accent circonflexe sur le **i** dans fraîche, fraîchement, fraîcheur.

franc, franche adj.

Paul est un garçon franc et honnête. → loyal, ouvert, sincère. ≠ faux, fourbe, hypocrite.

■ **franchement,** mot inv. **1.** *Dis-le moi franchement !* → directement, sans détour. **2.** *Ce film est franchement idiot !* → vraiment. ■ **franchise,** n. f. *Il m'a parlé avec franchise.* → sincérité.

EXPRESSION

Un coup franc. → une faute au football.

franc [frɑ̃] nom masc.

Le franc est l'unité de monnaie en France, en Belgique et en Suisse.

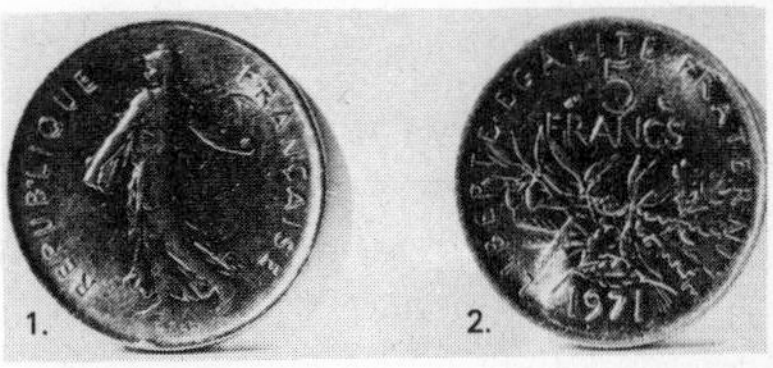

1. 2.

▲ Une pièce de 5 F : 1. pile.
2. face.

français, française adj. ou nom masc. et fém.

1. adj. *Le drapeau français est tricolore : bleu, blanc, rouge, ses bandes sont verticales.*
2. n. m. *En France, au Québec, en Belgique, on parle le français.* → la langue française.
3. n. m. et f. *Les Français sont un peuple d'Europe.* → les personnes de nationalité française.

ORTHOGRAPHE

On met une majuscule aux noms d'habitants, de peuples : un Français.

ORIGINE

Vient d'un mot latin francia, nom d'une province au nord de Paris, occupée par les guerriers francs.

franchir [4] verbe

1. *Le coureur franchit la haie.* → il passe, saute.
2. *Sur la route, il est interdit de franchir la ligne continue.* → de dépasser.

frapper [3] verbe

1. *Dans un accès de colère, Paul a frappé son frère.* ≠ battre.
2. *Avant d'entrer chez le directeur, frappe à la porte.* ≃ cogner.
3. *La dactylo frappe une lettre sur sa machine.* → elle tape.
4. *C'est à l'hôtel des Monnaies, à Paris, qu'est frappée la monnaie française.* → qu'on imprime une figure, un motif en relief sur les pièces.
5. *Un nouveau malheur frappe cette famille.* → il atteint, touche.
6. *Voilà un détail qui ne m'avait pas frappé.* → que je n'avais pas remarqué.

EXPRESSIONS

- **Entrez sans frapper** (sens 2).
- **Frapper à toutes les portes.** → chercher de l'aide.
- **Frapper les yeux.** → être évident.

■ **frappant, e,** adj. *La ressemblance entre ces deux frères jumeaux est frappante.* ≃ étonnant, saisissant.

frayeur [fʀɛjœʀ] nom fém.

Quelle frayeur j'ai eue quand j'ai vu le lion s'approcher de moi ! ≃ effroi, épouvante, peur, terreur.

VOCABULAIRE

- On peut : causer, inspirer, éprouver, ressentir de la frayeur.

frein nom masc.

J'ai dévalé la pente à toute vitesse : heureusement que mon vélo a de bons freins !

EXPRESSIONS

- **Mettre un frein à.** → limiter, restreindre.
- **Ronger son frein.** → être impatient, mais se maîtriser, se contenir.

■ **freinage,** n. m. *Il y avait plusieurs traces de freinage à l'endroit de l'accident.* ■ **freiner,** v. *L'automobiliste a freiné, puis s'est arrêté pour laisser passer le chat.* ≠ accélérer.

frémir [4] verbe

1. *L'eau frémit avant de bouillir.* → elle est animée d'un léger mouvement.
2. *Pierre a frémi de peur en voyant la voiture déboucher si vite.* → il a tremblé.

■ **frémissement,** n. m. **1.** *Carole eut un frémissement de frayeur en voyant ce chien arriver sur elle.* → un tremblement. **2.** *Le frémissement des feuilles sur les branches.*

fréquent, fréquente adj.

En automne, les pluies sont très fréquentes dans notre région. → continuelles, courantes, habituelles, répétées. ≠ exceptionnel, rare.

■ **fréquemment** [frekamɑ̃] mot inv. *Notre ancien voisin revient fréquemment nous voir.* → souvent. ■ **fréquence,** n. f. *Pendant le mois d'avril, on a enregistré une grande fréquence d'orages sur la région.* → le retour régulier d'orages.

frère nom masc.

Je vous présente mon frère Daniel et ma sœur Delphine.

VOCABULAIRE

Un frère aîné, cadet, jumeau.

frissonner 3 verbe

Le froid me fait frissonner. → il me fait trembler.

frisson, n. m. *Quand les adversaires ont failli marquer un but, j'ai eu un frisson dans le dos.*

ORTHOGRAPHE

Attention ! fri**ss**o**nn**er prend deux **s** et deux **n.**

froid nom masc.

L'hiver est l'époque des grands froids. ≠ chaleur.

froid, mot inv. **1.** *Cet accident m'a fait froid dans le dos.* → il m'a impressionné. **2.** *Il fait très froid, le thermomètre marque – 5 °C.* **froid, e,** adj. **1.** *L'hiver est une saison froide.* ≠ chaud. **2.** *Malgré les excuses de Sophie, maman est restée froide.* → imperturbable, insensible.

EXPRESSIONS

- **Avoir froid** ≠ avoir chaud.
- **Prendre, attraper froid.** → attraper un rhume.
- **Être en froid avec quelqu'un.** → être fâché.
- **N'avoir pas froid aux yeux.** → ne pas avoir peur.

F

fromage nom masc.

La France possède une très grande variété de fromages.

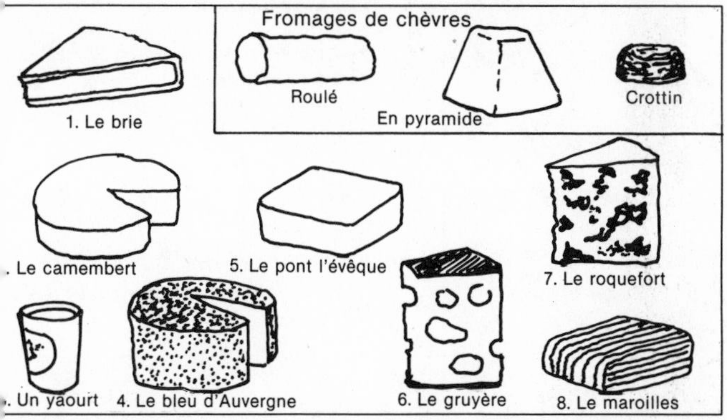

AUTOUR DE

- Le fromage est fait à partir de lait caillé (de chèvre, de brebis ou de vache), qu'on prépare selon les traditions de chaque région.
- En France, il existe environ 400 variétés de fromages.

VOCABULAIRE

Diverses sortes de fromages : bleu, brie, cantal, comté, coulommiers, crottin, emmenthal, fromage blanc, gruyère, hollande, livarot, munster, pont-l'évêque, Port-Salut, roquefort, suisse, tomme, yaourt.

front nom masc.

En tombant, René s'est fait une bosse au front.

EXPRESSION

- **Faire front.** → affronter, résister.

frontière nom fém.

A la frontière entre la France et la Suisse, les douaniers demandent nos papiers et ce que nous avons à déclarer. → la limite entre deux pays.

VOCABULAIRE

On franchit, passe, atteint, trace la frontière.

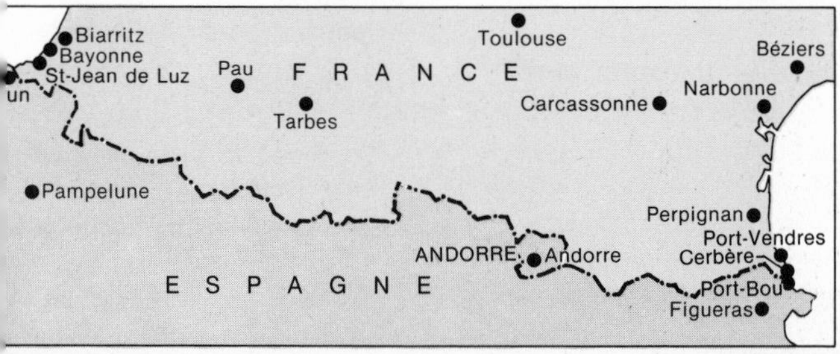

◄ La frontière entre la France et l'Espagne.

frotter [3] verbe

1. *Ce cuivre brillera si tu le frottes avec un chiffon doux.* ≃ astiquer, lustrer, polir.
2. *La roue de mon vélo est voilée : elle frotte contre le garde-boue.* → un côté appuie contre le garde-boue.

■ **se frotter,** v. *Le chat se frotte contre mes jambes.* **frottement,** n. m. *Le frottement de l'eau use et polit les galets.*

EXPRESSIONS

- **Ne t'y frotte pas.** → n'essa pas de t'en approcher.
- **Se frotter les mains.** → êt très satisfait.

fruit nom masc.

1. *Les cerises, les pêches, les prunes sont des fruits.*
2. *Les bonnes notes de Paul sont le fruit de son travail sérieux.* → le résultat, la récompense.

■ **fruitier, ière,** adj. *Le pommier, le cerisier sont des arbres fruitiers.*

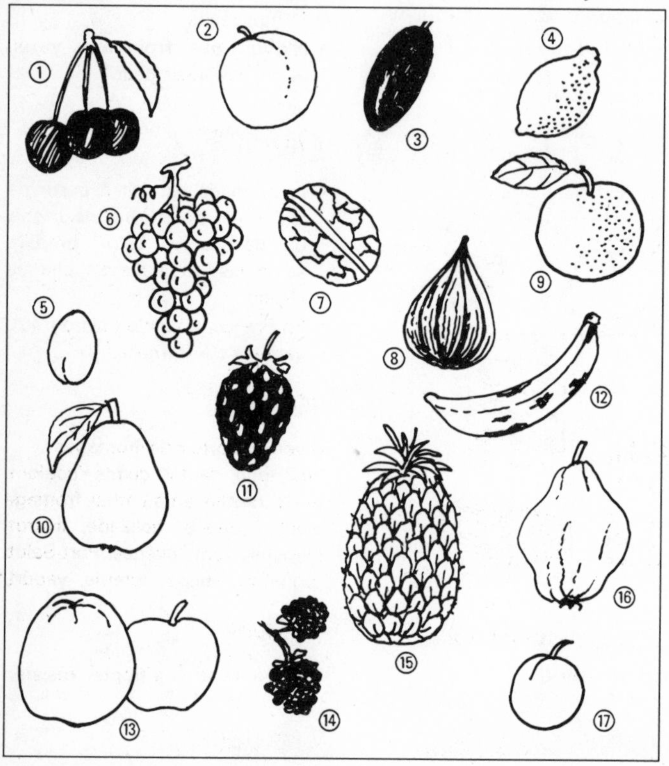

◄ 1. Cerise
2. Pêche.
3. Quetsche.
4. Citron.
5. Abricot.
6. Raisin.
7. Noix.
8. Figue.
9. Orange.
10. Poire.
11. Fraise.
12. Banane.
13. Pommes.
14. Framboises.
15. Ananas.
16. Coing.
17. Reine-Claude.

EXPRESSION

Porter ses fruits.
→ être utile, profitable.

VOCABULAIRE

- Un fruit peut être aigre, ame âpre, délicieux, doux, farineu fondant, frais, juteux, pulpeu sec, sucré, tendre ou velout
- Un arbre porte, produit, donn des fruits, que l'on cueille.
- Un fruit pousse, mûrit, se gât tombe.

fuir verbe

1. *Le lapin a fui devant les chasseurs.* → il a décampé, s'est enfui, s'est sauvé.
2. *Cet arrosoir percé fuit de toutes parts.* → il coule, perd de l'eau.
3. *Dès qu'elle le voit, elle le fuit.* → elle l'évite, elle s'éloigne de lui.

■ **fuite,** n. f. **1.** *Effrayée par l'orage, la fillette a pris la fuite.* → elle s'est enfuie, est partie rapidement. **2.** *Une fuite de gaz a provoqué l'explosion.*

EXPRESSION

Mettre en fuite.
→ pousser à fuir, à s'éloigner.

VOCABULAIRE

- On prend la fuite. On met e fuite quelqu'un.
- Une fuite peut être rapide, préci pitée, éperdue.

fumée — nom fém.

La fumée des usines pollue l'atmosphère. → les gaz de combustion qui se dégagent.

■ **fumer,** v. **1.** *Fumer nuit à la santé.* **2.** *A l'automne, il fume son jardin.* → il répand du fumier pour fertiliser. **3.** *L'incendie était presque éteint : quelques poutres fumaient encore.* → elles laissaient se dégager de la fumée. ■ **fumeur, euse,** n. m. et f. *Mon oncle est un gros fumeur de cigares.* → une personne qui fume beaucoup.

EXPRESSION

Partir en fumée. → disparaître.

PROVERBE

Il n'y a pas de fumée sans feu. → il doit y avoir du vrai dans le bruit qui court.

fureur — nom fém.

Il est entré dans une grande fureur quand il a appris que j'avais menti. ≃ colère, rage, indignation.

■ **furieusement,** mot inv. *Il s'est défendu furieusement contre son agresseur.* ■ **furieux, euse,** adj. *Mes parents étaient furieux contre moi en voyant mes mauvaises notes.* → ils étaient en colère. ≠ content, heureux, satisfait.

EXPRESSIONS

- **Faire fureur.** → être très à la mode, en vogue.
- **Mettre en fureur.** → mettre en colère.

F

fusée — nom fém.

La fusée a parfaitement réussi son décollage et monte droit dans le ciel.

◄ Le lancement d'une fusée.

EXPRESSION

Partir comme une fusée. → à toute vitesse.

fusil [fyzi] — nom masc.

Les chasseurs tirent le gibier avec leur fusil.

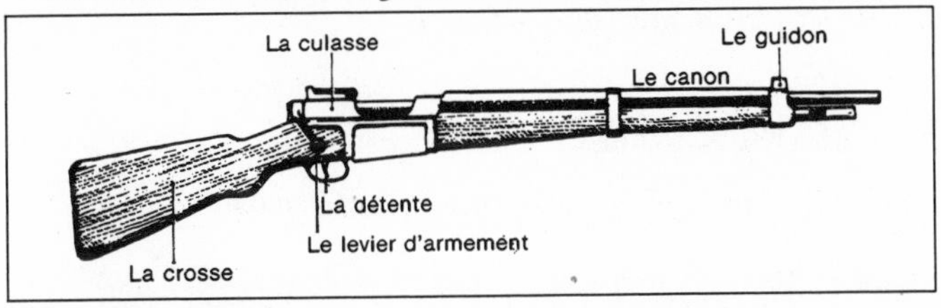

ORTHOGRAPHE

N'oublie pas le l muet de fusil.

VOCABULAIRE

On épaule, charge, décharge un fusil. Le chasseur tire un coup de fusil en pressant la détente.

futur, future — adj.

1. *Cette jeune athlète est très douée : voilà une future championne.*

2. *Je bois à ta future réussite.* → ta réussite à venir, proche. ≠ lointain.

■ **futur,** n. m. **1.** *Dans le futur, on pourra peut-être guérir le cancer.* → l'avenir. **2.** *Conjugue le verbe* marcher *au futur de l'indicatif.* → un temps de la conjugaison.

GRAMMAIRE

Le *futur* est un temps de la conjugaison. La première personne du singulier et du pluriel :
- verbes du 1er groupe en *er* : finales **erai/erons :** j'oserai.
- verbes du 2e groupe en *ir* : finales **irai/irons :** je finirai.
- verbes du 3e groupe : finales en **rai/rons :** je prendrai.

Gg

gagner [3] — verbe

1. *Brigitte gagne son argent de poche en donnant des leçons de tennis.* → elle se procure. ≃ obtenir.
2. *Maurice avait le bon numéro : il a gagné le gros lot.*
3. *En allant à vélo à l'école, Lucie gagne dix minutes.*
4. *Éléonore a gagné la course ; Ludovic a gagné la partie de dames.* ≠ perdre.

■ **gagnant, e,** n. m. et f. *La gagnante a reçu un prix.* → celle qui a gagné (sens 4). ≃ vainqueur. ≠ perdant.

EXPRESSIONS

- **Gagner sa vie.** → travailler.
- *Paul* **gagne à être connu.** → mieux on le connaît, plus on l'apprécie.

VOCABULAIRE

Gagner le gros lot, gagner un match, un tournoi, une bataille, la guerre.

gai, gaie — adj.

1. *Frédérique est une enfant gaie, toujours souriante et heureuse de vivre.* ≠ triste.
2. *Cette peinture marron assombrit la pièce : il faudrait une couleur plus gaie.* ≃ vif.

■ **gaiement** [gɛmɑ̃], mot inv. *En rentrant de la promenade, nous chantions gaiement.* → joyeusement. ■ **gaieté,** n. f. *Au départ du train pour la classe de neige, les enfants se bousculèrent, pleins de gaieté.* → pleins d'entrain. ≠ tristesse.

ORTHOGRAPHE

Attention au **e** dans gai**e**té et gai**e**ment !

EXPRESSIONS

- **Être gai comme un pinson.** → être très gai.
- *Il va encore pleuvoir,* **c'est gai** (fam.) ! → ce n'est pas drôle.

galoper [3] — verbe

La course est presque terminée, les chevaux galopent vers la ligne d'arrivée.

■ **galop,** n. m. *Le pas, le trot et le galop sont les trois allures du cheval.*

ORTHOGRAPHE

Attention au **p** final de galo**p**, qui ne se prononce pas.

gamme — nom fém.

1. « Do, ré, mi, fa, sol, la, si do » : *Anne apprend à chanter la gamme.*
2. *Christine choisit la couleur de la voiture dans la gamme qu'on lui propose.* ≃ série.

VOCABULAIRE

Faire des gammes au piano.

garantir [4] — verbe

1. *La montre de Nathalie est garantie six mois.* → si elle tombe en panne au cours des six mois, la réparation sera gratuite.
2. *Si tu restes nu-pieds, je te garantis que tu vas attraper froid.* (fam.) → je t'assure.

■ **garantie,** n. f. *La garantie de ce réveil est d'un an.*

EXPRESSION

Être sous garantie. → bénéficier de réparations gratuites.

garçon [gaʀsɔ̃] nom masc.

1. *Dans notre classe, il y a 16 filles et 15 garçons.*
2. *Les voisins ont deux filles et un garçon.* → un fils.
3. *Alice a commandé un thé au garçon.* → au serveur.

ORTHOGRAPHE

Attention à la cédille sous le **c**.

garder [3] verbe

1. *Quand ses parents sortent, Guy garde sa petite sœur.* → il reste avec elle et la surveille.
2. *Le chien garde la maison.* → il fait le guet.
3. *Caroline a gardé mon disque.* → elle ne me l'a pas rendu.
4. *Sur la plage Grégoire garde son chapeau de soleil sur la tête.* ≠ enlever, ôter.
5. *Charlotte est arrivée en retard, Lucas lui avait gardé une part de gâteau.* → il lui avait mis de côté, réservé.
6. *Il faut garder la glace au congélateur.* → conserver.

■ **garde,** n. f. *Quand des parents divorcent, le père ou la mère peut avoir la garde des enfants.* ■ **garde,** n. m. ou f. *Quand grand-mère a été très malade, une garde est restée près d'elle toute la nuit.* ■ **gardien, ienne,** n. m. et f. *Le paquet a été déposé chez la gardienne de l'immeuble.* ■ **se garder,** v. *Il faut se dépêcher de manger les fraises ; elles ne se garderont pas.* ≃ se conserver.

GRAMMAIRE

Un garde-barrière, des gardes-barrières ; un garde-malade, des gardes-malades : *garde* désigne ici une personne. Mais un garde-manger, des garde-manger ; un garde-boue, des garde-boue : *garde* désigne ici des objets.

EXPRESSIONS

- **Garder un secret, garder quelque chose pour soi.** → ne pas le dire.
- **Garder le silence, garder son calme.** → continuer à être silencieux, calme.
- **Monter la garde.** → garder, surveiller.
- **Se tenir sur ses gardes.** → être vigilant.

gare nom fém.

Le train va partir : sur le quai de la gare, Amélie dit au revoir à ses parents.

EXPRESSION

Un chef de gare. → la personne qui surveille le départ et l'arrivée des trains.

◄ La gare Saint-Lazare, à Paris.

garnir [4] verbe

1. *Le rayonnage est garni de livres d'aventures.* ≃ remplir.
2. *Le manteau de Marie est garni d'une bande de fourrure.* ≃ orner.

G

gaspiller 3 verbe

Quand il fait très sec, il ne faut pas gaspiller l'eau. ≃ gâcher. ≠ économiser, épargner.

■ **gaspillage,** n. m. *Tant de nourriture pour si peu d'invités, c'est du gaspillage.* → du gâchis.

VOCABULAIRE

Gaspiller de l'essence ; gaspiller son argent, son énergie, son temps.

gâteau nom masc.

Henri a huit ans aujourd'hui : huit bougies ornent son gâteau d'anniversaire.

ORTHOGRAPHE

Des **gâteaux.**

gâter 3 verbe

1. *Cette mauvaise nouvelle a gâté notre plaisir.* → elle a gâché.
2. *Pour son anniversaire, François a été gâté par sa marraine.* → elle lui a fait des cadeaux.

■ **se gâter,** v. *Le temps se gâte.* → il devient mauvais.

ORTHOGRAPHE

Un accent circonflexe sur le **a.**

EXPRESSION

Un enfant gâté. → un enfant élevé avec trop d'indulgence, auquel on passe tous les caprices.

gauche adj. et n. f.

1. adj. *Sylvie porte sa montre au poignet gauche.* ≠ droit.
2. n. f. *Xavier est assis à la gauche de Jérôme.* → du côté gauche.

■ **gaucher, ère,** adj. *Alice est gauchère.* ≠ droitier, ière.

EXPRESSION

A gauche, à votre gauche, du côté gauche. La rive gauche *d'un cours d'eau.* → celle qui est du côté gauche quand on se place dans le sens du courant.

gaz [gaz] nom masc.

1. *L'air est un gaz.* → un corps ni liquide ni solide.
2. *Claude fait chauffer le lait sur la cuisinière à gaz.* → fonctionnant au gaz (combustible).

■ **gazeux, euse,** adj. *Une boisson gazeuse.*

ORTHOGRAPHE

Pas de **s** au pluriel : *des gaz.*

géant [ʒeɑ̃], **géante** nom masc., nom fém.

Comme le géant était endormi, le Petit Poucet lui retira ses bottes. ≠ nain.

EXPRESSION

Marcher à pas de géant. → à très grands pas.

geler 6 verbe

1. *Il fait si froid que l'eau a gelé dans les caniveaux.* → elle s'est transformée en glace.
2. *La classe est mal chauffée, on gèle en hiver.* → on a très froid.

■ **gelée,** n. f. **1.** *La météo annonce des gelées matinales.* **2.** *Raphaël aime la gelée de groseilles.* → sorte de confiture faite avec le jus du fruit.

GRAMMAIRE

On emploie *geler* avec un sujet impersonnel, comme : *il pleut, il neige : Il a gelé cette nuit.*

EXPRESSION

La gelée blanche. → la congélation de la rosée avant le lever du soleil.

gencive nom fém.

En se brossant les dents, Nathalie s'est fait saigner les gencives. → la chair qui est autour des dents.

gendarme — nom masc.

Quand ils ont découvert le vol, les voisins ont appelé les gendarmes. ≃ policier.

■ **gendarmerie,** n. f. *Antoine a perdu ses papiers, il est allé faire une déclaration à la gendarmerie.*

ORIGINE

Gendarme vient de : gens d'armes. C'étaient autrefois des soldats à cheval et en armes.

gêner [3] — verbe

1. *Si le soleil te gêne, change de place !* → s'il te dérange.
2. *Comme Olivier s'est disputé avec Marc, ça le gêne maintenant de lui demander un service.* ≃ embarrasser.
3. *Je me sens gêné dans ce blouson.* → pas à mon aise, serré.

■ **gêne,** n. f. **1.** *Après l'accident, le blessé éprouvait de la gêne à respirer.* → il respirait difficilement. **2.** *Honteuse d'avoir menti, elle regardait ses parents avec gêne.* → avec embarras.

ORTHOGRAPHE

N'oublie pas l'accent circonflexe sur le **e.**

EXPRESSIONS

- **Être dans la gêne.** → manquer d'argent.
- **Être sans gêne.** → ne pas se soucier de l'ennui que l'on cause aux autres.

G

général, générale — adj.

Les élèves ne doivent pas quitter l'école avant l'heure de la sortie : c'est une règle générale. → qui concerne tous les élèves.

■ **général,** n. m. *Le général est l'officier au grade le plus élevé.* ■ **généralement,** mot inv. *Généralement, nous allons à la piscine le dimanche.* → en général, habituellement.

EXPRESSIONS

- **En général, d'une manière générale.** → dans la plupart des cas, le plus souvent.
- **L'assemblée générale** *d'une association.* → l'assemblée qui réunit tous les membres de l'association.

généreux, généreuse — adj.

Quand j'ai fait la collecte pour le cadeau de Rémi, c'est Sandrine qui a été la plus généreuse. → c'est elle qui a donné le plus. ≠ avare.

■ **générosité,** n. f. *Le propriétaire a récompensé avec générosité le jeune garçon qui avait retrouvé son chien.*

VOCABULAIRE

Une idée généreuse. Un geste généreux.

génie — nom masc.

1. *En voyant les sculptures de Nathalie, Christian a dit qu'elle avait du génie.* → qu'elle avait des dons extraordinaires.
2. *Marie Curie était un génie.* → une femme exceptionnelle.

■ **génial, e,** adj. *Mozart a montré dès son jeune âge qu'il était un musicien génial.* → extraordinairement doué.

1.

2.

◄ 1. Marie Curie.
2. Mozart enfant.

ORTHOGRAPHE

N'oublie pas le **e** final. Il y a très peu de noms masculins terminés en **-ie** : un incend**ie,** un paraplu**ie,** un gén**ie.**

EXPRESSIONS

- **Un homme de génie.** → de très grande intelligence.
- **Une idée de génie.** → une idée très originale.

genou nom masc.

En tombant, Marie s'est écorché les genoux.

ORTHOGRAPHE

Les gen**oux**.

genre nom masc.

1. *Laurence n'aime pas les bottines, elle préfère un autre genre de chaussures.* → une autre espèce, une autre sorte.
2. *Vincent a un drôle de genre avec ses cheveux sur les yeux.* ≃ allure.
3. Dictionnaire *est du genre masculin,* bille *est du genre féminin.*

EXPRESSIONS

- **Un genre de vie.** → une façon de vivre.
- **Avoir bon (mauvais) genre.** → bonne (mauvaise) allure.

gens nom masc. plur.

Le feu d'artifice a réuni beaucoup de gens. → beaucoup de monde, de personnes.

GRAMMAIRE

- **Gens** est du genre masculin, mais l'adjectif placé avant se met au féminin : *Les* **vieilles gens** *sont partis.*
- **Gens** est toujours au pluriel.

gentil [ʒɑ̃ti], **gentille** [ʒɑ̃tij] adj.

1. *Christian est gentil avec Grégoire, il lui prête souvent ses livres.* ≠ méchant.
2. *Stéphanie n'a pas été gentille, elle a été punie.* ≃ sage.

■ **gentillesse,** n. f. *Paul a remercié la vendeuse de sa gentillesse.* ■ **gentiment,** mot inv. **1.** *Olivier a vu que Fanny pleurait, il est venu la consoler gentiment.* → aimablement, doucement. **2.** *Les enfants se sont amusés bien gentiment.* → sagement.

ORTHOGRAPHE

Le **l** de genti**l** ne se prononce pas. A l'origine, *gentil* voulait dire : noble, brave.

géographie [ʒeogʀafi] nom fém.

Chantal cherche dans son livre de géographie quelles sont les plus hautes montagnes de France.

■ **géographique,** adj. *Sur la carte géographique, les mers sont figurées en bleu.* → représentant les pays, les régions, la terre.

ORIGINE

Géographie vient de deux mots grecs : géo, terre, et graphie, c'est-à-dire : description de la terre.

géométrie nom fém.

Le carré, le losange, la sphère sont des figures de géométrie.

■ **géométrique,** adj. *Le papier du couloir a des dessins géométriques.*

ORIGINE

Géométrie vient de deux mots grecs : géo, terre, et métrie (mesure).

gerbe nom fém.

Marie-Anne a reçu une gerbe de roses pour son anniversaire. → un bouquet important par le nombre et la taille des fleurs qui le composent.

germer [3] verbe

Sylvie a mis un haricot dans un coton humide et il a germé. → un germe a poussé.

■ **germe,** n. m. *Christophe enlève les germes des pommes de terre.* ≃ pousse.

AUTOUR DE

Quand le germe se développe, il produit un nouvel organisme : un germe de haricot donnera un haricot, le germe de l'œuf d'une poule devient un poussin si l'œuf a été couvé.

geste nom masc.

1. *Au carrefour, l'agent de police montre par des gestes ce que les voitures doivent faire.* → par des mouvements.
2. *« Allez, un bon geste », a dit Marc, et Christelle a pardonné à Viviane en l'embrassant.* → une bonne action, un bon mouvement.

VOCABULAIRE

Un geste brutal, câlin, familier, habituel, heureux ou malheureux, prudent ou imprudent, maladroit, rapide.
Saluer d'un geste de la main.

gibier nom masc.

Robert est allé à la chasse, mais il n'a pas tué de gibier. → des animaux de nos régions, bons à manger, que les chasseurs cherchent à tuer.

GRAMMAIRE

Gibier est un mot collectif qui ne s'emploie pas au pluriel.

gifle nom fém.

Agathe a fait une grosse bêtise : elle a reçu une gifle. ≃ claque.

gifler, v. *Sophie a giflé Caroline.* → elle lui a donné une gifle.

VOCABULAIRE

Une paire de gifles. On peut administrer, donner, lancer, recevoir une gifle sonore, retentissante.

G

girafe nom fém.

La girafe a un long cou.

AUTOUR DE

La girafe est un animal herbivore à quatre pattes, de très grande taille, au pelage roux avec des raies claires. Son petit s'appelle le *girafeau.*

girouette [ʒiʀwɛt] nom fém.

Pour savoir d'où vient le vent, regarde la position de la girouette. → un appareil fixé sur le toit, qui tourne sur lui-même selon la direction du vent.

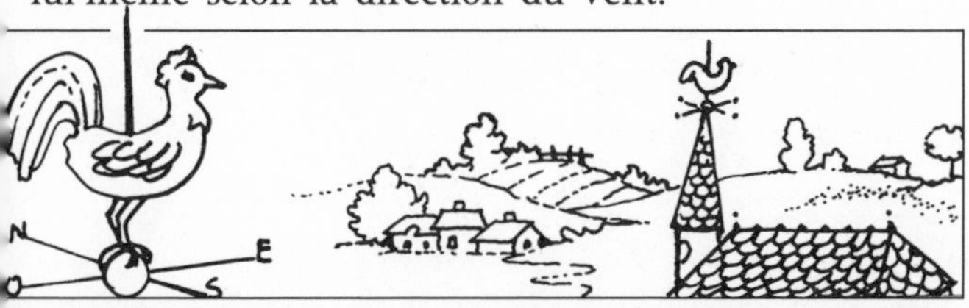

EXPRESSION

On dit quelquefois d'une personne qui change souvent d'avis que **c'est une girouette.**

AUTOUR DE

Souvent, la girouette a la forme d'un coq. Autrefois, il y avait une girouette sur le toit de chaque église.

givre nom masc.

Le matin, les arbres étaient blancs de givre. → une très mince couche de glace. ≃ gelée blanche.

givré, e, adj. *Le pare-brise est givré.* → du givre s'y est déposé.

AUTOUR DE

Le givre se produit quand l'air est humide et froid (au-dessous de 0°).

glace nom fém.

1. *Il a gelé cette nuit ; l'étang est recouvert d'une couche de glace.* → d'eau gelée.
2. *Sabine mange une glace à la fraise.* → une crème glacée.
3. *Vincent se regarde dans la glace.* ≠ miroir.
4. *Il pleut : remonte les glaces de la portière.* → les vitres.

glacé, e, adj. *Bertrand boit de l'eau glacée.* → très froide. ≠ brûlant.

EXPRESSION

- **Des patins à glace.** → des chaussures avec une lame de métal qui permet de glisser sur la glace.
- **Rester de glace.** → rester impassible, insensible.

glacer 26 verbe

1. *Ce vent froid me glace les oreilles.* ≠ réchauffer.
2. *Ce spectacle terrifiant m'a glacé le sang.* → il m'a pétrifié, scandalisé.
3. *Le pâtissier glace ses gâteaux avec du chocolat.* → il étale sur le dessus une couche lisse.

glacial, e, adj. **1.** *Un vent glacial.* → très froid. **2.** *Un accueil glacial.* ≠ ardent, chaleureux.

glisser 3 verbe

1. *Delphine a pris son élan, mais elle a glissé sur le carrelage.* ≃ déraper.
2. *Julien glisse la lettre sous la porte.* → il la fait passer en dessous.
3. *Zut ! Le savon m'a glissé des mains.* → il m'a échappé.

■ **glissade,** n. f. *Nicolas et Chantal font des glissades sur la glace.* ■ **glissant, e,** adj. *Attention, il a plu et la route est glissante.* ■ **se glisser,** v. *La souris se glisse dans son trou.* ≃ se faufiler.

EXPRESSIONS

- **Glisser un mot à l'oreille de quelqu'un** → parler avec discrétion.
- **Glisser entre les doigts** → s'échapper.

VOCABULAIRE

- Glisser une pièce dans la fente d'un objet, d'un appareil.
- On se glisse dans les draps.
- Un terrain, des pavés glissants.
- On glisse sur la glace avec des patins ; on glisse sur la neige avec des skis.

globe nom masc.

1. *La maîtresse fait tourner le globe et nous montre les parties du monde.* → la sphère qui représente la Terre.
2. *Le couloir est éclairé par un globe.* → une lampe de forme ronde fixée au plafond.

EXPRESSIONS

- **Le globe terrestre,** ou **le globe** → la Terre.
- **Une région du globe.** → une région de la Terre.

golfe nom masc.

Un golfe est une vaste avancée de la mer dans les terres. → sorte de large baie.

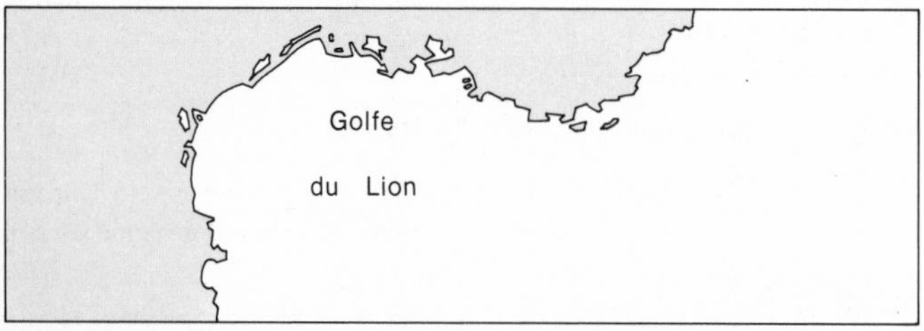

VOCABULAIRE

Le golfe de Gascogne. Le golfe du Morbihan. Le golfe du Mexique.

AUTOUR DE

Le golf désigne un sport consistant à envoyer une balle à l'aide d'un bâton de golf dans des trous faits dans le sol.

gomme [gɔm] nom fém.

Daniel a fait une faute, elle l'efface avec sa gomme.

■ **gommer,** v. *Gomme ce trait : il n'est pas droit.* ≃ effacer.

ORIGINE

La gomme (à crayon ou à encre) est un petit bloc de caoutchouc.

gonfler 3 verbe

1. *Alice gonfle son ballon.* ≠ dégonfler.
2. *Nicolas a eu le doigt piqué par une abeille : son doigt a gonflé.* ≠ enfler.

AUTOUR DE

On peut gonfler un ballon avec de l'air ou avec un gaz.

gorge — nom fém.

1. *Antoine a soif, il a la gorge sèche.* → le fond de la bouche.
2. *Le fleuve coule au fond de la gorge.* → une vallée étroite dans laquelle coulent les eaux.

◄ Les gorges du Tarn.

EXPRESSION

Mettre le couteau sous la gorge de quelqu'un. → l'obliger à faire quelque chose sous la menace.

VOCABULAIRE

On peut : prendre, saisir, serrer à la gorge. La gorge se contracte, se serre.

G

gorille [gɔʀij] — nom masc.

Le gorille est un grand singe originaire d'Afrique.

AUTOUR DE

Le gorille ressemble à l'homme. Sa taille peut atteindre deux mètres.

gouffre — nom masc.

Nathalie et Benoît se sont approchés du bord du gouffre et ils ont eu le vertige en regardant au fond. → un trou profond et large. ≃ abîme, précipice.

ORTHOGRAPHE

Attention aux deux **f**.

gourmand, gourmande — adj. ou nom masc. et fém.

1. adj. *Jérôme a repris trois fois du dessert : comme il est gourmand !* → il aime manger beaucoup de bonnes choses.
2. n. m. et f. *Françoise : quelle gourmande !*

■ **gourmandise,** n. f. *La boulangère connaît la gourmandise de Dominique : elle lui vend souvent des bonbons.*

ORTHOGRAPHE

Attention au **d** à la fin de gourman**d** ! Pense à gourman**d**e, à gourman**d**ise !

goût — nom masc.

1. *Le goût est le sens qui permet de savoir si une chose est sucrée ou salée, acide ou amère.*
2. *Mange les cerises avant le gâteau, sinon tu ne sentiras plus leur goût.* → leur saveur.
3. au plur. *Céline et Sophie aiment aller à la piscine et jouer au ping-pong : elles ont des goûts communs.*

■ **goûter,** v. **1.** *Nathalie n'avait jamais mangé de groseilles : elle en goûte pour la première fois.* → elle en mange. **2.** *Mathieu a invité Magali à goûter chez lui.* → à prendre le goûter. **3.** *Il n'a pas eu l'air de goûter ta petite farce.* → d'apprécier. ■ **goûter,** n. m. *Au goûter, Arnaud a mangé une banane et bu un verre de lait.* → sorte de petit repas au milieu de l'après-midi.

GRAMMAIRE

On **goûte un plat** pour savoir s'il est assez chaud ou assez salé.
On **goûte à un plat** ou **d'un plat** pour la première fois.

EXPRESSIONS

- **Avoir du goût, avoir bon goût** (≠ mauvais goût) → savoir reconnaître les choses élégantes ou belles (≃ apprécier).
- **De mauvais goût.** → laid, vulgaire.

goutte nom fém.

Sébastien a fait tomber une goutte de vin sur la nappe.

■ **gouttelette,** n. f. *Le matin, les feuilles étaient couvertes de gouttelettes de rosée.* → de petites gouttes.

EXPRESSIONS

- *Couler* **goutte à goutte.** → une goutte après l'autre.
- **Se ressembler comme deux gouttes d'eau.** → se ressembler parfaitement.

gouvernail [guvɛʀnaj] nom masc.

Pour changer la direction du bateau, il faut manœuvrer le gouvernail. → l'appareil qui se trouve à l'arrière du bateau et qui sert à le diriger.

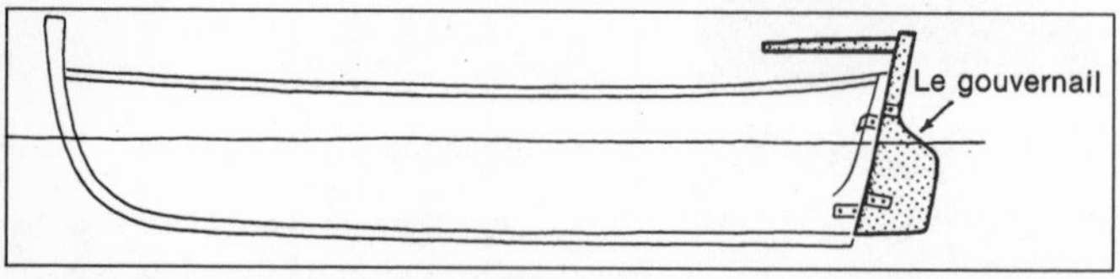

ORTHOGRAPHE

Des gouvernail**s**.

VOCABULAIRE

Tenir, redresser le gouvernail.

gouverner [3] verbe

Autrefois, les rois gouvernaient la France. → ils dirigeaient.

■ **gouvernement,** n. m. *Après les élections, un nouveau gouvernement a été formé.* → l'ensemble des ministres.

VOCABULAIRE

On peut : constituer, former, renverser, renvoyer un gouvernement. Un gouvernement est élu, se réunit, tient conseil, discute, siège.

grain nom masc.

1. *Émilie a fait un collage avec des grains de riz et des grains de maïs.* → des petites parties végétales.
2. *Cette grappe de raisin a de magnifiques grains.* → petits fruits à pépins.
3. *Sur la plage, Sophie s'amuse à faire couler les grains de sable entre ses doigts.* → particules.

■ **graine,** n. f. *Patricia a semé des graines de radis.*

GRAMMAIRE

On emploie parfois la forme collective **le grain,** par exemple pour la récolte de céréales (blé, avoine, orge) : *le tracteur apporte* **le grain** *au silo,* ou pour la nourriture des animaux : *la fermière lance* **le** (ou **du**) **grain** *aux poules.*

grammaire nom fém.

1. *Les adverbes sont invariables : c'est une règle de grammaire.* → l'ensemble des règles à suivre pour bien parler et bien écrire dans une langue.
2. *Lucie cherche dans sa grammaire les règles de l'accord du participe passé.* → son livre de grammaire.

■ **grammatical, e,** adj. Une règle grammaticale.

AUTOUR DE

Pour connaître une langue, il faut apprendre le vocabulaire (c'est-à-dire connaître les mots) et la grammaire (c'est-à-dire la façon dont les mots sont disposés pour former des phrases correctes).

gramme nom masc.

Cette tranche de jambon pèse 70 grammes (70 g).

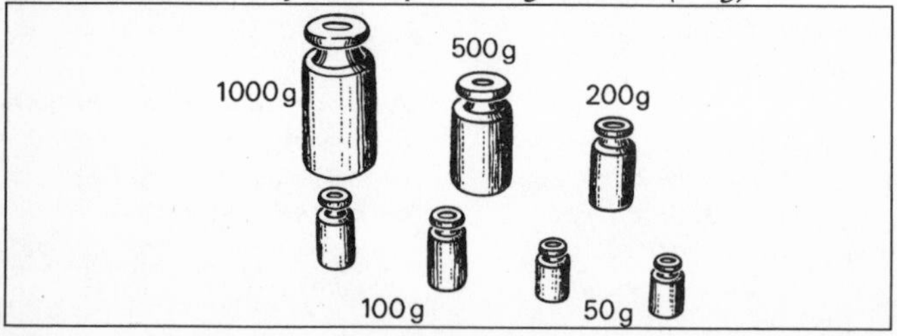

ORTHOGRAPHE

- Attention aux deux **m** !
- L'abréviation de *gramme* est **g.**

AUTOUR DE

1 000 g font 1 kg (le kilogramme est un multiple du gramme) ; 1 000 mg font 1 g (le milligramme est un sous-multiple du gramme).

grand, grande — adj.

1. *Virginie est plus grande que Grégoire.* ≠ petit.
2. *Fabien a creusé un grand trou dans le sable.* → large et profond. ≠ petit.
3. *La valise est tombée avec un grand bruit.* → un bruit fort. ≠ faible.
4. *Sylvie n'est pas assez grande pour traverser la rue toute seule.* → pas assez âgée.
5. *Sébastien nous a annoncé une grande nouvelle.* → importante.
6. *Maria Callas était une grande cantatrice.* → célèbre, illustre.

■ **grand, e,** n. m. et f. *Mathieu est dans la classe des grands.* ≠ petit. ■ **grandir,** v. *Sophie a beaucoup grandi cet été.*

EXPRESSIONS

- **Laver à grande eau.** → avec beaucoup d'eau.
- **A grand-peine.** → très difficilement.
- **Pas grand-chose.** → peu de chose.

AUTOUR DE

Grand (au sens 1) concerne tout ce qui est mesurable : la taille, la longueur, la surface, le volume, la quantité, etc.

G

grappe — nom fém.

Sabine savoure une grappe de raisin bien mûr.

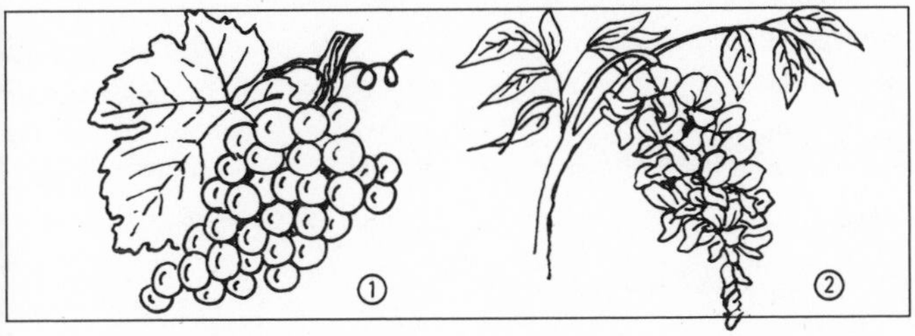

◄ 1. Une grappe de raisin.
2. Une grappe de glycine.

ORTHOGRAPHE

Attention aux deux **p** !

VOCABULAIRE

- Les fleurs de la glycine, du lilas, sont disposées en grappes.
- On détache un grain d'une grappe de raisin.

gras, grasse — adj.

1. *La viande de porc est plus grasse que la viande de veau.* → elle contient plus de matières grasses, de graisse. ≠ maigre.
2. *Le chat de Gabrielle mange trop, il est gras.* ≠ maigre.
3. *Il faut ramasser les papiers gras après le pique-nique.* → salis par la graisse.

■ **gras,** n. m. *Sébastien ne mange pas le gras de la viande.* → la partie grasse. ≠ le maigre.

EXPRESSIONS

- **Mardi gras.** → le jour qui précède le carême.
- **Une plante grasse.** → à feuilles épaisses.
- **Des caractères gras.** → des caractères d'imprimerie au trait épais.
- **Faire la grasse matinée.** → rester tard au lit.

gratter [3] — verbe

1. *Le chat gratte à la porte pour qu'on lui ouvre.*
2. *Julie gratte les taches de plâtre avec une brosse.* → elle les enlève en frottant.
3. *Ne gratte pas tes piqûres d'ortie, elles te feront encore plus mal.* → ne frotte pas avec tes ongles.

■ **grattement,** n. m. *Le grattement du chien à la porte.* ■ **se gratter,** v. **1.** *Nicolas se gratte la tête.* → il gratte un endroit qui le démange. **2.** *Le chat a des puces et se gratte.*

ORTHOGRAPHE

Attention aux deux **t** !

EXPRESSIONS

- **Du poil à gratter** (pour faire des farces).
- **Gratter de la guitare.** → en jouer (plutôt mal).

gratuit, gratuite — adj.

1. *A l'école, les livres sont gratuits.* ≠ payant.
2. *Le dimanche, l'entrée est gratuite dans certains musées.*

AUTOUR DE

En France, depuis 1881, l'enseignement est gratuit et obligatoire.

grave adj.

1. *Noël a pris un air grave pour nous annoncer son départ.* → sérieux.

2. *Jérôme est tombé, mais ce n'est pas grave.* → ce n'est pas inquiétant.

3. *Marcel a une voix grave, et Delphine a une voix aiguë.*

EXPRESSION

Un accent grave (≠ accent aigu). Par exemple, dans **là** ou dans jardini**è**re.

graver 3 verbe

1. *Avec son canif, Marion a gravé ses initiales sur la planche.* → elle les a tracées en creux.

2. *Ces détails sont restés gravés dans ma mémoire.* → je ne les ai jamais oubliés.

■ **graveur,** n. m. *Jean a commandé au graveur une médaille à son nom.* ■ **gravure,** n. f. **1.** *Christine apprend la gravure sur cuivre.* → à graver le cuivre. **2.** *Sur cette gravure ancienne, on peut voir le premier chemin de fer.* → la reproduction d'une image.

Une médaille gravée.

gravir 4 verbe

La voiture est chargée, elle gravit lentement la pente. → elle monte avec difficulté. ≠ descendre.

VOCABULAIRE

Gravir une montagne, une côte, une pente escarpée.

grêle nom fém.

La grêle a abîmé les fleurs.

AUTOUR DE

La grêle est de la pluie gelée.

■ **grêler,** v. *Le jardinier craint qu'il ne grêle sur ses jeunes pousses.*

grenier nom masc.

Mathieu et Agathe se sont déguisés avec de vieux vêtements qu'ils ont trouvés au grenier. → la partie de la maison qui est située sous le toit. ≃ comble(s).

ORIGINE

Grenier vient du mot grain, car, autrefois, on conservait le grain et le foin dans le grenier de la ferme.

grenouille [gʀənuj] nom fém.

Raphaël n'arrive pas à attraper la grenouille : chaque fois qu'il s'approche, elle saute et plonge dans la mare.

VOCABULAIRE

La grenouille coasse.

AUTOUR DE

La grenouille pond des œufs, d'où sortent des têtards, qui vivent sous l'eau. Le têtard se transforme en une grenouille, qui vit à la fois sous l'eau et en dehors de l'eau : on dit que c'est un animal amphibie.

◄ De 1 à 7 : la métamorphose du têtard en grenouille.

griffer 3 verbe

N'agace pas le chat, sinon il va te griffer !

■ **griffe,** n. f. *Le chien gratte la terre avec ses griffes.*

AUTOUR DE

Certains animaux (par exemple, le chat) peuvent rentrer ou sortir leurs griffes. On dit que leurs griffes sont rétractiles.

grille nom fém.

La nuit, les grilles du jardin sont fermées.

■ **grillage** [gʀijaʒ], n. m. *Le poulailler est fermé par un grillage.*

EXPRESSION

Une grille de mots croisés, de loto. → l'ensemble des cases à remplir, à compléter.

grimper 3 verbe

1. *Amélie grimpe sur le cerisier pour cueillir des cerises.* → elle monte dessus en s'aidant des mains et des pieds.
2. *Le cycliste grimpe la côte à grand-peine.* → il gravit.

■ **grimpant, e,** adj. *Le chèvrefeuille, le lierre sont des plantes grimpantes.* → leur tige s'élève en s'accrochant.

ORTHOGRAPHE

Attention : un **m** avant le **p.**

GRAMMAIRE

- *Les élèves* **ont grimpé** *sur le mur.*
- *Regarde-les, ils* **sont grimpés** *sur le mur.*

G

grincer 26 verbe

La porte grince, il faut graisser les gonds. → elle fait entendre un son aigu, désagréable.

■ **grincement,** n. m. *Le grincement d'une roue, d'une poulie.*

EXPRESSION

Grincer des dents. → faire entendre un bruit en frottant les dents les unes contre les autres.

gris, grise adj.

Pour obtenir du gris, le peintre mélange du noir avec du blanc.

■ **grisâtre,** adj. *Un mur grisâtre.* ■ **grisonnant, e,** adj. *Une barbe grisonnante.* → presque grise.

EXPRESSION

Faire grise mine. → avoir l'air contrarié.

grogner 3 verbe

Quand on demande à Paul de ranger ses jouets, il obéit en grognant un peu. ≃ protester, râler (fam.).

VOCABULAIRE

Le cochon, le sanglier, l'ours, le chien grognent.

gronder 3 verbe

1. *Le tonnerre gronde.* → on entend des bruits sourds.
2. *Sylvie a eu une mauvaise note : elle a peur de se faire gronder.* → de se faire disputer.

■ **grondement,** n. m. *On entendait le grondement du torrent dans la montagne.* → le bruit sourd.

gros, grosse adj.

1. *Sébastien a mangé une grosse banane.* ≠ petit.
2. *Vincent se trouve trop gros.* ≠ maigre, mince.
3. *Alice a eu un gros rhume.* → grave, important.

■ **gros, grosse,** n. m. et f. *Connais-tu Laurel et Hardy ? Lequel est le gros, lequel est le maigre ?* ■ **gros,** n. m. *Ma chambre n'est pas tout à fait rangée, mais le plus gros est fait.* → le plus important. ■ **gros,** mot inv. *Il a joué gros sur ce cheval.* → beaucoup (d'argent).

EXPRESSIONS

- **Avoir le cœur gros, en avoir gros sur le cœur.** → avoir du chagrin.
- **Un gros mot.** → un mot grossier, qui peut choquer.
- **En gros** *cette table a 2 mètres de long.* → à première vue, environ.

groseille [gʀɔzɛj] nom fém.

Pauline étale de la gelée de groseille sur sa tartine. → de très petits fruits arrondis, disposés en grappes sur le groseillier, de couleur rouge, blanche ou noire.

ORTHOGRAPHE

Attention : il y a deux **i** dans groseillier.

grotte nom fém.

Les tout premiers hommes vivaient dans des grottes. → les cavités naturelles d'un rocher ou d'une montagne. ≃ caverne.

◀ La grotte glacée au Pic du Marboré en Espagne.

AUTOUR DE

On a retrouvé les peintures des hommes préhistoriques dans la grotte de Lascaux.

groupe nom masc.

1. *Dans la cour, un groupe d'enfants joue aux billes tandis qu'un autre joue à chat perché.*
2. *Un groupe de touristes visite la cathédrale.* → un ensemble.

■ **grouper,** v. *Le professeur a groupé les élèves selon leur force.* → il les a mis ensemble. ■ **se grouper,** v. *Les enfants se sont groupés autour de Brigitte pour écouter l'histoire.* → ils se sont rassemblés. ≠ se disperser.

EXPRESSIONS

- **Groupe folklorique.** → groupe de personnes qui exécutent des danses folkloriques.
- **Groupe scolaire.** → ensemble des bâtiments d'une école.
- **Groupe sanguin** (pour classer les individus selon la composition de leur sang).

gruyère [gʀyjɛʀ] nom masc.

Le gruyère est un fromage assez dur, dont la pâte est percée de trous.

ORIGINE

Gruyère est le nom d'une région de Suisse où l'on fabrique ce fromage.

guêpe nom fém.

Sabine s'est fait piquer par une guêpe.

ORTHOGRAPHE

Attention à l'accent circonflexe sur le **e** !

EXPRESSION

Une taille de guêpe. → très mince (en parlant d'une taille de femme).

guérir 4 verbe

1. *L'air de la montagne a guéri Véronique de son asthme.* → il lui a rendu la santé.
2. *J'espère que Christophe guérira vite de sa rougeole.* → qu'il retrouvera la santé.

■ **guérison,** n. f. *La guérison de Christophe a été rapide.*

VOCABULAIRE

- On peut : obtenir, souhaiter, espérer, une guérison.
- Une guérison peut être : complète, radicale, rapide ou lente, étonnante, miraculeuse.

guerre nom fém.

Pendant la guerre, il y a eu des destructions et de nombreux morts. ≠ paix.

EXPRESSIONS

- **Déclarer la guerre à un pays.**
- **Une guerre mondiale.**

guetter ³ ☐ verbe

1. *Le chat guette la souris.* → il l'épie, l'observe pour essayer de l'attraper.
2. *Christian guette le facteur, il attend une lettre de son cousin.* → il fait attention à ne pas manquer son passage.

■ **guet** [gɛ], n. m. *L'un des deux voleurs faisait le guet pendant que l'autre prenait l'argent.* → il surveillait pour voir si personne ne venait.

guide nom masc.

1. *Le guide du château nous a raconté les événements qui s'y sont passés.* → la personne qui accompagne les visiteurs.
2. *Gabrielle a lu dans le guide que le musée fermait à 17 heures.* → un livre de renseignements.

■ **guider,** v. *Michèle nous a guidés jusqu'à la sortie.* → elle nous a accompagnés en nous montrant le chemin.

EXPRESSION

Un guide de haute montagne. → un alpiniste professionnel.

G

guillemets [gijmɛ] nom masc. plur.

« Allons, enfants de la patrie » *sont les premiers mots de la Marseillaise. Le signe* « *signifie : ouvrez les guillemets !, et le signe* » *: fermez les guillemets !*

ORIGINE

Guillemets vient de Guillaume : c'est le nom de l'imprimeur qui inventa ce signe.

guitare nom fém.

Denis chante en s'accompagnant à la guitare.

■ **guitariste,** n. m. ou f. *Alice est une excellente guitariste.* → une personne qui sait jouer de la guitare.

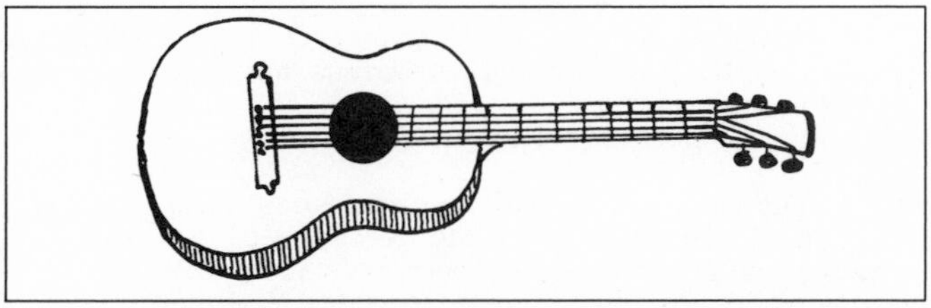

AUTOUR DE

La guitare est un instrument d'origine orientale qui est très répandu en Espagne. Elle a six cordes qu'on pince avec les doigts.

gymnastique [ʒimnastik] nom fém.

Quand il fait beau, nous faisons de la gymnastique dans la cour. → des exercices pour assouplir et fortifier le corps.

■ **gymnase** [ʒimnaz], n. m. *Dans le gymnase, il y a un cheval d'arçons et des barres parallèles.* → le bâtiment où l'on fait de la gymnastique.

ORTHOGRAPHE

Attention au **y** et au **mn** !

EXPRESSION

(Aller au) pas de gymnastique. → au pas de course.

10. A l'école *(page ci-contre)*

Aujourd'hui, 21 mars, nous sommes turbulents et agités, mes camarades et moi. La maîtresse a dit qu'elle se fâcherait si nous continuons à bavarder. Mais comment lui faire comprendre que nous voudrions aller courir dehors, nous détendre dans la cour ? Le printemps arrive et nous sommes impatients de profiter des premiers beaux jours de l'année.

Stéphane

A L'ÉCOLE

① Institutrice ② Tableau ③ Représentation d'une tapisserie de Bayeux ④ Carte murale ⑤ Bibliothèque ⑥ Cour de récréation ⑦ Jeu de billes ⑧ Marelle ⑨ Corde à sauter ⑩ Microscope ⑪ Oiseau empaillé ⑫ Exposition de minéraux ⑬ Herbier ⑭ Double décimètre ⑮ Rapporteur ⑯ Gomme ⑰ Taille-crayon ⑱ Crayon ⑲ Cartable ⑳ Cahier ㉑ Règle ㉒ Compas ㉓ Bureau ㉔ Estrade ㉕ Table d'écolier

J'emploie le mot juste

- A quoi servent :
  a) une règle ; b) un compas ; c) un microscope ?
- Donne un prénom à chaque enfant présent dans la classe et dis ce qu'il fait.
- Décris la maîtresse : son visage, son attitude, ses vêtements.

Des mots et des idées

- Classe les objets que tu vois sur cette planche selon l'activité à laquelle ils se rapportent : français, mathématiques, histoire et géographie, étude de la nature.
- Comment sont rangés les livres dans une bibliothèque ?

Des mots pour parler

- La classe que tu vois sur la planche ressemble-t-elle à la tienne ? Y a-t-il des différences ? Lesquelles ?
- Emploie dans une phrase, selon ton choix, les mots suivants :
  a) minéraux ; b) herbier ; c) estrade ; d) gravure.

11. La montagne *(p. 238-239)*

Le mot montagne et ses voisins

La *montagne* (ou le mont) est une forte élévation de terre et de rochers au-dessus du terrain qui l'environne. Le *pic* est un mont isolé à sommet aigu.
Une *chaîne de montagnes* est une suite ininterrompue de montagnes sur une grande longueur : la chaîne des Pyrénées.
Le *sommet* de la montagne est sa partie la plus élevée. On emploie aussi le mot *cime.*
La *crête* est la ligne formée par la succession des sommets : la crête des Vosges.
Une *colline* est une élévation de moindre hauteur qu'une montagne : les collines du Perche.
Une *butte* est une colline isolée au milieu d'une plaine. Un *monticule* est une petite élévation de terre.
Une *vallée* est la partie profonde de terre encaissée entre des montagnes.

La montagne et la nature

Dans la montagne, on trouve :
- *des arbres :* le sapin, l'épicéa, le pin sylvestre, le mélèze.
- *des fleurs :* l'anémone, l'edelweiss, la gentiane, la lavande, l'arnica.
- *des animaux :* l'aigle royal, le choucas (oiseaux), le bouquetin, le chamois, la marmotte, le lièvre et l'hermine (mammifères).

La montagne et les hommes

On élève différentes espèces d'animaux dans la montagne :
- des *bovins* (des vaches) grâce auxquels on fabrique de nombreux fromages et des *ovins* (moutons, agneaux, brebis).
- les *pâturages* situés en haute montagne s'appellent des *alpages.* Les *bergers* y mènent l'été de grands troupeaux : c'est la *transhumance.*

On utilise l'énergie produite par les chutes d'eau pour la transformer en électricité : c'est la *houille blanche.* On construit de grands barrages pour retenir l'eau et on provoque ainsi de grandes cascades.
On cultive dans la montagne : des céréales, des fruits et des vignobles.

 (suite à la p. 241)

aujourd'h
21 mars
1
2
3
4
5
6
7
8
9
10
11
12
13
14
15
16
17
18
19
20
21
22
23
24
25

2
14
3
5
4
6
25
24
23
7

LA MONTAGNE

(1) Neiges éternelles (2) Piolet (3) Alpinistes (4) Épervier (5) Sapins (6) Buse (7) Brebis (8) Chien de berger (9) Berger (10) Troupeau de moutons (11) Marmotte (12) Chèvres (13) Alpage (14) Route en lacets (15) Lac (16) Barrage (17) Aigle (18) Chalet (19) Bouquetin (20) Télécabine (21) Station de sports d'hiver (22) Skieur (23) Forêt de conifères (24) Village (25) Cascade (26) Rocher

4
1
3
2
mes dents sont vivantes
je les aime, je les brosse
Ma brosse à dents usée
aux poils recourbés
je n'oublierai pas de changer
Après le petit déjeuner
et avant de me coucher
toutes mes dents je brosserai
Au dentiste deux fois
par an je montrerai
toutes mes dents
Du rouge vers le blanc
mes dents je brosserai gaiement
5
6
10
7
8
9
11
12
13
14
15
16
17
18
19
20
21
22
23
24
25
27
28
29
30
31

(suite de la p. 236)

Le tourisme

Le tourisme dans la montagne peut être : le *thermalisme,* l'*alpinisme* et le *ski.*

- Le *thermalisme* consiste à se soigner, grâce à des eaux minérales et thermales qui permettent de lutter contre certaines maladies comme les rhumatismes.
- L'*alpinisme* est un sport pratiqué par ceux qui font des ascensions dans les montagnes.

Dans les stations d'alpinisme, des guides aident les alpinistes à escalader les pentes des montagnes.

- Le *ski* est un sport qui consiste à descendre des pentes neigeuses à l'aide de skis fixés aux pieds et de bâtons aux poings. On porte des chaussures spéciales à tige haute.

Le *ski de fond* est un ski de promenade qui se pratique sur des terrains peu accidentés.
Le *ski de randonnée* est un ski de haute montagne qui ne s'adresse qu'à une élite de sportifs familiarisés avec le ski de descente et l'alpinisme.

QUELQUES TERMES DE SKI :

des *après-skis :*	bottes ou chaussons que l'on porte pour se délasser après le ski.
déchausser :	ôter ou perdre ses skis.
une *fixation :*	attache de la chaussure au ski.
un *chasse-neige :*	façon de s'arrêter en freinant et virant.
un *dérapage :*	descente contrôlée par glissement sur le côté.
un *slalom :*	descente sinueuse entre des obstacles.

L'eau dans la montagne

L'eau courante peut être :

- *rivière, ruisseau, torrent ;*
- *chute, cascade, saut.*

Un *lac* est une grande étendue d'eau.
Un *glacier* est une nappe épaisse de glace formée en haute montagne.
La *neige* est de l'eau congelée qui tombe en flocons blancs et légers.

12. La visite médicale *(page ci-contre)*

Ce matin, la maîtresse a interrompu la classe à 10 heures pour nous laisser aller à la visite médicale. Le médecin et les infirmiers nous ont accueillis et nous ont expliqué ce que nous aurions à faire. L'un après l'autre, nous avons été examinés et on nous a radiographiés. Tout le monde est en bonne santé sauf Loïc qui est tombé après s'être pris le pied dans un tabouret ! Nathalie.

J'emploie le mot juste

- Quels appareils ou instruments présents sur la planche servent à mesurer ? Que mesurent-ils ? Comment ?
- Décris le meuble de rangement qui figure au premier plan.
- Quelle différence y a-t-il entre :
  – une bande et un pansement ? – la seringue et l'ampoule ? – la plaquette et la boîte (de comprimés) ?

LA VISITE MÉDICALE

(1) Radiographie (2) Radiologue (3) Appareil de radiographie (4) Clignotants de la cabine (5) Affiche (6) Salle d'attente (7) Médecin (8) Stéthoscope (9) Balance (10) Toise (11) Lit (pour examen médical) (12) Carnet médical (13) Marteau (pour tester les réflexes) (14) Pansement (15) Infirmière (16) Tampon d'ouate (17) Cuvette (18) Paire de ciseaux (19) Coton hydrophile (20) Bande (21) Tube de pommade (22) Épingles à nourrice (23) Mercurochrome (24) Flacon d'iode (25) Alcool à 90° (26) Plaquettes de comprimés (27) Tube de cachets (28) Thermomètre médical (29) Seringue (30) Pansements adhésifs (31) Boîte d'ampoules

Des mots aux idées

- Enumère tout ce qui est liquide sur cette planche.
- Donne les mots appartenant aux ensembles suivants : les **produits** et les **appareils.**
- Trouve d'autres emplois des mots :
  – flacon, – tube, – boîte.

Des mots pour parler

- Comment fait-on un pansement ?
- A quoi peut servir la cuvette ? le marteau ? le coton ?

Hh

habile — adj.

1. *Le magicien est habile de ses mains.* → adroit. ≠ gauche, maladroit, malhabile.

2. *Le renard, habile, a trompé les chasseurs.* → malin, rusé.

■ **habileté,** n. f. *Ce tireur à l'arc est d'une grande habileté.* ≃ adresse.

GRAMMAIRE

On dit :
- il est **habile de** ses mains,
- il est **habile à** faire des meubles,
- il est **habile dans** sa profession.

habiller [3] — verbe

1. *En hiver, Maman habille chaudement ma petite sœur.* → elle lui met des vêtements. ≠ déshabiller, dévêtir.

2. *Pour le bal de l'école, Aline était habillée en Indienne.* → elle était déguisée.

■ **s'habiller,** v. *En été, Luc s'habille simplement d'une chemisette et d'un short.* → il revêt.

VOCABULAIRE

Voici plusieurs sortes d'habillements :
- un déguisement de Carnaval, les guenilles d'un mendiant, un habit de soirée, l'uniforme du soldat, du policier, la tenue du sportif...

habitation — nom fém.

Les immeubles, les pavillons sont les habitations courantes d'une ville.

■ **habiter,** v. *Julie habite chez ses parents.* → elle loge, demeure.

AUTOUR DE

H.L.M. signifie Habitation à Loyer Modéré.

habitude — nom fém.

1. *Le matin, j'ai l'habitude de me laver à l'eau froide.* → je suis accoutumé à.

2. *L'habitude de fumer est mauvaise pour la santé.* → l'action régulière.

■ **habituel, elle,** adj. *Chaque matin, je fais ma gymnastique habituelle.*

EXPRESSIONS

- **D'habitude.** → régulièrement.
- **Prendre l'habitude.** → s'accoutumer à.
- **Par habitude.** → machinalement, sans le vouloir.

hache — nom fém.

Dans la forêt, les bûcherons abattent des arbres avec une hache.

① Une hache de bûcheron

② Une hache d'indien

AUTOUR DE

Au cours de la préhistoire, les premiers hommes avaient des haches en pierre taillée ou polie.

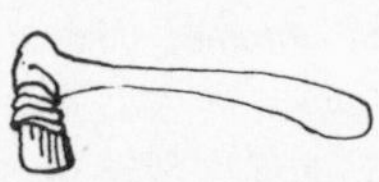

Une hache en pierre taillée

haie [ɛ] nom fém.

1. *Une haie de rosiers a été plantée devant le jardin.*
2. *Le steeple-chase est une course d'obstacles où les chevaux franchissent des haies, des fossés, des murs.*

◄ Un cheval sautant une haie.

ORTHOGRAPHE

110 mètres haie**s**, 400 mètres haie**s**.

haïr [aiʀ] verbe

Luc hait la guerre. → il déteste. ≠ adorer, aimer.

■ **haine,** n. f. *La haine entre ces deux peuples les a conduits à une guerre.* → l'hostilité. ≠ adoration, affection, amour, sympathie.

ORTHOGRAPHE

Je hais, nous haïssons.

H

hameçon [amsɔ̃] nom masc.

Au bout de sa ligne, le pêcheur fixe un hameçon pour pêcher dans la rivière. → une petite pièce en métal en forme de crochet très pointu.

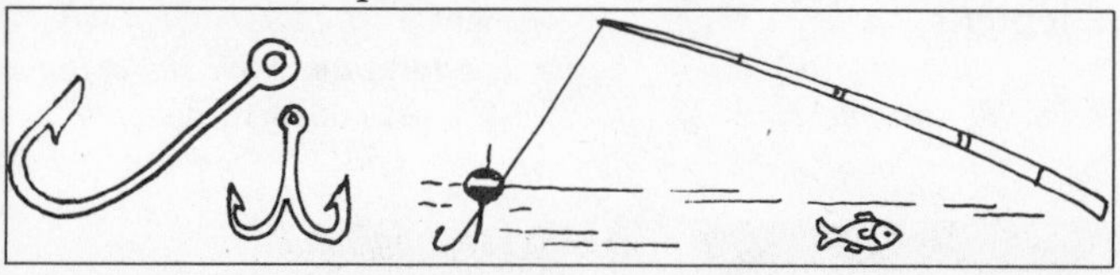

ORTHOGRAPHE

Attention : n'oublie pas la cédille sous le **c** pour faire le son [s].

EXPRESSION

Mordre à l'hameçon. → se laisser prendre.

hamster [amstɛr] nom masc.

Pour mon anniversaire, mes parents m'ont offert un hamster roux et blanc.

AUTOUR DE

Le hamster est un rongeur comme le lapin. Son pelage peut être roux, jaune clair ou roux, blanc et noir. Il se nourrit essentiellement de graines : blé, maïs, tournesol...

hardi, hardie adj.

Duguesclin fut un guerrier hardi. → qui n'avait peur de rien. ≃ assuré, audacieux, brave, courageux, intrépide. ≠ lâche, peureux, poltron.

■ **hardiesse** [aʀdjɛs], n. f. *Faisant preuve d'une grande hardiesse, le dompteur met sa tête dans la gueule du lion.*

haricot nom masc.

Le mange-tout est une variété de haricot vert. → un végétal comestible.

AUTOUR DE

Le haricot est une plante qui donne des gousses (haricots verts) contenant des graines.

harmonica — nom masc.

Pour animer les veillées, François jouait des airs folkloriques sur son harmonica.

ORTHOGRAPHE

- Des harmonica**s**.
- Attention ! On dit **un** harmonica [aʀmonika].

harmonie — nom fém.

1. *Lucie vit en parfaite harmonie avec ses amies.* → elle s'entend très bien. ≠ désaccord, mésentente.
2. *J'ai choisi cette peinture pour l'harmonie de ses couleurs.* → l'ensemble agréable qu'elles forment.

■ **harmonieux, euse,** adj. *Quelle voix harmonieuse !* → agréable, mélodieuse, suave. ≠ désagréable, discordant.

VOCABULAIRE

Un son, un chant, une musique, un instrument, des formes, un visage, un corps, une démarche, des mouvements... harmonieux.

hasard — nom masc.

Le hasard a bien fait les choses puisque nous nous sommes retrouvés au bout de cinq ans. ≃ chance, coïncidence, occasion.

■ **hasardeux, euse,** adj. *« Fera-t-il beau demain ? – La réponse est hasardeuse. »* → incertaine.

EXPRESSIONS

- *On s'est rencontré* **par hasard** *dans une rue de Marseille.* → de façon imprévue.
- *J'ignorais tout de cette question, j'ai répondu* **au hasard.**

hâte — nom fém.

Mario est en retard de dix minutes, il s'habille en hâte. → en vitesse, en se dépêchant. ≠ lenteur.

■ **se hâter,** v. *Hâte-toi de rentrer avant que la nuit ne tombe !* → dépêche-toi.

EXPRESSIONS

- *Manger* **à la hâte.** → rapidement.
- **Il a hâte de** *revoir ses cousins.* → il est impatient de.

hausse — nom fém.

La hausse du prix de l'essence se fera demain. → l'augmentation. ≠ baisse, diminution.

■ **hausser,** v. *La discussion commençait à lui déplaire, alors il s'est mis à hausser le ton.* → à élever la voix. ■ **se hausser,** v. *Paul se hausse sur la pointe des pieds pour atteindre l'étagère.* → il se dresse.

VOCABULAIRE

Que peut-on hausser ?
- les épaules, en signe de mépris.
- les sourcils, en signe d'étonnement.
- la voix, le ton, pour parler plus fort.

haut, haute — adj.

1. *Cet immeuble très haut domine la ville.* ≃ élevé.
2. *Voici un chêne haut de cinq mètres.* → dont la hauteur est égale à.
3. *Cet été, on a enregistré les plus hautes températures depuis vingt ans.* → les plus élevées. ≠ bas.
4. *Il a beaucoup plu : la rivière est haute.* → le niveau de l'eau a monté.

■ **haut,** n. m. **1.** *Le chat se promène sur le haut du toit.* → le faîte, le sommet. **2.** *La tour Eiffel a trois cent vingt mètres de haut.* → sa hauteur est de. ■ **haut,** mot inv. *Ces avions volent très haut dans le ciel.* → à une haute altitude. ■ **hauteur,** n. f. **1.** *Connais-tu la hauteur du puy de Dôme ?* → son altitude. **2.** *Le jardinier taille ses arbres à la même hauteur.* → au même niveau. **3.** *La tour, construite sur une hauteur, dominait la vallée.* ≃ colline.

EXPRESSIONS

- **La haute mer.** → la mer éloignée des côtes, au large.
- **La mer haute.** → la marée haute.
- **Une note haute.** → aiguë.
- **La tête haute.** → fièrement.
- **A haute voix.** → distinctement, d'une voix assez forte.

VOCABULAIRE

On peut : viser haut, tomber de haut, regarder de haut, du haut de, en haut, ouvrir par en haut, venir d'en haut, se trouver là-haut, en haut, monter jusqu'en haut.

hebdomadaire adj. ou nom masc.

1. adj. *Chaque mercredi, Michel suit à la télévision son feuilleton hebdomadaire.* → qui se déroule une fois par semaine.
2. n. m. *Je me suis abonné à cet hebdomadaire pour deux ans.* → un journal qui paraît chaque semaine.

VOCABULAIRE

- Par jour. → journalier, quotidien.
- Par semaine. → hebdomadaire.
- Par mois. → mensuel.
- Par trimestre (3 mois). → trimestriel.
- Par an. → annuel.

hélas [elas] mot inv.

Ce cycliste menait la course. Hélas ! il a dérapé dans un virage. ≃ malheureusement.

AUTOUR DE

Hélas ! sert à exprimer un regret ou une plainte.

hélice nom fém.

L'hélicoptère a heurté un rocher : une pale de l'hélice s'est cassée.

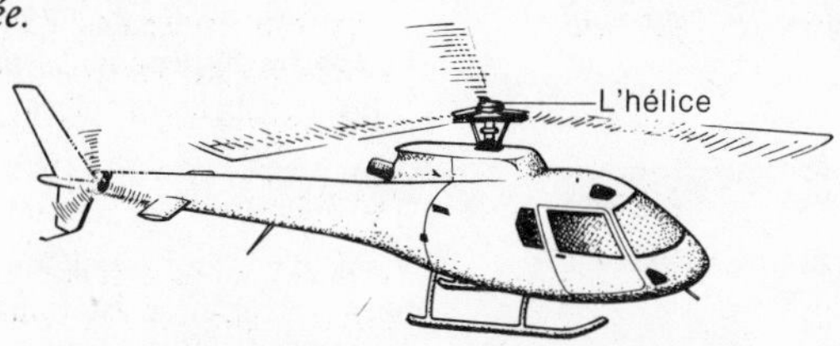

◄ Un hélicoptère.

ORIGINE

Hélicoptère est formé de hélice, spirale, et -ptère, aile.

herbe nom fém.

Les mauvaises herbes ont envahi le jardin. → des plantes sauvages.

■ **herbages,** n. m. pl. *Dans les herbages broutent des moutons et des vaches.* → dans les prairies, les pâturages.

EXPRESSIONS

- *Un artiste* **en herbe.** → un jeune artiste.
- **Couper l'herbe sous les pieds de quelqu'un.** → le devancer.
- **Une touffe, un brin d'herbe.**

hérisson nom masc.

Le hérisson est un petit animal utile dans les jardins, car il les débarrasse des chenilles et des insectes nuisibles.

AUTOUR DE

Le hérisson est un petit mammifère qui se nourrit d'insectes, de chenilles, de larves, de vers de terre... Sa femelle : la hérissonne.

héros, héroïne nom masc., nom fém.

Astérix et Obélix sont deux héros célèbres de bande dessinée. → deux personnages extraordinaires.

■ **héroïque** [eʀɔik], adj. *La première traversée de l'Atlantique fut un acte héroïque.* ≃ brave, courageux.

ORTHOGRAPHE

N'oublie pas le tréma sur le **i** de héroïne et héroïque, ni le **s** à la fin de héros.

hésiter 3 verbe

1. *J'hésite entre aller au cinéma ou aller au cirque.* → je suis indécis.
2. *Rose, qui a mal appris sa leçon, hésite en la récitant.* → elle cherche ses mots, elle bafouille.

■ **hésitation,** n. f. *Le chien a eu une hésitation avant de reprendre la bonne piste.*

GRAMMAIRE

Le verbe hésiter se construit avec plusieurs prépositions :

– On hésite **entre** deux choses ;
– On hésite **sur** le chemin à prendre ;
– On hésite **à** dire la vérité.

hêtre nom masc.

Le hêtre est un bel arbre de nos forêts, au tronc droit, couvert d'une écorce lisse et grise.

heure nom fém.

1. *Le dimanche, je me lève à 10 heures.*
→ Indique le moment de la journée.

2. *Le dépanneur a mis une heure à réparer la télévision.*
→ Indique la durée.

EXPRESSIONS

- **A toute heure.** → à n'importe quel moment.
- **C'est l'heure.** → c'est le moment.

heureux, heureuse adj.

Les supporters étaient heureux : leur équipe venait de gagner. → contents, satisfaits. ≠ contrarié, déçu.

■ **heureusement,** mot inv. *Heureusement qu'il pleut : la terre était tellement sèche !*

EXPRESSIONS

- **Un heureux événement.** → la naissance d'un enfant.
- **Avoir un air heureux.** → être satisfait, avoir l'air content.
- **Une fin heureuse.** → une belle fin, une belle conclusion.

heurter [3] verbe

1. *Après avoir heurté un arbre, la voiture s'est immobilisée.* → cogné (fam.), tamponné.

2. *Ces paroles désagréables m'ont heurté.* → elles m'ont choqué, déplu.

■ **se heurter,** v. **1.** *Le distrait s'est heurté à un poteau.* → il s'est cogné (dans). **2.** *Il s'est heurté à de sérieuses difficultés.* → il a rencontré.

ORIGINE

Vient d'un mot scandinave hurt, bélier. Heurter, c'est frapper à la façon d'un bélier en se battant à coups de tête.

hibou nom masc.

Les hiboux sont des oiseaux rapaces qui vivent et chassent la nuit.

AUTOUR DE

Le hibou est un rapace utile comme l'aigle. Il chasse la nuit et se nourrit de proies telles que : des rats, des souris, des petits rongeurs, des batraciens. Son cri est le hululement (ou ululement).

hier [ijɛʀ] mot inv.

Hier, j'ai assisté à une course de ski nautique. → la veille d'aujourd'hui.

EXPRESSION

Avant-hier. → il y a deux jours.

hippopotame [ipɔpɔtam] nom masc.

L'hippopotame est un gros mammifère herbivore d'Afrique, qui vit au bord des fleuves.

AUTOUR DE

L'hippopotame est un quadrupède (qui a quatre pattes), dont la peau, épaisse, est nue. Sa longueur peut aller jusqu'à 4 mètres, et son poids jusqu'à 3 tonnes.

hirondelle nom fém.

Les hirondelles arrivent en France en avril et annoncent l'arrivée du printemps.

AUTOUR DE

- Les hirondelles sont des oiseaux migrateurs noirs, à ventre blanc, qui se nourrissent d'insectes.
- Elles construisent leur nid avec de la boue. Elles vivent pendant la belle période dans nos régions, puis vers septembre émigrent en Afrique.
- Leurs petits s'appellent des hirondeaux.

1. histoire nom fém.

Paul se passionne pour l'Histoire de France.

■ **historien, ienne,** n. m. et f. *L'historien retrace des événements passés.* ■ **historique,** adj. *Le 14 juillet 1789 est une date historique.*

ORTHOGRAPHE

En ce sens, le mot histoire ne s'emploie qu'au singulier. Ne pas confondre avec *histoire* de l'article 2.

H

2. histoire nom fém.

1. *Après le dîner, grand-père racontait des histoires à ses petits-enfants.* → des aventures, des contes, des légendes, des récits.
2. *Ne croyez pas toutes les histoires qu'il vous raconte.* → les mensonges.

EXPRESSIONS

- **Le héros de l'histoire.** → du conte.
- **Quelle histoire !** → quelle aventure !
- *Un voyage* **sans histoire.** → sans problème.

hiver [ivɛʀ] nom masc.

Il fait froid : l'hiver est arrivé ! → une des quatre saisons, commençant le 20-22 décembre et s'achevant le 20-21 mars.

homard [ɔmaʀ] nom masc.

Dans les casiers, les pêcheurs ont remonté des homards et des crabes. → des crustacés marins possédant de grosses pinces.

homme nom masc.

1. *La terre est peuplée d'hommes de toutes races.* → d'êtres humains comprenant des hommes et des femmes.
2. *Un homme est entré dans la maison.* → une personne du sexe masculin.

EXPRESSIONS

- **Un homme d'action.** → actif.
- **Un homme de loi.** → un avocat, un juge, un notaire.

honnête adj.

Robert est honnête : il a rapporté un portefeuille qu'il avait trouvé dans la rue. ≠ malhonnête.

■ **honnêteté,** n. f. ≠ malhonnêteté.

ORIGINE

Appartient à la même famille que le mot honneur.

honneur nom masc.

1. *Pierre a eu l'honneur de remettre la coupe au champion.* → l'avantage, le privilège.
2. *Tu l'as blessé dans son honneur.* → son sentiment de dignité.

EXPRESSIONS

- **Donner sa parole d'honneur.** → promettre de façon sûre.
- **Une place d'honneur.** → une place de choix.

honte nom fém.

Quelle honte ! Pourquoi bat-il son chien ?

■ **honteux, euse,** adj. **1.** *Le corbeau s'envole tout honteux, car le renard lui a pris son fromage.* ≃ confus. **2.** *C'est honteux d'avoir agi de la sorte !* ≃ indigne, odieux.

EXPRESSIONS

- **Avoir honte.** → être gêné.
- **Faire honte.** → reprocher.

hôpital nom masc.

Le blessé a été transporté à l'hôpital pour y être soigné. ≃ clinique, centre médical.

ORTHOGRAPHE

- Des hôpit**aux.**
- Un accent circonflexe sur le **o.**

horaire nom masc.

1. *Le voyageur consulte l'horaire des trains pour Brest.* → les heures de départ ou d'arrivée des trains.
2. *Nos horaires de travail sont réguliers.* → notre emploi du temps.

ORIGINE

Horaire appartient à la famille du mot heure.

horizon nom masc.

A l'aube, le soleil apparaît à l'horizon. → la ligne la plus lointaine du paysage, qui semble séparer le ciel et la terre.

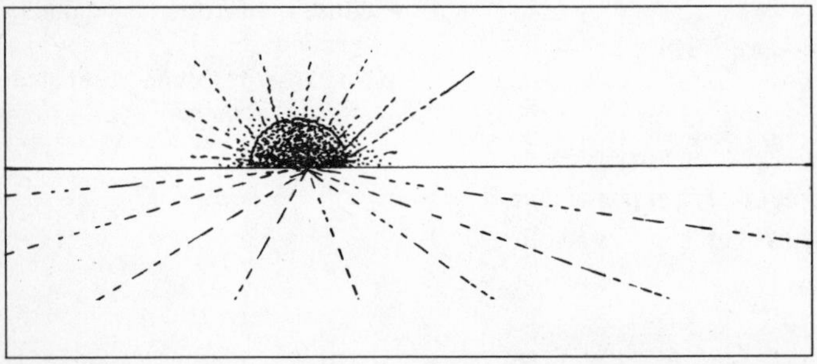

◄ La ligne d'horizon.

ORTHOGRAPHE

Les noms terminés par le son [zɔ̃] s'écrivent généralement avec un **s** : la maison, la prison, le poison, sauf le gazon et l'horizon qui prennent un **z.**

horloge nom fém.

L'horloge de l'église vient de sonner quatre heures. → la pendule.

1. L'horloge du salon.
2. L'horloge de l'église.

EXPRESSION

Être réglé comme une horloge. → avoir des habitudes régulières.

horrible adj.

Gisèle trouve les araignées horribles. → affreuses, effrayantes, épouvantables, repoussantes. ≠ attirant, beau, joli.

■ **horreur,** n. f. *J'ai horreur des mensonges.* → je déteste. ■ **horriblement,** mot inv. *J'ai eu horriblement peur en voyant la voiture prendre feu.* ≃ terriblement.

EXPRESSIONS

- **Un spectacle d'horreur.** → un spectacle qui provoque le dégoût, l'épouvante.
- **Quelle horreur !** → quelle chose effrayante !

hôte, hôtesse nom masc., nom fém.

1. *Après ce bon repas, nous avons remercié nos hôtes.* → les personnes qui nous recevaient.
2. *Aujourd'hui, vous êtes mon hôte à dîner.* → mon invité.
3. *A l'entrée de l'avion, une hôtesse de l'air accueillait les passagers.* → une femme qui s'occupe des passagers d'un avion.

GRAMMAIRE

Au sens 1, on emploie hôte et hôtesse.
Au sens 2, on n'emploie que hôte.
Au sens 3, on n'emploie que hôtesse.

hôtel nom masc.

Pour nos vacances, nous descendrons à l'hôtel. → un établissement où on loue des chambres meublées et où l'on a la possibilité de se restaurer.

■ **hôtelier, ière,** adj. ou n. m. et f. **1.** *L'école hôtelière forme le futur personnel de l'hôtellerie.* **2.** *L'hôtelière nous a conduits à nos chambres.*

VOCABULAIRE

- **Un hôtel particulier.** → jadis, les nobles logeaient dans une grande maison privée appelée « hôtel ».
- **L'hôtel de ville.** → la mairie.
- **L'hôtel des postes.** → la poste.

hotte [ɔt] nom fém.

1. *Les vendangeurs coupent les grappes de raisin et en remplissent les hottes.* → de grands paniers d'osier munis de sangles que l'on porte sur le dos.
2. *Il faudra ramoner la hotte de la cheminée.* → la partie évasée située au-dessus de la cheminée.

ORTHOGRAPHE

Hotte s'écrit avec deux **t**.

H

huile [ɥil] nom fém.

1. *Pour faire ta sauce, mélange du vinaigre à de l'huile d'olive.* → substance liquide grasse extraite de l'olive (ou de l'arachide, de la noix, du soja...).
2. *Les roues de ton vélo grincent : mets quelques gouttes d'huile.* → graisse-les.

■ **huileux, euse,** adj. *Une substance huileuse.* → grasse.

EXPRESSIONS

- *Cette nouvelle* **a fait tache d'huile.** → elle s'est répandue très vite.
- **Une mer d'huile.** → une mer calme, sans vagues.
- **Jeter de l'huile sur le feu.** → aggraver une dispute.

huître [ɥitʀ] nom fém.

Loïc aime manger des coquillages et, en particulier, des huîtres.

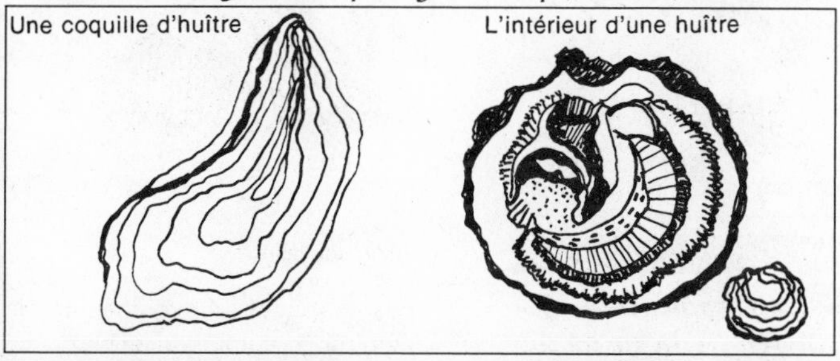

AUTOUR DE

- L'huître est un mollusque. La chair de ce coquillage marin que nous mangeons est le corps de l'animal.
- L'huître peut être récoltée à l'état naturel, fixée à des rochers ou provenir d'élevage.
- L'élevage des huîtres s'appelle l'ostréiculture.
- L'ostréiculteur vend les huîtres qu'il élève dans des parcs à huîtres.

humain, humaine adj.

1. *Le cours de sciences naturelles portait sur l'étude du corps humain.* → de l'homme. ≠ animal.
2. *C'est un homme très humain.* ≃ bon, généreux. ≠ inhumain.

■ **humanité,** n. f. **1.** *L'humanité comprend de nombreuses populations répandues sur tous les continents de la Terre.* **2.** *Ces réfugiés doivent être traités avec humanité.* ≠ cruauté, sauvagerie.

EXPRESSIONS

- **Un être humain.** → un homme, une femme.
- **Le genre humain.** → l'ensemble des êtres humains.

humble adj.

Le bûcheron habitait une humble demeure. ≃ modeste, pauvre. ≠ luxueux, riche.

■ **humblement,** mot inv. *Je vous demande humblement de pardonner ma faute.*

ORIGINE

Vient du mot latin humilis, bas, près de la terre.

humide adj.

Si vous voulez soigner vos douleurs, n'allez pas dans cette région humide. → où il pleut beaucoup. ≠ sec.

■ **humidité,** n. f. *L'humidité et la fraîcheur de la nuit ont provoqué du brouillard.*

EXPRESSIONS

- **Un linge humide.** → mouillé.
- **Une saison humide.** → pluvieuse.
- **Des yeux humides.** → pleins de larmes.

humour nom masc.

Voici un film plein d'humour ! → très amusant, très drôle.

hurlement nom masc.

Yvan poussa des hurlements de douleur quand on lui nettoya sa blessure. → des cris très forts. ≠ murmure.

■ **hurler,** v. **1.** *Dans les forêts du Canada et de Sibérie, on entend hurler des loups.* ≃ pousser des cris. **2.** *Ne parlez pas si fort, sinon je vais hurler.* → crier très fort.

VOCABULAIRE

Voici différents bruits et cris humains par ordre progressif : un souffle → un murmure → une plainte → un gémissement → un chant → un bruit → un cri → un hurlement.

hutte nom fém.

Dans la forêt, Pierre et ses amis ont construit une hutte tout en branchages. ≃ abri, cabane.

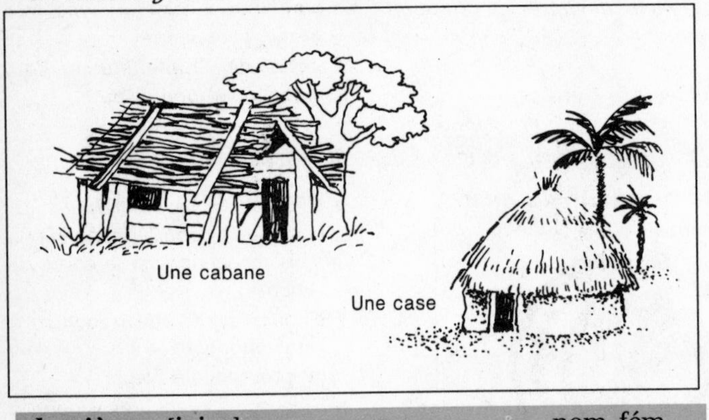

AUTOUR DE

Les huttes peuvent être construites avec des roseaux, des branches, des peaux, de la paille, de la terre (comme les cases), de la neige (comme les igloos), etc.

Une hutte.

hygiène [iʒjɛn] nom fém.

Voici des mesures d'hygiène quotidienne : se savonner les mains avant les repas et se brosser les dents après. → la propreté du corps.

■ **hygiénique,** adj. *Une longue marche en forêt constitue une promenade hygiénique.* → favorable à la santé du corps.

VOCABULAIRE

Les services d'hygiène de la commune comprennent les médecins et les infirmiers ou infirmières scolaires, les services de la voirie.

Ii

iceberg nom masc.

Dans les mers polaires, d'énormes masses de glace flottent et sont entraînées par les courants : ce sont les icebergs.

ORTHOGRAPHE

On peut prononcer : [ajsbɛʀg] ou [isbɛʀg].

ici mot inv.

1. *Médor, viens ici !* → à l'endroit où je me trouve.
   ≠ ailleurs.
   → Indique le lieu.
2. *Jusqu'ici, tout s'est bien passé.* → jusqu'à maintenant.
   → Indique le moment précis dans le temps.

EXPRESSIONS

- *Il est passé* **par ici.**
- **D'ici peu (d'ici là),** *il sera prêt.*
- **Ici et là,** *vous trouverez des champignons.*

idée nom fém.

1. *Henri a eu la bonne idée de prendre son parapluie.*
2. *Paul a plein d'idées pour sa rédaction.*
3. *J'ai idée qu'il viendra me voir.* → je pense.

EXPRESSION

Avoir les idées larges. → être tolérant.

identité nom fém.

Le cambrioleur a été démasqué ; on connaît maintenant son identité. → ses nom et prénom ≃ son état civil.

igloo [iglu] nom masc.

Les igloos, dans lesquels vivent les Esquimaux, sont des abris de neige ou de glace gelée.

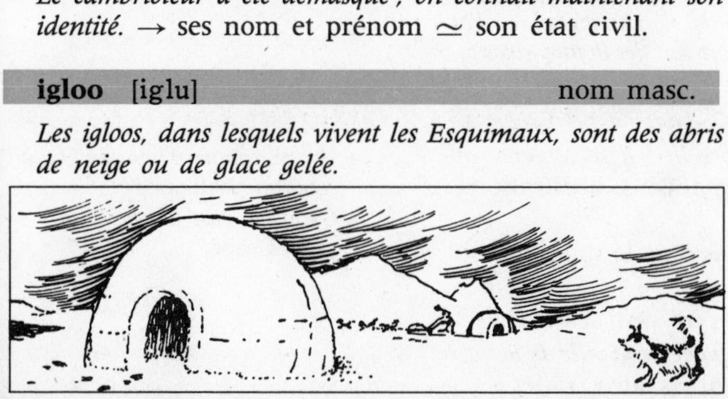

ORIGINE

Igloo est un mot esquimau.

ignorer [3] verbe

1. *Jacques ignore encore la table de multiplication par 7.* → il ne la connaît pas, ne la sait pas.
2. *J'ignore complètement où je suis.* → je ne sais pas.
3. *Il a préféré ignorer sa faute.* → ne pas y prêter attention.

■ **ignorance,** n. f. *Jean a fait une faute dans sa dictée par ignorance d'une règle de grammaire.* ■ **ignorant, e,** n. m. et f. *Il ne sait rien : c'est un parfait ignorant !*

GRAMMAIRE

J'ignore *tout* **de** *cette histoire.*
J'ignore s'*il viendra.*
J'ignore quel *nom il porte.*
Je n'ignore pas qu'*il est né en Inde.*
J'ignorais qu'*elle était si belle.*

il pron. pers.

1. *Claude est absent aujourd'hui :* il *est malade.* → *Il* remplace un nom sujet d'un verbe d'état ou d'action.
2. Il *pleut : impossible de sortir aujourd'hui.* → *Il* est un pronom sujet d'un verbe impersonnel.

île nom fém.

Une île est un espace de terre entouré d'eau.

ORTHOGRAPHE

N'oublie pas l'accent circonflexe sur le **i.**

illuminer [3] verbe

1. *Pendant l'orage, des éclairs illuminaient le ciel.* → ils éclairaient très brillamment.
2. *Une grande joie illuminait son visage.* → elle le rendait radieux.

■ **illumination,** n. f. **1.** *Tout à coup, j'ai eu une illumination.* → une idée géniale. **2.** *Les illuminations de Noël.* → l'ensemble des objets allumés dans les rues à cette époque.

ORTHOGRAPHE

Illuminer : **ill** se prononce [il] comme dans *mille,* ou *ville.*

illusion [ilyzjɔ̃] nom fém.

Je me suis fait des illusions sur son compte, ce n'était qu'un voleur. → des impressions fausses. ≠ réalité, vérité.

AUTOUR DE

Une illusion d'optique : une vision fausse provoquée par un phénomène naturel.

illustration nom fém.

Voici un recueil de poésies dont les illustrations sont très belles. → les dessins, les images.

■ **illustre,** adj. *Molière fut un illustre écrivain du 17ᵉ siècle.* → très célèbre. ■ **illustré,** n. m. *Dès que mon illustré préféré paraît, je cours l'acheter chez le marchand de journaux.* → un petit journal contenant de nombreuses illustrations. ■ **illustrer,** v. *J'ai illustré mon cahier de poésies avec des cartes et des dessins coloriés.*

image nom fém.

1. *Le petit François ne sait pas encore lire, il se contente de regarder les images du livre.* → les dessins, illustrations, photos.
2. *Sophie voyait son image dans la glace.* → le reflet de son visage.
3. *Cet enfant est l'image de son grand-père.* → il ressemble à.
4. *Cette photo nous donne une image fidèle de la ville de Royan en 1945.* → une représentation. ≃ idée, reflet.

EXPRESSIONS

- **Un chasseur d'images.** → un reporter photographe.
- **Sage comme une image.** → très sage.

imaginer 3 verbe

Louis a imaginé un nouveau jeu. → il a inventé, trouvé.

■ **imaginaire,** adj. *Les fées sont des personnages imaginaires.* ■ **imagination,** n. f. *Virginie, qui a beaucoup d'imagination, ne cesse d'inventer des histoires.* ≃ capacité d'invention. ■ **s'imaginer,** v. **1.** *Il ne s'imagine tout de même pas que je vais apprendre sa récitation à sa place !* → il ne croit pas. **2.** *Sandra s'imagine dans quelques années, quand elle aura 20 ans.* → elle se représente, se voit.

VOCABULAIRE

On peut posséder une imagination débordante, féconde, fertile, folle, vagabonde, vive.

imiter 3 verbe

1. *Dans les cirques, le singe amuse le public en imitant les gestes de l'homme.* → en copiant, mimant.
2. *Ramon sait imiter le cri du corbeau et de la pie.* → reproduire (par la voix).

■ **imitation,** n. f. *Attention ! Ce billet de banque n'est qu'une imitation !* → une copie du vrai billet. ≃ reproduction, faux billet.

VOCABULAIRE

Imiter, ce peut être : calquer, caricaturer, copier, faire semblant, mimer, reproduire, singer, mais aussi : faire d'après, faire comme, faire de même, faire à la façon de.

I

immédiatement mot inv.

Viens ici immédiatement ! → sans tarder, tout de suite.

■ **immédiat, e,** adj. *Ce sirop a un effet immédiat sur la toux.* → rapide et efficace.

EXPRESSION

Dans l'immédiat, *je ne suis pas disponible.* → pour l'instant, en ce moment.

immense adj.

L'immense océan abrite une incroyable quantité de poissons. → gigantesque, illimité, vaste. ≠ étriqué, étroit, minuscule, petit.

■ **immensité,** n. f. *L'avion s'est perdu dans l'immensité du désert.* → très grande étendue.

ORTHOGRAPHE

Immense vient de mesurer et s'écrit avec **s**.

immeuble nom masc.

Françoise habite un immeuble de huit étages. → un bâtiment, un édifice.

▲ New York – Manhattan, du haut du Rockefeller-Center.
◄ Un immeuble moderne.

immobile adj.

Il n'y a pas un souffle d'air : les feuilles des arbres sont immobiles. → fixes. ≠ agité, mobile, secoué.

GRAMMAIRE

Immobile est formé de l'adjectif *-mobile* et du préfixe *in-*, qui veut dire « le contraire de ».

immortel, immortelle adj.

La statue de la « Vénus » de Milo est une œuvre immortelle. → un chef-d'œuvre éternel. ≠ mortel, périssable.

ORIGINE

Appartient à la famille du mot mort.

impair, impaire — adj.

1, 3, 5, 7, 9, 11, ... sont des nombres impairs.
→ non divisibles par 2. ≠ pair, multiple de 2.

ORTHOGRAPHE

Devant **m, b, p,** le **n** devient **m**, sauf dans bo**nb**on, bo**nb**onnière, emb**onp**oint, néa**nm**oins.

imparfait, imparfaite — adj.

Voici un devoir imparfait : que de fautes et d'oublis !
≃ inachevé, incomplet, incorrect, négligé.
≠ achevé, complet, correct, parfait, terminé.

■ **imparfait,** n. m. *Dans la phrase :* Christian cueillait des pommes, *le verbe* cueillait *est à l'imparfait de l'indicatif.*
→ temps de conjugaison.

CONJUGAISON

L'*imparfait* est un temps de la conjugaison indiquant la durée d'une action située dans le passé.
Verbes
1er groupe : je chant**ais**, nous chant**ions** ;
2e groupe : je fini**ssais**, nous saisi**ssions** ;
3e groupe : je pren**ais**, nous dorm**ions**.

impatient [ɛ̃pasjɑ̃], impatiente — adj.

Ne sois pas impatient, le train ne va pas tarder à arriver.
≠ patient.

■ **impatience** [ɛ̃pasjɑ̃s], n. f. *A Noël, quelle impatience ! Les enfants avaient tellement hâte d'ouvrir leurs paquets !* ≠ patience.
■ **s'impatienter,** v. *Au restaurant, les serveurs ne se hâtaient pas, et les clients s'impatientaient.* ≠ patienter.

ORTHOGRAPHE

- Attention : le **ti** se prononce [sj] comme dans addi**tion**, soustrac**tion**.
- N'oublie pas le **t** final : pense à impatien**te**.

imperméable — adj.

L'argile est une matière imperméable. → elle ne se laisse pas traverser par l'eau. ≠ perméable (comme le sable).

■ **imperméable,** n. m. *Il pleut, prends un imperméable.*

ORTHOGRAPHE

N'oublie pas : **m** devant **p**.

important, importante — adj.

1. *Le président de la République est le personnage le plus important de l'État.* ≠ anonyme, insignifiant.
2. *La pollution est une question importante.* → grave, sérieuse.
3. *Pour acheter cette maison, nous avons dû payer une somme importante.* → une grosse somme. ≃ considérable.

■ **importance,** n. f. *N'attache pas trop d'importance à ces petits détails !* → n'accorde pas trop d'intérêt.

VOCABULAIRE

Peuvent être importants :
- une affaire sérieuse,
- une date : 1914, 1945,
- un événement : 14 juillet 1789,
- une somme considérable, énorme,
- un personnage : Louis XIV, Napoléon.

imposer [3] — verbe

Après l'accident de Pierre, le médecin lui a imposé des séances de gymnastique. → il l'a obligé à.

VOCABULAIRE

Les contribuables sont imposés sur leurs biens, leurs revenus : ils paient des impôts.

impossible — adj.

1. *Ce champion a réussi un exploit qui jusqu'alors paraissait impossible.* ≠ faisable, possible.
2. *Quel enfant impossible !* → indiscipliné, insupportable. ≠ discipliné, obéissant.

■ **impossibilité,** n. f. *En raison de sa maladie, Jean est dans l'impossibilité de venir en classe.* → il ne peut pas.

ORTHOGRAPHE

Impossible est formé de l'adjectif **possible** et du préfixe **-im**, qui veut dire « le contraire de ».

EXPRESSION

Je ferai l'impossible pour *le recevoir.* → je ferai tout ce que je peux.

impressionner [3] verbe

Les histoires d'ogres et de sorcières impressionnent les très jeunes enfants. → elles font peur. ≃ effrayer.

■ **impression,** n. f. **1.** *Cette nouvelle émission a fait une bonne impression sur les téléspectateurs.* → elle a beaucoup plu. **2.** *J'ai l'impression qu'il va pleuvoir.* → je pressens, j'ai le sentiment. ■ **impressionnant, e,** adj. *Monter au troisième étage de la tour Eiffel, c'est impressionnant !*

ORTHOGRAPHE

Attention : deux **s** et deux **n** à impre**ss**io**nn**er et impre**ss**io**nn**ant.

VOCABULAIRE

Une impression peut être agréable ou désagréable, pénible, profonde, vive, légère, superficielle, inoubliable, forte...

imprévu, imprévue adj.

Nous avons eu une visite imprévue cet après-midi : devine qui c'était ! ≃ inattendu. ≠ prévu.

■ **imprévu,** n. m. *Leur voiture est tombée en panne ; sans cet imprévu, ils seraient déjà à Marseille.* → sans cet incident.

ORTHOGRAPHE

Imprévu est formé de l'adjectif **prévu** et du préfixe **im-**, qui veut dire « le contraire de ».

imprimerie nom fém.

1. *Les journaux, les livres sortent des imprimeries.* → l'entreprise où l'on imprime.
2. *Grâce à l'imprimerie, on peut publier des ouvrages rapidement et en grand nombre.* → la technique par laquelle on imprime des ouvrages, des journaux.

■ **imprimer,** v. *Mon père a fait imprimer des cartes de visite.* ■ **imprimeur,** n. m. → celui qui imprime les livres, les journaux.

AUTOUR DE

- Au 14e siècle, on imprimait en gravant des planches de bois.
- L'imprimeur allemand Gutenberg, qui découvrit l'imprimerie en 1492, et le Hollandais Coster se servirent de caractères mobiles en métal fondu.

Différents caractères d'imprimerie :

ABCDEFGHIJKLMNOPQRSTUVWXYZ
abcdefghijklmnopqrstuvwxyz

◄ Avant garde.

ABCDEFGHIJKLMNOPQRDTUVWXYZ
abcdefghijklmnopqrstuvwxyz

◄ Egyptienne.

ABCDEFGHIJKLMNOPQRSTUVWXYZ
abcdefghijklmnopqrstuvwxyz

◄ Bodoni.

ABCDEFGHIJKLMNOPQRSTUVWXYZ
abcdefghijklmnopqrstuvwxyz

◄ Times

improviste (à l') loc. inv.

Marie-Claude vient d'arriver à l'improviste. → de manière imprévue. ≃ soudainement, sans prévenir, subitement.

imprudence nom fém.

Traverser la rue sans regarder, quelle grave imprudence ! ≃ faute. ≠ prudence.

■ **imprudent, e,** adj. ou n. m. et f. **1.** adj. *Rose est bien imprudente de se pencher par la fenêtre du train.* **2.** n. m. et f. *Quel est l'imprudent qui a jeté sa cigarette par terre sans l'éteindre ?*

inachevé, inachevée adj.

Marie est partie jouer dans le jardin, laissant son travail inachevé. ≃ incomplet. ≠ achevé, complet, fini, terminé.

inactif, inactive adj.

Prends un couteau et aide-moi à peler les pommes au lieu de rester inactif ! ≃ désœuvré, oisif, passif. ≠ actif, occupé.

■ **inaction,** n. f. → paresse. ≠ action, vivacité.

ORTHOGRAPHE

Inactif est formé de l'adjectif **actif** et du préfixe **in-**, qui veut dire « le contraire de ».

inattendu, inattendue adj.

Nous avons reçu dimanche la visite inattendue de nos anciens voisins. → imprévue, soudaine. ≠ attendu.

ORTHOGRAPHE

Le mot **inattendu** est formé de l'adjectif **attendu** et du préfixe **in-**, qui veut dire « le contraire de ».

incapable adj.

Joël est trop petit : il est incapable de prendre tout seul le train. ≠ capable.

incassable adj.

Le saladier est en verre incassable. ≠ cassable, fragile.

incendie nom masc.

Un incendie a ravagé ce magasin de meubles. ≃ sinistre.

■ **incendier,** v. *La forêt a été incendiée à cause de l'imprévoyance d'un promeneur.* → elle a été détruite par le feu.

ORTHOGRAPHE

Attention : un **incendie**, un **génie** sont des noms masculins qui prennent un **e** final.

◄ Un début d'incendie en forêt.

incident nom masc.

Un incident nous a empêchés d'arriver à l'heure : nous avons eu une panne d'essence. → une petite mésaventure, un événement ennuyeux.

EXPRESSION

Sans incident. → sans problème, normalement.

incisive [ɛ̃siziv] nom fém.

Les incisives sont les dents plates du devant, situées entre les canines.

ORIGINE

Incisive est de la même famille que le mot ciseau.

incliner [3] verbe

La girafe incline son long cou pour boire.

■ **s'incliner,** v. **1.** *Sous la tempête, les arbres s'inclinaient fortement.* → ils penchaient. **2.** *C'est l'équipe adverse qui a gagné le match ; il faut savoir s'incliner.* → accepter sa défaite.

incompréhensible [ɛ̃kɔ̃pʀeɑ̃sibl] adj.

Luis me parle en espagnol ; pour moi c'est une langue incompréhensible. → que je ne comprends pas. ≃ inintelligible, obscur. ≠ clair, compréhensible.

ORIGINE

Appartient à la famille du mot comprendre.

inconnu, inconnue adj.

En 1492, Christophe Colomb découvrit un pays jusqu'alors inconnu, qui allait s'appeler l'Amérique. → ignoré.

VOCABULAIRE

Ce qui est inconnu est : étrange, mystérieux, nouveau, obscur.

inconvénient [ɛ̃kɔ̃venjɑ̃] nom masc.

Ce voyage n'a qu'un inconvénient : il coûtera cher. ≃ défaut, désavantage. ≠ avantage, qualité.

ORTHOGRAPHE

N'oublie pas le **t** final.

indécis, indécise adj.

Le temps pour demain est indécis ; on ne sait encore s'il pleuvra ou s'il fera beau. → douteux, hésitant, incertain. ≠ certain, sûr.

ORTHOGRAPHE

Attention : n'oublie pas le **s** final, qui ne se prononce pas.

indépendance nom fém.

Le chat refuse d'être enfermé ; il aime son indépendance. → sa liberté. ≠ dépendance.

■ **indépendant, e,** adj. → qui ne dépend de personne. ≃ libre.

indice nom masc.

Le policier qui recherche le voleur a déjà relevé plusieurs indices : des empreintes et une paire de lunettes abandonnée. → des signes, des traces.

VOCABULAIRE

- Un indice démontre, établit, fournit, prouve, révèle un renseignement.
- Il existe des indices certains, sûrs ou incertains, indubitables ou douteux, suffisants ou insuffisants.

indifférent, indifférente adj.

Qu'on aille au zoo ou au cinéma me laisse indifférent ! → cela m'est égal.

■ **indifférence,** n. f. *Il a accueilli mon départ avec une totale indifférence.* → avec détachement, froideur, impassibilité.

VOCABULAIRE

On peut : feindre l'indifférence, inspirer, marquer, montrer, témoigner de l'indifférence à quelqu'un.

indigné, indignée adj.

Indigné de voir cet homme maltraiter son chien, je suis intervenu. → révolté, scandalisé. ≠ content, satisfait.

■ **indignation,** n. f. *La population proteste avec indignation contre l'absence d'espaces verts.* → avec colère. ■ **indigne,** adj. **1.** *Tu m'as trahi : tu es indigne de ma confiance.* → tu ne la mérites plus. **2.** *Quelle action indigne !* → honteuse. ■ **s'indigner,** v. *Pierre s'indigne contre la pollution des mers.* → il s'élève contre.

indiquer 3 — verbe

Suivez la flèche, elle indique la sortie. ≃ marquer, montrer, signaler. ≠ cacher, masquer, taire.

indiscret, indiscrète — adj.

Tu es bien indiscret d'avoir ouvert mon courrier. ≃ curieux. ≠ discret.

VOCABULAIRE

Etre indiscret, c'est aussi : déranger, être curieux, être sans gêne, manquer de tact.

indispensable — adj.

Pour se reposer, il est indispensable de bien dormir. → il est nécessaire de. ≠ inutile.

individu — nom masc.

1. *Plus de six milliards d'individus vivent sur Terre.* → d'hommes et de femmes.

2. *J'ai croisé un drôle d'individu dans l'escalier* (fam.). → un homme au comportement étrange.

■ **individuel, elle,** adj. *Chacun des enfants a une chambre individuelle.* ≃ particulier, personnel.

VOCABULAIRE

- Jeu individuel. → un joueur contre un adversaire (au golf ou au tennis).
- Jeu d'équipe. → plusieurs joueurs associés contre une autre équipe (au basket-ball, au football, au volley-ball).

indulgent, indulgente — adj.

Marie-France a une grand-mère indulgente, qui ne la punit jamais. → qui pardonne facilement. ≃ bienveillant, tolérant. ≠ dur, sévère, strict.

■ **indulgence,** n. f. *Elle a fait preuve de beaucoup d'indulgence en te pardonnant ta faute.* ≃ bonté, clémence, tolérance. ≠ sévérité.

VOCABULAIRE

On peut abuser de l'indulgence de quelqu'un, manifester, marquer, montrer, témoigner de l'indulgence envers quelqu'un.

industrie — nom fém.

Les industries automobiles font travailler de nombreux ouvriers. → les usines.

■ **industriel, elle,** adj. *Lyon est un centre industriel français important.* → concernant l'industrie. ■ **industriel,** n. m. *Cet industriel possède la plus grande usine alimentaire de la région.*

AUTOUR DE

Les industries se classent :
- en industries lourdes. → qui transforment les minerais (pour obtenir du fer, de l'acier, du cuivre, de l'aluminium),
- en industries légères. → qui transforment le fer, l'acier... en produits usuels : automobiles, objets métalliques (→ les manufactures).

◄ Montage à la chaîne de voiture, dans l'industrie automobile.

inépuisable adj.

La mer est une réserve inépuisable de poissons et de sel. → qu'on ne peut épuiser.

inférieur, inférieure adj.

1. *Notre mâchoire inférieure est mobile, alors que notre mâchoire supérieure est fixe.*
2. *9 est un nombre inférieur à 10. On écrit : 9 < 10. On lit : 9 inférieur à 10.* → plus petit que 10. ≠ supérieur.

■ **infériorité,** n. f. *Pour exprimer l'infériorité, on utilise le mot* moins : *Luc est moins fort que Louis.*

La mâchoire supérieure

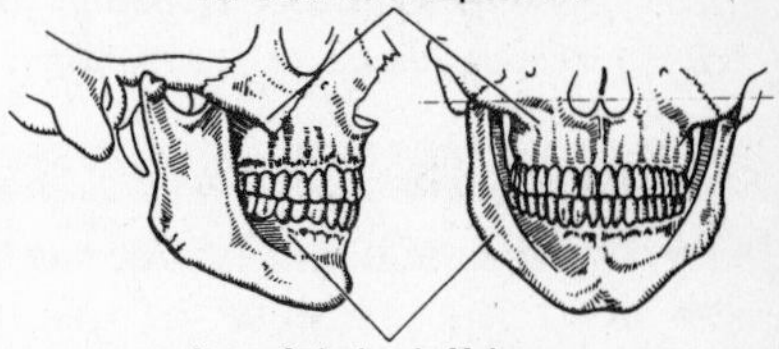

La mâchoire inférieure

infinité nom fém.

Il y a une infinité d'étoiles dans le ciel. → un très grand nombre, un nombre illimité.

■ **infini, e,** adj. *La suite naturelle des nombres est infinie, sans limite.* ■ **infiniment,** mot inv. *Je vous remercie infiniment de m'avoir raccompagné.* ≃ beaucoup, énormément.

EXPRESSION

A l'infini. → indéfiniment, sans cesse, sans s'arrêter.

I

infirme adj. ou nom masc. ou fém.

1. adj. *A la suite d'un grave accident, certains blessés de la route restent infirmes.* → ils perdent l'usage d'une partie de leur corps.
2. n. m. ou f. *Cet infirme se déplace dans une petite voiture.* ≃ invalide.

■ **infirmerie,** n. f. *Un élève est tombé en jouant, on l'a conduit à l'infirmerie pour le soigner.* ■ **infirmier, ière,** n. m. et f. *L'infirmière soigne des blessés et des malades.* ■ **infirmité,** n. f. *En dépit de son infirmité, le jeune aveugle prend le métro.*

L'infirmière soigne les malades.

influence nom fém.

La mode a une grande influence sur la manière de s'habiller. ≃ effet, pouvoir.

■ **influencer,** v. *Elle a essayé de m'influencer pour que je l'accompagne au cinéma.*

EXPRESSION

Je suis **sous l'influence de** *médicaments.* → sous l'effet de.

information nom fém.

Tous les soirs, la famille se réunit pour écouter les informations. → les nouvelles données à la radio ou à la télévision.

ORTHOGRAPHE

Attention : **t** se prononce [s].

ingénieur nom masc.

Le père de Mireille est ingénieur dans une usine d'avions. → un spécialiste qui dirige des recherches sur la fabrication, la transformation de produits.

ORTHOGRAPHE

- Il n'y a pas de féminin : on dit une *femme ingénieur.*
- *Il est ingénieur, elle est ingénieur.*

initiale [inisjal] nom fém.

L'initiale d'un nom est la première lettre du nom. Ex. W. D. pour Walt Disney. ≠ finale.

initiative [inisjativ] nom fém.

1. *Dimanche, Jacques a pris l'initiative de nous emmener visiter le zoo.* → il a décidé de lui-même.
2. *Dans chaque ville, un syndicat d'initiative donne des renseignements aux visiteurs, aux touristes, sur la ville ou la région où ils se trouvent.*

ORTHOGRAPHE

Attention : le premier **t** se prononce [s].

EXPRESSION

Avoir l'initiative de. → être le premier à agir.

injure nom fém.

Pierre n'a cessé d'insulter Jacques en lui lançant des injures. → des mots grossiers. ≃ insulte, outrage.

■ **injurier,** v. *Non seulement il était dans son tort, mais, en plus, il a injurié le conducteur de l'autre voiture.* ≃ insulter.

VOCABULAIRE

- On peut jeter, lancer, proférer des injures, accabler, couvrir quelqu'un d'injures.
- Une injure peut être basse, cruelle, grave, grossière.

injuste adj.

J'ai été punie à la place de Nathalie : c'est injuste ! ≠ juste, mérité.

■ **injustice,** n. f. **1.** *L'arbitre a commis une injustice en favorisant l'équipe adverse.* → une chose injuste. **2.** *L'injustice de cette condamnation m'a révolté.* → le fait qu'elle n'est pas méritée, pas juste.

innocent, innocente adj.

Ce n'est pas Marion qui a volé le stylo : elle est innocente. ≠ coupable.

■ **innocence,** n. f. *Marion a prouvé son innocence.*

ORTHOGRAPHE

N'oublie pas les deux **n** et le **t** final qui ne se prononce pas (pense à **innocente**).

innombrable adj.

D'innombrables étoiles scintillent dans le ciel. → une grande quantité, une quantité infinie.

ORTHOGRAPHE

N'oublie pas les deux **n**, et le **m** devant le **b**.

inoffensif, inoffensive adj.

La couleuvre est un serpent inoffensif, alors que la vipère a une morsure venimeuse. → elle ne peut faire de mal. ≠ dangereux, nuisible, redoutable.

ORTHOGRAPHE

Attention : un **n** et deux **f**.

inonder 3 verbe

Grossies par d'abondantes pluies, les rivières inondent les rives et les champs. → elles recouvrent, submergent.

■ **inondation,** n. f. *La rupture du barrage a provoqué l'inondation du village entier.*

VOCABULAIRE

Les larmes inondent son visage.
La sueur inonde le front.
Paris est inondé de touristes.
Une grande joie inonde son cœur.

◄ Le Val de Loire inondé.

inquiet, inquiète — adj.

Inquiets de ne pas le voir revenir, nous sommes partis à sa recherche. → anxieux, soucieux, tourmentés, tracassés. ≠ calme, serein, tranquille.

■ **inquiétant, e,** adj. *Ce chien de garde me paraît bien inquiétant.* ■ **inquiéter** [ɛ̃kjete], v. *Depuis deux mois, sa mauvaise santé m'inquiète beaucoup.* → elle me tourmente. ■ **inquiétude** [ɛ̃kjetyd], n. f. *Cette blessure légère ne me donne aucune inquiétude.* → aucun souci, aucun tourment.

ORTHOGRAPHE

Attention aux accents :
- un élève inquiet → pas d'accent,
- une élève inquiète → accent grave ; mais l'inquiétude, s'inquiéter, inquiétant prennent un accent aigu.

inscription — nom fém.

1. *Pour participer à ce concours, il faut retirer un dossier d'inscription à la mairie.*
2. *Sur les vieux monuments, on lit de nombreuses inscriptions.* → des mots gravés dans la pierre.

■ **inscrire,** v. *Joël inscrit son nom sur la première page de son cahier.* ■ **s'inscrire,** v. *En septembre, je m'inscrirai au nouveau club de tennis.*

VOCABULAIRE

On peut lire des inscriptions sur : des affiches, des écriteaux, des enseignes de magasins, des étiquettes, des monuments, des murs, des pancartes, des panneaux routiers.

I

insecte — nom masc.

La mouche, la sauterelle, le papillon sont des insectes. → de très petits animaux.

AUTOUR DE

Voici des insectes utiles : l'abeille, la coccinelle, le ver à soie ; voici des insectes nuisibles : le cafard, le doryphore...

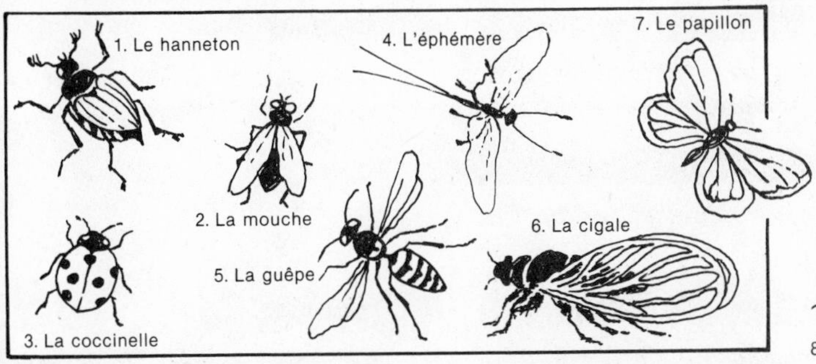

◄ Différents insectes.

insensible — adj.

1. *Louise reste insensible à tous les reproches.* → froide, indifférente.
2. *Avant de recoudre la plaie, le médecin m'a fait une piqûre pour rendre mon genou insensible.* → pour que je ne sente rien.

insigne — nom masc.

Marc a agrafé l'insigne de son club sur le revers de sa veste.

insister [3] — verbe

Jean-François insiste auprès de ses camarades pour qu'ils restent encore à la maison. → il demande à plusieurs reprises. ≃ persévérer.

■ **insistance,** n. f. *Le commissaire questionne le suspect avec insistance pour connaître la vérité.* → avec obstination.

inspirer 3 verbe

Quand on inspire, on fait entrer l'air dans nos poumons. → on aspire l'air. ≠ expirer.

■ **inspiration,** n. f. **1.** *La respiration s'effectue en deux temps : d'abord l'inspiration, ensuite l'expiration.* → action de faire entrer l'air dans les poumons. **2.** *Elle a eu une heureuse inspiration en m'offrant un portefeuille.* → une bonne idée.

EXPRESSION

Ce nouvel élève **m'inspire confiance.** → je suis en confiance avec lui.

installation nom fém.

1. *Ce matin, l'électricien a refait l'installation électrique de la salle à manger.*
2. *Notre installation dans ce nouveau bureau se fera au mois de février.* → action de s'installer.

■ **installer,** v. **1.** *Les plombiers installeront bientôt notre nouvelle salle de bains.* **2.** *Nous installerons François sur le divan, et Claire dormira dans la chambre d'ami.* ■ **s'installer,** v. **1.** *Les comédiens s'installent sur la place du marché et jouent une pièce très amusante.* **2.** *Après le dîner, le vieux marin s'installe dans son fauteuil et fume sa pipe.* → il se place confortablement.

Une installation difficile !

instant nom masc.

Ne pars pas tout de suite, attends un instant. → quelques minutes. ≃ moment.

instinct [ɛ̃stɛ̃] nom masc.

Les animaux possèdent un instinct très développé. → une tendance naturelle à ressentir ou à faire certaines choses.

EXPRESSION

D'instinct, *il m'a plu.* → tout de suite et sans réfléchir.

instituteur, institutrice nom masc., nom fém.

A la rentrée, l'école comptera deux nouvelles institutrices. → deux maîtresses d'école.

instruction nom fém.

Dans ce pays, l'instruction est obligatoire jusqu'à seize ans. → l'enseignement.

■ **instructif, ive,** adj. *Voici un livre sur les animaux, instructif et clair.* → qui apprend quelque chose. ■ **instruire,** v. *Le maître instruit ses élèves.* → il leur procure un enseignement.

VOCABULAIRE

On peut : acquérir, développer, donner, recevoir l'instruction. On possède une certaine instruction ou une instruction étendue ou superficielle, profonde, solide, vaste.

instrument nom masc.

1. *Le violon est un instrument de musique.* → un objet dont on se sert pour faire de la musique.
2. *Le marteau, la pioche sont des instruments de travail.* → des outils.

insulte nom fém.

Les deux automobilistes en colère se lançaient des insultes. → des injures.

■ **insulter,** v. *Tu as déjà commis une faute de conduite, maintenant n'insulte pas l'agent !* → n'injurie pas. ≃ offenser.

intact, intacte adj.

Le vase est tombé, mais, par bonheur, il est resté intact. → il ne s'est pas brisé. ≃ entier (objet), sauf (personne).

intelligent, intelligente adj.

Jean apprend facilement : c'est un garçon intelligent. ≠ sot, stupide.

■ **intelligemment,** mot inv. *Pour résoudre ce problème, il faut raisonner intelligemment.* ■ **intelligence,** n. f. *Il a répondu avec intelligence à la question.* → de façon réfléchie, astucieuse.

EXPRESSION

Vivre en bonne (en mauvaise) intelligence. → en bonne (en mauvaise) entente ; en accord (en désaccord).

intense adj.

Les enfants regardent toujours les numéros de clowns avec une joie intense. → très forte, très vive. ≠ faible.

■ **intensité,** n. f. *La tempête augmente d'intensité et la mer se déchaîne.* → elle devient de plus en plus forte.

VOCABULAIRE

Peuvent être intenses :
- un bruit → assourdissant, continu,
- une chaleur → insupportable, suffocante,
- un froid → insupportable.

I

intention nom fém.

1. *Voici un atlas des plantes à l'intention de tous ceux qui aiment la nature.* → il est destiné, fait pour.
2. *Cet été, nous avons l'intention de nous rendre en Autriche.* → nous projetons de.

ORTHOGRAPHE

Les mots féminins terminés en [sjɔ̃] peuvent s'écrire :
- **tion** → une opéra**tion**, une inten**tion**,
- **sion** → une pen**sion**,
- **ssion** → une soumi**ssion**.

interdire 14 verbe

Dans le jardin public, un écriteau interdit que l'on marche sur les pelouses. → il défend. ≠ autoriser, permettre, tolérer.

■ **interdiction,** n. f. *Dans le Code de la route, les panneaux sur fond rouge indiquent une interdiction.* ≠ autorisation.

intéressant, intéressante adj.

1. *Voici un documentaire très intéressant sur la vie des abeilles.* ≃ captivant, passionnant.
2. *L'antiquaire m'a cédé cette vieille commode à un prix intéressant.* ≃ avantageux.

■ **intéresser,** v. *L'Histoire de France m'intéresse beaucoup.* → elle me captive, me passionne. ■ **intérêt,** n. m. **1.** *J'ai écouté avec intérêt une émission sur la récolte du sucre d'érable au Canada.* **2.** *N'aggrave pas ta faute, tu as intérêt à me dire la vérité.* → tu as avantage à.

VOCABULAIRE

Un intérêt anime, fait agir, guide, pousse quelqu'un.

intérieur, intérieure adj.

De la poche intérieure de sa veste, le magicien fit surgir une tourterelle. ≠ extérieur.

■ **intérieur,** n. m. *En vidant l'intérieur de mes tiroirs, j'ai retrouvé ce vieux paquet de lettres.* → le dedans. ≠ extérieur.

VOCABULAIRE

Etre à l'intérieur, c'est aussi : être au centre, être au cœur, être au milieu, être au fond, être dedans.

international, internationale adj.

La Croix-Rouge est un organisme international. → plusieurs nations en font partie.

interroger 19 verbe

Le policier a interrogé le suspect pour savoir où il s'était rendu ce soir-là. → il a questionné.

■ **interrogation,** n. f. **1.** *Le point d'interrogation (?) se place à la fin d'une question : que manges-tu ? où vas-tu ?* **2.** *Répondre à mon interrogation.* → à la question que je te pose. **3.** *Demain, nous ferons une interrogation écrite en géographie.* → un devoir où l'on doit répondre, par écrit, à plusieurs questions.

VOCABULAIRE

Interroger, c'est : demander un renseignement, être curieux, examiner avec attention, poser une charade, une devinette, une question, s'informer.

interrompre 31 verbe

1. *Sa mère étant malade, il a dû interrompre ses vacances.* → les écourter, les arrêter.
2. *Je parlais de la Côte d'Azur quand tu m'as interrompu.* → tu m'as coupé la parole.

■ **interrupteur,** n. m. *On ouvre ou on coupe le courant en appuyant sur l'interrupteur.* ≃ commutateur. ■ **interruption,** n. f. **1.** *En raison de travaux, il y a une interruption de courant de 6 heures à 11 heures, lundi matin.* → un arrêt, une coupure, une suspension. **2.** *Pas d'interruption ! Laissez-moi parler jusqu'au bout.* → ne m'arrêtez pas.

VOCABULAIRE

On peut interrompre de diverses façons :
- arrêter une discussion → interrompre une discussion,
- briser une ligne → interrompre une ligne,
- cesser un travail → interrompre une activité,
- couper le courant → interrompre le courant.

intervalle nom masc.

L'intervalle entre les poteaux de cette clôture est de 90 cm. → la distance. ≃ écart, écartement, espace.

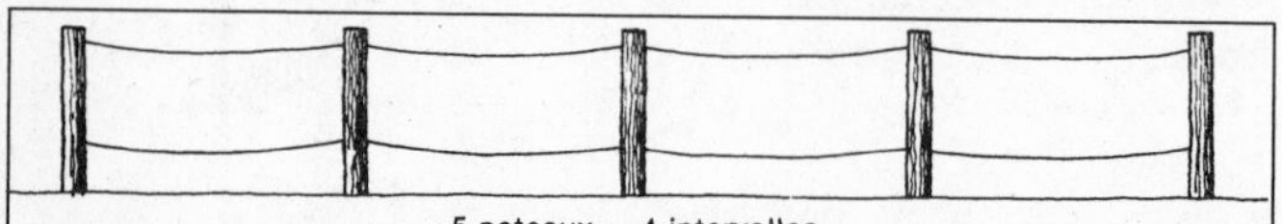

5 poteaux – 4 intervalles

intervenir 34 verbe

1. *Les pompiers sont intervenus pour éteindre l'incendie.* → ils sont entrés en action.
2. *Dans ce conflit, les États-Unis et l'U.R.S.S. n'interviendront pas.* → ils n'y prendront pas part.
3. *De petits incidents sont intervenus pendant le discours du ministre.* → ils sont survenus, ils ont surgi.

■ **intervention,** n. f. **1.** *Sans ton intervention, je me serais fait écraser.* → ton action. **2.** *C'est une appendicite aiguë, déclara le médecin, l'intervention chirurgicale est nécessaire.* → l'opération.

intestin nom masc.

Dans l'appareil digestif, l'intestin grêle et le gros intestin font suite à l'estomac.

■ **intestinal, e,** adj. *Le médecin a diagnostiqué une grippe intestinale.* → qui touche les intestins.

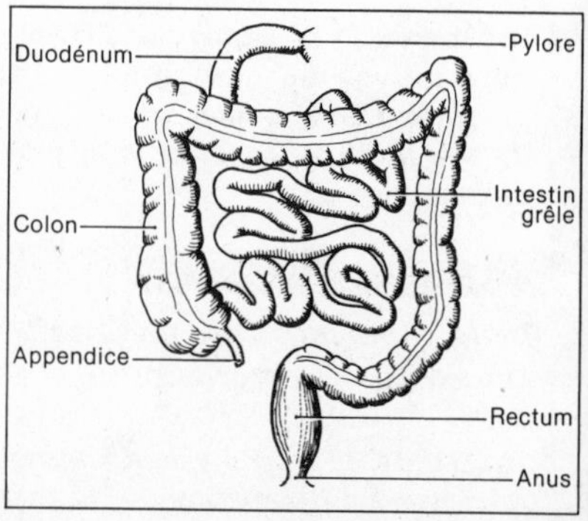

intime — adj.

Robert est l'ami intime de Roland. → la personne avec laquelle il est très lié. ≃ en étroite relation.

EXPRESSION

La vie intime. → la vie privée, l'intimité. ≠ la vie publique, sociale.

intrépide — adj.

Fanfan la Tulipe est un héros intrépide. → audacieux, brave, courageux. ≠ peureux, poltron, prudent.

inutile — adj.

Inutile de venir ce soir, je ne serai pas chez moi.

■ **inutilisable,** adj. *Ces stylos usés sont maintenant inutilisables.* → ils ne marchent plus. ≠ en bon état, utilisable.

ORIGINE

Le mot inutilisable est formé de l'adjectif utilisable et du préfixe in-, qui veut dire « le contraire de ».

invasion — nom fém.

Il y a une invasion de fourmis dans la cuisine !

inventeur, inventrice — nom masc., nom fém.

Denis Papin est l'inventeur de la machine à vapeur.

■ **inventer,** v. *Gutenberg a inventé l'imprimerie.* ≃ créer. ■ **inventif, ive,** adj. *Pour fabriquer de nouveaux jouets, il faut avoir l'esprit inventif.* → l'esprit de création. ■ **invention,** n. f. *L'invention de l'imprimerie par les Chinois date du 6e siècle.* → la création et la mise au point technique.

AUTOUR DE

Quelques grandes inventions au cours des siècles :
- la boussole (2 000 ans avant J.-C.),
- la machine à vapeur (Denis Papin), 17e siècle,
- le télégraphe morse (19e s.),
- la photographie (19e s.),
- les planeurs (19e s.).
- 20e siècle : T.S.F., télévision, satellites artificiels.

I

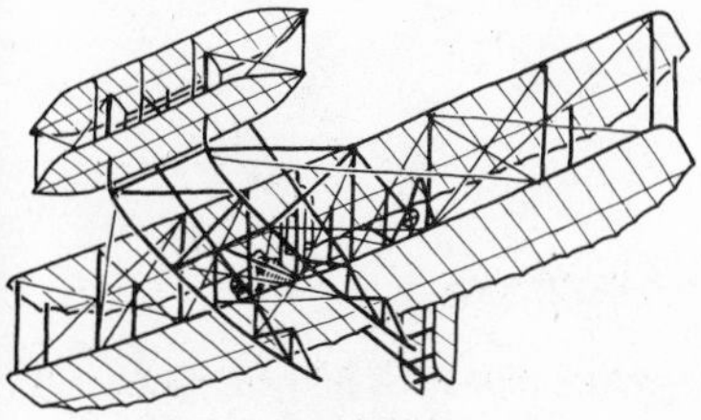
L'aéroplane des frères Wright

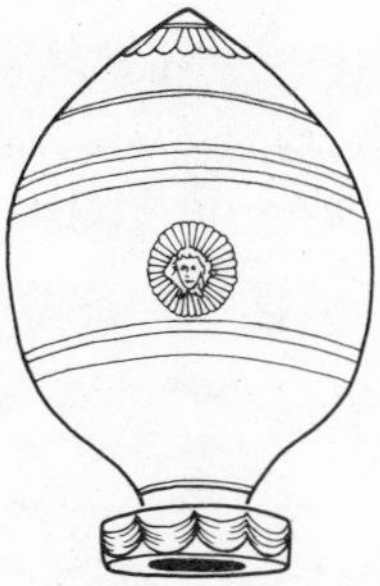
La mongolfière

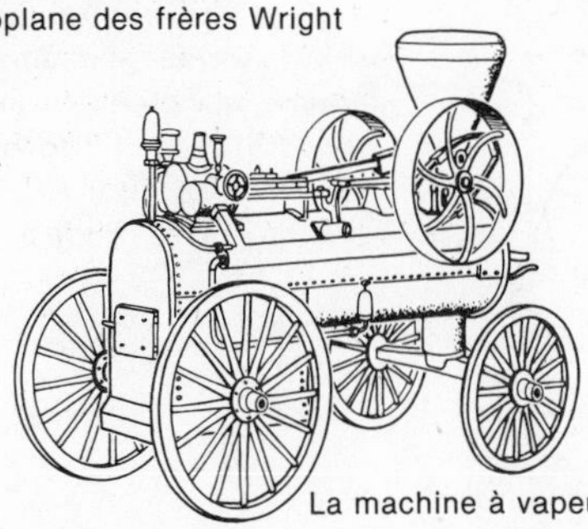
La machine à vapeur

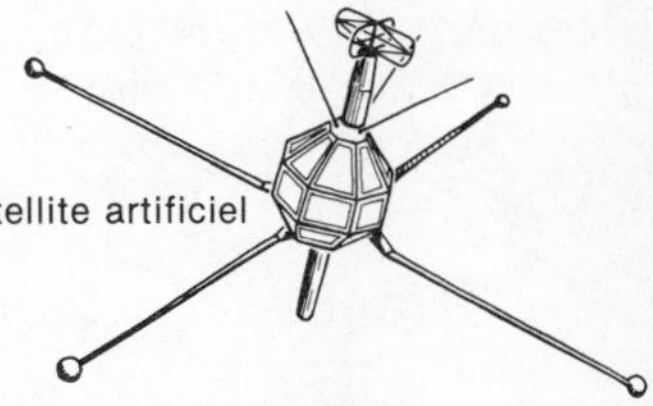
Un satellite artificiel

Un poste de télévision

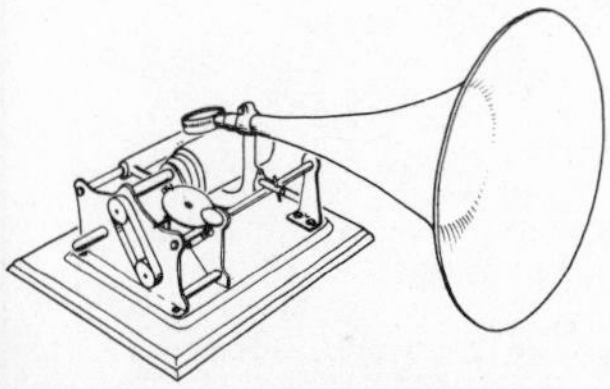
Le phonographe de 1902

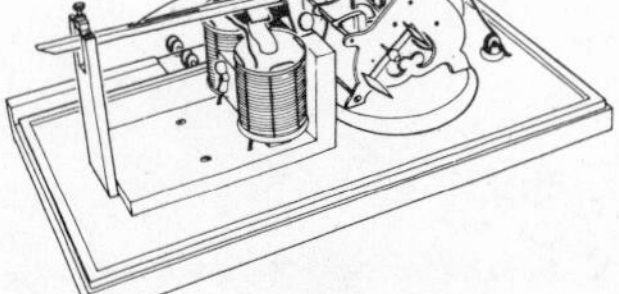
Le télégraphe

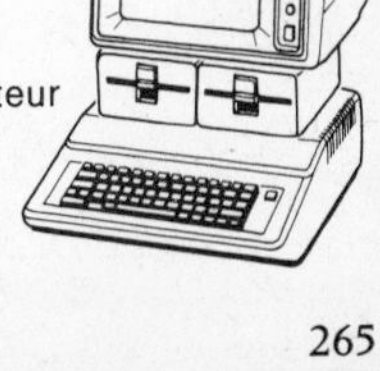
Un micro ordinateur

inverse adj.

Deux voitures qui roulaient en sens inverse se sont heurtées. → dans le sens contraire l'une de l'autre. ≃ opposé.

inviter 3 verbe

A cette soirée, de nombreux acteurs et actrices étaient invités. → ils étaient conviés.

■ **invitation,** n. f. **1.** *Difficile de refuser cette invitation de nos amis pour dimanche.* → cette demande, cette proposition de nous recevoir. **2.** *J'ai reçu une invitation pour le mariage de mon cousin.* → une carte, un faire-part. ■ **invité, ée,** n. m. et f. *Les invités sont arrivés et prennent place autour de la table.* ≃ hôte.

ironique adj.

En voyant mon 0 en calcul, mon frère a eu une remarque ironique : ça ne marche pas mal en mathématiques ! → moqueuse, railleuse.

■ **ironie,** n. f. → moquerie, raillerie.

EXPRESSION

L'ironie du sort. → le hasard qui semble fait exprès dans certaines circonstances.

isoler [izɔle] 3 verbe

Après leur voyage dans l'espace, les cosmonautes ont été isolés pour passer des examens médicaux. → ils ont été placés à l'écart.

■ **isolé, e,** adj. *Le bûcheron habite une maison isolée au milieu de la forêt.* → seule, non entourée.

itinéraire nom masc.

Sur la carte routière, j'ai repéré un agréable itinéraire pour aller de Marseille à Genève. ≃ parcours, route, trajet.

ivoire nom masc.

Lise possède un très joli collier en ivoire. → substance osseuse (dents et défenses d'animaux).

ORTHOGRAPHE

Attention ! Les noms masculins en [waʀ] s'écrivent généralement **-oir** : un espo**ir**, un dort**oir** ; sauf certains, qui prennent un **e** final : un audit**oire**, l'interrogat**oire**, l'observat**oire**, un pourb**oire**, le réfect**oire**, un territ**oire**.

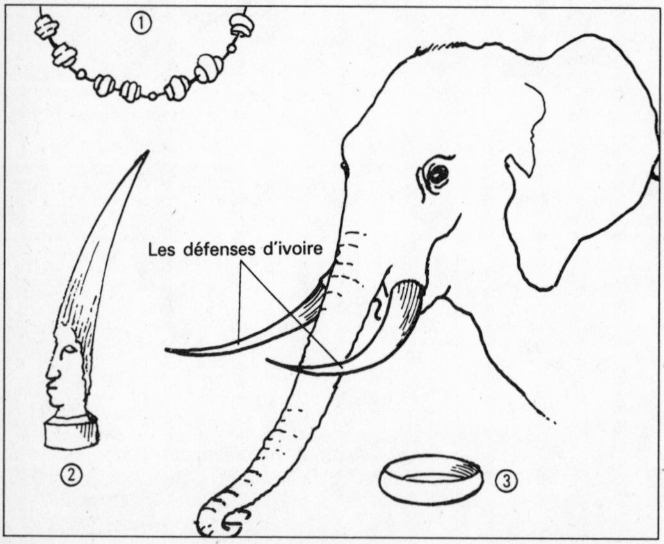

◄ Des objets en ivoire :
1. Un collier.
2. Une statuette.
3. Un bracelet.

Jj

jacinthe [ʒasɛ̃t] nom fém.

Hélène plante des oignons de jacinthes.

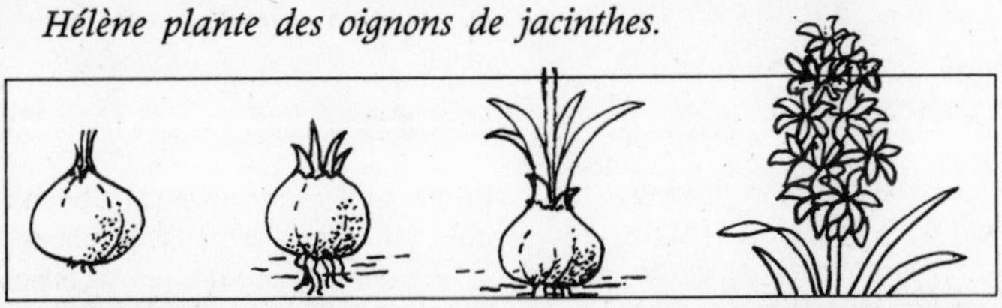

◄ La jacinthe : de l'oignon à la fleur.

ORTHOGRAPHE

Attention au **h** après le **t** !

jaguar [ʒagwaʀ] nom masc.

Par sa couleur, le jaguar ressemble à la panthère et au léopard.

AUTOUR DE

Le jaguar vit dans les hautes herbes et les forêts. Il est d'une taille égale à celle d'un tigre.

jaillir [4] verbe

Le bouchon de la bouteille a sauté et le cidre a jailli.
→ il est sorti avec force, brusquement.

jaloux, jalouse adj.

Quand Claudine a reçu ses cadeaux d'anniversaire, son frère s'est montré jaloux. → envieux.

■ **jalousie,** n. f. *Il était dévoré de jalousie.* → de dépit, d'envie. ≠ générosité, indifférence.

GRAMMAIRE

On est jaloux **de quelqu'un** ou **de quelque chose**.

jamais mot inv.

Olivier n'a jamais mangé d'huîtres. → pas une seule fois. ≠ toujours.

AUTOUR DE

jamais → rarement → quelquefois → de temps en temps → souvent, fréquemment → toujours.

jambe nom fém.

Benoît a beaucoup marché : il a mal aux jambes.

EXPRESSION

S'enfuir à toutes jambes, prendre ses jambes à son cou.
→ courir le plus vite possible.

jambon — nom masc.

La charcutière me coupe trois tranches de jambon.

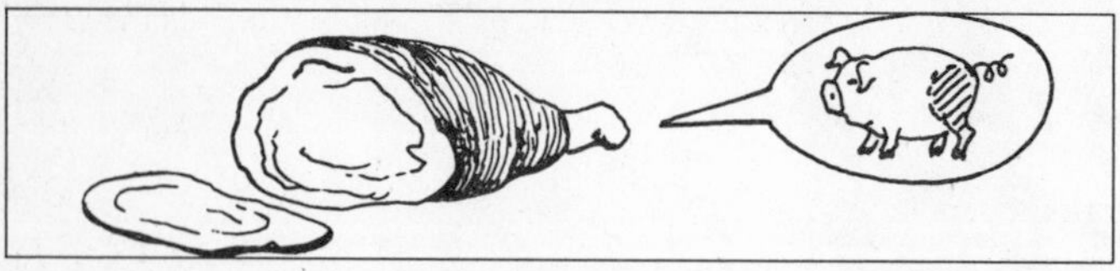

VOCABULAIRE

Jambon cru, cuit, fumé, maigre. Un jambon de Bayonne, de Paris, de Parme, d'York.

jardin — nom masc.

1. *Dans le jardin, Sophie et Jean cultivent des légumes, des fleurs.*

2. *David et Michel vont se promener au jardin public.* → dans un espace vert aménagé (en ville).

■ **jardinage,** n. m. *Sophie aime le jardinage : elle sème des graines, désherbe et arrose les plates-bandes, récolte les légumes.* ■ **jardiner,** v. *Jean jardine : il repique les poireaux, coupe les fleurs fanées, plante des oignons de tulipes.* ■ **jardinier,** n. m. *Dans le jardin public, les jardiniers tondent les pelouses et entretiennent les massifs de fleurs.*

EXPRESSION

Cécile n'a que quatre ans, elle va au **jardin d'enfants.** → la maternelle.

AUTOUR DE

Principaux instruments utilisés pour jardiner : l'arrosoir, la bêche, la binette, la brouette, les cisailles, la fourche, la pelle, le plantoir, le râteau, le sécateur, la serpe, la tondeuse, etc.

jaune — adj.

Le citron et la paille sont jaunes.

■ **jaune,** n. m. **1.** *Pour faire des meringues, on utilise non pas le jaune, mais le blanc de l'œuf.* **2.** *Le jaune est une couleur lumineuse.* → la couleur jaune.

VOCABULAIRE

Jaune paille. Jaune citron. Jaune d'or. Un vieux livre aux pages jaunies.

jetée — nom fém.

Clémence et Régis se promènent sur la jetée et regardent les pêcheurs.

VOCABULAIRE

Le navire est à l'abri derrière la jetée. Les vagues se brisent contre la jetée.

jeter [18] — verbe

1. *Marie jette un os au chien.* → elle lance.

2. *Régis jette les épluchures à la poubelle.* ≃ se débarrasser de.

■ **jet,** n. m. *Quand Jean a enlevé la soupape de la cocotte, il y a eu un jet de vapeur.* → la vapeur s'est échappée brusquement. ■ **se jeter,** v. **1.** *Les parachutistes se jettent dans le vide.* → ils sautent. ≃ se laisser tomber. **2.** *Le chien s'est jeté sur Paul et l'a mordu.* → il s'est élancé. ≃ se précipiter. **3.** *La rivière se jette dans le fleuve, le fleuve se jette dans la mer.* → ils déversent leurs eaux.

EXPRESSIONS

- **Jeter l'ancre.** → arrêter, en l'immobilisant, un bateau, un navire.
- **Jeter un coup d'œil.** → regarder rapidement.
- **Jeter un cri.** → crier.
- **Se jeter à l'eau.** → oser, se montrer hardi.

jeu nom masc.

1. *Quels sont les jeux favoris de Gisèle ? Sauter à la corde et faire de la balançoire.* → les activités pour se détendre, s'amuser.
2. *Un jeu de cartes a 32 ou 52 cartes ; un jeu d'échecs a 32 pièces.*
3. *J'aime beaucoup le jeu de cette actrice.* → sa façon de jouer.

EXPRESSIONS

- **Un jeu de mots.** → une plaisanterie faite avec des mots qui se ressemblent.
- **Un jeu de société.** → où l'on joue à plusieurs.
- **Les jeux Olympiques.** → série d'épreuves sportives internationales, qui a lieu tous les quatre ans.

jeudi [ʒødi] nom masc.

Dimanche étant le premier jour de la semaine, jeudi en est le cinquième.

ORTHOGRAPHE

Attention : le son [ø] s'écrit **eu**.

jeun (à) [aʒœ̃] loc. inv.

Si tu ne prends pas de petit déjeuner, tu auras du mal à travailler à jeun. → sans avoir rien mangé.

AUTOUR DE

Quelquefois, il faut être à jeun pour prendre un médicament ou subir une prise de sang.

jeune adj.

1. *Philippe a huit ans, Gabrielle en a neuf : Philippe est plus jeune que Gabrielle.* ≠ âgé, vieux.
2. *Ils sont trop jeunes pour comprendre.* → ils n'ont pas assez d'expérience.

■ **jeune,** n. m. ou f. *Une bande de jeunes.* → d'adolescents. ■ **jeunesse,** n. f. **1.** *Cette dame était très belle dans sa jeunesse.* ≠ vieillesse. **2.** *La jeunesse aime s'amuser.* → les jeunes.

EXPRESSIONS

- **Jeune homme, jeune fille.** → garçon ou fille adolescents ou jeunes adultes (au pluriel, des jeunes gens).
- **Une jeune femme.** → une femme adulte et jeune.

J

joie nom fém.

Quand Denise a proposé aux enfants de les emmener à la piscine, tous ont poussé des cris de joie. → de bonheur, de plaisir. ≠ chagrin, peine.

VOCABULAIRE

Une grande joie. Quelle joie de le revoir ! Exprimer sa joie.

joindre 25 verbe

1. *Écartez les bras, puis joignez-les au-dessus de la tête !* → faites-les se toucher !
2. *Il faut joindre une enveloppe timbrée à la demande de renseignements.* ≃ ajouter.
3. *Si vous voulez me joindre, téléphonez-moi à l'heure des repas !* → entrer en communication avec moi.

EXPRESSIONS

- **Sauter à pieds joints.** → les deux pieds serrés l'un contre l'autre.
- *Veuillez trouver* **ci-joint** *une facture du 8 mars.* → une facture jointe à une lettre, un dossier.

joli, jolie adj.

Au bout de ses nattes, Christelle a noué un joli ruban. ≃ beau, ravissant. ≠ laid.

ORIGINE

Joli signifiait autrefois « gai, enjoué ».

jonc [ʒɔ̃] nom masc.

Au bord de l'étang, il y a des joncs qui tremblent dans le vent.

ORTHOGRAPHE

Attention au **c** final, qui ne se prononce pas.

AUTOUR DE

On utilise la tige du jonc pour faire de la vannerie.

jongler 3 verbe

Bertrand essaie de jongler avec trois balles.

■ **jongleur, euse,** n. m. et f. *Au cirque, le jongleur jongle avec des assiettes, des torches, etc.*

AUTOUR DE

Au Moyen Age, les jongleurs se déplaçaient de château en château, de fête en fête, et jouaient de la musique, racontaient des histoires, faisaient des tours d'adresse et d'acrobatie.

jonquille nom fém.

La jonquille est l'une des premières fleurs du printemps.

AUTOUR DE

La jonquille est une sorte de narcisse, dont les fleurs sont jaunes et dégagent un parfum. Elle pousse généralement dans les sous-bois, mais on peut aussi la cultiver dans les jardins.

joue nom fém.

David et Elisabeth s'embrassent sur les deux joues.

ORTHOGRAPHE

Attention au **e** final !

jouer 3 verbe

1. *Pendant la récréation, les élèves vont jouer dans la cour : certains jouent à la marelle, d'autres aux billes ou à chat perché.* → ils pratiquent les jeux de.
2. *Cette actrice joue le rôle d'une dentiste dans un film comique.* → elle tient le rôle de.
3. *Laure joue du violoncelle, et Fabrice du piano ; ensemble, ils jouent un morceau de musique.*
4. *Tous les dimanches, il va jouer au tiercé.* → il parie de l'argent sur des chevaux.
5. *Catherine a joué un tour à son grand-père : elle lui a caché ses lunettes.*

■ **jouet,** n. m. *Virginie a reçu de beaux jouets pour son anniversaire.* ■ **joueur, euse,** adj. *Mon petit chat est très joueur.* → il aime jouer. ■ **joueur, euse,** n. m. et f. **1.** *Dans une équipe de football, il y a onze joueurs.* **2.** *Un joueur de flûte, une joueuse d'harmonica.*

GRAMMAIRE

On joue **à** des jeux.
On joue **avec** des jouets.

EXPRESSIONS

- **Jouer la comédie.** → mentir.
- **Un beau joueur.** → une personne qui accepte sa défaite avec bonne humeur.
- **Un mauvais joueur.** → une personne qui n'accepte pas la défaite.

jour nom masc.

1. *En automne, les jours raccourcissent.* → la durée entre le lever et le coucher du soleil. ≃ journée. ≠ nuit.
2. *Il y a 24 heures dans un jour.* → le temps qui s'écoule pendant que la Terre fait un tour sur elle-même.
3. *Le matin, le jour se lève.* → la lumière du jour.

EXPRESSIONS

- **Jour et nuit.** → sans arrêt.
- **Un beau jour.** → un certain jour (dans le passé).
- **De jour en jour.** → peu à peu, progressivement.
- **D'un jour à l'autre.** → bientôt.

journal — nom masc.

1. *Tous les matins, le facteur apporte le journal auquel mes parents sont abonnés : je lis les gros titres et je regarde les photos.* ≃ quotidien.
2. *Chaque jour, à la radio et à la télévision, le journal donne des informations sur ce qui s'est passé dans le monde.* → les informations.

■ **journaliste,** n. m. ou f. *Les journalistes rédigent des articles qui paraissent dans la presse ou qui passent à la radio ou à la télévision.*

ORTHOGRAPHE

Des journ**aux**.

journée — nom fém.

Dimanche, nous irons passer la journée dans la forêt. ≠ nuit.

EXPRESSION

A longueur de journée. → toute la journée.

joyeux, joyeuse — adj.

Dans le train du retour, Virginie était toute joyeuse à l'idée de retrouver ses parents. → gaie, heureuse. ≠ triste.

EXPRESSIONS

Joyeux Noël ! Joyeuses Pâques ! Joyeuse fête !

juger 19 — verbe

1. *L'accusé a été jugé et reconnu coupable.*
2. *Claudine a jugé la réponse de Luc incomplète.* → elle a trouvé. ≃ considérer comme.
3. *Nicole a jugé que le plus rapide était de traverser la rivière à la nage.* → elle a estimé, pensé.

■ **juge,** n. m. **1.** *Les juges siègent au tribunal et ils rendent la justice.* **2.** *Au championnat de patin à glace, les juges ont donné des notes sévères.* → les membres d'un jury. ■ **jugement,** n. m. **1.** *Le tribunal a procédé au jugement de l'accusée.* **2.** *Isabelle porte un jugement sévère sur le travail de Paul.* → un avis, une opinion.

EXPRESSIONS

- **A vous de juger.** → à vous de vous faire votre opinion.
- **Avoir du jugement, manquer de jugement.** → avoir du bon sens ou en manquer, raisonner juste ou faux.

J

jumeau, jumelle — adj. ou nom masc., nom fém.

Noëlle et Christine sont jumelles : elles se ressemblent tellement qu'il est difficile de les distinguer l'une de l'autre.

ORTHOGRAPHE

Des jum**eaux**.

jumelles — nom fém. plur.

Aude et Olivier emportent des jumelles pour leur promenade en montagne ; ils pourront ainsi observer les chamois sur les versants de la montagne.

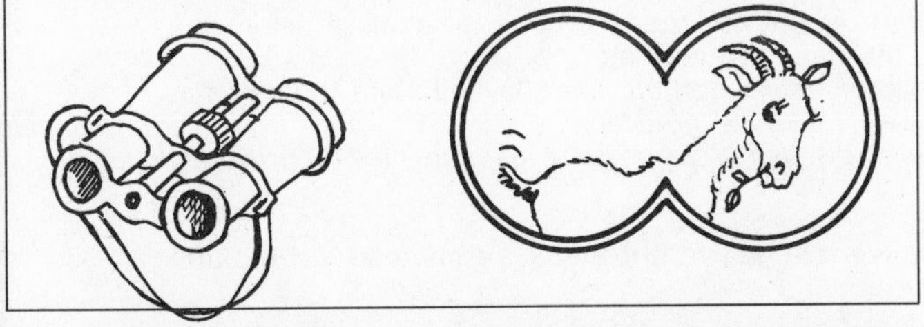

ORIGINE

Jumelles vient de jumeau, car cet instrument se compose de deux lunettes identiques.

AUTOUR DE

Les jumelles font partie des instruments d'optique, comme la loupe, le microscope (qui permettent de voir des objets proches et petits), ou le télescope (qui permet de voir des objets très éloignés).

jument — nom fém.

La jument est la femelle du cheval, son petit est le poulain.

AUTOUR DE

Une jeune jument est une pouliche. Le mulet, la mule sont les petits d'un âne et d'une jument.

13. La conquête de l'espace

(page ci-contre)

L'ESPACE

① Mercure ② Vénus ③ Terre ④ Mars ⑤ Jupiter
⑥ Saturne ⑦ Uranus ⑧ Neptune ⑨ Pluton
⑩ Skylab ⑪ Voyager ⑫ Apollo ⑬ Apollo Soyouz
⑭ Navette spatiale ⑮ Éole
⑯ Satellite de communication ⑰ Ballon-sonde
⑱ Saturne V ⑲ Observatoire ⑳ Radiotélescope

Dès que je lève les yeux vers le ciel, je me vois emportée dans une fusée qui me ferait visiter la planète Mars, qui me transporterait vers Jupiter ou Saturne. Je me vois déjà sur le soleil à des millions de kilomètres de la Terre. Peut-être n'est-ce pas un rêve... Peut-être aurons-nous plus tard à notre disposition des satellites qui feront comme les avions, des allers et retours dans l'espace immense du ciel !

Sophie

J'emploie le mot juste

- A quoi sert :
  – un observatoire, – un satellite de télécommunication ?
- Quels mots figurant sur cette planche doivent toujours avoir une majuscule ? Pourquoi ?
- Comment est composé le mot **radiotélescope** ? Donne d'autres mots qui contiennent l'un des trois éléments composant ce mot, et indique leur sens.

Des mots aux idées

- Dans tous les jours de la semaine (sauf le Dimanche), on retrouve des noms de planète. Lesquels ? Cite-les.

Des mots pour parler

- Raconte un voyage imaginaire de la Terre à la planète Mars.
- Les étoiles sont-elles, selon toi, plus près ou plus loin de la Terre que la Lune ? Explique et justifie ta réponse.

14. Les châteaux forts *(p. 274-275)*

Au Moyen Age, le château fort est la demeure fortifiée du seigneur. Il possède d'épaisses *murailles* surmontées d'ouvertures régulières : les *créneaux,* derrière lesquels se situe le *chemin de ronde*.

- Le *pont-levis* est un pont mobile que l'on abaisse ou relève grâce à des chaînes. Il permet de franchir un large fossé d'eau : la *douve.* Lorsque le pont-levis est levé, le château est inaccessible.
- La *herse* désigne la grille de fer munie de pointes que l'on lève ou abaisse selon que l'on veut ou non interdire l'accès à l'intérieur du château.
- L'énorme tour qui se dresse dans la cour est le *donjon,* c'est là qu'habite le seigneur. Au sommet, dans le *beffroi,* un homme veille : le *guetteur.*
- Il y a dans la forteresse des ouvertures étroites pratiquées dans les murs : les *meurtrières.*

La Guerre

Au Moyen Age, les seigneurs se font souvent la guerre entre eux. Le château fort est une protection efficace contre l'ennemi.

Comment se passe le combat ?

Le guetteur sonne la cloche. Les paysans abandonnent leurs demeures et rentrent dans le château fort dont on a abaissé le pont-levis.
L'ennemi essaye de traverser la douve. Mais, du haut des créneaux et des meurtrières, on leur jette de l'huile bouillante.

(suite à la p. 277)

1
2
3
4
5
6
7
8
9
10
11
12
13
14
15
16
17
18
19
20

13
18
11
2
12
10
5
9
10
14
8
6

LE CHÂTEAU-FORT

(1) Donjon (2) Puits (3) Courtine (4) Catapulte (5) Meurtrière (6) Pont-levis abaissé (7) Créneau (8) Douve ou fossé (9) Tour d'angle (10) Mâchicoulis (11) Chemin de ronde (12) Armure (13) Tourelle (14) Herse (15) Chapelle (16) Echauguette (17) Hourd (18) Bélier (19) Girouette (20) Poterne

1
2
3
4
5
6
7
8
9
10
11
12
13
14
15
16
17
18
19
20
La parole est aux cadets

(suite de la p. 272)

Le Moyen Age

Le Moyen Age est une période qui s'étend de la chute de l'Empire romain d'Occident (476) à la prise de Constantinople par les Turcs (1453).
Le Moyen Age est l'âge de la *féodalité.*
Les rois **mérovingiens** attribuaient une terre aux seigneurs qui leur étaient dévoués. Le roi était le *suzerain* et le seigneur son *vassal.* Celui-ci devait jurer fidélité : il devait rendre hommage à son suzerain.
Charlemagne va morceler l'empire en le divisant en *marches, duchés* et *comtés.*
Dans la société féodale, après le roi et les nobles, venaient le *clergé* et les *chevaliers.*

Les rois
- Le premier roi de France est Clovis. Il meurt en 511. Il fut le fondateur de la dynastie **mérovingienne.**
- Le règne des **Carolingiens** commence avec Pépin le Bref, fils de Charles Martel. Quant au plus illustre des Carolingiens, ce fut l'empereur Charlemagne.
- A partir de 987, les **Capétiens** prennent le pouvoir. Leur nom vient de Capet, car tous sont descendants de Hugues Capet. Les plus illustres d'entre eux furent Philippe Auguste et saint Louis.
- Louis XI est le dernier roi du Moyen Age.

Le seigneur
Ses occupations favorites sont la guerre, la chasse et le tournoi. Pour se distraire, il fait venir au château des jongleurs et des trouvères. (Le trouvère récite ses poèmes en s'accompagnant de musique.)

Les paysans
Au Moyen Age, les paysans sont appelés des *serfs.*
Le serf appartient au seigneur ; il peut être revendu avec la terre. Il doit au seigneur la *corvée* – c'est-à-dire qu'il est obligé d'accomplir certains travaux gratuitement.

15. Un studio de télévision *(page ci-contre)*

Le grand jour est arrivé ! Mes camarades et moi, nous entrons dans les studios de la télévision. On nous indique le plateau, où doit se dérouler l'émission historique pour laquelle nous avons été sélectionnés. Nous attendons le moment où la régie va donner le signal. Il fait vraiment chaud sous les projecteurs ! Ça y est ! On commence ! L'animateur prépare ses questions. « Ça tourne ! » lance le réalisateur. Et le caméraman braque la caméra sur nous tandis que le perchman tend un micro à Nathalie. Tout se déroule comme dans un rêve, jusqu'à ce qu'on dise « Coupez ! ».

Laurence

J'emploie le mot juste
- Quelles différences y a-t-il entre : caméraman et réalisateur, caméraman et perchman, émetteur et récepteur.
- Quels sont les rôles de l'animateur – du réalisateur – des techniciens.
- Qu'est-ce qu'un micro ? un micro-perche ?

UN STUDIO DE TÉLÉVISION

(1) Micro-perche (2) Projecteurs (3) Régie (4) Micro (5) Récepteurs (6) Plateau de l'émission (7) Animatrice (8) Invités (9) Caméras de télévision (10) Cameraman (11) Perchiste ou Perchman (12) Décors (13) Emetteur principal (14) Récepteur TV domicile (15) Relais local (16) Transmission des ondes (17) Réalisateur (18) Assistant-réalisateur (19) Électricien du plateau (20) Antenne intérieure d'un domicile

Des mots et des idées
- Repère les mots étrangers au texte et les abréviations. Donne d'autres abréviations courantes. Comment expliques-tu qu'il y en ait tant ?
- Quel est à ton avis celui qui a le rôle le plus important sur un plateau ? Pourquoi ?

Des mots pour parler
- Crois-tu qu'il y ait une différence entre une émission télévisée et un tournage au cinéma ?
- Dis si tu préfères assister à un tournage à la télévision ou au cinéma.

jungle [ʒɔ̃gl] ou [ʒœ̃gl] nom fém.

La jungle est une forêt dans les pays chauds et humides.

jurer [3] verbe

1. *Pauline a juré à son amie de ne pas révéler son secret.* → elle le lui a promis très fermement.
2. *Quand on est en colère, il arrive qu'on jure.* → qu'on dise des mots grossiers.

EXPRESSIONS

- **Jurer sur** (quelque chose de précieux). → faire un serment solennel.
- **Je te jure !** (fam.). → je te promets, je t'assure.

jury nom masc.

Le jury est l'ensemble des personnes qui jugent (dans un procès ou dans un examen, un concours).

ORTHOGRAPHE

Attention au **y** !

jus nom masc.

En mangeant une pêche, Karine a fait tomber du jus sur sa robe.

ORTHOGRAPHE

Attention au **s** final, même au singulier !

jusque mot inv.

1. *André a plongé sa main jusqu'au fond du trou.* → Indique la profondeur.
2. *Serge est en vacances jusqu'à lundi.* → Indique la durée, le temps.

■ **jusqu'à ce que,** mot inv. *Nina a cueilli des haricots jusqu'à ce que la nuit tombe.* → jusqu'au moment où la nuit est tombée.

ORTHOGRAPHE

Le **e** final de **jusque** tombe lorsque les prépositions et adverbes qui le suivent commencent par une voyelle : jusqu'**à**, jusqu'**où**, jusqu'**en**, jusqu'**ici**, mais jusque**-là** (avec un trait d'union).

juste adj.

1. *Ce n'est pas juste : David a reçu une part de gâteau plus grosse que la mienne.* ≠ injuste.
2. *Avant de te prendre dans la chorale, le professeur de musique te fera chanter pour savoir si ta voix est juste.* ≠ faux.
3. *Annie a besoin d'autres chaussures, les siennes sont trop justes.* → trop étroites, petites, serrées.

■ **juste,** mot inv. **1.** *Ton opération tombe juste.* → elle est exacte. **2.** *Juste au moment où je partais, Charles est arrivé.* ≃ exactement. **3.** *Les valises étaient prêtes, j'ai juste eu à les descendre.* → seulement.

EXPRESSIONS

- *Je ne sais pas* **au juste** *où il est.* → exactement.
- *Un gâteau pour trois,* **c'est juste !** → insuffisant, peu.

justice nom fém.

1. *L'arbitre a réglé le différend entre les joueurs avec justice.* → en respectant les droits de chacun. ≠ injustice.
2. *Les juges rendent la justice et décident de la punition des coupables.* → ils appliquent la loi.

ORIGINE

Justice appartient à la famille du mot : juste.

VOCABULAIRE

- Agir avec justice. Faire régner la justice. Exercer la justice. On rend la justice dans les tribunaux.
- Le palais de justice (l'endroit où siègent les juges).

K k

kangourou [kɑ̃guʀu] nom masc.

La femelle du kangourou porte ses petits dans une poche sur le ventre.

AUTOUR DE

Le kangourou est un mammifère herbivore. Il se tient debout en prenant appui sur sa longue queue. Ses pattes antérieures sont très courtes. Ses pattes postérieures, très développées, lui permettent de faire des sauts de plusieurs mètres.

kayak [kajak] nom masc.

Myriam apprend à faire du kayak ; elle rame avec des pagaies. → un petit bateau, à une ou deux places.

ORIGINE

Kayak vient d'un mot esquimau. C'était un canot de pêche en peau de phoque, utilisé au Groenland. Les Esquimaux pêchaient à bord de kayaks.

K

kilogramme ou **kilo** n. m.

En un an, Nathalie a grandi de cinq centimètres et grossi de deux kilos.

ORIGINE

Kilogramme a été formé avec kilo et gramme.

kilomètre nom masc.

Pour se rendre à l'école, Charlotte doit faire un kilomètre à pied. → parcourir 1 000 mètres.

■ **kilométrage,** n. m. *Sur le tableau de bord de la voiture, on peut lire le kilométrage.* → le nombre de kilomètres parcourus. ■ **kilométrique,** adj. *Sur la route, il y a des bornes kilométriques.* → qui sont placées à chaque kilomètre.

ORIGINE

Kilomètre a été formé de kilo et mètre (qui est l'unité de longueur). Le kilomètre est une mesure de longueur qui équivaut à 1 000 mètres. L'abréviation est km.

kiosque [kjɔsk] nom masc.

Martine achète un journal au kiosque du boulevard. → au dépôt de journaux sur un trottoir.

EXPRESSION

Un kiosque à musique (dans un jardin public). → un abri sous lequel jouent des musiciens.

VOCABULAIRE

Au kiosque, le (ou la) marchand(e) vend des journaux, des illustrés, des revues.

Ll

la, le, les art.

Dans la cour de la ferme, on voyait le *coq,* la *poule et* les *poussins picorer des grains.* → *le, la, les* sont des articles définis.

ORTHOGRAPHE

Attention ! **l'** (à la place de *le* ou *la*) devant une voyelle ou un *h* muet : *l'oie, l'aigle ; l'habit, l'harmonie, je l'entends.*

la, le, les pron.

Cette fleur, je la *vois ; ce clocher, je* le *distingue ; ces avions, ces chansons, je* les *entends.* → *le, la, les* sont des pronoms personnels.

GRAMMAIRE

le, la, les, pronoms personnels sont employés comme compléments d'objet direct.

là mot inv.

1. *Mon cahier est ici, mon cartable est là.*
→ Indique un lieu.

2. *J'ai téléphoné à Raphaëlle, mais elle n'était pas là.*
→ elle n'était pas présente.

ORTHOGRAPHE

Attention à l'accent grave !

laboratoire nom masc.

Joël travaille dans un laboratoire d'analyses médicales : il fait des analyses de sang, d'urine, etc.

VOCABULAIRE

Un laboratoire de chimie, de physique, de recherche.

labourer [3] verbe

Le cultivateur laboure le champ avant de semer. → il retourne la terre du champ.

■ **labour,** n. m. *On utilise en général la charrue pour le labour des terres.*

AUTOUR DE

Autrefois, on labourait en utilisant le force des bœufs ou des chevaux de labour. Depuis plus de trente ans, les tracteurs ont remplacé les animaux dans les travaux de labour.

lac nom masc.

Valérie fait de la planche à voile sur le lac.

VOCABULAIRE

Faire du bateau sur le lac. Nager, faire de la plongée dans le lac.

lâche — nom masc. ou fém.

Il a lancé une pierre dans la vitre et s'est enfui : le lâche ! ≃ peureux, poltron. ≠ brave, courageux.

■ **lâche,** adj. *Son attitude lâche a indigné ses partisans comme ses adversaires.*

ORTHOGRAPHE

Attention à l'accent circonflexe sur le **a** !

lâcher 3 — verbe

1. *Christian ne lâche pas la main de son père.* → il tient.
2. *La corde est usée, elle risque de lâcher.* → de se casser.

ORTHOGRAPHE

Attention à l'accent circonflexe sur le **a** !

laid, laide — adj.

Je trouve ce manteau bien laid : la couleur est triste et il est mal coupé. ≃ affreux, horrible, moche (fam.), vilain. ≠ beau.

■ **laideur,** n. f. *La laideur d'une chambre, d'un tableau, d'une personne.* ≠ beauté.

EXPRESSION

Etre laid comme un pou, être laid à faire peur. → être très laid (en parlant d'une personne, et notamment de son visage).

laine — nom fém.

La chatte joue avec une pelote de laine.

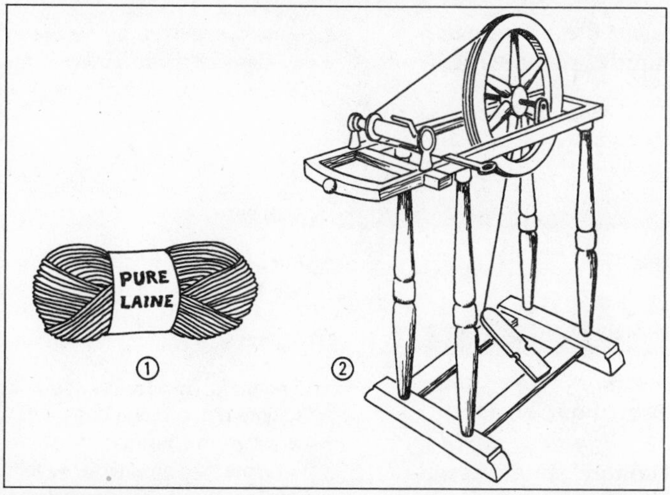

◄ 1. Une pelote de laine.
2. Un rouet.

AUTOUR DE

La laine provient du poil des moutons. Sa couleur naturelle est beige.
Après avoir tondu le mouton, on lave la laine, on enlève la graisse, on carde et on peigne la laine, puis on la file et on la teint.

laisser 3 — verbe

1. *Comme Sarah est prudente, son père l'a laissée traverser la rue toute seule.* → il lui a permis de, il l'a autorisée à. ≠ défendre de, empêcher de.
2. *Bernadette a demandé qu'on la laisse tranquille.* → qu'on ne la dérange pas.
3. *La maîtresse nous a laissé dix minutes pour trouver la solution du problème.* → elle nous a accordé.
4. *Jérôme a mangé la croûte du pain, mais il a laissé la mie.* ≠ prendre.
5. *Dorothée a laissé son cartable dans le car.* → elle a oublié.
6. *Sylvie a laissé un message sur la table.* → elle a posé.

■ **se laisser,** v. *Il ne s'est pas retenu ; il s'est laissé tomber.*

EXPRESSIONS

- **C'est à prendre ou à laisser.** → il faut accepter tout ou rien.
- **Se laisser aller.** → perdre courage, se négliger.
- **Se laisser mener par le bout du nez.** → obéir à quelqu'un aveuglément.

VOCABULAIRE

Impossible de pénétrer dans cette prison sans laissez-passer. → un papier officiel d'autorisation.

L

lait — nom masc.

Tous les matins, Gabrielle boit un bol de lait.

■ **laitier, ière,** adj. ou n. m. et f. **1.** adj. *A la laiterie, on met le lait en bouteilles et on fabrique les produits laitiers (beurre, fromages, yaourts).* **2.** n. m. et f. *Chaque matin dans ce village un laitier dépose une bouteille de lait devant chaque porte.*

VOCABULAIRE

- Du lait de vache, de chèvre, de brebis.
- Du lait écrémé, demi-écrémé, entier, stérilisé, pasteurisé, concentré, en poudre, aromatisé.

lame — nom fém.

1. *Le couteau ne coupe pas bien, il faut aiguiser la lame.*
2. *Anne faisait de la planche à voile quand une lame l'a fait chavirer.* → une grande vague.

EXPRESSION

Une lame de fond. → une très grande vague qui s'élève subitement.

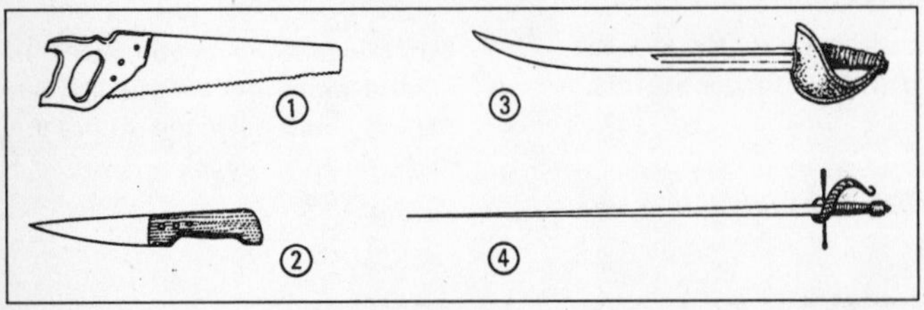

◄ 1. Une scie. 2. Un couteau. 3. Un sabre. 4. Une épée.

lamentable — adj.

Jean a essayé de chanter, mais le résultat a été lamentable. → très mauvais, pitoyable. ≠ heureux, réjouissant.

■ **se lamenter,** v. *Philippe se lamente d'être obligé de rester à la maison, alors que son frère a le droit de sortir.* → il se plaint longuement et bruyamment.

ORIGINE

Lamentable vient de se lamenter, c'est-à-dire se plaindre bruyamment.

lampe — nom fém.

On ne voit plus clair ; allume la lampe !

EXPRESSIONS

- **Une lampe de poche.**
- **Une lampe de chevet.**

lance — nom fém.

1. *Au Moyen Age, les chevaliers portaient une lance.* → une arme à long manche et au bout en fer.
2. *Les pompiers déroulent le tuyau et dirigent la lance à incendie vers le feu.* → le tube métallique situé au bout du tuyau.

■ **lancer,** v. **1.** *Nicole lance sa boule dans les quilles.* → elle envoie, jette. **2.** *Mathieu lançait des regards inquiets à sa mère.* **3.** *La journaliste a lancé un appel en faveur des victimes du tremblement de terre.* **4.** *Un nouveau dessert a été lancé : j'ai vu des affiches dans la rue et une publicité à la télévision.* → on l'a fait connaître. ■ **lancer,** n. m. *Jean a remporté l'épreuve de lancer du poids.* ■ **se lancer,** v. *Elles se lancent des boules de neige.* → elles s'envoient.

EXPRESSIONS

- **Lancer la mode.** → être à l'origine d'une mode.
- **La pêche au lancer.** → pêche à la ligne où l'on envoie au loin l'appât et où l'on ramène la ligne avec un moulinet.

VOCABULAIRE

Une lance d'arrosage, une lance à eau. Le lancer du javelot, du marteau, du disque.

langage — nom masc.

1. *Marie-Claude étudie le langage des animaux.* → leur façon de communiquer entre eux (par des cris, des mouvements, etc.).
2. Avoir les jetons *est une expression du langage familier.* → de la langue familière.

VOCABULAIRE

Un langage codé, secret. Le langage des sourds-muets. Le langage technique, savant, grossier, parlé. Faire des fautes de langage.

langouste nom fém.

La langouste est un crustacé de la même taille que le homard, mais elle n'a pas de pinces.

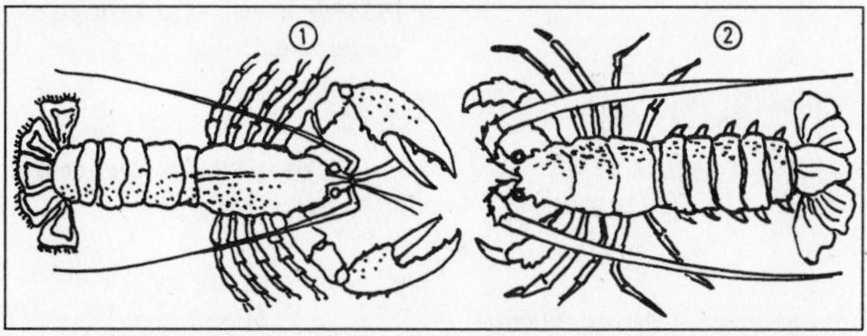

1. Un homard.
2. Une langouste.

AUTOUR DE

- La carapace de la langouste, qui est violacée ou verdâtre, devient rouge à la cuisson.
- On consomme la chair de la langouste cuite.

langue nom fém.

1. *La soupe est trop chaude, Régis s'est brûlé la langue.*
2. *Laure parle plusieurs langues : le français, l'anglais et l'allemand.* → le langage employé dans un pays.

EXPRESSION

La langue maternelle. → la première langue qu'apprend un enfant.

lanterne nom fém.

1. *Le bateau est rentré pendant la nuit, éclairé par une lanterne.* → une sorte de lampe.
2. Allumez vos lanternes ! *indique le panneau à l'entrée du tunnel.* → vos veilleuses (sur un véhicule).

lapin, lapine nom masc., nom fém.

Ce lapin a de longues oreilles et une fourrure douce.

EXPRESSION

Courir comme un lapin. → courir très vite.

AUTOUR DE

Le lapin est un mammifère rongeur qu'on trouve dans tous les pays du monde.
La lapine est la femelle du lapin. Ses petits s'appellent des lapereaux.

L

large adj.

1. *Cette chambre est très large.* ≠ étroit, petit.
2. *Ce pantalon ne me tient pas à la taille ; il est trop large.* → trop ample. ≠ étroit, serré.
3. *Géraldine consacre à la natation une large part de ses loisirs.* → une part importante. ≠ petit, restreint.

■ **large,** n. m. *Cette pièce mesure 4,5 mètres de large.* ■ **largement,** mot inv. **1.** *Le matin, j'ouvre largement la fenêtre pour aérer ma chambre.* → en grand. **2.** *Ne mange pas ce yaourt, la date limite de vente est largement dépassée.* → de beaucoup. **3.** *En une heure, tu as largement le temps de faire l'aller et retour.* ≃ bien, grandement. ■ **largeur,** n. f. **1.** *Pour calculer le périmètre d'un rectangle, tu additionnes la longueur et la largeur et tu multiplies par deux.* ≠ longueur. **2.** *La largeur de ses idées lui permet de comprendre les autres.* ≠ étroitesse.

EXPRESSIONS

- **Au large.** → en pleine mer.
- **Etre au large.** → 1. avoir de la place ; 2. vivre bien.
- **Avoir les idées larges, être large d'idées.** → ne pas être borné.
- **Prendre le large.** → s'enfuir.

larme — nom fém.

1. *Sébastien pleure, des larmes coulent sur ses joues.*
2. *Laurence a bu une larme de vin.* → une toute petite quantité.

EXPRESSIONS

- **Fondre en larmes.** → se mettre à pleurer.
- **Pleurer à chaudes larmes.** → pleurer beaucoup.

se lasser 3 — verbe

Fanny aime beaucoup les contes de fées : elle a déjà entendu les mêmes des dizaines de fois sans se lasser. → s'ennuyer, se fatiguer.

■ **lassant, e,** adj. *Hugues chante toujours le même air, c'est lassant à la fin !* → agaçant, fatigant.

GRAMMAIRE

Se lasser **de** quelqu'un, **de** quelque chose, s'**en** lasser.

lavande — nom fém.

Les draps sentent bon, car j'ai placé des sachets de lavande dans l'armoire. → les fleurs parfumées, de couleur violet clair, d'une plante provençale.

VOCABULAIRE

Un champ de lavande. Du savon, une eau de toilette, des sels de bains parfumés à la lavande.

lave — nom fém.

Pendant l'éruption volcanique, des coulées de lave brûlante sortent du cratère. → matière liquide et épaisse.

AUTOUR DE

La lave qui sort du cratère est noire, et brûlante : sa température est supérieure à 1 000°.

laver 3 — verbe

1. *Pierrette et Jean lavent la voiture.* → ils nettoient. ≠ salir.
2. *Antoine lave ses cheveux.* → il se fait un shampooing.

■ **se laver,** v. *Pour se laver, rien de tel qu'une bonne douche.* → faire sa toilette.

EXPRESSION

S'en laver les mains. → ne pas se sentir responsable de quelque chose.

lécher 3 — verbe

Le chat lèche sa patte. → il passe sa langue sur.

leçon [ləsɔ̃] — nom fém.

1. *En rentrant de l'école, Virginie et Bruno font leurs devoirs et apprennent leurs leçons.*
2. *Olga prend des leçons de danse.* → des cours.
3. *Cette expérience a été pénible pour Marc, mais il en a tiré la leçon.* → un enseignement.

VOCABULAIRE

(Sens 1) On récite une leçon de géographie, d'histoire...
(Sens 2) Des leçons de chant, de piano, de tennis.

lecture — nom fém.

1. *Sophie apprend à lire dans un livre de lecture.*
2. *Muriel aime la lecture.* → cette activité.
3. *Le roman est court : sa lecture te prendra peu de temps.* → le temps nécessaire pour le lire.

■ **lecteur, trice,** n. m. et f. **1.** *Le journal a publié la lettre d'une lectrice.* **2.** *Paul est un grand lecteur de bandes dessinées.*

AUTOUR DE

On lit aussi une carte de géographie, une carte routière, une partition de musique, etc. « Lire » signifie alors : consulter, déchiffrer.

légende nom fém.

1. *Michel lit la légende des chevaliers de la Table ronde.* → une histoire extraordinaire.

2. *Si tu veux savoir ce que représente la photo, regarde la légende.* → le texte qui l'accompagne et qui l'explique.

AUTOUR DE

Dans les légendes, il y a des animaux fabuleux : dragons, licornes, vampires..., et aussi des fées, des sorcières, des enchanteurs...

léger, légère adj.

1. *Si tu ne mettais pas tous ces livres dans ton cartable, il serait plus léger.* → il pèserait moins lourd.

2. *Sabine caresse le chat d'une main légère.* → douce.

3. *Une légère couche de neige couvre le sol.* → fine, mince. ≠ épais.

4. *On entend le bruit léger de la pluie sur les vitres.* → faible, petit. ≠ grand, gros, violent.

■ **légèrement,** mot inv. **1.** *Prends un chandail, tu es habillé trop légèrement !* **2.** *Ma bille est légèrement plus grosse que la tienne.* → un peu, à peine. **3.** *Lucie se conduit légèrement ; elle promet plus qu'elle ne peut tenir.* ≠ sérieusement. ■ **légèreté,** n. f. **1.** *La légèreté d'une valise.* ≠ lourdeur. **2.** *Le funambule évolue avec légèreté sur son fil.* → agilité, souplesse. **3.** *Il m'a fait cette promesse avec légèreté.* ≃ à la légère. ≠ prudence, réflexion.

EXPRESSIONS

- **Léger comme l'air, comme une bulle, comme une plume.** → très léger.
- **Avoir le cœur léger.** → sans inquiétude, sans souci.
- **Avoir le sommeil léger.** ≠ dormir profondément.
- **Agir, parler à la légère.** → sans avoir assez réfléchi.

légume nom masc.

Au déjeuner, nous mangerons de la viande avec des légumes.

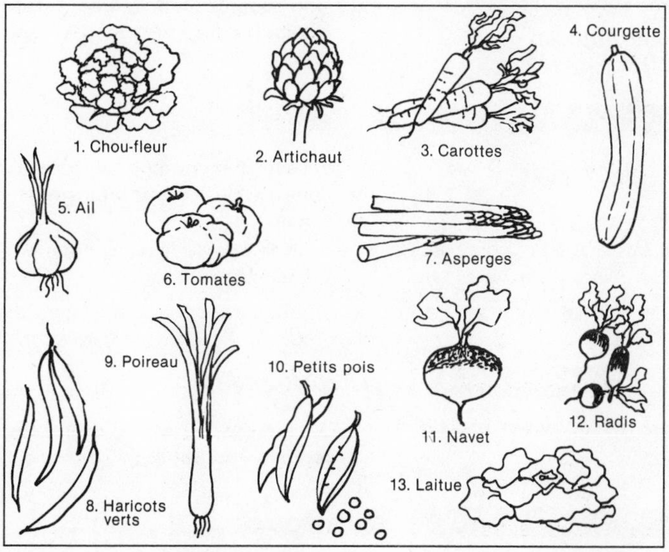

AUTOUR DE

En général, on ne mange que certaines parties d'un légume :
- les feuilles (artichaut, chou, cresson, épinards, laitue),
- la racine (betterave, carotte, céleri-rave, navet, pomme de terre, radis, salsifis),
- le bulbe (ail, oignon),
- le fruit (aubergine, concombre, cornichon, courgette, tomate),
- la graine (haricots, lentilles, petits pois),
- la tige (asperge)
- ou le pied (poireau).

L

lendemain nom masc.

Les enfants ont décoré la salle pour la fête du lendemain. → du jour suivant.

EXPRESSION

Du jour au lendemain. → en très peu de temps.

lent, lente — adj.

La tortue est un animal lent. ≠ rapide.

■ **lentement,** mot inv. → de façon lente. ≠ rapidement. ■ **lenteur,** n. f. *A la lenteur de son pas, je compris qu'elle était très fatiguée.*

VOCABULAIRE

Etre lent à comprendre, à répondre. Des gestes lents, un travail très lent. Marcher à pas lents.

léopard [leɔpaʀ] — nom masc.

Le léopard est le nom de la panthère d'Afrique.

ORTHOGRAPHE

Attention au **d** final, qui ne se prononce pas, comme dans guépard.

AUTOUR DE

Le léopard ressemble au jaguar et au guépard. C'est un mammifère carnassier à fourrure tachetée.

lessive — nom fém.

1. *On fait la lessive à la main ou dans une machine à laver.* → le lavage du linge.
2. *Dans le jardin, il y a des fils sur lesquels on étend la lessive.* → le linge lavé.
3. *On achète la lessive en paquet ou en baril.* → la poudre qui sert à laver le linge.

lettre — nom fém.

1. *Il y a vingt-six lettres dans l'alphabet français :* a, b, c...
2. *Marion a reçu une lettre de son parrain.*

EXPRESSION

Une double lettre, une lettre redoublée (par exemple, **tt** dans le**tt**re).

lever [6] — verbe

Viviane a levé le doigt pour demander la parole. ≠ baisser.

■ **se lever,** v. **1.** *Viviane était assise ; elle se lève pour parler.* → elle se met debout. **2.** *Pour aller en classe, il faut se lever tôt.* ≠ se coucher. **3.** *En été, le soleil se lève avant que nous soyons réveillés.* → il apparaît à l'horizon. **4.** *Le vent se lève.* → il commence à souffler.

EXPRESSIONS

- **Lever l'ancre** (pour un bateau). → quitter l'endroit où il stationnait.
- **Le temps se lève.** → il devient plus clair.

lèvre — nom fém.

Quand il fait très froid, Nicolas se met de la pommade sur les lèvres pour les empêcher de gercer.

EXPRESSIONS

Se mordre (ou **s'en mordre**) **les lèvres.** → regretter ce qu'on a dit.

lézard [lezaʀ] — nom masc.

Sur les vieilles pierres, chauffées par le soleil, on voit souvent se faufiler des lézards.

AUTOUR DE

Le lézard est un reptile. Il en existe plusieurs espèces, de taille plus ou moins grande.
Avec la peau de lézard, on fabrique des sacs, des chaussures.

liaison [ljɛzɔ̃] nom fém.

1. *Quand on doit prononcer deux mots dont le deuxième commence par un* h, *on fait la liaison (avec le premier) si le* h *est muet :* un homme [œ̃nɔm]. *On ne fait pas la liaison si le* h *est aspiré :* un hangar [œ̃ɑ̃gaʀ].
2. *Le central téléphonique ne fonctionne plus, les liaisons sont interrompues.* → les communications.

GRAMMAIRE

En français, il existe des *mots de liaison,* par exemple les conjonctions de coordination (**et, ou, mais, comme...**), qui lient entre eux des mots dans une phrase.

liane [ljan] nom fém.

Le singe saute d'un arbre à l'autre en s'agrippant aux lianes.

libellule [libelyl] ou [libɛlyl] nom fém.

La libellule est un insecte aux longues ailes transparentes. → un insecte au corps effilé, qui a une grosse tête, des yeux à facettes, et de longues ailes bleutées ou vertes.

Une libellule.
1. De face.
2. De profil.

ORTHOGRAPHE

Attention : d'abord deux **l** puis un **l**.

AUTOUR DE

Les libellules vivent au bord des lacs, des étangs.

liberté nom fém.

1. *Beaucoup d'oiseaux vivent en liberté, d'autres sont en captivité.*
2. *Le mercredi, David et Agathe ont toute liberté pour inviter des camarades.* → ils y sont tout à fait autorisés.

■ **libération,** n. f. **1.** *La libération du prisonnier a eu lieu à 15 heures.* → sa sortie. **2.** *Le 25 août 1944 a eu lieu la libération de Paris.* ≠ invasion, occupation. ■ **libérer,** v. **1.** *Michel a décidé de libérer le lièvre pris au piège.* → de lui rendre la liberté. **2.** *Les alliés sont venus libérer le pays envahi par l'ennemi.* ≠ occuper. ■ **se libérer,** v. *Joëlle a trop de travail, elle ne pourra pas se libérer à temps.* → se rendre disponible.

EXPRESSIONS

- **Libérer quelqu'un d'une promesse.** → ne plus l'obliger à la tenir.
- **La Libération** *(1944-1945) des territoires occupés par les Allemands marqua la fin de la Seconde Guerre mondiale en France.*

L

librairie nom fém.

On achète des livres dans une librairie.

■ **libraire,** n. m. ou f. *Le libraire m'a conseillé ce livre sur les insectes.*

ORIGINE

Librairie est de la même famille que livre.

libre adj.

1. *Les voleurs ont fait trois mois de prison ; à présent, ils sont libres.* ≠ emprisonné, en captivité.
2. *Patricia est libre de choisir le sport qui lui plaît.* → elle a la possibilité de.
3. *Le samedi après-midi, Gilles est libre, il va à la piscine.* → il dispose de son temps.
4. *Il reste trois sièges libres au premier rang.* → inoccupés, vides. ≠ occupé.
5. *L'entrée du musée est payante en semaine et libre le dimanche.* → gratuite.

EXPRESSIONS

- **Etre libre comme l'air** (fam.). → être tout à fait libre.
- **Etre libre avec quelqu'un.** → ne pas se gêner avec lui.
- **Le temps libre.** → un temps qu'on peut employer comme on veut.

lier [3] — verbe

1. *Après le cambriolage, on a découvert la gardienne pieds et poings liés.* → attachés.
2. *Si tu t'inscris aux cours, tu devras passer l'examen ; les deux sont liés.* → l'un ne va pas sans l'autre.
3. *Janine est très liée avec Marcel.* → ce sont de grands amis.

■ **lien,** n. m. **1.** *Je cherche un lien pour attacher ce paquet : une ficelle, un élastique ou une courroie.* **2.** *Quel lien y a-t-il entre l'inscription aux cours et l'examen ?* → quelle relation ? **3.** *Les liens d'amitié entre Christine et Jean sont très anciens.* → les relations.

lierre [ljɛʀ] — nom masc.

Le vieux mur est recouvert de lierre. → une plante grimpante aux feuilles toujours vertes, qui s'accroche aux murs ou aux arbres.

lieu — nom masc.

1. *Quel est ton lieu de naissance ?* → l'endroit.
2. *La kermesse a lieu dans la cour de l'école.* → elle se déroule. ≃ se passer.
3. *Le château de Versailles est un lieu célèbre : C'est là que vécurent Louis XIV et sa cour.* ≃ site. ▼

lièvre [ljɛvʀ] — nom masc.

Le lièvre court très vite parce que ses pattes postérieures sont plus longues que ses pattes antérieures.

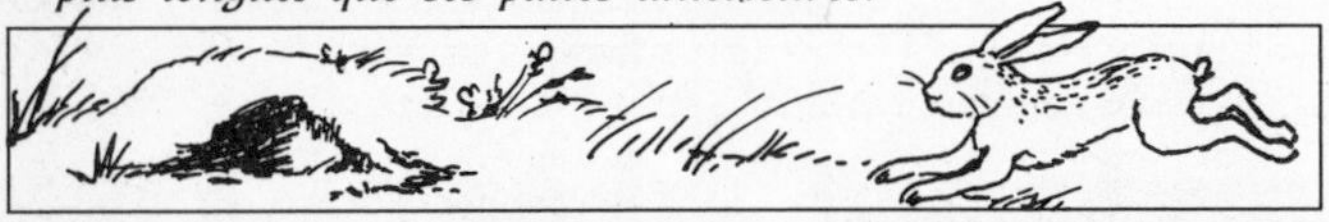

ligne — nom fém.

1. *Marielle trace des lignes droites avec sa règle.* → des traits.
2. *Philippe doit apprendre par cœur les cinq premières lignes du texte.*
3. *La ligne d'autobus a quatorze arrêts.* → le trajet, le parcours que suit habituellement cet autobus.
4. *Le pêcheur ramène sa ligne en l'enroulant.* → le fil de sa canne à pêche.
5. *Le courant est conduit par des lignes électriques.* → des fils de liaison.

Une grande famille :

délié, délier, relier, relieur, reliure, alliage, alliance, allié, allier, ralliement, rallier, **lier**, liaison, liane, liasse, lien, rallye, ligoter, ligue, liguer

AUTOUR DE

Le lierre est le symbole de la fidélité. « Je meurs où je m'attache », dit la devise de ceux qui le choisissent.

ORTHOGRAPHE

Des **lieux**.

EXPRESSIONS

- *Cet incendie* **a donné lieu à** *une enquête.* → il a provoqué.
- *Elle leur* **a tenu lieu de** *mère.* → elle a remplacé pour eux une mère.
- *Il a pris le torchon* **au lieu de** *la serviette.* → à la place de (+ nom). *Elle joue* **au lieu d'***apprendre sa leçon.* → plutôt que de (+ verbe).

AUTOUR DE

Le lièvre est un petit mammifère rongeur qui ressemble au lapin. Il vit dans un terrier, sa femelle s'appelle la hase, et son petit, le levraut. Le lièvre couine ou vagit.

EXPRESSIONS

- **Lire dans les lignes de la main.** → prédire l'avenir d'une personne d'après les lignes de ses paumes.
- **La pêche à la ligne** (voir sens 4).
- **Une ligne de conduite.** → une règle de vie ou d'action qu'on se fixe.

lilas nom masc.

Les fleurs du lilas sont violettes ou blanches.

ORTHOGRAPHE

Attention au **s** final, même au singulier, que l'on ne prononce pas, comme : pa**s**, repa**s**.

AUTOUR DE

Le lilas est un petit arbre dont les fleurs en grappes sont très parfumées.

lime nom fém.

1. *Je me suis cassé un ongle, prête-moi une lime à ongles.*
2. *Une lime d'ajusteur, de menuisier.*

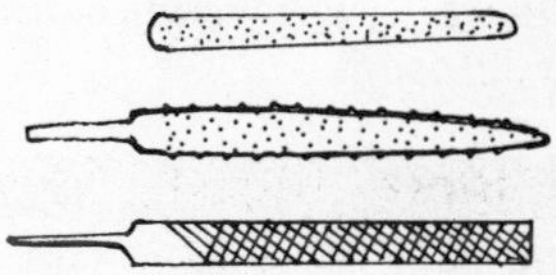

■ **limer,** v. **1.** *Joëlle lime un ongle qui accroche.* **2.** *Le menuisier lime le clou qui dépasse.* ■ **se limer,** v. *Lucie se lime les ongles.*

limite nom fém.

1. *Au-delà de cette limite, le ticket n'est plus valable.* → une ligne à partir de laquelle cesse la validité du ticket.
2. *La dernière limite pour l'inscription est le 15 septembre.* → la date à ne pas dépasser.

EXPRESSIONS

- **Une limite d'âge.** → un âge maximum (par exemple, pour se présenter à un examen).
- **La date limite.** → la date à ne pas dépasser.

■ **limitation,** n. f. *Attention ! il y a un panneau de limitation de vitesse.* ■ **limiter,** v. *Sur l'autoroute, la vitesse est limitée à 130 km/h.* → elle ne doit pas dépasser.

L

limpide adj.

1. *L'eau de la source est limpide.* → transparente. ≠ opaque, trouble.
2. *Voici une explication limpide !* → très facile à comprendre. ≃ clair. ≠ obscur.

linge nom masc.

1. *Tous les soirs, Magali change de linge.*
2. *Marc a mis le linge sale dans la machine à laver.*

EXPRESSION

Blanc comme un linge. → très pâle.

lion, lionne nom masc., nom fém.

Le lion est surnommé le « roi des animaux ».

◄ 1. Le lion.
2. La lionne.
3. Les lionceaux.

EXPRESSIONS

- **Prendre (se tailler) la part du lion.** → la plus grosse part.
- **Se battre comme un lion.** → très courageusement.

liquide nom masc.

L'eau, le vinaigre, etc., sont des liquides. ≠ solide.

EXPRESSION

De l'argent liquide. → de l'argent en billets ou en pièces.

lire 14 verbe

1. *On apprend à lire au cours préparatoire.*
2. *Dominique demande à mon père de lui lire une histoire.*
3. *Benoît sait lire la musique.* → déchiffrer.

lisible adj.

Marie a une écriture lisible : elle forme bien ses lettres. ≠ illisible.

VOCABULAIRE

Une écriture lisible. Une signature à peine lisible.

lisière [lizjɛʀ] nom fém.

En nous promenant, nous sommes allées jusqu'à la lisière de la forêt. → jusqu'au bord, jusqu'à la limite.

lisse adj.

Quand Bernard vient de se raser, il a les joues lisses. ≠ rugueux.

VOCABULAIRE

Une pierre, une écorce, une fourrure lisses. Des pneus lisses.

liste nom fém.

Le professeur fait l'appel : il lit la liste des élèves. → la suite de noms (ou de mots, de signes).

EXPRESSION

Une liste alphabétique. → dont les noms sont rangés alphabétiquement.

lit nom masc.

1. *Julien couche dans un petit lit.*
2. *Le fleuve est sorti de son lit.* ≃ déborder.

EXPRESSIONS

- **Aller au lit.** → se coucher.
- **Au saut du lit.** → au réveil.

litre nom masc.

1. *Cette bouteille contient un litre d'huile et ce berlingot, un litre de lait.* →une quantité égale à un litre.
2. *Paul verse du vin dans des litres.* → des bouteilles d'un litre.

AUTOUR DE

Un hectolitre (hl) = 100 l,
Un décilitre (dl) = 1/10 de litre,
Un centilitre (cl) = 1/100 de litre,
Un millilitre (ml) = 1/1 000 de litre.

littoral nom masc.

Dans cette région, il y a des bancs de sable et des dunes sur le littoral. → sur le bord de la mer, sur la côte.

AUTOUR DE

Le littoral est la zone située entre la terre et la mer.

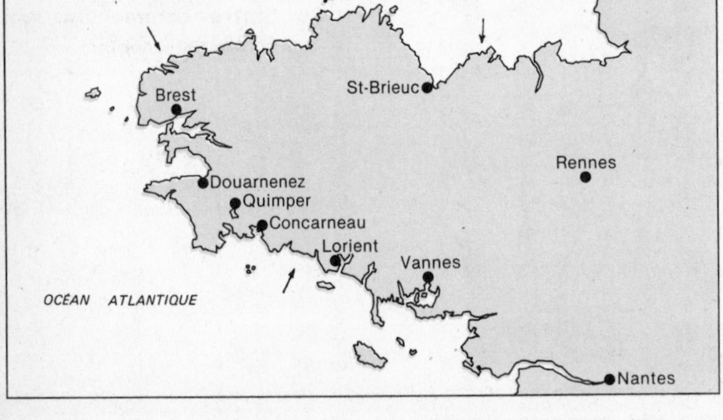

◄ Le littoral breton.

1. livre nom fém.

Marcel achète une livre de prunes. → un demi-kilo, ou 500 g.

VOCABULAIRE

Une demi-livre de beurre. Une livre et demie d'abricots.

2. livre nom masc.

David range ses cahiers et ses livres dans son cartable.

◄ 1. Un livre ouvert.
2. Plusieurs livres rangés sur un rayonnage de bibliothèque.

VOCABULAIRE

- On peut : écrire, traduire, imprimer, éditer, publier un livre.
- Le titre, la couverture, les chapitres, les pages, les caractères, les illustrations, la table des matières d'un livre.

livrer [3] verbe

Gisèle a commandé un lit ; il lui sera livré la semaine prochaine.

EXPRESSION

Livrer à domicile. → à l'adresse où l'on habite.

locomotive nom fém.

La locomotive tire le train.

VOCABULAIRE

Locomotive à charbon (autrefois), locomotive électrique (aujourd'hui). Atteler une locomotive à un train.

◄ La locomotive 2 D2.

loger [19] verbe

Pendant les vacances, nous avons logé chez des cousins en Auvergne. → nous avons habité.

■ **logement,** n. m. *Christine voudrait quitter sa famille et elle cherche un logement à louer.* → un endroit où habiter.

loi nom fém.

Le vol est puni par la loi. → l'ensemble de règles qui concernent les droits et les devoirs des citoyens d'un pays.

EXPRESSION

Un homme de loi. → un spécialiste de droit ou un fonctionnaire de la justice.

loin mot inv.

1. *Odile est partie très loin ; elle habite maintenant en Australie, loin de sa famille.* ≠ près (dans l'espace).
2. *Les vacances sont encore loin.* ≠ proche (dans le temps).

■ **lointain, aine,** adj. **1.** *Elle est partie dans un pays lointain.* ≠ proche. **2.** *Des souvenirs lointains me reviennent en voyant cette région.* → d'il y a longtemps.

EXPRESSIONS

- *Elle est* **de loin** *la meilleure élève.* → de beaucoup.
- *Je t'ai aperçu* **de loin.**
- *Il* **était loin de** *penser qu'il serait reçu.* → il n'imaginait pas que.

long, longue adj.

1. *La banane est un fruit long.* → allongé.
2. *La piste est longue de 2 km.* → sa distance, du début à l'extrémité, est de. ≠ large.
3. *Brigitte aime les longues soirées d'hiver.* ≠ bref, court.

■ **long,** n. m. *La cour mesure 50 mètres de long et 25 de large.* → de longueur. ■ **long,** mot inv. *Cette remarque en dit long.* → elle signifie beaucoup de choses. ■ **longuement,** mot inv. *Mes parents se sont entretenus longuement avec le médecin.* → un long moment. ■ **longueur,** n. f. *La longueur de la cour est le double de sa largeur.*

ORTHOGRAPHE

Attention au **g** final de long ! On fait la liaison devant une voyelle ou un **h** muet :
un long espace [œ̃lɔ̃gɛspas],
un long hiver [œ̃lɔ̃givɛʀ].

EXPRESSIONS

- **Marcher de long en large.** → marcher sans s'arrêter, dans les deux sens (d'une pièce).
- **Tomber de tout son long.** → tout le corps étendu par terre.

longer 19 verbe

1. *En nous promenant, nous avons longé un grand mur.* → nous avons marché le long de.
2. *La route longe un précipice.* → elle borde.

longtemps mot inv.

Lucile habite cette maison depuis longtemps.

EXPRESSION

Il y a longtemps. → jadis, autrefois.

lorsque mot inv.

Nous allions partir lorsqu'il s'est mis à pleuvoir. → quand, au moment où.

■ **lors de,** mot inv. *Nicolas a pris ces photos lors de son séjour à la montagne.* → au moment de, pendant.

VOCABULAIRE

- Lorsque nous sommes arrivés, une bonne odeur de gâteau nous a accueillis.
- Lors de mon voyage, lors de son sommeil.

louer 3 verbe

1. *Cette maison est à louer.* → le propriétaire cherche des locataires.
2. *Après son accident, Elisabeth a dû louer une voiture.* → emprunter en payant.

VOCABULAIRE

Louer un appartement, une maison, un poste de télévision. Louer cher, pas cher. Louer des places au théâtre.

loup [lu] nom masc.

En allant chez sa grand-mère, le Petit Chaperon rouge passa par la forêt et rencontra le loup.

EXPRESSIONS

- **A pas de loup.** → en marchant avec précaution.
- **Une faim de loup.** → une très grande faim.
- **Etre connu comme le loup blanc.** → être très connu.
- **Se jeter dans la gueule du loup.** → se mettre dans une situation dangereuse.

loupe nom fém.

Quand on veut regarder de plus près un document, on utilise une loupe qui grossit les caractères ou les dessins.

AUTOUR DE

Dans certains métiers, on a besoin d'une loupe pour voir des objets très petits : par exemple le joaillier, qui examine les pierres précieuses, le botaniste, qui observe les plantes, etc.

lourd, lourde — adj.

1. *Serge a du mal à porter ce lourd cartable.* ≠ léger.
2. *Béatrice a trop mangé, elle a l'estomac lourd.* ≃ pesant.
3. *Il va y avoir de l'orage, le temps est lourd.* → accablant, oppressant.
4. *Cette plaisanterie est plutôt lourde* (fam.). → grossière, maladroite. ≠ délicat, fin.

■ **lourd,** mot inv. *Ce sac pèse lourd.* ≠ peu. ■ **lourdement,** mot inv. **1.** *La voiture est lourdement chargée.* ≃ pesamment. **2.** *Inutile d'insister lourdement sur mon retard !* → maladroitement. ≠ habilement.

ORTHOGRAPHE

Attention au **d** final ! Pense au féminin lour**d**e ou à lour**d**eur.

EXPRESSIONS

- **Un poids lourd.** → un camion.
- **Avoir les jambes lourdes.** → avoir de la peine à les bouger.
- **Avoir le sommeil lourd.** ≃ profond.

loyer [lwaje] — nom masc.

Le loyer de l'appartement doit être payé tous les mois. → la somme qu'on doit payer au propriétaire dont on loue l'habitation.

VOCABULAIRE

Un loyer cher, bon marché. Le locataire paie un loyer au propriétaire.

lueur — nom fém.

Tu vas t'abîmer les yeux si tu lis à la lueur d'une bougie. → faible lumière.

Une grande famille :

luire, reluire, lucide, lucidement, lucidité, lumière, **lueur**, allumer, allumette

luire [13] — verbe

Pauline regardait les jouets et ses yeux luisaient de plaisir. → ils brillaient.

■ **luisant, e,** adj. *Jacques s'est mis de la crème solaire, il a la peau luisante.* → brillante. ≠ terne.

EXPRESSION

Un ver luisant. → un insecte qui brille la nuit.

L

lumière — nom fém.

1. *Il n'y a pas beaucoup de lumière dans cette pièce ; la lumière du jour y entre peu.* ≠ obscurité.
2. *Jean éteint les lumières en sortant.* → l'éclairage.

■ **lumineux, euse,** adj. **1.** *Les grandes baies rendent l'appartement lumineux.* → éclairé. ≠ sombre. **2.** *J'ai tout compris : son raisonnement était si lumineux !* → extrêmement clair. ≠ obscur.

EXPRESSIONS

- **A la lumière de.** → à l'aide de, grâce à.
- **Faire la lumière sur.** → donner toutes les explications.
- **Mettre en lumière.** → rendre évident, signaler.

lune — nom fém.

La nuit, dans le ciel, on voit la lune et les étoiles.

AUTOUR DE

- La Lune est le seul satellite de la Terre.
- Elle en est séparée par une distance moyenne de 385 000 km. Elle tourne autour de la Terre en 27 jours, 7 heures, 43 minutes.
- Le 21 juillet 1969, les astronautes américains Armstrong et Aldrin ont été les premiers hommes à marcher sur la Lune.

◄ La mer de la Tranquillité sur la Lune.

lunettes nom fém. plur.

Jean-Marie est myope et doit porter des lunettes.

■ **lunette,** n. f. *L'astronome Galilée observait les étoiles avec une lunette.* → un instrument d'optique.

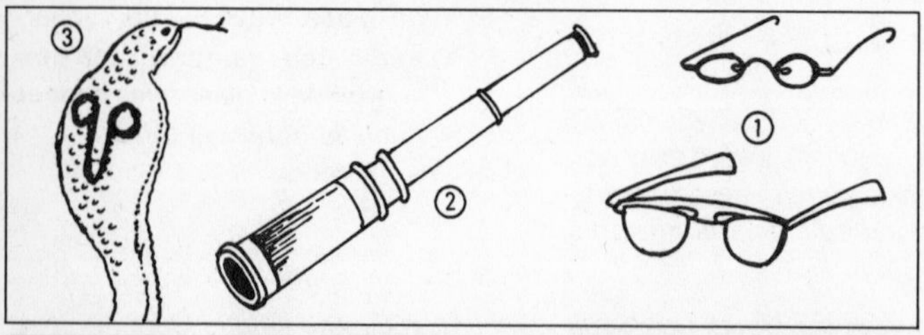

◄ 1. Des paires de lunettes. 2. Une lunette astronomique. 3. Un serpent à lunettes.

ORIGINE

Lunette est un diminutif de lune (elle a la même forme ronde).

EXPRESSION

Des lunettes de soleil. → des lunettes teintées, qui protègent les yeux des rayons du soleil.

lutte nom fém.

1. *Dans la lutte, chacun des deux adversaires essaie de mettre son adversaire à terre.* → le combat.
2. *Ce peuple a mené une lutte acharnée pour son indépendance.* → une bataille, un combat.
3. *Il faut poursuivre la lutte contre la pollution.* → l'action, le combat.

■ **lutter,** v. **1.** *Le peuple luttait contre l'envahisseur.* ≃ se battre. **2.** *Ce médicament permet de lutter contre la fièvre.* → de combattre.

EXPRESSIONS

- **Etre en lutte.** → lutter contre quelque chose ou quelqu'un.
- **Lutter contre le sommeil.** → essayer d'y résister.

VOCABULAIRE

- Une lutte à mort, sans merci.
- Lutter avec acharnement, avec persévérance.

luxe [lyks] nom masc.

Ce roi aimait le luxe : il voulait toujours les choses les plus belles et les plus chères.

EXPRESSION

Se payer le luxe de (faire quelque chose). → se permettre (une chose inhabituelle et dont on a envie).

lycée [lise] nom masc.

Caroline entre en seconde au lycée.

■ **lycéen** [liseɛ̃], **éenne** [eɛn], n. m. et f. *Caroline sera lycéenne l'an prochain.*

ORTHOGRAPHE

Attention au **y**. Appartient aux rares mots masculins terminés en **-ée**, comme mus**ée**, scarab**ée**, troph**ée**.

lynx [lɛ̃ks] nom masc.

Quelques couples de lynx vivent encore en France.

ORTHOGRAPHE

Attention au **y** et au **x** !

◄ Un lynx.

AUTOUR DE

Le lynx est un mammifère carnivore de la taille d'un renard. Il a de grandes oreilles et une courte queue. Il vit en Asie, en Afrique, en Amérique. Son nom usuel est le loup-cervier.

Mm

machine nom fém.

Cette ferme moderne est équipée de nombreuses machines agricoles.

VOCABULAIRE

Une machine à écrire, à calculer, à coudre, à laver le linge...

maçon [masɔ̃] nom masc.

Le maçon construit un mur.

ORTHOGRAPHE

Attention à la cédille sous le **c** !

madame nom fém.

La mère de Béatrice s'appelle Madame Chevalier. Bonjour, Madame ! ≠ monsieur.

■ **mademoiselle,** n. f. *Béatrice a reçu une lettre : Mademoiselle B. Chevalier.*

ORTHOGRAPHE

Le pluriel de madame est **mesdames.** Le pluriel de mademoiselle est **mesdemoiselles.**
En abréviation : Mme, Mmes ; Mlle, Mlles.

magasin [magazɛ̃] nom masc.

Le samedi, Vincent va faire des courses dans les magasins avec ses parents. ≃ boutique.

EXPRESSION

Un grand magasin. → un établissement où l'on peut acheter toutes sortes d'objets.

M

magazine [magazin] nom masc.

Pierre s'est abonné à un magazine sportif. → un journal, une revue souvent illustrés et paraissant à date régulière (chaque semaine, chaque mois).

VOCABULAIRE

Une formule, un pouvoir magique.

AUTOUR DE

On peut apprendre des tours de magie, par exemple faire disparaître un mouchoir ou faire apparaître un lapin.

magique adj.

La fée frappa l'âne de sa baguette magique, et celui-ci se transforma en un beau jeune homme. → qui produit des effets extraordinaires.

■ **magicien, ienne,** n. m. et f. *Dans ce conte, le magicien a aidé le héros à découvrir le trésor.* ■ **magie,** n. f. *Stéphane sait faire des tours de magie.* ≃ prestigitation.

magnifique adj.

Du haut de la montagne, la vue est magnifique. ≃ splendide, superbe. ≠ affreux, laid.

VOCABULAIRE

Une maison, une idée, un tableau, un temps magnifique. Un magnifique paysage.

maigre adj.

Ce chien est trop maigre ; on voit ses os. ≠ gras, gros.

■ **maigreur,** n. f. *La maigreur de Julien inquiète ses parents.* ≠ embonpoint. ■ **maigrir,** v. *Arnaud se trouve trop gros, il voudrait maigrir.* ≠ grossir.

EXPRESSION

Une viande maigre, un fromage maigre. → qui contiennent peu de matières grasses.

main nom fém.

Daniel donne la main à Noëlle pour traverser la rue.

◄ Les mains du potier en train de façonner un vase.

EXPRESSIONS

- Une décoration faite **à la main** (≠ **à la machine**).
- **Avoir quelque chose sous la main.** → pouvoir la prendre.
- **Demander, donner un coup de main.** → demander, donner de l'aide pour quelque chose.

maintenant mot inv.

Tout à l'heure il pleuvait, maintenant il fait beau. → à présent.

GRAMMAIRE

Maintenant qu'*il fait beau, Annette va se promener.*

maire nom masc.

Le maire du village a marié Jean et Françoise.

■ **mairie,** n. f. *Un drapeau bleu, blanc, rouge flotte sur la mairie.*

AUTOUR DE

Le maire est élu par les conseillers municipaux, eux-mêmes élus tous les six ans par les électeurs de la commune.

mais mot inv.

1. *Fanny a sommeil, mais elle ne veut pas aller se coucher.*
2. *« As-tu reçu ma lettre ? – Mais oui, depuis longtemps. »*

maïs [mais] nom masc.

Yvon cueille un épi de maïs. → sorte de plante annuelle, très haute, dont les grains sont généralement jaune d'or mais peuvent aussi être noirs, marron...

ORTHOGRAPHE

Attention au tréma !

maison nom fém.

La maison de Nicolas est blanche ; elle a un toit rouge et des volets verts.

EXPRESSIONS

- **A la maison.** → chez soi.
- **Une maison de jeunes.**

1. majeur, majeure adj.

Isabelle aura bientôt dix-huit ans et elle sera majeure.

AUTOUR DE

Quand on est majeur(e), on a le droit de voter, de passer son permis de conduire...

2. majeur nom masc.

Le majeur est le plus long doigt de la main.

majuscule nom fém.

N'oublie pas la majuscule au début d'une phrase ! ≠ minuscule.

AUTOUR DE

Les noms propres, commencent par une majuscule.

1. mal mot inv.

1. *La porte ferme mal.* → difficilement.
2. *C'est mal de mentir et de voler.* → ce n'est pas bien. ≠ bien, noble.
3. *Véronique n'est pas prudente, ça va mal finir.* → d'une manière désagréable.

EXPRESSIONS

- **Etre au plus mal.** → être très gravement malade, en danger de mort.
- **Pas mal.** ≃ assez, beaucoup.
- **Se sentir mal, être mal à l'aise.** → être sur le point de s'évanouir.

2. mal nom masc.

1. *Régis prend un cachet pour faire passer son mal de tête.* → sa douleur.
2. *Thérèse a du mal à enfiler son aiguille ; elle se donne du mal pour finir ce napperon.* → de la peine.
3. *Pierre a dit du mal de Fabrice.* → des choses désagréables sur lui. ≠ bien.

ORTHOGRAPHE

Des **maux** (au sens 1).

GRAMMAIRE

Mal (mot inv.) est le contraire de *bien* dans tous les sens.

malade adj. ou nom masc. ou fém.

1. adj. *Grégoire est malade ; il a de la fièvre et il a mal à la gorge.* ≠ bien portant.
2. n. m. ou f. *Les malades sont soignés par le médecin.*

■ **maladie,** n. f. *La maladie de Grégoire n'est pas grave ; c'est un simple rhume.* ≃ affection , indisposition.

EXPRESSION

Tomber malade, attraper une maladie. → devenir malade.

VOCABULAIRE

Une maladie contagieuse. → que d'autres personnes peuvent attraper.

maladroit, maladroite adj.

Marianne est maladroite ; elle renverse souvent son bol de lait sur la table. → malhabile. ≠ adroit, habile.

■ **maladresse,** n. f. *Quelle maladresse d'avoir laissé tomber le vase !* ≠ adresse, habileté.

VOCABULAIRE

Le contraire de l'adresse est la maladresse,
comme :
l'honnêteté ≠ la malhonnêteté.

M

mâle nom masc. et adj.

1. n. m. *Le mâle de la laie est le sanglier.* ≠ la femelle.
2. adj. *Ce roi est mort sans héritier mâle pour lui succéder.* → de sexe masculin.
3. *La prise électrique femelle reçoit la prise électrique mâle.*

malgré mot inv.

Clémence est sortie malgré l'interdiction de ses parents. → en dépit de.

malheur nom masc.

Yves a l'air triste, il lui est peut-être arrivé un malheur. → une chose pénible, un gros ennui. ≠ bonheur.

■ **malheureusement,** mot inv. *Malheureusement, Florent ne viendra pas, il s'est cassé la jambe.* ≠ heureusement. ■ **malheureux, euse,** adj. *La chienne est malheureuse de rester enfermée toute la journée.* ≠ heureux.

ORTHOGRAPHE

N'oublie pas le **h** (comme dans bonheur) !

EXPRESSION

Porter malheur (≠ porter chance, porter bonheur).

malhonnête adj.

Nathalie ne veut plus échanger de timbres avec Christian, car il a été malhonnête avec elle. → il l'a trompée. ≠ honnête.

■ **malhonnêteté,** n. f. *Vincent a été puni pour sa malhonnêteté.* ≠ honnêteté.

ORTHOGRAPHE

Attention au **h** ! Pense à **honnête** !

malice nom fém.

Bruno voulait attraper l'oiseau ! Christelle lui a dit avec malice de lui mettre du sel sous la queue. → pour se moquer de lui.

■ **malicieux, euse,** adj. *Claudine avait un sourire malicieux après avoir fait sa farce.*

VOCABULAIRE

Des yeux pleins de malice. → de moquerie.

malin, maligne adj.

1. *Ludovic ne parle pas encore, mais il a des yeux malins.* → intelligents, vifs. ≠ bête.
2. *Il éprouve un malin plaisir à faire souffrir les animaux.* → malveillant, méchant.

EXPRESSION

C'est malin ! (fam.), **ce n'est pas malin** (fam.). → ce n'est pas intelligent.

malle nom fém.

Les enfants rangent leurs jouets dans une vieille malle. → une sorte de grand coffre.

VOCABULAIRE

Une malle en osier, en bois, en métal.

maltraiter [3] verbe

Il ne faut pas maltraiter les animaux. → leur faire mal, les battre, mal les soigner.

mammifère nom masc.

Chez les mammifères, la femelle nourrit les petits avec le lait de ses mamelles.

ORIGINE

Mammifère veut dire qui porte des mamelles.

1. manche nom fém.

En été, je mets une chemise à manches courtes ; en hiver, je porte un pull à manches longues.

AUTOUR DE

La Manche est la mer qui sépare la France de la Grande-Bretagne.

2. manche nom masc.

Valérie a trempé son pinceau dans la peinture jusqu'au manche. → partie d'un instrument, d'un outil.

manger [19] verbe

Le matin, Loïc et Sabine mangent des tartines de miel.

■ **mangeoire,** n. f. *Les chevaux mangent l'avoine qui se trouve dans leur mangeoire.* ■ **mangeur, euse,** n. m. et f. *Stéphanie est une grande mangeuse de cerises.*

VOCABULAIRE

- Une salle à manger. → une pièce où l'on prend ses repas.
- Manger de bon appétit. Faire manger un enfant.

manier [3] verbe

1. *La poterie n'est pas encore sèche, Nicolas la manie avec précaution.* → il la déplace en la tenant dans ses mains.
2. *Noëlle aime bricoler : elle sait déjà bien manier les outils.* → s'en servir.

ORTHOGRAPHE

Manier se conjugue comme **crier**. Au futur : je manierai.

manière nom fém.

Au téléphone, on confond souvent Sandrine avec sa mère ; elles ont la même manière de parler. → la même façon.

GRAMMAIRE

Thierry passe par la place **de manière à** *rencontrer Bruno.* → pour.

manquer 3 verbe

1. *Benoît est malade ; il a manqué toute la semaine.* → il a été absent.
2. *Benoît a manqué la composition.* → il n'a pas assisté à.
3. *Il manque un bouton au manteau de Lise.*
4. *Rapporte du pain, sinon nous en manquerons pour le goûter.* → il n'y en aura pas assez.
5. *Loïc était en retard, il avait manqué son train.* → il avait raté (fam.).

■ **manquant, e,** adj. ou n. m. et f. *A cause de la grippe, il y a beaucoup de manquants aujourd'hui.* ■ **manque,** n. m. *C'est le manque de sommeil qui te fait bâiller.* ≃ absence, insuffisance.

VOCABULAIRE

- Manquer de patience, de temps, d'argent. → ne pas avoir (assez) de.
- Manquer un rendez-vous, le car, le bus, le départ.

manteau nom masc.

Marie porte un manteau rouge.

ORTHOGRAPHE

Des mant**eaux**.

marais nom masc.

La région est humide, il y a beaucoup de marais. → des étendues recouvertes d'eau stagnante dans laquelle poussent des plantes.

VOCABULAIRE

- Les joncs et les roseaux poussent dans les marais.
- Chasser le canard dans les marais. Assécher un marais. La vase des marais.

M

marchand, marchande nom masc., nom fém.

Dans la rue, il y a un marchand de légumes et une marchande de journaux. ≃ commerçant, commerçante.

■ **marchandise,** n. f. *Un train de marchandises.* → de produits qui se vendent ou qui s'achètent.

marche nom fém.

1. *L'escalier a dix-sept marches.*
2. *Dimanche, Brigitte a fait deux heures de marche.* → elle a marché pendant deux heures.

EXPRESSIONS

- **Faire marche arrière.** → reculer (pour un véhicule).
- **Mettre en marche une chose.** → la faire fonctionner.

marché nom masc.

1. *Le marché a lieu tous les mercredis.*
2. *Isabelle a conclu un marché avec son père : elle arrose les fleurs tous les soirs, et lui l'emmènera au cinéma.* ≃ alliance, entente.

EXPRESSIONS

- **Bon marché.** → peu cher.
- **Meilleur marché que.** → moins cher que.

marcher 3 verbe

1. *Alice a su marcher à un an.* → faire des pas.
2. *Bénédicte a marché sur le pied de Sabine.*
3. *Mon réveil marche mal.* → il fonctionne mal.

EXPRESSION

Faire marcher quelqu'un (fam.). → lui faire croire ce qu'on veut.

mare nom fém.

Sur la mare du village, il y a des canards. → une petite étendue d'eau.

AUTOUR DE

La mare est plus petite que l'étang, lui-même plus petit que le lac.

marée nom fém.

A marée basse, Florence ramasse des coquillages.

EXPRESSION

Marée noire. → pollution de la mer et de la côte par du pétrole.

AUTOUR DE

Il y a environ quatre marées par jour, deux basses et deux hautes, ou marées montantes et marées descendantes.

se marier 3 verbe

Isabelle et Gérard se marient en juin. → ils s'épousent.

■ **mari,** n. m. *Gérard est le mari d'Isabelle.* ■ **mariage,** n. m. *Isabelle et Gérard nous ont invités à leur mariage.* ■ **marié, e,** adj. ou n. m. et f. **1.** adj. *Souvent les gens mariés portent une alliance à l'annulaire gauche.* **2.** n. m. et f. *Le marié et la mariée sortent de la mairie.* → les époux.

GRAMMAIRE

On dit : se marier **avec** quelqu'un, mais épouser quelqu'un.

EXPRESSION

De jeunes mariés. → un couple marié depuis peu de temps.

marin, marine adj.

Le vent marin, une carte marine. → de la mer.

■ **marin,** n. m. *Le béret du marin est bleu et a un pompon rouge.* ■ **marine,** n. f. *La boussole est un instrument de marine.*

EXPRESSION

Bleu marine. → bleu foncé. (Invariable : des chaussures bleu marine.)

marionnette nom fém.

Guignol est une marionnette d'origine lyonnaise. ≃ pantin.

ORTHOGRAPHE

Attention aux deux **n** et aux deux **t** !

VOCABULAIRE

Un théâtre de marionnettes. Des marionnettes à fils.

marquer 3 verbe

1. *La route est marquée en rouge sur la carte.* → elle est représentée, signalée.
2. *La pendule marque 9 heures.* → elle indique.
3. *Jean-Luc a eu si peur qu'il est resté marqué par ce souvenir.* → cette peur lui a laissé une forte impression.
4. *Notre équipe a marqué trois points.* → elle a inscrit.

EXPRESSIONS

- **A vos marques, prêts, partez !** → avertissement et signal pour le départ des coureurs.
- **Marquer un but** (au football).

marque nom fém.

1. *Alain a fait une marque sur les exercices qu'il a faits.* → un signe.
2. *Quelle est la marque de cette voiture ?* → le nom de l'entreprise qui l'a fabriquée.
3. *Au milieu de la partie, la marque était de 8 à 3.* → le décompte des points.

AUTOUR DE

On marque une chose pour la reconnaître grâce à un signe, une trace.

marron nom masc.

En hiver, Noëlle mange des marrons grillés. ≃ châtaigne.

■ **marron,** adj. inv. *Audrey a les yeux marron.* → bruns. ■ **marronnier,** n. m. *Les fleurs du marronnier sont blanches ou roses.*

ORTHOGRAPHE

Attention aux deux **r** et aux deux **n** de marronnier !

VOCABULAIRE

De la purée, de la crème de marrons.

marteau nom masc.

Virginie enfonce un clou en le frappant avec un marteau.

ORTHOGRAPHE

Des mart**eaux**.

masculin, masculine adj.

1. Soleil, cheval *et* fer *sont du genre masculin.* ≠ féminin.
2. *De ces jumeaux, l'un est du sexe masculin, l'autre du sexe féminin.* ≃ mâle.

■ **masculin,** n. m. *Le masculin de* paysanne *est* paysan. → le genre masculin.

VOCABULAIRE

Un adjectif, un nom masculin.

mât [ma] nom masc.

Le drapeau noir des pirates flottait en haut du mât. → un long poteau qui soutient les voiles.

ORTHOGRAPHE

Attention à l'accent circonflexe sur le **a** et au **t** qui ne se prononce pas.

match [matʃ] nom masc.

Mercredi, nous avons regardé un match de football à la télévision.

EXPRESSION

Faire match nul. → avoir un score égal (entre deux équipes).

M

maternel, maternelle adj.

L'un des bébés boit du lait au biberon, l'autre boit le lait maternel. → de la mère.

EXPRESSION

La langue maternelle. → la première langue de l'enfant.

mathématiques nom fém. plur.

La multiplication et la division sont des opérations de mathématiques. → qui concernent le calcul, les nombres et les chiffres.

ORTHOGRAPHE

Attention au **h** !

matière nom fém.

1. *La bouteille est en matière plastique.*
2. *Le beurre est une matière grasse.* → un corps, une substance.
3. *Quelles matières étudies-tu au lycée ?* → quelles disciplines.

EXPRESSION

Une table des matières. → la liste des chapitres et sujets traités dans un ouvrage.

matin nom masc.

Le matin, Gérard prend le car pour aller à l'école.

■ **matinal, e,** adj. *Danièle est matinale, elle est toujours levée à 7 heures.* ■ **matinée,** n. f. *Gaëlle a dormi toute la matinée, elle s'est levée vers midi.*

GRAMMAIRE

- **Matin** sans article se place après dans : *lundi, dimanche* **matin.**
- **Matin** désigne les heures entre minuit et midi : *4 heures* **du matin.**

mauvais, mauvaise adj.

1. *Carine est une mauvaise nageuse.* → très médiocre. ≠ bon, excellent.
2. *Manger des sucreries est mauvais pour les dents.* ≠ bon.
3. *Cette année, la récolte de raisins est mauvaise.* ≠ abondant, bon.

GRAMMAIRE

- **Mauvais** est placé avant le nom quand il est épithète : une *mauvaise* élève, un *mauvais* film...
- **Mauvais** est un mot invariable dans : sentir *mauvais,* il fait *mauvais.*

maximum [maksimɔm] nom masc.

En une heure, le chien a fait le maximum de bêtises. → le plus grand nombre possible. ≠ minimum.

EXPRESSION

Ce manteau doit valoir 1 000 F **au maximum.** → au plus.

méchant, méchante adj.

David pleure parce que Luc a été méchant avec lui. → Luc lui a volontairement fait du mal. ≠ bon, doux, gentil.

■ **méchanceté,** n. f. *Sa méchanceté sera punie.* ≠ gentillesse.

EXPRESSION

Un chien méchant. → un chien dangereux.

médecin nom masc.

Le médecin a diagnostiqué une rougeole. ≃ docteur.

■ **médecine,** n. f. *Marinette fait des études de médecine.*

GRAMMAIRE

Au féminin, on dit **une femme médecin** ou **une doctoresse.**

médical, médicale adj.

Jeudi, Jean-Pierre a passé une visite médicale.

■ **médicament,** n. m. *Pour guérir, Ludovic doit prendre des médicaments.* ≃ remède.

VOCABULAIRE

Des études médicales, des soins médicaux, un cabinet médical.

méfiant, méfiante adj.

Depuis que son chat l'a griffée, Caroline est devenue méfiante envers lui. ≠ confiant.

■ **méfiance,** n. f. *Il éprouve de la méfiance à mon égard.* ≠ confiance. ■ **se méfier,** v. *Jonathan se méfie du chien des voisins.* ≠ avoir confiance en, se fier à.

GRAMMAIRE

Se méfier se construit avec **de** : se méfier **de** quelque chose ou **de** quelqu'un.

meilleur, meilleure adj.

1. *Mélanie trouve ta rédaction meilleure que la sienne.* ≠ pire.
2. *Mireille est la meilleure nageuse du club.* ≠ le (la) pire.
3. *Le matin et le soir sont les meilleurs moments pour arroser le jardin.* → les plus favorables.

GRAMMAIRE

Bon marché → **meilleur** marché,
De bonne humeur → de **meilleure** humeur,
En bonne santé → en **meilleure** santé.

mélange nom masc.

La ratatouille est un mélange d'aubergines, de courgettes et de tomates.

■ **mélanger,** v. *Pour obtenir du vert, on mélange du bleu avec du jaune.*

GRAMMAIRE

Mélanger deux choses, ou mélanger une chose **à** ou **avec** une autre.

se mêler [3] verbe

Delphine et Luc parlaient ensemble quand Charlotte s'est mêlée à la conversation. → elle est intervenue dans.

membre — nom masc.

1. *Le corps humain se compose d'une tête, d'un tronc et de quatre membres.* → de deux bras et deux jambes.
2. *Pour l'anniversaire de grand-mère, tous les membres de la famille étaient réunis.*

EXPRESSIONS

- **Les membres inférieurs.** → les jambes.
- **Les membres supérieurs.** → les bras.

même — adj.

1. *Charlotte et Coralie ont un bonnet de la même couleur.* → de couleur identique. ≃ pareil, semblable. ≠ différent.
2. *Je voudrais bien avoir la même chance que toi.* → une chance semblable.

■ **même,** mot inv. *Il fait tellement chaud que tout le monde fait la sieste, même les parents.* → les parents aussi. ■ **le** (ou **la**) **même, les mêmes,** pron. indéf. *Ce sont toujours les mêmes qui lèvent le doigt.* → les personnes habituelles.

EXPRESSIONS

- **De même.** → aussi, de la même manière.
- **En même temps.** → simultanément.
- **Quand même.** → malgré tout.
- **Tout de même.** → pourtant.
- **Cela revient au même.** → c'est pareil.
- **C'est la bonté même.** → il (ou elle) est très bon(ne).

mémoire — nom fém.

Marc a une excellente mémoire ; il retient sa récitation en la lisant seulement deux fois.

EXPRESSIONS

- **De mémoire.** → sans avoir le texte sous les yeux.
- **Avoir de la mémoire, avoir une bonne mémoire.** → retenir des choses, des faits.

menacer 26 — verbe

Sa mère a menacé Françoise de la priver de sortie si son prochain carnet était mauvais. → elle lui a fait craindre.

■ **menaçant, e,** adj. *Un air menaçant.* ≃ agressif. ■ **menace,** n. f. **1.** *Les menaces de sa mère ont effrayé Françoise.* **2.** *La menace d'un nouveau tremblement de terre.* ≃ danger.

ORTHOGRAPHE

Attention à la cédille dans : menaçant, nous menaçons, etc.

M

mener 6 — verbe

1. *Nathalie mène le cheval à l'écurie.* → elle le conduit.
2. *Dès le début, Fabien a mené la course.* → il a été en tête.
3. *Cette petite route mène à la piscine.* → elle conduit.
4. *La paresse de Nicole l'a menée à l'échec.* → elle a eu pour résultat.

EXPRESSIONS

- **Mener par 2 à 0.** → avoir l'avantage dans un match, une compétition.
- **Mener quelqu'un en bateau** (fam.). → lui faire croire des choses fausses.

mentir 24 — verbe

Denis a raconté qu'il était allé s'entraîner au basket, mais ses parents ont bien vu qu'il mentait. → qu'il ne disait pas la vérité.

■ **mensonge,** n. m. *Christophe a été puni pour son mensonge.* ■ **menteur, euse,** adj. ou n. m. et f. *Ne crois pas Sophie, c'est une menteuse.* → elle raconte des choses fausses.

EXPRESSION

Sans mentir, *nous étions bien quarante.* ≃ véritablement.

menton — nom masc.

Après avoir mangé sa tartine de confiture, Corinne s'essuie le menton.

menuisier nom masc.

Le menuisier travaille le bois, fabrique et monte des placards, des fenêtres, des étagères...

■ **menuiserie,** n. f. *Le rabot, la scie, le marteau sont des outils utilisés en menuiserie.*

ORIGINE

Menuisier vient du mot menu → petit. Autrefois, il voulait dire : celui qui coupe en menus morceaux.

VOCABULAIRE

Un atelier, des pièces de menuiserie.

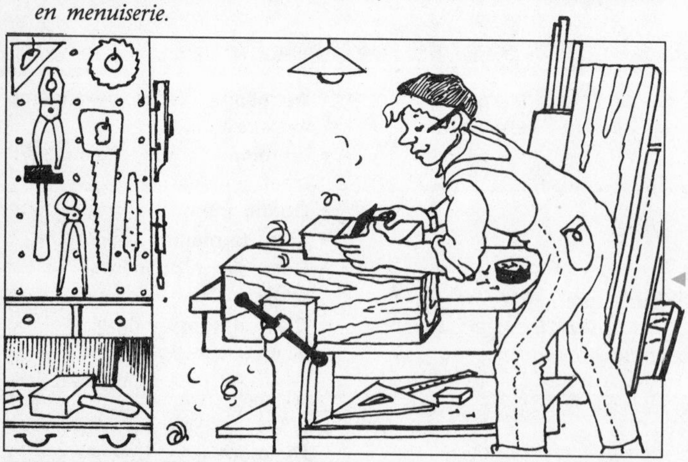

◄ L'atelier du menuisier.

mépriser 3 verbe

Gérald est prétentieux, il méprise tout le monde. → il considère les autres sans attention ni intérêt.

■ **mépris,** n. m. *Je n'ai que du mépris pour ceux qui maltraitent les animaux.* → je n'aime pas du tout.

ORTHOGRAPHE

N'oublie pas le **s** final de mépris.

mer [mɛʀ] nom fém.

Séverine aime mieux nager dans la mer que dans la piscine. → vaste étendue d'eau salée qui recouvre une grande partie de la surface de la Terre.

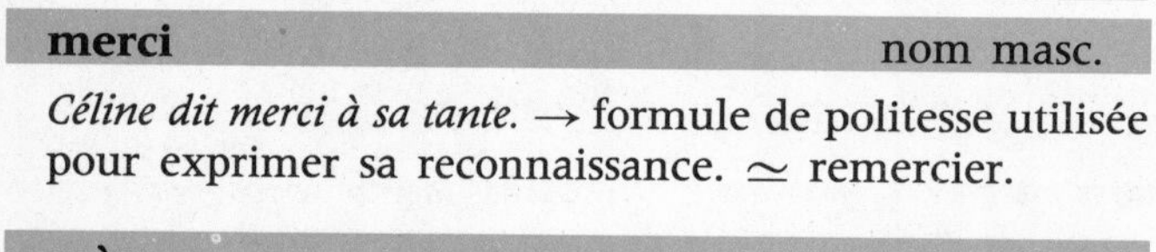

EXPRESSIONS

- **Un homme à la mer !** → formule pour dire qu'un homme est tombé dans la mer.
- **Ce n'est pas la mer à boire.** → ce n'est pas difficile.
- **La mer monte, la mer descend.** → la mer est haute, la mer est basse (selon la marée).
- **Prendre la mer, partir en mer.** → s'embarquer sur un bateau et naviguer loin des côtes.

merci nom masc.

Céline dit merci à sa tante. → formule de politesse utilisée pour exprimer sa reconnaissance. ≃ remercier.

GRAMMAIRE

Merci **de** ton cadeau, **pour** ton cadeau, **de** m'avoir écrit.

mère nom fém.

La mère de Sébastien est secrétaire.

VOCABULAIRE

Une belle-mère. Une grand-mère.

mériter 3 verbe

Jean a bien travaillé, il mérite une récompense. → il y a droit, il est juste qu'il en reçoive une.

■ **mérite,** n. m. *Arnaud est arrivé le premier : il a du mérite, car il était parti en retard.*

VOCABULAIRE

- Il l'a bien mérité. Une récompense méritée.
- Il a beaucoup de mérite ≠ il n'a aucun mérite, pas de mérite.

merveilleux, merveilleuse — adj.

1. *Il fait un temps merveilleux.* → superbe, très beau. ≠ détestable, horrible.
2. *Aladin et la lampe merveilleuse.* → magique.

■ **merveille,** n. f. *Ce paysage est une merveille.* → une chose splendide.

EXPRESSIONS

- **La huitième merveille du monde.** → une chose merveilleuse.
- **Les sept merveilles du monde.** → les sept plus beaux monuments ou statues de l'Antiquité.

message — nom masc.

Nicolas nous a apporté un message de la part de son père. → une information.

VOCABULAIRE

Un message écrit, téléphoné, codé.

mesurer [3] — verbe

1. *Géraldine mesure la profondeur de la mare avec un bâton.* → elle évalue.
2. *Hervé mesure 1,40 mètre.* → sa taille est de 1,40 m.

■ **mesure,** n. f. **1.** *Paul prend les mesures du carreau cassé.* → la longueur et la largeur. **2.** *Le litre est une mesure de capacité, la tonne est une mesure de poids.* **3.** *Le professeur de chant bat la mesure.* → il marque le rythme.

EXPRESSIONS

- *Anna apportera des pommes,* **dans la mesure où** *il lui en restera.*
- *Un costume fait* **sur mesure.** → spécialement adapté pour quelqu'un.
- **Prendre des mesures.** → employer des moyens particuliers.

métal — nom masc.

Le fer, l'or, l'uranium sont des métaux.

■ **métallique,** adj. *Dans les vestiaires se trouvent des armoires métalliques.* → faites en métal.

ORTHOGRAPHE

Attention aux deux **l** de méta**ll**urgie et de ses dérivés.

métier — nom masc.

1. *Plus tard, Noémie voudrait faire un métier qui lui permette de s'occuper des animaux.* ≃ profession.
2. *Patricia s'est fait une écharpe sur un métier à tisser.* → un appareil tendu de fils.

AUTOUR DE

Tous les noms de métier n'ont pas forcément de féminin (par exemple professeur, écrivain, médecin).

M

mètre — nom masc.

1. *La porte mesure deux mètres de haut.* → deux fois 100 cm.
2. *Le menuisier prend des mesures avec un mètre pliant.* → un instrument de mesure.

AUTOUR DE

- Le mètre est la base du système métrique. Son abréviation est m.
- Un kilomètre = mille mètres.
- Cent centimètres = un mètre.

mettre [20] — verbe

1. *David a mis son cahier dans son cartable.* → il a placé.
2. *Grégoire a oublié de mettre son imperméable.* ≃ s'habiller avec.
3. *Alexandre a mis une heure pour trouver la réponse.* → il a eu besoin de.
4. *Corinne a mis ses initiales sur son livre.* → elle a inscrit.
5. *Il a mis de l'eau dans sa citronnade.* → il a ajouté.
6. *Séverine met toujours la musique trop fort.* → elle règle.

■ **se mettre,** v. **1.** *Chloé s'est mise entre ses parents.* → elle s'est placée, installée. **2.** *Nicolas se met en pyjama.* → il enfile son pyjama. **3.** *Hervé s'était mis à pleurer.* → il avait commencé.

EXPRESSIONS

- **Mettre à la porte.** → renvoyer.
- **Mettre à mort.** → tuer.
- **Mettre au point.** → régler tout à fait.
- **Mettre de l'ordre** → ranger, ordonner.
- **Mettre en pièces.** → déchirer, défaire, déchiqueter, détruire.
- **Mettre en route, mettre en marche.** → faire fonctionner.
- **Mettre en vente.** → proposer pour la vente.

meuble nom masc.

Voici les meubles du salon : deux fauteuils, une petite table, un canapé et un buffet.

■ **meubler,** v. *La chambre de Joëlle est peu meublée : un lit, une table et une chaise.*

VOCABULAIRE

- Meuble ancien ≠ meuble moderne.
- L'ensemble des meubles s'appelle le mobilier.

miauler [mjole] 3 verbe

Le chat miaule.

■ **miaulement,** n. m. *Les miaulements du chat.*

ORIGINE

Comme pour beaucoup de cris d'animaux, miauler a été formé en imitant un cri : « Miaou ! ».

microbe nom masc.

L'angine, le rhume sont des maladies causées par des microbes. → des éléments très petits qu'on ne peut voir à l'œil nu, mais seulement au microscope.

AUTOUR DE

Les maladies contagieuses peuvent être transmises par des microbes, des virus, des bactéries.

midi nom masc.

1. *La classe se termine à midi ; c'est l'heure du déjeuner.* → 12 heures.
2. *Dans le Midi, on cultive des fruits, des légumes, des fleurs.* → le Sud de la France.

GRAMMAIRE

Au sens 2, **M**idi s'écrit toujours avec une majuscule.

miel [mjɛl] nom masc.

Ludovic étale du miel sur sa tartine.

miette nom fém.

Étienne donne des miettes de pain aux oiseaux. → de petits morceaux qui se détachent quand on coupe du pain (ou un gâteau).

EXPRESSION

Réduire en miettes. → en tout petits morceaux.

mieux mot inv.

1. *Gabriel aime mieux le football que le rugby.* → il préfère, il aime davantage.
2. *Et Caroline, quel sport aime-t-elle le mieux ? La natation ?* → le plus.
3. *Bruno a été fatigué, mais il se sent mieux.* → sa santé s'est améliorée.
4. *Il vaut mieux le laisser seul.* → il est préférable.
5. *Paul a fait de son mieux pour réussir son examen.* → il a fait tout ce qu'il a pu.

GRAMMAIRE

Au sens 1, **mieux** est le comparatif de supériorité de *bien*. Au sens 2, il en est le superlatif.

EXPRESSIONS

- **De mieux en mieux.** → en s'améliorant.
- **Rien de mieux.** → de meilleur.
- **Tant mieux.** → c'est bien. ≠ **tant pis.**
- **Agir au mieux, pour le mieux.** → de la meilleure manière.

milieu nom masc.

Béatrice a une raie sur le côté, Christelle a une raie au milieu.

ORTHOGRAPHE

Des milieu**x**.

militaire adj.

Le service militaire est obligatoire pour les jeunes gens.

■ **militaire,** n. m. *Jacques souhaite entrer dans l'armée et devenir un militaire.* ≃ soldat.

VOCABULAIRE

Une école militaire. Un militaire en uniforme. Le salut militaire. Une marche militaire.

mille adj.

Un kilomètre est égal à mille mètres (1 km = 1 000 m).

ORTHOGRAPHE

Mille ne prend jamais d's au pluriel : **deux mille** *francs.*

mince adj.

Laurent est gros, Grégoire est mince.

1. mine nom fém.

Dorothée a bonne mine aujourd'hui, elle a meilleure mine qu'hier. → elle semble en bonne santé.

EXPRESSION

Avoir mauvaise mine. → avoir l'air d'être en mauvaise santé, avoir le visage fatigué.

2. mine nom fém.

1. *Les métaux, le charbon, le sel, la potasse, etc., sont extraits de mines.* → des gisements naturels.
2. *Agathe a cassé la mine de son crayon.*

AUTOUR DE

Quand le gisement de fer, de houille se trouve presque à la surface du sol, la mine est à ciel ouvert. Quand il est plus profond, la mine est souterraine. Les mineurs y descendent par des puits et y travaillent dans des galeries.

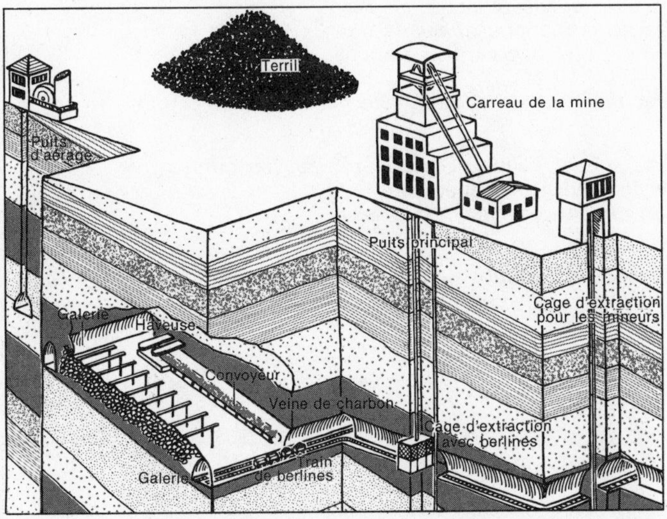

◀ Un mine (en coupe).

■ **mineur,** n. m. *Les mineurs descendent dans les mines pour en extraire du fer, du charbon, etc.*

miniature (en) loc. inv.

Avec une boîte à chaussures, Céline a fabriqué une maison en miniature. → en réduction.

GRAMMAIRE

En supprimant *en* : des maisons **miniature** (*miniature* invariable).

minimum [minimɔm] nom masc.

Charlotte voudrait dépenser le minimum d'argent. → le moins possible. ≠ le maximum.

VOCABULAIRE

Avoir le minimum de points nécessaire pour être reçu.

minuit nom masc.

Samedi, c'était la fête ; on a dansé jusqu'à minuit.

AUTOUR DE

Minuit s'écrit : 24 h ou 0 h.

minuscule adj.

Mélanie joue à la dînette : elle a de toutes petites assiettes et des verres minuscules. ≠ énorme, gigantesque.

■ **minuscule,** n. f. *Les noms communs s'écrivent en minuscules, sauf au début d'une phrase, où la première lettre est une majuscule.*

M

16. La construction de la maison *(page ci-contre)*

LA CONSTRUCTION DE LA MAISON
(1) Cave/Sous-sol (2) Rez-de-chaussée
(3) Toit en ardoise (4) Maçon (5) Menuisier
(6) Électricien (7) Tapissier (8) Carreleur
(9) Chauffagiste (10) Plâtrier (11) Couvreur (12) Bétonnière
(13) Papier peint (14) Cuve à mazout (15) Salle de séjour
(16) Salle de bains (17) Auge de maçon
(18) Salle de chauffage (19) Cuisine (20) Premier étage

La construction d'une maison est une extraordinaire aventure. Une maison est un grand puzzle dont les morceaux sont réunis par les ouvriers. Le maçon, le plâtrier, le couvreur, le menuisier, le chauffagiste, l'électricien se succèdent et font chacun leur travail. On dirait une ruche avec ses abeilles. Quelle belle maison nous aurons grâce à tous ces entrepreneurs qui ont participé à la construction et à la décoration de notre logis !

Florence.

J'emploie le mot juste
- Donne le nom des outils que tu reconnais sur la planche.
- Comment travaille le couvreur ? Regarde la planche et décris ce que tu vois.
- Comment construit-on un mur ? Réponds en observant la planche.
- Quelle différence fais-tu entre :
  a) un maçon et un plâtrier ; b) un électricien et un chauffagiste ?

Des mots aux idées
- La planche montre tous les corps de métier réunis. Dans la réalité, les ouvriers se succèdent dans la construction de la maison. Dans quel ordre ?
- Donne d'autres noms de lieux où l'on peut habiter et définis-les.

Des mots pour parler
- Que feront Florence et ses parents dans les différentes pièces de cette maison ? Justifie ta réponse par l'observation de la planche.

17. La forêt *(p. 310-311)*

La forêt et le bois

Le *bois* est un terrain couvert d'arbres groupés. La *forêt* est un vaste terrain couvert de grands arbres.
Le *bosquet* est un petit bois aménagé, le *bocage,* un petit bois non aménagé.
Le *fourré* est un endroit où les broussailles sont très épaisses, la *futaie,* la partie de la forêt composée d'arbres aux troncs élancés, la *pépinière,* un terrain planté de jeunes arbres destinés à être replantés ailleurs, le *taillis,* la partie de bois ou de forêt que l'on coupe de temps en temps.

Les arbres

Principaux arbres de l'Europe :

l'acacia	le chêne	le hêtre	le pin
le bouleau	l'épicéa	le mélèze	le platane
le charme	l'érable	l'orme	le sapin
le châtaignier	le frêne	le peuplier	le sycomore

- Le *chêne* produit le *gland.* Le chêne-liège est un chêne dont l'écorce fournit le *liège.*
- La *châtaigne* est le fruit du *châtaignier.* Un terrain planté de châtaigniers est une *châtaigneraie.* Un terrain planté de hêtres est une *hêtraie.*
- L'*épicéa,* le *sapin,* le *pin* et le *mélèze* sont des *conifères* et produisent des fruits en forme de cônes.

Hors d'Europe on trouve des bois exotiques ou tropicaux comme l'*acajou,* l'*ébène,* le *teck.*

(suite à la p. 313)

3
11
10
20
9
14
18
19
8
4
7
13
16
17
5
15
6
12
2
1

28
24
1
8
6
7
1
23
1
12
11
25

LA FORÊT

(1) Bûcherons (2) Garde forestier (3) Écureuil (4) Renard (5) Cerf (6) Biche (7) Faon (8) Sanglier (9) Hibou (10) Pic vert (ou Pivert) (11) Lièvre (12) Belette (13) Mangeoire (14) Châtaignes (15) Amanite phalloïde (16) Girolle (17) Bruyère (18) Bolet (19) Cèpe (20) Fougères (21) Houx (22) Stères de bois (23) Pie (24) Pépinière (25) Pommes de pin (26) Gland (27) Chêne (28) Ensemble de conifères

12
14
6
7
2
5
11
9
8
4
17
18
19
13
20
3
Puzzle
LOTO
16
1
15

(suite de la p. 308)

Les métiers du bois
- Le *garde-forestier* est chargé de veiller à la bonne conservation des bois et des forêts.
- Le *bûcheron* abat des arbres.
- Le *menuisier* travaille le bois pour en faire des meubles et des ouvrages en bois (escaliers, cadres de fenêtres, boiseries...).
- L'*ébéniste* est spécialisé dans le travail des meubles décorés et finement travaillés.
- Le *charpentier* assemble des pièces de bois pour en faire une charpente.

Autour du mot *bois*
- La *lisière du bois,* l'*orée du bois :* sa limite, sa frontière.
- Le *bois mort :* les branches mortes.
- Du *bois vert :* du bois qui reste encore humide après avoir été coupé.
- *Fendre du bois :* le couper, le diviser dans le sens de la longueur à l'aide d'une hache.
- *Scier du bois :* le couper à l'aide d'une scie à main ou d'une scie mécanique.
- *Un stère de bois :* un mètre cube de bois.
- *Le bois de chauffage* sert à chauffer ; le bois de construction à construire, et le bois de charpente, à faire une charpente.

La vie dans la forêt
La vie végétale :
- Les arbres, les arbustes, les champignons, les mousses, les fleurs, les fougères.

La vie animale :
- Les insectes, les mammifères, les oiseaux, les reptiles.

18. Je fête mon anniversaire *(p. 312)*

Huit ans ! J'ai huit ans. Regardez le beau gâteau que ma mère a préparé. J'ai invité mes meilleurs camarades et nous passons une journée formidable. Rien n'est plus agréable que de réunir ceux que l'on aime quand on est heureux. Mais il faut laisser chacun faire ce qu'il veut. Ludovic lit des bandes dessinées, Sophie fait une partie de dames avec Jasmin, mon frère et Julia jouent aux cartes. Boris se passionne toujours pour la video en compagnie du chien Castor, un vrai savant !

Régine

J'emploie le mot juste
- Donne le nom des deux couleurs noires et des deux couleurs rouges aux cartes. Identifie ensuite les cartes entre les mains des enfants.
- Régine a cité plusieurs enfants dans son texte. Nomme les autres et dis ce qu'ils font.
- Donne le nom exact de tous les meubles qui sont dans la pièce figurée sur la planche.

Des mots aux idées
- L'anniversaire est une fête. Quelles autres fêtes connais-tu ? Lesquelles ont lieu à date fixe ? A quelle occasion ?
- Cite des jeux où l'on joue avec les lettres ou avec les mots.

Des mots pour parler
- Explique la règle d'un jeu que tu connais bien.
- Ferme ton dictionnaire et réponds ensuite à ces questions :
  – Que fait Boris ? – De quelle couleur est le vêtement de Régine ? – Combien d'enfants sont étendus par terre ? – Quel est le jeu posé à côté de la boîte de puzzle ?

JE FÊTE MON ANNIVERSAIRE

(1) Jeu de dames : le damier (2) Disques
(3) Jeu de cartes (4) Gâteau d'anniversaire
(5) Magnétophone (6) Récepteur d'images
(7) Magnétoscope (8) Boîtier de télécommande
(9) Albums illustrés (10) Fléchettes (11) Panoplie d'indien
(12) Cheminée (13) Desserte (14) Corbeille de fruits
(15) Pions (16) Éléments d'un puzzle (17) Pelle à gâteau
(18) Couteau (19) Gobelets (20) Cuillers

←

minute nom fém.

Il y a soixante minutes dans une heure et soixante secondes dans une minute.

EXPRESSION

Attends-moi **une minute !** → un instant.

miroir nom masc.

Alexandra se regarde dans un miroir. → une glace.

misère nom fém.

Dans les pays pauvres, la misère et la famine accablent les plus démunis. → le dénuement.

■ **misérable,** adj. *Ces pauvres gens vivent dans des conditions misérables.* → très pénibles.

VOCABULAIRE

Tomber dans la misère. Etre dans une misère noire. Avoir une vie misérable.

mobile adj.

Le tiroir est la partie mobile d'un meuble. → qui peut changer de place. ≠ fixe, immobile.

■ **mobile,** n. m. *Séverine a accroché un mobile au plafond de sa chambre.* → sorte d'objet en suspension qui peut bouger.

VOCABULAIRE

Un panneau, une planche mobile.

modèle nom masc.

1. *Hélène arrive à écrire son nom en suivant un modèle.* ≃ exemple.
2. *Dans le magasin, Pierre a essayé plusieurs modèles de blousons.* → des blousons de plusieurs sortes.
3. *Michèle est un modèle de gentillesse.* → le type même d'une personne très gentille.

■ **modeler,** v. *Sophie a fabriqué de petits bonshommes avec de la pâte à modeler.*

EXPRESSION

Un **modèle réduit** *d'avion ; un bateau* **en modèle réduit.** → une reproduction en tout petit.

VOCABULAIRE

- Dessiner d'après un modèle.
- Un nouveau modèle ≠ un ancien modèle (de voiture).

moderne adj.

Christian habite dans une vieille maison, Stéphanie dans un immeuble moderne. → nouveau, récent. ≠ ancien.

VOCABULAIRE

Le confort, un mobilier, une usine, des techniques modernes.

modeste adj.

Sarah est modeste, elle n'avait pas dit qu'elle avait réussi son examen. ≠ orgueilleux, prétentieux.

■ **modestie,** n. f. *Le champion a dit avec modestie qu'il n'avait pas beaucoup de mérite à être arrivé premier.* ≠ vanité.

VOCABULAIRE

Un air, un sourire modeste.

modifier [3] verbe

Louise a modifié son dessin en y ajoutant deux papillons. → elle a changé quelque chose sans le transformer profondément.

VOCABULAIRE

Modifier des projets. Modifier la fin d'un devoir.

moelle [mwal] nom fém.

Lucie a acheté un os à moelle pour le chien. → une substance molle et grasse qui se trouve à l'intérieur des os.

EXPRESSION

La moelle épinière. → le cordon nerveux se trouvant dans la colonne vertébrale.

moins — mot inv.

1. *Pierre mange moins depuis quelques jours.* → une quantité moins importante que d'habitude.
2. *Thierry est moins grand qu'Élodie.* → sa taille est inférieure à celle d'Élodie. ≠ plus.
3. *Huit moins six égale deux (8 – 6 = 2).* → six enlevé ou ôté de huit.

■ **le (la) moins,** mot inv. *Caroline est la moins grande de la classe.* ≠ le plus.

GRAMMAIRE

- **Moins** et **le moins** sont le comparatif et le superlatif de *peu*.
- **Moins** sert à introduire les nombres négatifs : *Il fait – 4°.*

EXPRESSION

Elle est malade, **du moins** *c'est ce que je crois.* → en tout cas.

moisson — nom fém.

La moisson se fait en été ; on récolte les céréales, notamment le blé.

■ **moissonner,** v. *Autrefois, on moissonnait à la faux ou à la faucille.*
■ **moissonneuse,** n. f. *A notre époque, on moissonne très vite, grâce aux moissonneuses-batteuses.*

VOCABULAIRE

- Faire une bonne, une mauvaise moisson. La moisson a lieu tôt cette année.
- Moissonner de l'orge, du seigle. Moissonner un champ.

moitié — nom fém.

1. *Une demi-heure est la moitié d'une heure.* → l'une des deux parties égales.
2. *Ce travail est à moitié fait.* → en partie.

EXPRESSIONS

- *Une bouteille* **à moitié** *pleine* (ou **à moitié** *vide*). → à demi.
- **A moitié prix.** → pour la moitié du prix.
- *Pour faire de la confiture, il faut mettre* **moitié** *fruits,* **moitié** *sucre.* → en quantités égales.
- **Une bonne moitié, un peu plus que la moitié.**

M

moment — nom masc.

1. *Attends-moi, je reviens dans un moment.* ≃ instant.
2. *Gaëlle va jouer son morceau, c'est un grand moment pour elle.* ≃ événement.
3. *Édouard téléphone, ce n'est pas le moment de lui parler.*

EXPRESSIONS

- **A ce moment-là.** → à l'époque où l'on parle, alors.
- **A tout moment.** → n'importe quand.

monde — nom masc.

1. *Autrefois, on croyait que la Terre était le centre du monde.* → de l'univers.
2. *Aurélie voudrait faire le tour du monde en bateau.* → de la Terre.
3. *A 6 heures, il y avait encore du monde dans le magasin.* → des gens.
4. *Le monde du cirque est en deuil ; le trapéziste s'est tué en faisant son numéro.* → le milieu.

■ **mondial, e,** adj. *La population mondiale pourrait être de 11 milliards en l'an 2000.* → du monde (sens 2).

EXPRESSIONS

- **Beaucoup de monde.** → beaucoup de gens.
- **Les cinq continents du monde.** → Asie, Afrique, Amérique, Europe, Océanie.
- **Tout le monde.** → tous les gens, chacun.
- **Courir le monde.** → voyager beaucoup.
- **Etre seul au monde.** → seul dans la vie (sans famille).

monnaie nom fém.

1. *Benjamin donne un billet pour payer le pain ; la boulangère lui rend la monnaie.* → la différence (en pièces).
2. *La monnaie française est le franc, la monnaie italienne est la lire.*

EXPRESSIONS

- **De la fausse monnaie.** → des billets ou des pièces imités sans aucune valeur.
- **Avoir de la monnaie.**

monotone adj.

1. *Serge récite sa poésie d'une voix monotone.* → toujours sur le même ton.
2. *Encore des pommes de terre ! Ça devient monotone !* ≠ varié.

monsieur nom masc.

Le père de Dorothée s'appelle Monsieur Lefranc. Bonjour, Monsieur ! ≠ madame.

ORTHOGRAPHE

Le pluriel de Monsieur est **Messieurs**.

montagne nom fém.

1. *Le mont Blanc est la plus haute montagne d'Europe (4 807 m).* ≃ massif, mont.
2. *Ludovic a passé ses vacances à la montagne.* → un endroit à l'altitude élevée.

ORTHOGRAPHE

Attention au **d** de montagnar**d** ! Le féminin est montagnar**de**.

VOCABULAIRE

Une chaîne de montagnes. Un massif montagneux, une région montagneuse. On peut escalader, gravir une montagne.

◄ Une vue du massif du mont Blanc.

■ **montagnard,** n. m. *Quand je suis allée dans les Alpes, j'ai rencontré des montagnards.* ■ **montagneux, euse,** adj. *La Suisse est un pays montagneux.* → couvert de montagnes.

monter 3 verbe

1. *L'avion est monté jusqu'à 10 000 mètres.* → il a atteint l'altitude (de).
2. *Le niveau de la rivière a monté.* → il s'est élevé.
3. *Muriel a monté l'escalier en courant.* → elle a grimpé.
4. *Rémi aime mieux monter un poney qu'un cheval.* → aller à.
5. *Éric a monté le paquet à la vieille dame du 3e étage.* → il a porté.
6. *Le tableau est trop bas, il faut le monter de 10 cm.* → le mettre plus haut. → le remonter.
7. *Vincent monte la tente.* → il dresse. ≠ démonter.

■ **se monter,** v. *Les dépenses de Marie se sont montées à 26 F.* → elles se sont élevées à.

EXPRESSIONS

- **Monter à cheval.** → aller à cheval.
- **Monter la garde.** → (pour un soldat) garder un endroit.
- **Monter sur le trône.** → (pour un roi) commencer à régner.
- **Monter sur ses grands chevaux.** → se mettre brusquement en colère pour une petite chose.

montre — nom fém.

Aurélie sait lire l'heure sur le cadran de sa montre.

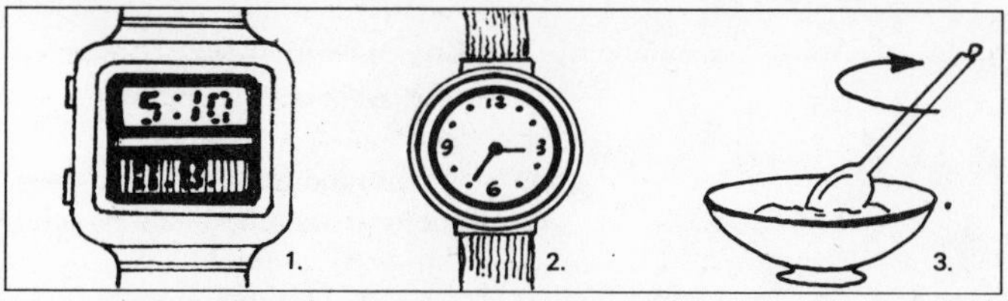

◄ 1. 2. Deux sortes de montres.
3. Dans le sens des aiguilles d'un montre.

EXPRESSION

Dans le sens des aiguilles d'une montre (pour préciser le sens d'un mouvement tournant).

montrer [3] — verbe

1. *Nadia montre à Noëlle son cadeau d'anniversaire.* → elle fait voir.
2. *Françoise nous a montré comment on fait une division.*

■ **se montrer,** v. **1.** *Le soleil ne s'est pas montré aujourd'hui.* ≃ apparaître. **2.** *Pendant la piqûre, Catherine s'est montrée très courageuse.* → elle a fait preuve de courage. ≃ être.

EXPRESSIONS

- **Montrer du doigt.** → indiquer.
- **Montrer les dents.** → se faire menaçant.
- **Montrer l'exemple.** → faire en premier ce qui sera imité ensuite.

monument — nom masc.

A Paris, nous avons visité plusieurs monuments : le Panthéon, Notre-Dame et le centre Beaubourg.

EXPRESSION

Un monument aux morts. → une construction destinée à rappeler le souvenir de ceux qui sont morts pendant une guerre.

se moquer (de) [3] — verbe

Quand Fabien est tombé de vélo, son frère s'est moqué de lui. → il a ri de lui.

■ **moquerie,** n. f. *J'en ai assez de ses moqueries !* ≃ plaisanterie, raillerie. ■ **moqueur, euse,** adj. ou n. m. et f. → (personne) qui aime se moquer.

M

morceau — nom masc.

1. *Marc mange un morceau de pain avec un gros morceau de fromage.* → un gros bout de.
2. *Michel nous a joué un morceau de guitare.* → une partie de musique assez courte.

ORTHOGRAPHE

Des morceau**x**.

mordre [31] — verbe

1. *Le chien m'a mordu, regarde la trace de ses dents sur ma main.* → il m'a fait une blessure avec ses dents.
2. *Julie mord dans sa pomme.* → elle enfonce ses dents.
3. *Le bouchon bouge, le poisson a mordu.* → il s'est pris à l'hameçon.

EXPRESSION

Mordre à belles dents. → mordre avec appétit.

mort — nom fém.

Julien a beaucoup pleuré à la mort de sa chatte. ≠ naissance.

■ **mort, e,** adj. *Un arbre mort n'a plus de feuilles.* ■ **mort, e,** n. m. et f. *Les morts sont enterrés dans un cimetière.* ≠ vivant. ■ **mortel, elle,** adj. **1.** *Tous les êtres vivants sont mortels.* → ils mourront un jour. **2.** *Ce virage est très dangereux ; il y a déjà eu plusieurs accidents mortels.* → dans lesquels des personnes sont mortes.

EXPRESSIONS

- **Danger de mort.** → risque d'accident mortel.
- **Une question de vie ou de mort.** → une situation où quelqu'un peut mourir si on n'agit pas à temps.
- **Etre mort de peur, de fatigue, de trac,** etc.

mot — nom masc.

Tortue *est un mot de six lettres.* Où est la tortue ? *est une phrase de quatre mots.*

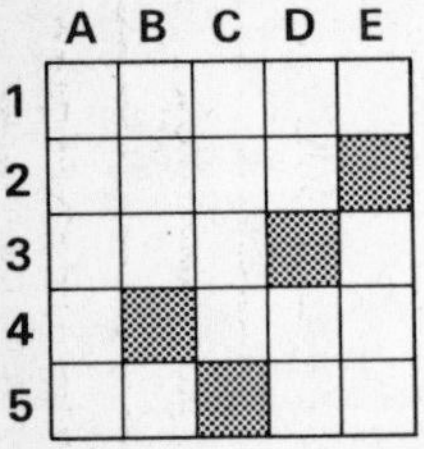

HORIZONTAL
1. La première des couleurs du drapeau français
2. La femelle du rat
3. Le contraire de neuf (pour un vêtement)
4. Mon, ton,...
5. Mot qui relie deux mots, deux propositions - Deuxième note de la gamme

VERTICAL
1. Le contraire de blonde
2. Fatigué
3. Après le printemps (au pluriel)
4. E U inversé - Métal précieux
5. Féminin de un

◄ Une grille de mots croisés.

EXPRESSIONS

- **En un mot, en quelques mots.** → brièvement.
- **Un gros mot.** → un mot grossier.
- **Mot à mot.** → un mot après l'autre.
- **Un mot d'enfant.** → une phrase, une remarque originale ou amusante d'un enfant.
- **Avoir le dernier mot.** → avoir raison (dans une discussion).

moteur — nom masc.

Pour faire fonctionner une voiture, il faut mettre le moteur en route.

VOCABULAIRE

Un moteur électrique, un moteur à essence.

moto — nom fém.

Elisabeth voudrait bien apprendre à conduire une moto.

◄ Un motocross est une course de motos qui s'effectue sur un terrain accidenté.

ORIGINE

Moto est l'abréviation de motocyclette.

ORTHOGRAPHE

Des moto**s**.

mou, molle — adj.

1. *Avec l'humidité, le pain est devenu mou.* ≠ dur.
2. *Guy est trop gros, son visage est mou.* ≠ ferme, énergique.
3. *Comme tu es mou, bouge un peu !* → lent, sans énergie. ≠ dynamique, énergique.

GRAMMAIRE

Sous la forme **mou**, l'adjectif épithète est toujours placé après le nom.
Un fromage **mou**, *un fromage à pâte* **molle**.

moudre — verbe

Valentine achète du café en grains et le moud dans un moulin ; André préfère le café moulu.

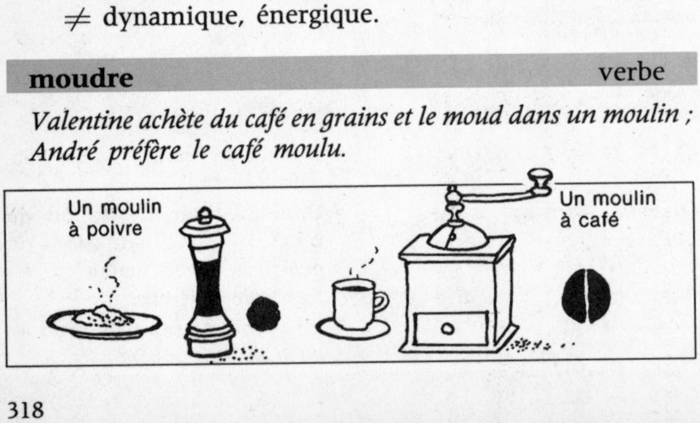

GRAMMAIRE

On utilise surtout : le présent, *je mouds, tu mouds, il moud* ; le futur, *je moudrai*, et le participe passé *moulu*.

AUTOUR DE

On moud le blé pour en extraire la farine.

mouette nom fém.

Des mouettes volent au-dessus du bateau. → des oiseaux blancs ou gris, aux pattes palmées, appartenant à la même famille que le goéland.

AUTOUR DE

La mouette a un cri strident. Elle se nourrit de poissons. Elle vit surtout près des côtes, en mer ou à l'embouchure de certains fleuves.

mouiller 3 verbe

Bénédicte mouille le timbre avant de le coller sur l'enveloppe. ≃ humidifier. ≠ essuyer, sécher.

moulin nom masc.

1. *Autrefois, on portait le blé au moulin, où il était moulu par le meunier. Aujourd'hui, les moulins sont des usines où l'on extrait la farine.*
2. *On moud le café dans un moulin à café.*

◂ 1. Un vieux moulin en pierre. 2. Un moulin en bois.

EXPRESSIONS

- **Un moulin à paroles** (fam.). → une personne très bavarde.
- **Un moulin à vent, à eau, à poivre, à légumes.**
- **Entrer quelque part comme dans un moulin.** → librement, sans frapper ni s'annoncer.

mourir 11 verbe

1. *Notre chatte est très malade, elle va bientôt mourir.* ≠ naître, vivre.
2. *Donne à boire à Sandra, elle meurt de soif !* → elle a très soif.

■ **mourant, e,** adj. *Notre voisine est mourante.* → elle est en train de mourir. ■ **mourant, e,** n. m. et f.

GRAMMAIRE

Le complément de cause est introduit par **de** : *Mourir* **d'***une grave maladie.*

VOCABULAIRE

Mourir jeune, mourir dans un accident. Mourir de faim, de rire.

1. mousse nom fém.

Il y a une jolie mousse verte et douce sous les arbres.

2. mousse nom fém.

Gilles se lave les cheveux ; sa tête est pleine de mousse blanche.

■ **mousser,** v. *Si tu verses vite de la bière, elle moussera beaucoup.* ■ **mousseux, euse,** adj. *Un chocolat bien mousseux.*

EXPRESSIONS

- **Le point mousse** (en tricot).
- **Une mousse au chocolat.** → un dessert avec du chocolat et des blancs d'œufs battus en neige.

mouton nom masc.

On obtient de la laine en tondant les moutons.

EXPRESSION

Doux comme un mouton.

M

mouvement — nom masc.

Monique a levé la main, Sébastien a eu un mouvement de recul. → un geste.

■ **mouvant, e,** adj. *Attention aux sables mouvants ! On peut s'enfoncer.* ■ **mouvementé, e,** adj. *Quel chahut ! Le cours de dessin a été mouvementé aujourd'hui.* → il a été agité. ≠ calme.

EXPRESSIONS

- **Un bon mouvement.** → une bonne action.
- **Mettre en mouvement.** → remuer, faire bouger, mettre en marche (un mécanisme), faire fonctionner.

1. moyen [mwajɛ̃], moyenne — adj.

1. *Hélène n'est ni une excellente élève, ni une mauvaise élève ; c'est une élève moyenne.* → elle a un niveau assez bon. ≃ passable.
2. *Pauline est de taille moyenne.* → elle n'est ni grande, ni petite.

EXPRESSIONS

- **Cours moyen** (les deux dernières années de l'école primaire).
- *Elle roule* **en moyenne** *à 90 km/h* (à une vitesse moyenne de). *Faire du 90* **de moyenne.**

2. moyen — nom masc.

1. *Ludovic cherche un moyen pour attraper le ballon coincé dans l'arbre.* ≃ procédé.
2. *Les parents de Jean-Luc n'ont pas les moyens de l'envoyer en vacances.* → ils n'ont pas assez d'argent.
3. *J'ai été si surpris que j'ai perdu tous mes moyens.* → toutes mes capacités.

EXPRESSIONS

- **Au-dessus de mes (tes, ses) moyens.** → trop cher pour moi (toi, lui).
- **Au moyen de quelque chose.** → grâce à, à l'aide de.
- **Les moyens de transport** (train, métro, vélo, etc.).

muet, muette — adj.

1. *Quand on ne peut pas parler, on est muet.*
2. *Dans le mot* temps, p *et* s *sont des consonnes muettes. Dans le mot* herbe, *le* h *est muet.* → on ne les prononce pas.

■ **muet, muette,** n. m., n. f. → personne qui n'a jamais eu ou qui a perdu l'usage de la parole.

EXPRESSIONS

- **Un film muet.** → un film dépourvu de son (≠ parlant).
- **Muet comme une carpe.** → très silencieux.
- **Rester muet.** → ne pas parler pendant quelque temps.

multiplication — nom fém.

8 × 4 = 32, la multiplication est juste. × est le signe de la multiplication.

■ **multiplier,** v. *Pour savoir combien de jours il y a dans trois semaines, il faut multiplier 3 par 7.* ≠ diviser.

AUTOUR DE

La multiplication est l'une des quatre opérations de calcul, avec l'addition, la soustraction et la division.

se munir [4] — verbe

Le sentier est boueux, munissez-vous de bottes. ≃ prendre.

mur — nom masc.

1. *Le maçon construit les murs de la maison.*
2. *Nicole colle une affiche sur le mur de sa chambre.* → la cloison.

EXPRESSION

Passer le mur du son (pour un avion). → aller plus vite que le son, ce qui produit une détonation dans l'air *(bang),* à environ 1 200 km/h.

mûr, mûre — adj.

1. *Cette tomate est encore verte ; quand elle sera mûre, elle deviendra rouge.* → prête à être mangée.
2. *Régis n'est pas assez mûr pour passer en 6ᵉ ; il faut qu'il redouble.* ≃ apte, capable, formé.

VOCABULAIRE

Il est mûr pour son âge (il est avancé).

murmurer 3 — verbe

Gilles ne voulait pas que Stéphanie entende ; il s'est approché de moi et a murmuré sa réponse. ≃ chuchoter.

■ **murmure,** n. m. *Taisez-vous ! Pas de murmures en classe !*

VOCABULAIRE

Un murmure de protestation. Accepter sans murmurer.

muscle — nom masc.

Quand tu serres le poing, on voit les muscles de ton bras.

■ **musclé, e,** adj. *Patrick fait beaucoup de sport, il est très musclé.* ■ **musculaire,** adj. *Soulever ce poids demande un grand effort musculaire.* ■ **musculature,** n. f. *L'ensemble des muscles forme la musculature.*

AUTOUR DE

- Les muscles permettent les mouvements des parties du corps.
- Le cœur est aussi un muscle. Il se contracte et se dilate régulièrement : ce sont les battements du cœur.

museau — nom masc.

Julien caresse le museau de la chienne.

ORTHOGRAPHE

Des mus**eaux**.

AUTOUR DE

Le brochet, le chat, le renard, le requin, le singe, la vache ont un museau.
Pour le cheval, on dit les naseaux, pour le porc, le groin.

musée — nom masc.

Quand Éliane a visité le musée, elle a acheté une carte postale du tableau qu'elle a préféré. → un lieu de conservation et d'exposition d'œuvres ou objets précieux.

ORTHOGRAPHE

Attention à la finale **-ée**, bien que mus**ée** soit masculin.

musique — nom fém.

1. *Béatrice chante, Benoît joue de la guitare : ils font de la musique.*
2. *Dorothée apprend à lire la musique.* → les notes.

■ **musical, e,** adj. *Fabien écoute une émission musicale.* ■ **musicien, ienne,** n. m. et f. **1.** *Pierre Boulez est un musicien contemporain.* → un compositeur de musique. **2.** *Les pianistes, les violonistes, les saxophonistes sont des musiciens.* → des interprètes de musique.

ORTHOGRAPHE

Attention ! Musi**qu**e s'écrit avec **qu** et musical avec **c**.

EXPRESSION

Une comédie musicale. → une pièce ou un film dans lesquels se trouvent des parties chantées.

mystère — nom masc.

Gabrielle ne nous a pas dit comment elle fait ce tour de carte, c'est un mystère. → une chose impossible ou difficile à comprendre. ≃ énigme.

■ **mystérieux, euse,** adj. *Alain prenait un air mystérieux.* → secret.

EXPRESSIONS

- **En grand mystère.** → en secret.
- **Cela n'a pas de mystère pour moi.** → je connais bien cette question.
- **Il y a un mystère là-dessous !**

M

Nn

nager [19] — verbe

Sandrine a appris à nager dans la piscine ; Nicolas aime nager dans la mer. → se déplacer par mouvements dans l'eau.

■ **nage,** n. f. *Magali sait nager la brasse, maintenant elle voudrait apprendre une autre nage.* ■ **nageoire,** n. f. *Les poissons se déplacent grâce à leurs nageoires.* ■ **nageur, euse,** n. m. et f. *Caroline est une bonne nageuse, elle a gagné des compétitions.*

GRAMMAIRE

On nage **dans** *la mer, un lac,* mais *on nage* **une** *longueur de piscine,* et *on nage* **la** *brasse.*

naissance — nom fém.

Sur la carte d'identité figurent notre nom et nos date et lieu de naissance. → le jour et l'endroit où nous sommes nés. ≠ mort.

■ **naître,** v. *Benoît a une petite sœur depuis hier : elle vient de naître.* ≠ mourir. ■ **né,** part. passé et adj. *Alice est née en 1973.* ≠ mort.

ORTHOGRAPHE

Passé simple : *je* **naquis**.
Futur : *il* **naîtra** (avec un accent circonflexe).
Participe passé : **né, née**.

narine — nom fém.

Myriam saigne du nez, Olivier lui a mis un coton dans la narine.

naseau [nazo] — nom masc.

Le cheval respire par les naseaux.

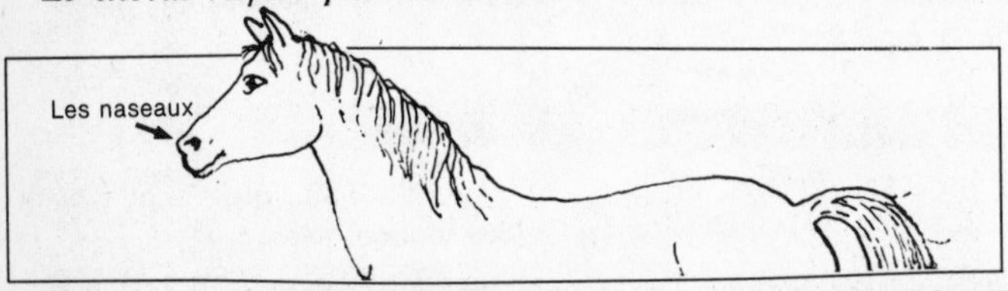

ORTHOGRAPHE

Des nas**eaux**.

AUTOUR DE

On appelle naseaux les narines de certains animaux comme : les chevaux, les chameaux, etc.

natal, natale — adj.

Romain n'a jamais quitté sa ville natale. → la ville où il est né.

VOCABULAIRE

Un pays ou un village natal. Une terre ou une maison natale.

natation — nom fém.

La natation est le sport préféré de Camille.

nature — nom fém.

1. *Gabriel est d'une nature curieuse.* → d'un caractère.
2. *Pierre aime se promener dans la nature.*

■ **naturel, elle,** adj. **1.** *Ses cheveux sont d'un blond naturel.* ≠ artificiel. **2.** *Elle est très naturelle.* → franche, sans manière.

VOCABULAIRE

Etre curieux par (de) nature. Une nature gaie. La protection de la nature.

nécessaire — adj.

Pour marcher en montagne, de bonnes chaussures sont nécessaires. → indispensables. ≠ inutile, superflu.

■ **nécessité,** n. f. *Le maître a insisté sur la nécessité d'avoir une bonne orthographe.* ■ **nécessiter,** v. *La fête a nécessité deux mois de préparation.* → elle a demandé, exigé.

GRAMMAIRE

Nécessaire se construit avec **à** : *L'équipement nécessaire* **à** *l'alpinisme.*

EXPRESSION

Il est nécessaire de. → il faut.

négatif, négative — adj.

Est-ce que tu aimes le céleri ? Bruno fait une grimace négative. → qui veut dire non. ≠ affirmatif.

■ **négation,** n. f. Ne *est un adverbe de négation.* ≠ affirmation.

GRAMMAIRE

- *Elle vient* est une phrase **affirmative**.
- *Elle ne vient pas* est une phrase **négative**.

neige — nom fém.

Christine et Yvon font un bonhomme de neige.

■ **neiger,** v. *Il a neigé cette nuit, la cour est toute blanche.*

◄ Des cristaux de neige.

ORTHOGRAPHE

Attention au **e** : il neig**e**ait.

EXPRESSION

Les neiges éternelles. → les sommets de montagnes recouverts de neige en toutes saisons.

nerf [nɛʀ] — nom masc.

Les nerfs assurent la communication du cerveau avec le reste du corps et permettent aux êtres vivants de voir, de sentir, etc.

■ **nerveux, euse,** adj. *La veille du départ, Charlotte était nerveuse.* → elle était énervée, excitée. ≠ calme.

ORTHOGRAPHE

N'oublie pas le **f** final !

net, nette — adj.

1. *La photo est nette, tous les détails se détachent parfaitement.* ≠ flou.
2. *Marcel a eu 4, puis 10 : il y a un net progrès dans ses résultats.* → un progrès évident, sensible.

■ **nettement,** mot inv. *Le brouillard s'est levé, on distingue nettement les maisons.* ≃ clairement. ≠ vaguement.

EXPRESSION

S'arrêter net. → s'arrêter tout d'un coup.

nettoyer [netwaje] 21 — verbe

Les chaussures de Paul sont pleines de boue, il faut les nettoyer.

■ **nettoyage,** n. m. *Le teinturier se charge du nettoyage des vêtements.*

ORTHOGRAPHE

Devant un **e** muet, le **y** devient **i** : *je netto**i**e.*

neuf, neuve — adj.

Martin habite dans une vieille maison, Olivia dans une maison neuve. ≠ ancien.

EXPRESSION

Quoi de neuf ? (fam.). → quoi de nouveau ?

neuf — adj. num. et nom masc.

1. adj. num. *Donne-moi neuf assiettes plates.*
2. n. m. *Nous nous sommes vus le 9 de ce mois.* → le neuvième jour.
3. n. m. *Le neuf fait partie des numéros sortis au Loto.*

VOCABULAIRE

- $5 + 4 = 9$; $6 + 3 = 9$; $3 \times 3 = 9$.
- Louis IX ou Saint Louis.
- Dix-neuf, vingt-neuf, trente-neuf... neuf cents... neuf mille.

neveu, nièce nom masc. et fém.

Le neveu est le fils d'un frère ou d'une sœur ; la nièce est la fille d'un frère ou d'une sœur.

nez [ne] nom masc.

Marcel est enrhumé, son nez coule. → l'organe de l'odorat grâce auquel on peut respirer et sentir les odeurs.

ORTHOGRAPHE

- Attention au **z** final.
- Des **nez.**

ni... ni loc. inv.

Je n'ai ni froid, ni faim, ni soif. → *Ni* sert à introduire une série d'éléments soumis à la même négation.

nid nom masc.

En montant dans l'arbre, Estelle a vu un nid qui contenait trois œufs. → l'abri que les oiseaux construisent pour y pondre leurs œufs, les couver et élever leurs petits.

ORTHOGRAPHE

Attention au **d** final !

AUTOUR DE

Pour construire leur nid, les oiseaux utilisent toutes sortes de matériaux : brins d'herbe, petites branches, mousse, duvet, brins de laine, etc.

◄ 1. Un nid de cigogne.
2. Un nid de merle.
3. Un nid de pivert.

nier 3 verbe

Damien a nié avoir participé à la bagarre. ≠ affirmer, avouer.

ORTHOGRAPHE

Attention au **e** : je ni**e**rai.

niveau nom masc.

1. *Le wagon n'est pas au niveau du quai : on y monte par deux marches.* → à la hauteur du.
2. *Régis apprend à nager, Adrienne sait déjà bien nager : ils ne sont pas au même niveau.* → d'une égale capacité.
3. *Après ces pluies violentes, le niveau de la Seine a monté.* → la hauteur de ses eaux.

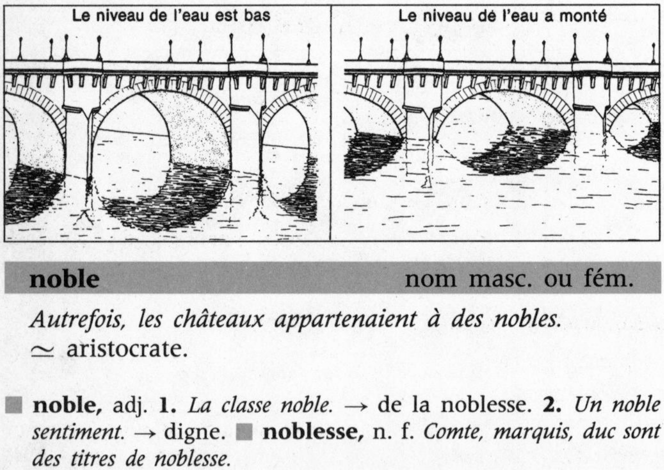

ORTHOGRAPHE

Des nive**aux**.

EXPRESSIONS

- **Le niveau de la mer.** → le niveau à partir duquel on mesure l'altitude : *Le mont Blanc est à 4 807 mètres au-dessus du* **niveau de la mer.**
- **Le niveau de vie.** → la façon de vivre en fonction de l'argent que l'on possède.

noble nom masc. ou fém.

Autrefois, les châteaux appartenaient à des nobles. ≃ aristocrate.

■ **noble,** adj. **1.** *La classe noble.* → de la noblesse. **2.** *Un noble sentiment.* → digne. ■ **noblesse,** n. f. *Comte, marquis, duc sont des titres de noblesse.*

ORIGINE

Noble vient d'un mot latin signifiant connu, célèbre.

AUTOUR DE

Les nobles portent un titre qu'ils transmettent à leurs héritiers.

nœud [nø] nom masc.

Michel n'arrive pas à défaire le nœud de son lacet.

◄ Plusieurs sortes de nœuds :
1. Un nœud coulant.
2. Un nœud plat.
3. Un nœud papillon.
4. Un nœud de cravate.
5. Un nœud dans les cheveux.
6. Une corde à nœuds.

ORTHOGRAPHE

Attention : **œ** et **d** !

noir, noire adj.

1. *Sébastien écrit avec une encre noire.* ≠ blanc.
2. *Il fait noir, Régine allume la lumière.* → sombre.

■ **noir,** n. m. **1.** *André n'aime pas le noir.* → la couleur noire. **2.** *Serge a peur dans le noir.* → dans l'obscurité.

EXPRESSIONS

- **Noir comme de l'encre, noir comme du charbon.** → très noir.
- **Nuit noire.** → nuit sans lune ni étoiles.

nom nom masc.

1. *Mon cousin s'appelle Rémi Bouchard : c'est son nom.* Bouchard *est son nom de famille,* Rémi *son prénom.*
2. Rémi, Bouchard, *sont des noms propres ;* cousin *est un nom commun.*

■ **se nommer,** v. *Sa cousine se nomme Elisabeth Duval.* → elle s'appelle.

ORTHOGRAPHE

Attention : deux **m** à nommer.

EXPRESSIONS

- **Traiter quelqu'un de tous les noms.** → l'injurier.
- ***Il* a pour nom *Éric.*** → il s'appelle.

nombre nom masc.

4 est un nombre plus élevé que 2.

■ **nombreux, euse,** adj. *Ce film fait de nombreuses entrées.* → beaucoup.

EXPRESSIONS

- **Bon nombre de, un grand nombre. ≠ un petit nombre.**
- **Etre au nombre de 4.** → être 4.

non mot inv.

Est-ce que tu vas en classe le mercredi ? – Non.
Céline et Adrien ont répondu non. ≠ oui.

EXPRESSION

Il aime **non seulement** *peindre* **mais aussi** *sculpter.* → il aime l'un et l'autre.

nord nom masc.

Le nord est la direction indiquée par l'aiguille de la boussole. → l'un des quatre points cardinaux.

VOCABULAIRE

Le vent du nord. Le pôle Nord. L'Afrique du Nord. Une coutume nord-africaine.

normal, normale adj.

Roland n'est pas encore revenu : ce n'est pas normal, il doit lui être arrivé quelque chose. → habituel, ordinaire. ≠ anormal.

■ **normalement,** mot inv. *Normalement, le maître arrive avant les élèves.* ≃ habituellement. ≠ exceptionnellement.

VOCABULAIRE

En temps normal. → dans des circonstances habituelles.

note nom fém.

1. *Quelle note as-tu eue à ta composition de français ?*
2. *Dans le texte, les mots difficiles sont expliqués par une note en bas de page.* → une courte explication.
3. *En quittant le restaurant, Évelyne a payé la note.* → l'addition.
4. Do, ré, mi, fa, sol, la, si *sont les sept notes de la gamme.*

◄ Les notes de la gamme de do majeur.

■ **noter,** v. **1.** *Agnès note sur son carnet le jour de la visite médicale.* → elle inscrit. **2.** *L'épreuve est notée sur 10.*

EXPRESSIONS

- **Une bonne note ≠ une mauvaise note.** → une note bien supérieure (ou bien inférieure) à la moyenne.
- **Une fausse note.** → une erreur (en jouant de la musique).
- **Prendre des notes.** → noter, inscrire.
- **Prendre en note.** → écrire les paroles de quelqu'un.
- **Prendre note.** → retenir.

notre adj. poss.

Nous avons rangé notre chambre et ciré nos chaussures.

■ **le (la, les) nôtre(s),** pron. pers. *Vos bottes sont rouges, les nôtres sont noires.*

GRAMMAIRE

Notre et **nôtre** se rapportent à la première personne du pluriel.

nouer 3 verbe

Lise noue le ruban autour de son cadeau.

ORTHOGRAPHE

Attention au **e** du futur : *je nou**e**rai.*

nourrir 4 verbe

1. *Xavier nourrit son chat deux fois par jour.* → il lui donne à manger.
2. *Isabelle nourrit son bébé.* ≃ allaiter.

■ **nourrissant, e,** adj. *Le chocolat est un aliment très nourrissant.* ■ **nourriture,** n. f. *Pour le pique-nique, nous avions apporté trop de nourriture.* ■ **se nourrir,** v. *La vache se nourrit d'herbe.* → elle mange.

AUTOUR DE

Se nourrir, c'est manger des aliments nécessaires à la vie. Chaque espèce a sa manière particulière de se nourrir : les herbivores se nourrissent d'herbe, les carnivores de viande. La nourriture des êtres humains est variée.

nouveau, nouvelle adj. et nom masc. et fém.

1. adj. *Sébastien a grandi, il a besoin d'un nouveau manteau.* → d'un autre manteau, d'un manteau neuf. ≠ ancien, usagé, vieux.
2. adj. *La nouvelle mode est aux jupes longues.* → récente. ≠ précédent.
3. n. m. et f. *La nouvelle a été installée dans notre bureau.* → la personne récemment arrivée.

ORTHOGRAPHE

Nouveau fait *nouvel* devant la voyelle ou le *h* muet d'un mot masculin : Le *nouvel* an.

EXPRESSIONS

- *Ton calcul est faux, essaie* **à nouveau** *de le recompter.* → une nouvelle fois.
- **De nouveau.** → encore une fois.

noyau [nwajo] nom masc.

Les pommes ont des pépins, les cerises ont des noyaux.

ORTHOGRAPHE

Des noy**aux**.

se noyer 21 verbe

Si on ne sait pas nager, on peut se noyer là où l'on n'a pas pied. → mourir asphyxié dans l'eau.

■ **noyade,** n. f. *Le maître-nageur a sauvé cette nageuse imprudente de la noyade.* ■ **noyé, e,** n. m. et f. *On a repêché un noyé dans le fleuve.*

ORTHOGRAPHE

Le **y** de *noyer* se transforme en **i** devant un **e** muet : *il se no**i**e.*

nu, nue adj.

Sophie est toute nue. ≠ elle ne porte aucun vêtement. ≠ habillé.

EXPRESSION

Nu-pieds, nu-tête (*nu* est invariable dans cet emploi).

nuage nom masc.

On ne voit pas le soleil, il est caché par des nuages.

■ **nuageux, euse,** adj. *Le ciel est nuageux.* ≠ clair, dégagé.

EXPRESSIONS

- **Etre dans les nuages.** → être distrait.
- *La voiture soulevait* **un nuage de** *poussière.* → une masse (qui empêche de voir).

◄ Ce nuage est un cumulo-nimbus. Très souvent, il annonce un orage.

nuire [13] verbe

Je n'ai pas fait cela pour te nuire. → pour te faire du tort. ≠ aider.

■ **nuisible,** adj. *Trop d'eau est nuisible pour les plantes.* ≠ utile.

GRAMMAIRE

Nuire et **nuisible** se construisent avec **à**.

N

nuit [nɥi] nom fém.

Michèle n'aime pas conduire la nuit. ≠ jour, journée.

EXPRESSION

Une nuit blanche. → une nuit sans sommeil.

nul, nulle adj.

1. *4 à 4 : les deux équipes ont fait match nul.* → il n'y a ni gagnant ni perdant.
2. *Damien est nul en géographie.* → très mauvais. ≠ excellent.

EXPRESSION

Nulle part. → en aucun endroit.

numéro nom masc.

1. *Quel est ton numéro de téléphone ?*
2. *Régis a reçu le dernier numéro de son journal.* → l'exemplaire qui vient de paraître.
3. *Geneviève a beaucoup aimé le numéro du jongleur.* → une partie du spectacle.

■ **numéroter,** v. *Fabien numérote les pages de son cahier.*

ORTHOGRAPHE

L'abréviation de *numéro* est **n°** ou **N°**.

EXPRESSION

Un numéro gagnant (≠ perdant). → dans une loterie, une tombola.

nuque nom fém.

Maryse a noué son écharpe sur la nuque.

Oo

oasis [ɔazis] nom fém.

Au milieu du désert, on trouve des points d'eau où poussent des palmiers : ce sont des oasis.

◀ Une oasis dans le désert.

EXPRESSION

Ce grand parc est **une oasis de paix** *pour les oiseaux.* → un lieu où ils vivent en toute tranquillité.

obéir 4 verbe

1. *Le manœuvre obéit aux ordres de son chef.* ≠ désobéir.
2. *Il appuya sur la pédale, mais le frein n'obéissait plus.* → il ne répondait plus.

■ **obéissance,** n. f. *L'obéissance du soldat.* ≠ désobéissance.

EXPRESSIONS

- **Obéir au doigt et à l'œil.** → faire immédiatement ce qui est ordonné.
- **Se faire obéir.** → imposer ses ordres, son autorité.

objet nom masc.

1. *Voici plusieurs sortes d'objets : un crayon, une pierre, un vase.* ≃ chose.
2. *Ce livre a pour objet de vous faire mieux connaître la vie des animaux.* → il a pour but.

VOCABULAIRE

Des objets d'art (poteries anciennes, peintures...), des objets de toilette (brosse à dents, peigne, rasoir), des objets de bureau (règle, crayons, agrafeuse).

obliger 19 verbe

1. *Cette averse soudaine a obligé les passants à s'abriter.* → elle a contraint.
2. *Son père l'a obligé à dire la vérité.* → il l'a forcé.

■ **obligation,** n. f. *C'est une obligation, pour les enfants, d'aller à l'école jusqu'à seize ans.* → ils doivent aller à l'école.

EXPRESSIONS

- **Etre dans l'obligation de.** → devoir.
- **Se faire une obligation de.** → considérer comme un devoir de.

obscur, obscure adj.

1. *La nuit, Laurent a toujours peur d'emprunter les rues obscures de la ville.* ≃ noir, sombre. ≠ clair, éclairé.
2. *Cet étranger me parle dans une langue obscure.* → incompréhensible, inconnue.

■ **obscurité,** n. f. *Pour la projection d'un film, on plonge la salle dans l'obscurité.*

ORTHOGRAPHE

Les noms féminins en **-té** ne prennent pas le -e du féminin, sauf la dic**tée**, la je**tée**, la mon**tée**, la pâ**tée**, la por**tée**, la po**tée**..., et ceux qui indiquent le contenu (la brouet**tée**, la pelle**tée**...).

observer 3 verbe

1. *Paul observe un timbre avec une loupe.* → il examine.
2. *Pour écrire sans fautes, il faut observer les règles de l'orthographe et de la grammaire.* → appliquer, respecter, suivre.
3. *Il m'a fait observer très justement que mon projet n'était pas réalisable.* → il m'a fait remarquer.

■ **observation,** n. f. **1.** *La maîtresse fait des observations à Louise, qui lui avait désobéi.* → des reproches. **2.** *Dans les forêts, on a construit des postes d'observation élevés pour surveiller les incendies.*

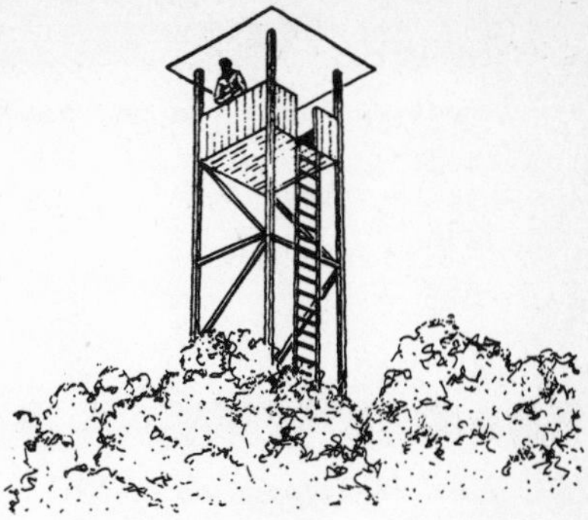

Un poste d'observation.

obstacle [ɔbstakl] nom masc.

1. *Cette haute montagne constitue un obstacle infranchissable.* → une barrière.
2. *Dans une course d'obstacles, les coureurs doivent franchir des haies.*

VOCABULAIRE

On peut élever, enjamber, franchir, placer, rencontrer, sauter, supprimer, trouver un obstacle.

s'obstiner 3 verbe

Valérie s'obstine à vouloir sortir malgré la pluie. → elle s'entête. ≠ abandonner, se décourager.

obtenir 34 verbe

1. *Éric a obtenu le premier prix de piano.* ≃ avoir, gagner, recevoir.
2. *On obtient du vin à partir du raisin.* → on fabrique.

occasion nom fém.

1. *La maîtresse est sortie ; Irma profite de l'occasion pour bavarder.* → de la circonstance, de la situation.
2. *Mon frère a acheté une voiture d'occasion.* ≠ neuve.

EXPRESSIONS

- **A l'occasion,** *passez me voir.*
- **A l'occasion de** *mon anniversaire, il m'a offert une montre.*

O

occuper 3 verbe

1. *Ce buffet occupe beaucoup de place dans la cuisine.* → il prend, tient.
2. *Ce livre m'a occupé toute la soirée.* → il m'a amusé, distrait, intéressé.
3. *Dans l'Antiquité, les Romains ont occupé la Gaule.* → ils ont envahi.

■ **occupation,** n. f. **1.** *Paul a trouvé une nouvelle occupation : il collectionne les timbres de tous les pays.* **2.** *L'occupation de la France par les Allemands a duré de mai 1940 à mars 1945.* ■ **s'occuper,** v. **1.** *Michel apportera la viande, Clotilde s'occupe du dessert.* → elle se charge. **2.** *Elle s'occupe en lisant une revue.* → elle se distrait, passe son temps.

VOCABULAIRE

Que peut-on occuper ?
- un pays, pour le soumettre,
- un appartement, pour l'habiter, y loger,
- le temps, pour se distraire, le faire passer,
- un emploi, pour travailler.

océan [ɔseɑ̃] nom masc.

L'océan Atlantique sépare l'Europe de l'Amérique. ≃ mer.

VOCABULAIRE

On peut traverser, franchir un océan. L'océan baigne, entoure un pays.

odeur nom fém.

Cette eau de toilette à la lavande dégage une odeur agréable.

■ **odorat,** n. m. *Le chien de chasse a un odorat très développé.* ≃ flair.

ORTHOGRAPHE

N'oublie pas le **t** final de odora**t**.

VOCABULAIRE

- L'odeur du café est l'arôme.
- L'odeur d'un vin est le bouquet.
- L'odeur d'un rôti est le fumet.

œil [œj] nom masc.

1. *L'œil est l'organe de la vue.*
2. *Si tu as de bons yeux, lis-moi cet article.* → une bonne vue.

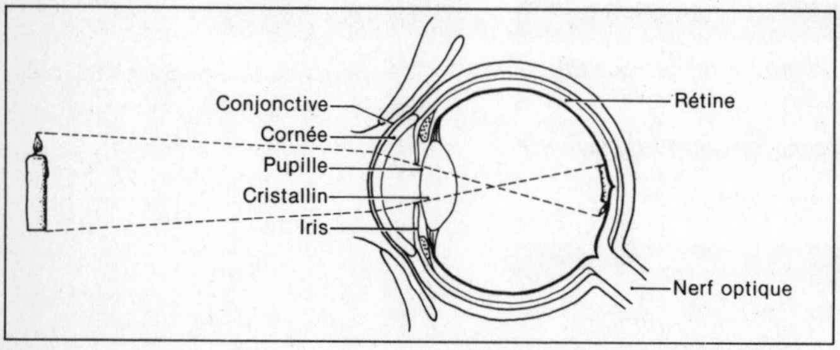

◄ La coupe de l'œil et ses différentes parties

ORTHOGRAPHE

Un œil/des **yeux**.

GRAMMAIRE

Une personne **aux** yeux bleus.

œuf [œf] nom masc.

Les oiseaux pondent des œufs, ils les couvent, puis les œufs éclosent, et les oisillons naissent.

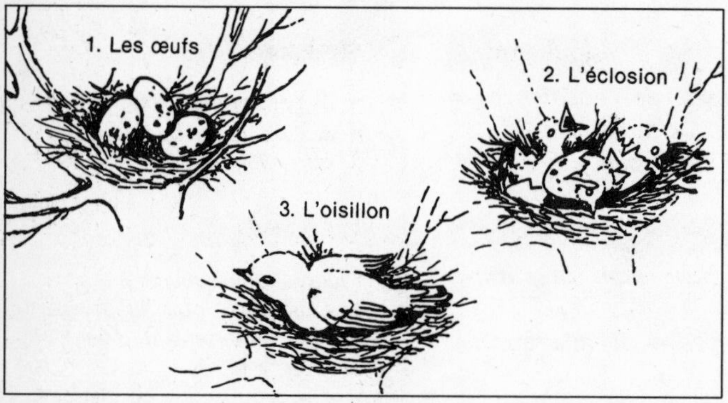

ORTHOGRAPHE

Un œuf/des œufs [ø].

œuvre [œvʀ] nom fém.

1. *Au musée du Louvre, on peut admirer des œuvres de grands peintres.* → des tableaux, des toiles.
2. *Je possède plusieurs œuvres de Jules Verne.* → des livres, des ouvrages écrits par.
3. *Regardez mon œuvre, dit Myriam, en brandissant son dessin.* ≃ ouvrage.

EXPRESSIONS

- **Un chef-d'œuvre.** → une œuvre magnifique, parfaite.
- **Se mettre à l'œuvre.** → au travail.

offrir [22] verbe

Pour sa fête, Léa a offert un bouquet de roses à sa mère. → elle a donné. ≠ recevoir.

oiseau nom masc.

L'autruche, le pigeon, le rouge-gorge, le pinson sont des oiseaux.

ORTHOGRAPHE

Des oi**seaux**.

1. L'autruche.
2. Le pigeon.
3. Le rouge-gorge.
4. Le pinson.
5. La pie.

ombre nom fém.

En été, je reste à l'ombre lorsque le soleil est trop fort.

oncle nom masc.

Louis ira passer ses vacances chez l'un de ses oncles. → un frère de son père ou de sa mère.

ongle nom masc.

Au bout de chaque doigt se trouve un ongle.

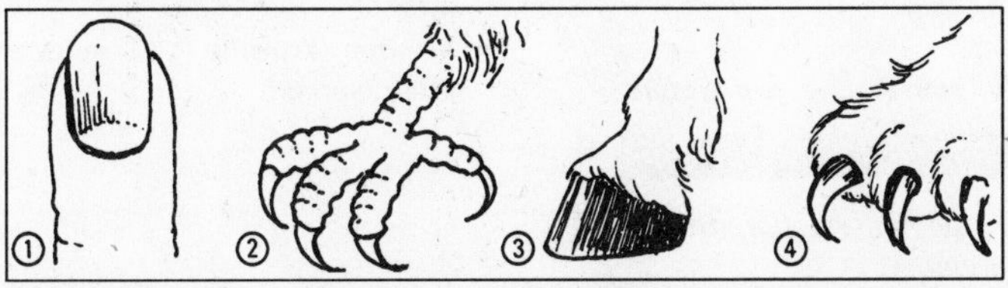

AUTOUR DE

Les ongles chez les animaux se nomment : griffes chez le chat ; serres chez l'aigle ; sabots chez le cheval ; ergots chez le coq.

1. Un ongle.
2. Des serres.
3. Un sabot.
4. Des griffes.

opération nom fém.

1. *Écris ces chiffres les uns sous les autres, puis fais ton opération.* → effectue le calcul.
2. *On a conduit le malade dans la salle d'opération.*

■ **opérer,** v. **1.** *Roger vient d'être opéré de l'appendicite.* **2.** *Comment opérer sans être vu ? se demandait le cambrioleur.* ≃ agir.

AUTOUR DE

L'addition, la soustraction, la multiplication, la division sont quatre opérations arithmétiques.

O

opposé, opposée adj.

Notre équipe de football va être opposée à celle de l'école voisine. → confrontée.

■ **opposé,** n. m. *Lille est à l'opposé de Marseille.* → elle est située à l'autre extrémité de la France. ■ **opposition,** n. f. *Nos avis sont en opposition.* → ils s'affrontent, s'opposent, sont contraires.

1. or nom masc.

Pour sa fête, Monique a reçu un bracelet en or. → un métal précieux, brillant, de couleur jaune.

EXPRESSIONS

- **Avoir un cœur d'or.** → être très bon.
- **Une affaire en or.** → une bonne affaire.

2. or mot inv.

Nous avions laissé la clef sous le paillasson en partant, or, quand nous sommes revenus, elle avait disparu.

GRAMMAIRE

Voici les sept conjonctions de coordination en français : **et, ou, ni, mais, or, car, donc**.

orage nom masc.

Le ciel s'assombrit, le tonnerre gronde, les éclairs zèbrent le ciel : un orage se prépare.

orchestre [ɔʀkɛstʀ] nom masc.

Plusieurs musiciens qui jouent ensemble, forment un orchestre.

ORTHOGRAPHE

Attention ! Le son [k] s'écrit *ch.*

ordinaire adj.

Voilà un repas très ordinaire. → banal, commun, courant, habituel. ≠ exceptionnel, extraordinaire, inhabituel.

ordre nom masc.

1. *La chambre de Virginie est toujours en ordre.* → bien rangée. ≠ désordre.
2. *Le capitaine donne des ordres aux soldats.* → des commandements.
3. *Dans les rangs, les enfants étaient alignés par ordre de taille, du plus petit au plus grand.* ≃ classement.

VOCABULAIRE

Mettre de l'ordre, c'est aligner, arranger, classer, disposer, grouper, placer, poser ou ranger.

oreille [ɔʀɛj] nom fém.

Nous pouvons entendre grâce aux oreilles, qui sont les organes de l'ouïe.

■ **oreiller,** n. m. *Dès que j'ai la tête posée sur mon oreiller, je m'endors.*

EXPRESSIONS

- **Dresser l'oreille.** → être attentif.
- **Tendre l'oreille.** → écouter attentivement.

organe nom masc.

Les yeux sont les organes de la vue ; le nez est l'organe de l'odorat ; la langue est l'organe du goût.

organiser [3] verbe

Pour l'anniversaire de Yolande, nous organiserons une petite fête. ≃ préparer.

orgueil [ɔʀgœj] nom masc.

Depuis qu'il est premier, José nous regarde avec orgueil. → d'un air hautain. ≠ modestie, simplicité.

■ **orgueilleux, euse,** adj. *Sabine ne nous salue pas ; quelle orgueilleuse !* ≃ vaniteux.

ORTHOGRAPHE

Après **c** ou **g**, **-euil** devient **-ueil** ; ex. : l'or**gueil**, un ac**cueil**, il re**cueille**.

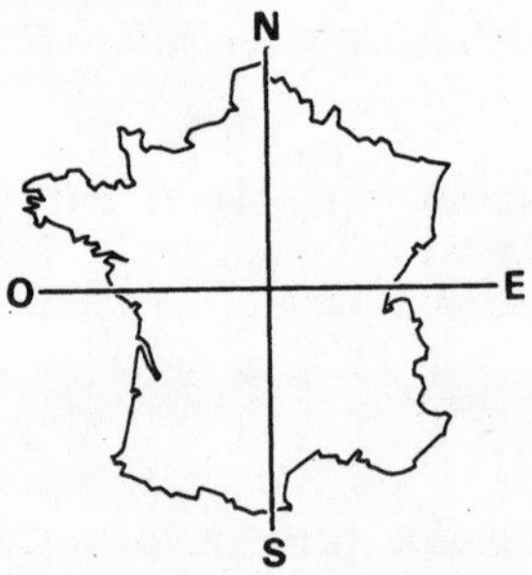

Les quatre points cardinaux permettent de s'orienter.

orienter [3] verbe

La façade de la maison est orientée plein sud.

■ **orientation,** n. f. *Paul ne se perd jamais en forêt ; il a un grand sens de l'orientation.* ■ **s'orienter,** v. *Les marins s'orientent grâce à leur boussole.* → ils se dirigent.

orteil [ɔʀtɛj] nom masc.

Les orteils sont les doigts du pied.

orthographe [ɔʀtɔgʀaf] nom fém.

Avoir une bonne orthographe, c'est écrire sans faire de fautes.

VOCABULAIRE

Une orthographe peut être correcte ou incorrecte.

os [ɔs] nom masc.

Le squelette est formé de nombreux os.

ORTHOGRAPHE

Un os [ɔs], des os [o].

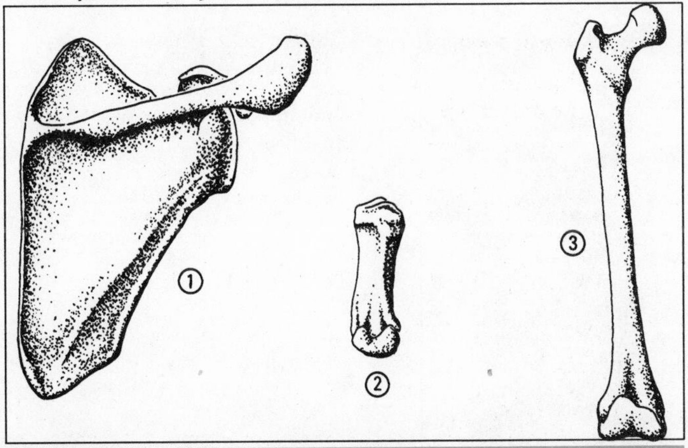

◄ Plusieurs sortes d'os :
1. Un os plat (omoplate).
2. Un os court (métacarpe).
3. Un os long (fémur).

oser [3] verbe

Lise a osé s'aventurer seule dans la forêt en pleine nuit. → elle a eu le courage, l'audace. ≠ craindre de.

osier [ozje] nom masc.

La corbeille de mon chat est en osier.

ôter [3] verbe

1. *Avant d'entrer, ôte ton manteau.* → enlève, retire. ≠ enfiler, mettre.
2. *3 ôtés de 8 font 5.* → enlevés, retranchés, soustraits. ≠ additionner, ajouter à.

O

ou mot inv.

1. *Tu as le choix : ou tu entres, ou tu sors !* → ou bien..., ou bien... ≃ soit..., soit...
2. *Veux-tu un disque ou un livre pour ta fête ?*

GRAMMAIRE

Ou marque l'alternative, le choix, et est l'équivalent de **ou bien**.

où mot inv.

1. *Je ne sais pas où elle est allée !* → Indique l'endroit, le lieu.
2. *C'est l'heure où papa quitte son bureau.* → Indique le moment, l'instant.

oublier [3] verbe

1. *Michel a oublié son pull-over dans le vestiaire de la piscine.* → il l'a laissé.
2. *J'ai oublié le nom de la rue où elle habite.* → je ne me souviens plus. ≠ retenir.

■ **oubli,** n. m. *Jean a fait un oubli dans sa dictée.* ≃ omission.

GRAMMAIRE

- On oublie quelque chose.
- On oublie **de** faire quelque chose.
- On oublie **qu'**on a quelque chose à faire.

ouest [wɛst] nom masc.

Les quatre points cardinaux sont le nord, le sud, l'est et l'ouest. → le couchant, l'occident. ≠ est, levant, orient.

AUTOUR DE

Le soleil se lève à l'est et se couche à l'ouest.

oui mot inv.

« Sais-tu ta récitation ? – Oui ! je la sais. » ≠ non.

ours [uʀs] nom masc.

Au cirque, on a applaudi le numéro comique des ours.

1. L'ours blanc.
2. L'ours brun.

AUTOUR DE

La Grande Ourse et la Petite Ourse désignent des constellations d'étoiles.

outil [uti] nom masc.

Les clés, le marteau, le tournevis sont les outils du mécanicien. → les ustensiles de travail, les instruments.

■ **outillage** [utijaʒ], n. m. *L'outillage du jardinier se compose d'un râteau, d'une bêche, d'une pelle, d'une binette, d'un plantoir, etc.* → l'ensemble des outils.

ORTHOGRAPHE

Attention au **l** muet à la fin du mot :
un outi**l** → un outi**ll**age,
un fusi**l** → une fusi**ll**ade,
un gri**l** → une gri**ll**ade.

ouvrage nom masc.

1. *Dès l'entrée en classe, nous nous mettons à l'ouvrage.* → au travail.

2. *J'adore lire les ouvrages sur les animaux.* → les livres.

EXPRESSION

Avoir le cœur à l'ouvrage. → être plein d'ardeur.

ouvrier, ouvrière nom masc., nom fém.

Mon oncle Pierre est un ouvrier maçon.

ouvrir 22 verbe

1. *Le bijoutier ouvre son coffre-fort et sort des bijoux.* ≠ boucler, fermer.

2. *Une nouvelle discothèque vient d'ouvrir dans la ville.* → d'être créée.

■ **ouvert, e,** adj. *Laisse la fenêtre ouverte !* ≠ fermé. ■ **ouverture,** n. f. *L'ouverture de ce magasin est prévue pour la fin de l'année.* ≠ fermeture.

VOCABULAIRE

Une ouverture peut être :
- une baie, une bouche de métro, une boutonnière, un col dans une montagne, une fenêtre, un hublot, une lucarne, une meurtrière, une porte, un vasistas...

ovale adj.

Le ballon de rugby a une forme ovale.

oxygène [ɔksiʒɛn] nom masc.

L'oxygène contenu dans l'air est indispensable à la vie.

Pp

pacte nom masc.

Jacques a proposé à Éric de ne plus se battre et de faire un pacte. → un accord. ≃ traité.

VOCABULAIRE

Un pacte peut être conclu, signé ou rompu.

page nom fém.

Ce livre a 128 pages ; chaque page porte un numéro.

payer 21 verbe

1. *Christine a travaillé dans un magasin qui va la payer.* → lui donner de l'argent.
2. *Voici de l'argent pour payer le pain.* → pour en faire l'achat.
3. *Angèle m'a payé une glace* (fam.). → elle me l'a offerte, elle me l'a achetée.

■ **paie,** n. f. *A la fin du mois, Nicole reçoit sa paie.* → son salaire. ■ **paiement,** n. m. *Il préfère un paiement en liquide.* → il préfère être payé en billets plutôt que par chèque. ■ **payant, e,** adj. *L'entrée de ce musée est payante.* ≠ gratuit.

ORTHOGRAPHE

- Verbe : Je **paie** ou je **paye**. Je **paierai** ou je **payerai**. **Paie** ! ou **paye** !
- Nom : **Paie** peut aussi s'écrire **paye**.

EXPRESSION

Il (ou tu) me le paiera(s). → il m'a joué un tour, mais je me vengerai.

paille nom fém.

1. *Avant la course de motos, on a mis des ballots de paille sur les bords de la piste.*
2. *Anne boit sa limonade avec une paille.*

AUTOUR DE

La paille est la tige des céréales dont le grain a été enlevé.

pain nom masc.

Pour faire le pain, le boulanger mélange de la farine avec de l'eau et du levain, pétrit la pâte, la coupe, la laisse lever et la fait cuire dans un four.

EXPRESSIONS

- **Du pain frais.** → croustillant. ≠ **Du pain dur.** → rassis.
- **Du pain sec.** → sans rien pour l'accompagner.

◄ 1. Une baguette.
2. Un pain de campagne court.
3. Un bâtard.
4. Un pain de seigle rond.
5. Une couronne.
6. Un pain de son.
7. Un pain de campagne.
8. Une ficelle.
9. Un pain en épi.

pair, paire adj.

2, 4, 6, 8, 10 : de ce côté de la rue, toutes les maisons portent des numéros pairs. ≠ impair.

AUTOUR DE

Un nombre pair est un nombre exactement divisible par deux.

paire nom fém.

Où est ma paire de gants ? → mes deux gants.

paix nom fém.

1. *La paix a été conclue entre ces deux pays ennemis.* → ils ont arrêté la guerre.
2. *Je voudrais avoir la paix !* ≃ calme, repos, tranquillité. ≠ conflit, dispute, guerre.

■ **paisible,** adj. ≃ en paix.

EXPRESSION

Laisse-moi en paix ! → laisse-moi tranquille, ne me dérange pas !

VOCABULAIRE

Un traité de paix. En temps de paix. Un gardien de la paix.

1. palais nom masc.

Autrefois, les rois habitaient dans des palais. → de grandes constructions somptueuses.

AUTOUR DE

Aujourd'hui, les palais sont des bâtiments publics : le Palais des Sports à Paris est une salle de spectacles, le Palais des Papes à Avignon est devenu un musée.

◄ Le Palais des Papes à Avignon.

2. palais nom masc.

Aline fait claquer sa langue contre son palais.

pâle adj.

1. *Dans la voiture, Delphine avait mal au cœur : elle était pâle.* → elle avait perdu ses couleurs.
2. *Ma chemise est jaune pâle.* → jaune clair. ≠ foncé, vif.

■ **pâleur,** n. f. *La pâleur de son teint.* ■ **pâlir,** v. *Les rideaux rouges ont pâli avec le soleil.* → ils sont devenus plus clairs.

ORTHOGRAPHE

Attention à l'accent circonflexe sur le **a.**

VOCABULAIRE

On peut devenir pâle de colère, d'envie, de peur.

palper [3] verbe

Christine palpe la poire pour savoir si elle est mûre. → elle la tâte.

palpiter [3] verbe

Julie a grimpé l'escalier à toute allure, son cœur palpite. → il bat très fort.

■ **palpitant, e,** adj. *Noëlle attend impatiemment la suite de ce feuilleton palpitant.* → captivant, passionnant.

AUTOUR DE

Le cœur palpite lorsqu'on fait un effort physique ou lorsqu'on est ému.

pamplemousse nom masc.

En hors-d'œuvre, David a préparé des demi-pamplemousses.

panier nom masc.

Avant de partir en pique-nique, Céline et Hervé mettent les provisions dans un panier.

panne nom fém.

Pendant la panne de courant, nous nous sommes éclairés à la bougie. → l'interruption accidentelle.

EXPRESSION

La voiture est **en panne.** → elle ne fonctionne plus.

panneau nom masc.

1. *Les affiches sont collées sur des panneaux.*
2. *Sur les routes, les panneaux qui précisent la direction et la distance sont des panneaux indicateurs.*

EXPRESSION

Tomber dans le panneau. → tomber dans un piège, se faire prendre.

panorama nom masc.

Du haut de la tour, on découvre un magnifique panorama. → un vaste paysage.

■ **panoramique,** adj. *Du haut de cette colline, vous avez une vue panoramique de notre ville.* → de l'ensemble de la ville.

pansement nom masc.

Elle a appliqué un pansement sur la plaie pour la protéger.

■ **panser,** v. *L'infirmière panse le blessé.*

VOCABULAIRE

Une bande, un sparadrap, une compresse, du coton ou de la gaze servent à confectionner un pansement.

pantalon nom masc.

Un costume comprend un pantalon et une veste.

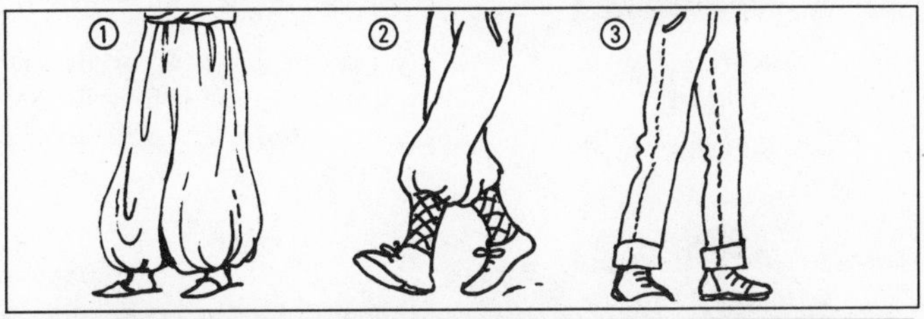

◄ 1. Un pantalon de zouave.
2. Un pantalon de golf.
3. Un blue-jean.

ORIGINE

Pantalon vient du nom d'un personnage de la comédie italienne qui portait un vêtement tout d'une pièce.

panthère nom fém.

Le pelage de la panthère est jaune tacheté de noir.

◄ Une panthère noire.

ORTHOGRAPHE

Attention au **h** après le **t**.

AUTOUR DE

La panthère d'Afrique s'appelle le léopard. La panthère habite dans les forêts. C'est un mammifère féroce, agile et robuste, carnivore.

P

paon [pɑ̃], **paonne** nom masc., nom fém.

Regarde ce paon qui fait la roue ! → un oiseau dont le mâle possède une longue queue aux plumes bleu et vert, qu'il peut redresser et étaler en éventail pour faire la roue.

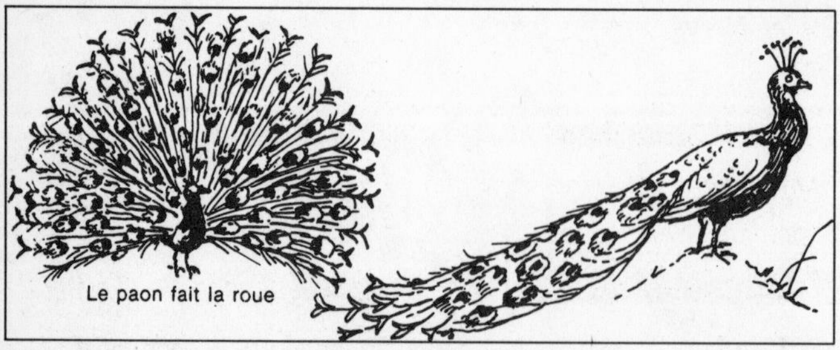
Le paon fait la roue

ORTHOGRAPHE

Attention au **-aon** qui se prononce [ɑ̃] comme dans *faon* ou *taon.*

EXPRESSION

Vaniteux comme un paon. → très vaniteux.

pape nom masc.

Le pape est le chef de l'Église catholique et habite au Vatican, en Italie.

La basilique Saint-Pierre de Rome, au Vatican.

Le pape Jean-Paul II.

papier nom masc.

1. *Élodie fait un dessin sur une feuille de papier.*
2. *Charles n'aime pas le papier peint de sa chambre.*
3. *« Vos papiers ! » a demandé l'agent de police.* → les papiers officiels d'identité.

AUTOUR DE

Le papier fut inventé par les Chinois il y a presque deux mille ans et ne fut connu en Europe que mille ans après.

papillon nom masc.

Chantal a attrapé des papillons avec son filet.

1. Sphinx.
2. Paon de jour.
3. Vanesse Belle Dame.
4. Piéride du chou.
5. Machaon.

AUTOUR DE

La chenille file un cocon qui se transforme ensuite en chrysalide puis en papillon.

par mot inv.

1. *Xavier a lancé son ballon par la fenêtre.*
→ Introduit un complément de lieu.
2. *Magali et Sandrine se tiennent par la main.*
→ Introduit un complément de manière.
3. *Stéphanie a ouvert la porte par hasard.*
→ Introduit un complément de cause.
4. *Antoine a été puni par la maîtresse.*
→ Introduit un complément d'agent.

GRAMMAIRE

- *Des bourgeons apparaissent* **par-ci, par-là.**
- *Je suis passé* **par-derrière.**
- *Vous êtes-vous promenés* **par ici ?**
- *Je fais trois repas* **par jour.**

paraître 23 verbe

1. *Cédric a neuf ans, mais il paraît plus jeune.* → il semble.
2. *Il paraît que Nadine est malade.* → on dit que.

ORTHOGRAPHE

Le **i** ne prend pas d'accent circonflexe sauf s'il est suivi d'un **t** : *je paraîtrai*, mais *je paraissais.*

parallèle adj.

Le train roule sur des rails parallèles. → toujours à la même distance d'écartement.

parc nom masc.

1. *Dimanche, nous sommes allés nous promener dans le parc.*
→ un grand jardin planté d'arbres et entouré d'une clôture.
2. *Sébastien ne sait pas encore marcher, il reste dans son parc.*
→ un petit endroit clôturé pour les bébés.

VOCABULAIRE

Un parc zoologique ou un zoo.

parce que mot inv.

Jérôme boit parce qu'il a soif. → car.

parcourir 11 verbe

1. *Si Catherine roule à une vitesse de 60 km/h, quelle distance parcourra-t-elle en trois heures ?* → aura-t-elle fait ?
2. *Régis a parcouru tout le terrain en cherchant son ballon.*
→ il l'a traversé.
3. *Agathe ne sait pas sa leçon, elle a juste le temps de la parcourir avant d'entrer en classe.* → de la lire très vite.

■ **parcours,** n. m. *De la maison à l'école, le parcours n'est pas long.* → la distance à parcourir. ≃ trajet.

ORTHOGRAPHE

Parcours prend un **s** même au singulier.

pardon nom masc.

1. *Émilie a demandé pardon pour son retard.*
2. *Quand tu marches sur le pied de quelqu'un, dis-lui : « Pardon ! ».*

■ **pardonnable,** adj. *C'est une faute bien pardonnable.* ■ **pardonner,** v. *Ses parents ont pardonné son retard à Émilie.*

ORTHOGRAPHE

Dans la conjugaison, pardo**nn**er s'écrit comme do**nn**er et abando**nn**er, avec deux **n**.

pareil, pareille adj.

1. *Mon crayon est pareil au tien.* → le même que. ≃ identique.
2. *Voler un livre : Nadine n'a jamais fait une chose pareille !*
→ une chose semblable, une telle chose.

P

parent, parente nom masc., nom fém.

1. *Claudine est partie en vacances avec ses parents.* → avec son père et sa mère.
2. *Marie est une proche parente de Sophie.* → un membre de sa famille.

GRAMMAIRE

Les **parents** (au sens 1) ne s'emploie qu'au masculin pluriel.

paresse nom fém.

Noémie n'a pas appris sa leçon par paresse.

■ **paresser,** v. *Au lieu de se lever, David paresse au lit.* → il y reste longtemps. ■ **paresseux, euse,** adj. *Il ne t'aidera pas, il est bien trop paresseux !*

parfum nom masc.

1. *Irène respire le parfum des fleurs.* → l'odeur.
2. *A quel parfum est ta glace ?* → quel est son goût ?
3. *Claire achète un flacon de parfum au muguet.*

■ **parfumerie,** n. f. → magasin où l'on vend des parfums, des produits de beauté. ■ **se parfumer,** v. *Gisèle aime bien se parfumer.*

VOCABULAIRE

Un parfum fort, léger, discret, persistant.

parier 3 verbe

1. *Raymond a parié 30 F sur un cheval.* → il a misé.
2. *Je te parie qu'André sera encore en retard.* → je te l'assure, j'en suis certain.

■ **pari,** n. m. *J'ai fait le pari que, de nous deux, c'est moi qui arriverai le premier.*

CONJUGAISON

Pari**er** se conjugue comme cri**er**. N'oublie pas le **e** au futur : *je pari**e**rai.*

parler 3 verbe

1. *La maîtresse parle, mais Bruno n'écoute pas.* ≠ se taire.
2. *Sophie parle de son chien.* ≃ raconter.
3. *Corinne parle français, François parle un peu l'espagnol.*

■ **se parler,** v. *François et Véronique ne se parlent plus.* → ils sont fâchés.

GRAMMAIRE

- *Cet acteur* **fait parler de** *lui.*
- *Le speaker* **parle à** *la radio.*
- *Demain, le président va* **parler en** *public.*

parole nom fém.

1. *Karine ne connaît pas les paroles de la chanson.* → le texte.
2. *Rémi adresse la parole à Jérôme.* → il lui parle.
3. *René nous a donné sa parole d'arriver à l'heure.* → il nous l'a promis.

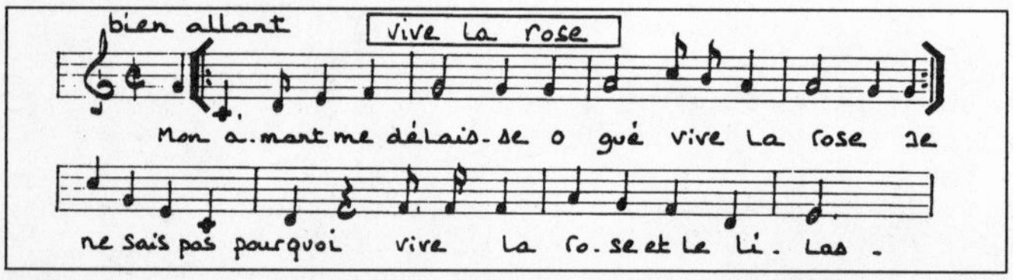

◄ Les paroles et la musique commençant la chanson : « Vive la rose ».

EXPRESSIONS

- **Couper la parole à quelqu'un.** → l'interrompre quand il parle.
- **Prendre la parole.** → se mettre à parler (dans une conversation, un débat).
- **Tenir sa parole.** → faire ce qu'on a promis.

parrain nom masc.

Le parrain de Christine lui a envoyé un cadeau.

ORIGINE

Parrain appartient à la famille du mot père.

part — nom fém.

1. *Roger a pris une grosse part de gâteau.* → un morceau, une portion.
2. *Martine se taisait, elle ne prenait pas part à la discussion.* → elle n'y participait pas.
3. *Alain m'a fait part d'une bonne nouvelle.* → il me l'a annoncée.

EXPRESSIONS

- **Autre part.** → à un autre endroit.
- *Luc a reçu un paquet* **de la part de** *son oncle.*
- **Quelque part.** → à un certain endroit. ≠ **Nulle part.** → à aucun endroit.

partager [19] — verbe

Catherine partage la tarte en quatre. ≃ distribuer, répartir.

■ **partage,** n. m. *Nous avons cueilli vingt pommes : Pierre fait le partage entre ses quatre camarades.*

ORTHOGRAPHE

N'oublie pas le **e** après le **g** devant **a** ou **o** : *Nous partageons.*

partenaire — nom masc. ou fém.

Sylvie cherche une partenaire pour jouer aux cartes. ≠ adversaire.

ORTHOGRAPHE

Partenaire est invariable au masculin et au féminin.

participer [3] — verbe

Odile ne veut pas participer au jeu. → elle ne veut pas jouer avec les autres. ≃ prendre part à.

■ **participation,** n. f. *On annonce la participation de ce joueur à la prochaine rencontre de football.*

particulier, particulière — adj.

Nicole a une façon vraiment particulière de s'habiller. → originale, personnelle. ≠ commun, général.

■ **particulièrement,** mot inv. *Yolande aime les films et particulièrement les documentaires sur les animaux.* ≃ notamment.

EXPRESSIONS

- *Luc aime les animaux,* **en particulier** *les chats.* → surtout.
- **Un signe particulier.** → un signe qui distingue une personne des autres.

partie — nom fém.

1. *Une partie de la cour est exposée au soleil.*
2. *Xavier et Delphine font une partie de dames.*

EXPRESSIONS

- **En partie.** ≠ entièrement.
- **Faire partie.** → appartenir.

P

partir [24] — verbe

1. *Julie est partie se promener avec sa cousine.* → elle est sortie, est allée se promener. ≠ rester.
2. *Les coureurs partent de la place de la mairie.* → ils commencent leur course.
3. *Attention ! Le fusil est chargé, le coup peut partir.*
4. *Sandrine avait un bouton sur la joue, mais il est parti.* → il a disparu.

GRAMMAIRE

Il part **pour** *Bordeaux,* **à** *cinq heures,* **dans** *deux heures,* **à** *bicyclette,* **de** *Lyon,* **en** *groupe...*

EXPRESSION

A partir de *demain, Yannick se lèvera plus tôt.*

partout — mot inv.

1. *Daniel a perdu son cartable, il le cherche partout.* ≠ nulle part.
2. *Partout où vous irez cet été, vous trouverez le soleil.* → quel que soit l'endroit où.

GRAMMAIRE

Partout est invariable. C'est un *adverbe.*

parvenir [34] verbe

1. *Même quand la porte est fermée, le bruit de la cour nous parvient.* → il arrive jusqu'à nous.
2. *Ludovic avait si mal à la gorge qu'il ne parvenait pas à chanter.* → il n'y arrivait pas malgré ses efforts.

pas nom masc.

1. *Céline, tu es trop près, recule de deux pas.*
2. *Qui a marché dans la neige ? Il y a des traces de pas.*
3. *Mathieu avance d'un pas rapide.* → d'une allure rapide.

EXPRESSIONS

- **Marcher à grands pas.** → marcher rapidement.
- **Revenir sur ses pas.** → revenir en arrière.

(ne...) pas mot inv.

Paul n'est pas venu.
→ Indique la négation.

GRAMMAIRE

Pas un → aucun. *Pas trop* → pas beaucoup.

passage nom masc.

1. *La foule attend le passage du défilé.*
2. *Sur le panneau, il est écrit :* PASSAGE INTERDIT.
3. *Chaque élève lira un passage du texte.* → un morceau, une partie.

■ **passager, ère,** n. m. et f. *Les passagers ont embarqué dans l'avion pour Athènes.*

VOCABULAIRE

Un passage clouté, un passage souterrain, un passage à niveau.

passé nom masc.

1. *Tante Jeanne nous raconte des histoires du passé.* → d'autrefois. ≠ avenir.
2. Je pris *est le passé simple ;* j'ai pris *est le passé composé du verbe* prendre.

passer [3] verbe

1. *Séverine regarde passer le train.* → avancer, rouler.
2. *Par où passes-tu pour aller à l'école ?* → quel chemin prends-tu ?
3. *Je passe devant toi, je suis pressée.* → je prends ta place.
4. *Quand le feu est vert, on ne passe pas.* → on ne traverse pas. ≃ franchir.
5. *Dans quel cinéma passe le film ?* → est-il projeté ?
6. *Viviane met un filtre pour passer le café.* → pour le filtrer.
7. *Quand on s'amuse, le temps passe vite.* → il s'écoule vite.
8. *Anne-Marie a passé un mois à l'hôpital.* → elle y est restée un mois.
9. *C'est un caprice, ça lui passera.* → ça disparaîtra.
10. *Mireille passe son examen en juin.* → elle subit.
11. *Gabriel est passé en 6ᵉ.* → il a été admis.
12. *Louis passe l'éponge sur le tableau.* → il la fait aller et venir.
13. *Passe-moi ton cahier.* → prête-moi.
14. *Passe ta robe de chambre et va ouvrir.* → enfile-la vite.

■ **passant, e,** n. m. et f. → personne qui passe dans un endroit.

GRAMMAIRE

- *Passer* s'emploie avec **être** ou **avoir**, selon le sens :
  – Il **a** *passé* sa veste.
  – Il **est** *passé* par là.
- Précédé de **se**, le verbe *passer* a deux sens :
  – *Cette histoire* **s'est passée** *il y a longtemps.* → elle a eu lieu, elle s'est déroulée.
  – *Depuis qu'il rentre tard, Frédéric* **se passe de** *goûter.* → il ne goûte plus.

EXPRESSIONS

- *Pierre a pris un cachet pour* **faire passer** *son mal de tête.* → faire disparaître.
- **Passe** *me* **chercher** *vers 8 heures.* → viens me chercher.
- *Arnauld* **passe pour** *un garçon sérieux.* → c'est ce qu'on dit de lui.

passion nom fém.

Odile veut toujours aller à la piscine, elle a une passion pour la natation. ≠ indifférence.

■ **passionnant, e,** adj. *J'ai vu une émission passionnante sur la vie des fourmis.* → qui m'a vivement intéressé. ■ **passionné, e,** n. m. et f. *Noël est un passionné de moto.* → il aime énormément. ■ **passionner,** v. *Ce feuilleton anglais a passionné beaucoup de téléspectateurs.* → captiver, intéresser.

ORTHOGRAPHE

Les mots de la même famille que passion ont deux **n** : passionnant, passionner.

VOCABULAIRE

Un film, un livre, un récit peuvent être passionnants.

pâte nom fém.

1. *Pour faire de la pâte à crêpes, Stéphane mélange de la farine, du lait et des œufs.*
2. *Les nouilles, le vermicelle, les spaghetti sont des pâtes alimentaires.*
3. *Agathe a fabriqué un chat avec de la pâte à modeler.*

VOCABULAIRE

Voici d'autres sortes de pâtes :
- pâte de fruits, pâte d'amandes ;
- pâte à tarte, pâte à choux ; pâte à pain ;
- pâte à papier.

pâté nom masc.

1. *Yvette mange un sandwich au pâté.* → un mélange de viande, de volaille hachée et épicée que l'on a fait cuire dans une terrine au four.
2. *Louis fait des pâtés de sable.* → monticules de sable.

ORTHOGRAPHE

N'oublie pas l'accent circonflexe sur le **a**.

paternel, paternelle adj.

La famille paternelle de Yasmina vit en Algérie. → la famille de son père.

ORIGINE

Paternel vient de père comme maternel vient de mère.

patience [pasjɑ̃s] nom fém.

Grégoire veut aller jouer, il n'a pas la patience d'attendre la fin du repas. → il ne peut pas attendre tranquillement.

■ **patient, e,** adj. *Nathalie est patiente : j'étais en retard et elle m'a attendu tranquillement.* ≠ impatient.

EXPRESSION

Perdre patience. → perdre son calme en ne supportant plus d'attendre.

patin nom masc.

Quand on sait faire du patin à roulettes, on apprend plus facilement le patin à glace.

■ **patinage,** n. m. *L'axel est une figure de patinage artistique.* ■ **patiner,** v. *Natacha patine sur la glace.* → elle glisse avec des patins. ■ **patineur, euse,** n. m. et f. → personne qui patine. ■ **patinoire,** n. f. → l'endroit où on fait du patin à glace.

AUTOUR DE

- Pour faire du patin à roulettes, il faut une surface lisse : trottoir, piste.
- Avec le patin à glace, on glisse sur une patinoire gelée.

P

pâtissier, pâtissière nom masc., nom fém.

Sabine achète des gâteaux chez le pâtissier.

■ **pâtisserie,** n. f. **1.** *L'éclair au chocolat, le baba, la religieuse sont des pâtisseries.* → des gâteaux. **2.** *La pâtisserie est le magasin où l'on vend des gâteaux.*

ORTHOGRAPHE

N'oublie pas l'accent circonflexe sur le **a.**

ORIGINE

Pâtissier vient de pâte.

patte nom fém.

Le chat, le chien ont quatre pattes, mais combien de pattes ont les mouches ?

EXPRESSION

Marcher à quatre pattes.

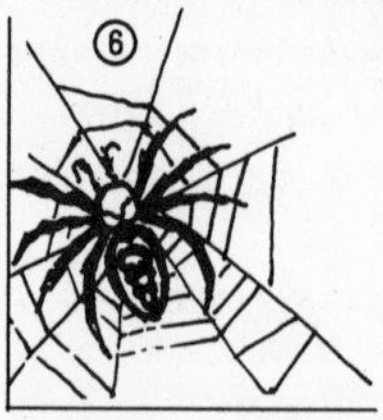

◄ 1. Mouche = 6 pattes.
2. Oiseau = 2 pattes.
3. Chat = 4 pattes.
4. Crabe = 10 pattes.
5. Le mille-pattes.
6. L'araignée = 8 pattes.

paupière nom fém.

Pour fermer les yeux, on baisse les paupières.

VOCABULAIRE

Quand on a pleuré, les paupières sont gonflées.

pauvre adj., nom masc. ou fém.

1. adj. *Ils n'ont pas beaucoup d'argent, ils sont pauvres.* ≠ riche.

2. n. m. ou f. *La pauvre, elle s'est cassé la jambe !* → la malheureuse !

■ **pauvreté,** n. f. ≠ richesse.

pavillon nom masc.

1. *Huguette habite dans un appartement et André dans un pavillon.* ≃ maison, villa.

2. *Le commandant de bord fait hisser le pavillon.* → le drapeau sur un navire.

ORIGINE

Pavillon vient du mot papillon et a d'abord signifié : construction légère qui sert d'abri.

pays [pεi] nom masc.

La Belgique, le Luxembourg, l'Allemagne, la Suisse, l'Italie et l'Espagne sont les pays qui entourent la France. → des États, des nations.

EXPRESSION

Avoir le mal du pays. → s'ennuyer de son pays quand on en est loin.

paysage [pεizaʒ] nom masc.

Par la fenêtre du train, Viviane regarde le paysage.

paysan [pεizɑ̃], **paysanne** nom masc., nom fém.

Le nombre des paysans a beaucoup diminué en France. → ceux qui cultivent la terre et élèvent des animaux. ≃ agriculteur, cultivateur.

ORIGINE

Paysan vient de pays.

peau nom fém.

1. *La peau des Noirs est marron foncé, la peau des Blancs est rose.*
2. *Delphine croque une pomme sans enlever la peau.* → l'enveloppe extérieure.

ORTHOGRAPHE

Des **peaux**.

1. pêche nom fém.

La pêche est un fruit à peau douce et à gros noyau.

2. pêche nom fém.

Le dimanche, François et Béatrice vont à la pêche et rapportent du poisson pour le déjeuner.

■ **pêcher,** v. *Mathieu a pêché une superbe truite.* ■ **pêcheur, euse,** n. m. et f. *Les pêcheurs rentraient au port après huit jours en mer.*

◄ Un pêcheur au bord d'une rivière.

ORTHOGRAPHE

N'oublie pas l'accent circonflexe sur le **e**.

AUTOUR DE

- On peut pêcher dans une rivière ou un étang pour attraper des truites, des goujons, etc.
- On peut pêcher en mer (près de la côte ou en haute mer) pour attraper des sardines, des maquereaux, des harengs, etc.

peigne nom masc.

1. *Dorothée se coiffe avec une brosse, Denis, avec un peigne.*
2. *Annick retient ses cheveux avec deux peignes.*

■ **peigner,** v. *Danielle peigne sa poupée.* ■ **se peigner,** v. *Charles se peigne devant la glace.* → il arrange ses cheveux.

EXPRESSIONS

- **Passer au peigne fin.** → examiner très attentivement.
- **Se donner un coup de peigne.** → se coiffer vite.

peindre 25 verbe

1. *Ils ont peint les murs en jaune et le plafond en blanc.*
2. *A l'école, Alice a peint un tigre.*

■ **peintre,** n. m. **1.** *Les peintres ont repeint la grille de la maison.* → des ouvriers. **2.** *Renoir, Picasso, Van Gogh sont des peintres célèbres.* → des artistes. ■ **peinture,** n. f. **1.** *Préfères-tu une peinture mate ou brillante pour la cuisine ?* **2.** *J'ai visité une exposition de peinture avec ma mère.* → une exposition de tableaux.

VOCABULAIRE

Peinture à l'huile, à l'eau.

P

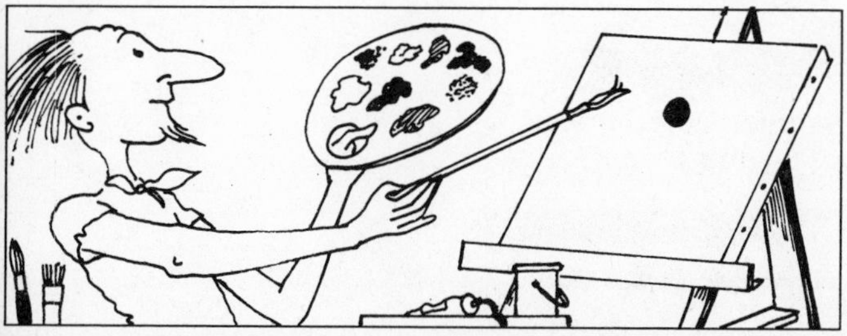

peine nom fém.

1. *Nathalie a eu beaucoup de peine quand son chat s'est fait écraser.* → de chagrin. ≠ plaisir.
2. *Alain marche si vite que nous avons de la peine à le suivre.* → de la difficulté, du mal.
3. *Le voleur a été condamné à une peine de prison.*

EXPRESSIONS

- **Ce n'est pas la peine de.** → ce n'est pas utile de.
- **Faire de la peine à quelqu'un.** → le faire souffrir.
- **Valoir la peine.** → valoir le mal qu'on se donne.
- **A peine.** → presque pas.

pelage nom masc.

Le pelage du zèbre est rayé, le pelage du léopard est tacheté. → la fourrure, le poil.

VOCABULAIRE

Poil → pelage ; plume → plumage.

peler 6 verbe

1. *Irène a du mal à bronzer, sa peau est fragile et elle pèle.*
2. *Alain pèle une orange.* ≃ éplucher.

ORTHOGRAPHE

Dans la conjugaison, le **e** de *peler* prend un accent grave devant la syllabe *-le* : *je p**è**lerai.*

pelle nom fém.

Le maçon mélange le ciment et l'eau avec sa pelle.

■ **pelletée,** n. f. *Le maçon prend plusieurs pelletées de sable pour faire du ciment.* → plusieurs fois le contenu d'une pelle.

pellicule nom fém.

Anne a acheté une pellicule pour son appareil photo.

ORTHOGRAPHE

Attention aux deux **l** !

pelouse nom fém.

Dans le jardin public, il est interdit de marcher sur les pelouses.

se pencher 3 verbe

Annick se penche par la portière du train pour dire au revoir à ses amis. → elle s'incline. ≠ se tenir droit.

VOCABULAIRE

Se pencher à la fenêtre, par-dessus l'épaule de quelqu'un.

pendant mot inv.

Noëlle a dormi pendant le voyage. → au cours de, durant.

■ **pendant que,** mot inv. *Pendant que Marc s'habille, Julien fait sa toilette.*

GRAMMAIRE

Pendant exprime ce qui se passe en même temps.

- **Avant** *le repas, je mets le couvert.*
- **Pendant** *le repas, je mange.*
- **Après** *le repas, je range.*

pendre 31 verbe

Séverine a pendu un mobile au plafond de sa chambre. → elle a accroché, a suspendu.

pendule nom fém.

Anne regarde l'heure à la pendule. → une petite horloge posée sur un meuble ou accrochée au mur.

pénétrer 3 verbe

Les murs sont si hauts que le soleil ne pénètre jamais dans la cour. → il n'entre jamais.

pénible adj.

1. *C'est pénible de faire de la gymnastique par cette chaleur.* → c'est difficile, fatigant. ≠ reposant.
2. (Fam.) *Éric est vraiment pénible, il n'arrête pas de copier sur les autres.* → il est désagréable. ≠ agréable.

ORTHOGRAPHE

Pénible vient de *peine*, mais s'écrit avec **é**.

penser [3] verbe

1. *Pendant la piqûre, Amélie essaie de penser à autre chose.*
2. *Stéphane ne travaille pas, il ne pense qu'à s'amuser.* → il ne s'intéresse qu'au jeu.
3. *Julie a pensé à tout.* → elle a tout prévu.
4. *Jean se demande ce que Nicole pense de lui.* → quelle est son opinion.
5. *Demain, Laurence pense aller à la patinoire.* → elle a l'intention de. ≃ envisager.

GRAMMAIRE

- *Je* **pense avoir** *réussi.*
- *Je* **pense que** *j'ai réussi.*

EXPRESSIONS

- **Etre perdu dans ses pensées.** → avoir un air, un visage pensif.
- **Qu'en pensez-vous ?** → quel est votre avis ?

pente nom fém.

La vigne pousse sur les pentes de la colline.

pépin nom masc.

Les raisins, les oranges, les pommes, les poires, les mûres, les groseilles, les melons sont des fruits à pépins.

percer [26] verbe

On a percé la roche pour faire ce tunnel. ≃ creuser, trouer.

■ **perceuse,** n. f. *Le plombier fait des trous avec une perceuse.*

ORTHOGRAPHE

N'oublie pas la cédille dans : *nous perçons.*

perdre [31] verbe

1. *Chantal a perdu un bouton de son manteau.* ≃ retrouver.
2. *Isabelle vient de perdre son grand-père.* → il vient de mourir.
3. *La voiture perd de la vitesse dans la côte.* → elle ralentit.
4. *Dans un match, les uns perdent et les autres gagnent.*

■ **perdant, e,** n. m. et f. *Dans une compétition, il y a toujours des perdants et des gagnants* ■ **se perdre,** v. *Denis s'est perdu et il a demandé son chemin.* → il s'est égaré.

EXPRESSIONS

- **Perdre l'équilibre.** → chanceler, tomber.
- **Perdre la mémoire.** → ne plus se souvenir.
- **Perdre la tête.** → s'affoler.
- **Perdre patience.** → ne plus pouvoir attendre.
- **Perdre son temps.** → mal utiliser son temps.
- **Tu ne perds rien pour attendre.** → tu seras bientôt puni.

père nom masc.

Le père de Régis est commerçant.

EXPRESSION

Ils sont dentistes **de père en fils.**

performance nom fém.

Traverser la Manche à la nage, quelle performance ! → quel exploit !

perle nom fém.

1. *Josiane enfile des perles de toutes les couleurs pour fabriquer un bracelet.* → de petites boules de verre.
2. *Cette perle fine a beaucoup de valeur.*

permanence — nom fém.

La nuit, il y a toujours une permanence à l'hôpital. → un service de garde.

■ **permanent, e,** adj. *Dans un cinéma permanent, le même film est projeté plusieurs fois de suite.* → sans arrêt.

EXPRESSIONS

- *Jean-Paul porte son appareil dentaire* **en permanence.** → sans interruption.
- **Etre de permanence.** → assurer la continuité (dans un travail).

permettre [20] — verbe

Les parents de Philippe lui ont permis d'aller au cinéma. → ils l'ont autorisé. ≠ défendre, interdire.

■ **permis,** n. m. *Elle va passer son permis de conduire.* ■ **permission,** n. f. *Philippe a eu la permission de sortir.* ≃ autorisation. ■ **se permettre,** v. *Il s'est permis de me faire des remarques désagréables.* → il s'est autorisé, il a pris la liberté de.

GRAMMAIRE

- *Ses parents permettent* **à** *Jacqueline* **de** *sortir.*
- *Ils permettent une sortie* **à** *Jacqueline.*

perroquet — nom masc.

Julien a appris à son perroquet à répéter des mots. → un oiseau parleur au plumage coloré et au bec recourbé, que l'on peut facilement apprivoiser.

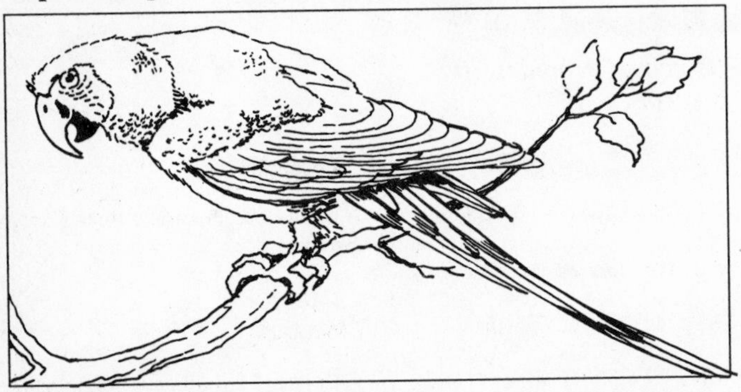

◀ Un perroquet.

ORIGINE

Perroquet vient de perrot, diminutif de Pierre, nom donné à cet oiseau.

EXPRESSION

Répéter comme un perroquet. → sans comprendre ce qu'on dit.

persil [pɛʀsi] — nom masc.

Le plat de viande est garni de persil.

ORTHOGRAPHE

N'oublie pas le **l** à la fin de *persi* **l** !

personnage — nom masc.

1. *Jeanne d'Arc et Christophe Colomb sont des personnages historiques.* ≃ femme, homme célèbre.
2. *Dans la pièce que nous préparons, Geneviève joue le personnage de la reine.* → le rôle.

■ **personne,** n. f. et mot inv. **1.** n. f. *Cet ascenseur peut transporter quatre personnes.* **2.** n. f. *La première personne du futur du verbe* aller *est :* j'irai. **3.** mot inv. *Annick n'a vu personne.*

EXPRESSIONS

- *Jean-Louis a écrit, mais Suzanne est venue* **en personne.** → elle-même.
- **Une grande personne.** → un adulte.
- Vous ne trouverez **personne** d'aussi sérieux.

1. personnel, personnelle — adj.

1. *Le professeur nous a demandé nos idées personnelles sur le sujet.* ≃ propre.
2. Il, elle, eux *sont des pronoms personnels.*

VOCABULAIRE

Des souvenirs, des objets, des biens... personnels.

2. personnel — nom masc.

Cette usine embauche du personnel. → des gens pour y travailler.

perte — nom fém.

1. *Ne recopie pas tout : c'est une perte de temps.* → tu perds ton temps. ≠ gain.
2. *La perte de son chien lui a causé un grand chagrin.* → la mort.
3. *En vendant son pull si peu cher, Yvonne fait une perte.* → elle perd de l'argent. ≠ bénéfice, profit.

EXPRESSION

A perte de vue. → aussi loin qu'on puisse voir.

peser 3 — verbe

1. *Le petit Régis pèse 25 kg.* → son poids est de 25 kg.
2. *La bouchère pèse la viande sur la balance.* → elle calcule son poids.

■ **pesant, e,** adj. *Un objet pesant.* → lourd. ≠ léger.

EXPRESSIONS

- **Ne pas peser lourd.** → ne pas compter beaucoup.
- **Peser ses mots.** → faire attention à ce que l'on dit.

pétale — nom masc.

Rosalie arrache un à un les pétales de la marguerite.

ORTHOGRAPHE

Des pétales.

pétiller 3 — verbe

La limonade pétille dans le verre. → elle fait des bulles.

■ **pétillant, e,** adj. *Le champagne est un vin pétillant.*

EXPRESSION

Des yeux pétillants de joie (ou **de malice**, etc.). → des yeux qui brillent.

petit, petite — adj. ou nom masc. et fém.

1. adj. *Ludovic est trop petit pour attraper le bocal sur l'étagère.* ≠ grand.
2. adj. *Une petite pluie n'a cessé de tomber tout l'après-midi.* ≠ fort, gros, important.
3. adj. *Armand emmène sa petite sœur à l'école.* → sa sœur qui est plus jeune que lui.
4. n. m. et f. *Mathieu est dans la section des petits.*
5. n. m. *La chatte a eu cinq petits.* → elle a mis au monde cinq chatons.

EXPRESSIONS

- **Petit à petit.** → peu à peu.
- **Se faire tout petit.** → essayer de ne pas se faire remarquer.

PROVERBE

On a souvent besoin d'un plus petit que soi.

pétrole [petʀɔl] — nom masc.

Avec le pétrole, on fabrique de l'essence, du fuel, etc.

■ **pétrolier,** n. m. → bateau qui transporte du pétrole.

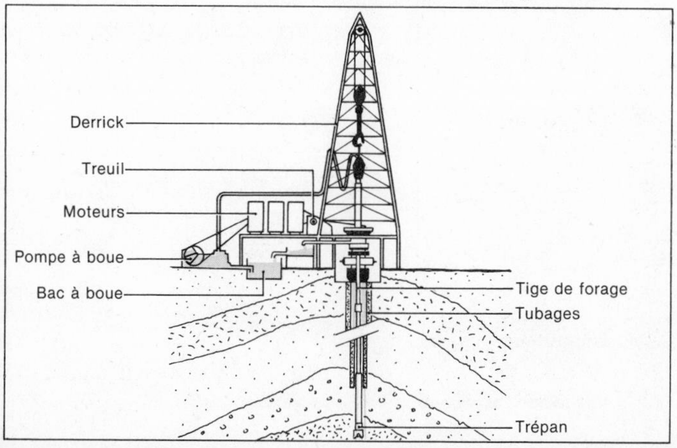

◄ Schéma d'un forage pétrolier.

AUTOUR DE

Le pétrole est une source d'énergie grâce à laquelle on peut rouler en voiture, en camion, se chauffer, faire de l'électricité, etc.

P

peu — mot inv.

1. *Agnès n'a pas faim, elle mange peu.* ≠ beaucoup.
2. *Peu d'élèves ont réussi la composition.* → un petit nombre de. ≠ beaucoup de, de nombreux.
3. *Irène s'est fait mal au genou, elle boite un peu.*
4. *Daniel a fait tomber un peu d'eau.* ≠ beaucoup.

EXPRESSIONS

- *Nous étions* **à peu près** *50 dans le car.* ≃ environ, presque.
- *Il a gagné* **de peu.** ≃ tout juste.
- **Peu à peu,** *la neige a recouvert la cour.* → progressivement.
- *Il arrivera* **sous peu.** → bientôt.

peuple — nom masc.

1. *Le peuple français et le peuple belge ont toujours été amis.* → les Français et les Belges.
2. *En Inde, le peuple vit dans la misère.* → la partie la plus nombreuse de la population. ≃ masse.

■ **peuplé, e,** adj. *Cette île fut d'abord peuplée par des pêcheurs.* ≃ habité.

peuplier — nom masc.

Le peuplier est un grand arbre élancé dont l'écorce est argentée.

peur — nom fém.

1. *La peur de Léonard devant le chien l'a rendu tout pâle.* → la frayeur.
2. *Émilie est timide, elle a peur de poser une question.* → elle n'ose pas.

■ **peureux, euse,** adj. *Anne est peureuse, elle ne veut pas rester seule à la maison.*

EXPRESSIONS

- *Tu m'as* **fait peur.** → tu m'as effrayé.
- *Il a* **pris peur.** → il s'est effrayé.
- *Il ne dit rien* **de peur d'***être grondé.* → par crainte de.
- **Une peur bleue.** → une très grande peur.

peut-être — mot inv.

Céline viendra peut-être nous voir. → c'est possible mais ce n'est pas sûr. ≠ certainement, sûrement.

ORTHOGRAPHE

N'oublie pas le trait d'union.

phare [faʀ] — nom masc.

1. *Pour conduire la nuit, il faut allumer les phares.*
2. *A l'entrée du port, la lumière du phare guide les marins.*

ORIGINE

Phare vient du nom d'une île grecque sur laquelle fut construit, il y a 2 300 ans, un magnifique phare en marbre blanc.

pharmacie — nom fém.

Isabelle va acheter des médicaments à la pharmacie.

■ **pharmacien, ienne,** n. m. et f. *Le pharmacien vend les médicaments prescrits sur l'ordonnance.*

VOCABULAIRE

Une pharmacie de garde, de service.

phoque nom masc.

Les phoques vivent dans les mers froides. → des mammifères des mers froides.

AUTOUR DE

On dresse les phoques ou on les chasse pour leur peau et pour leur graisse.

photo ou **photographie** [fɔtɔgʀafi] nom fém.

1. *Sandrine apprend à faire de la photo.* → à se servir d'un appareil photo.
2. *Guillaume range ses photos dans l'album.*

■ **photographier,** v. *René a fait une grimace quand on l'a photographié.* ■ **photographique,** adj. *Un appareil photographique (ou un appareil photo) permet de prendre des photos.*

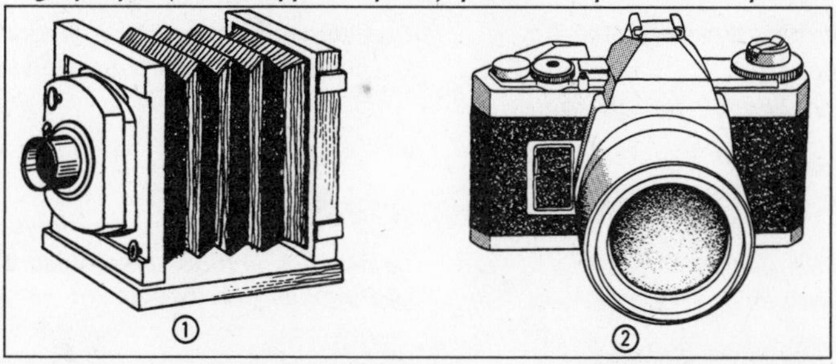

◄ Deux appareils photographiques :
1. Ancien.
2. Moderne.

ORTHOGRAPHE

Attention aux deux **ph** de **ph***oto*-*gra***ph***ie !*

EXPRESSION

Prendre en photo. → photographier.

phrase nom fém.

Une phrase est composée d'un ou plusieurs mots qui expriment une idée complète ; par exemple : Mange ! *ou* Le soleil se lève.

GRAMMAIRE

Le premier mot de la phrase s'écrit avec une majuscule. Une phrase se termine par un point.

piano nom masc.

Jean-François apprend à jouer du piano.

■ **pianiste,** n. m. ou f. → personne qui joue du piano.

AUTOUR DE

Les cordes du piano sont frappées par des marteaux.

pic nom masc.

1. *De la vallée, on aperçoit les pics recouverts de neige.* → les sommets très pointus des montagnes.
2. *Il pratique une brèche dans la roche avec son pic.* → un outil pointu en acier.

EXPRESSIONS

- *Les rochers tombent* **à pic** *dans la mer.* → verticalement.
- **Couler à pic.** → tomber tout droit au fond de l'eau.

pie nom fém.

La pie est un oiseau noir et blanc, réputé pour être attiré par des objets brillants qu'elle vole et emporte dans son nid.

EXPRESSION

Bavard comme une pie. → très bavard.

AUTOUR DE

La pie jacasse.

pièce nom fém.

1. *La cuisine est une pièce où on prépare les repas.*
2. *Dans son porte-monnaie, Nicole a une pièce de 5 F.*
3. *Nathalie a perdu une pièce de son puzzle.* → un élément, un morceau.
4. *Sylvie et Stéphane sont allés au théâtre voir une pièce très drôle.* → un spectacle joué par des acteurs.

EXPRESSION

Les melons sont vendus **à la pièce.** → un par un.

VOCABULAIRE

Les pièces d'un jeu d'échecs. Un maillot de bain deux pièces.

pied [pje] nom masc.

1. *Christine et Fabrice ont beaucoup marché : ils ont mal aux pieds.*
2. *La chaise a quatre pieds.* → partie qui soutient un meuble.
3. *Les champignons sont formés d'un pied et d'un chapeau.*

EXPRESSIONS

- **Avoir pied.** → pouvoir se tenir debout dans l'eau en gardant la tête hors de l'eau.
- *Il m'a examiné* **des pieds à la tête.** → en entier.

piège nom masc.

1. *Annick a mis des pièges dans le grenier pour attraper des souris.* → des instruments de capture.
2. *Fais attention ! Il y a un piège dans cette question.* → une difficulté.

VOCABULAIRE

On peut : prendre au piège, tendre un piège, tomber dans un piège.

pierre nom fém.

1. *Le mur du château est en pierre, la porte en bois.*
2. *Florence a cassé la vitre en lançant une pierre.* → un caillou.

EXPRESSION

Le diamant, le rubis, le saphir sont des **pierres précieuses.**

piéton, piétonne adj.

Une rue piétonne a été aménagée au centre ville. → une rue réservée aux piétons.

■ **piéton,** n. m. *Au signal de l'agent, les piétons peuvent traverser la rue.* → les personnes qui se déplacent à pied.

VOCABULAIRE

Un passage pour piétons.

pigeon nom masc.

Dans le jardin public, Nadine et Jean donnent des miettes de pain aux pigeons. → des oiseaux au plumage blanc, gris ou brun, communs dans les grandes villes.

VOCABULAIRE

Le pigeon roucoule.

pile nom fém.

1. *La montre de Corinne marche avec une pile.* → un appareil qui fournit de l'énergie électrique.
2. *Sur le bureau de la maîtresse, il y a une pile de cahiers.* ≃ tas.

EXPRESSION

Jouer à pile ou face. → lancer une pièce de monnaie en ayant parié sur quel côté elle tombera.

pin nom masc.

Christine et Yvan se promènent dans une forêt de pins.

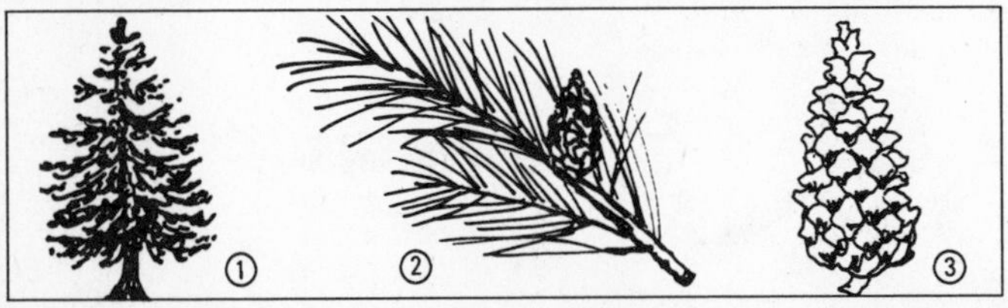

◄ 1. Le pin.
2. Une branche de pin.
3. La pomme de pin.

AUTOUR DE

- Comme le sapin, le pin est un conifère et ses feuilles s'appellent des aiguilles.
- Le nom de son fruit est la pomme de pin.

pingouin [pɛ̃gwɛ̃] nom masc.

Les pingouins sont des oiseaux noir et blanc qui habitent près du pôle Nord.

AUTOUR DE

Le pingouin a des pattes palmées. Il vole, nage et plonge. Il mange des poissons.

Ping-Pong nom masc.

Une balle de Ping-Pong flotte sur l'eau.

◄ Deux joueurs de Ping-Pong (on peut dire aussi : deux pongistes).

AUTOUR DE

On joue au Ping-Pong sur une table rectangulaire munie d'un petit filet, avec des raquettes et une balle.

pion nom masc.

Pour jouer aux dames, on déplace des pions noirs et blancs sur le damier. → les pièces du jeu.

pique-nique nom masc.

Le dimanche, quand il fait beau, nous faisons un pique-nique dans les bois.

■ **pique-niquer,** v. → faire un repas en plein air.

ORTHOGRAPHE

- N'oublie pas le trait d'union !
- Des pique-nique**s**.

piquer [3] verbe

1. *Blandine s'est piqué le doigt avec son aiguille.*
2. *Les guêpes et les moustiques piquent, les mouches ne piquent pas.* → elles font des piqûres douloureuses.
3. *La fumée pique les yeux.* → elle fait mal aux yeux.

ORTHOGRAPHE

Attention à l'accent de piq**û**re !

P

pire adj. et nom masc.

1. adj. *Mon dessin est raté, mais le tien est pire.* → encore plus mauvais. ≠ meilleur.
2. n. m. *Si tu ne travailles pas, attends-toi au pire.*

GRAMMAIRE

Contraires :
bien ≠ mauvais
meilleur ≠ pire
mieux ≠ pis ou pire

piscine [pisin] nom fém.

Toutes les semaines, je vais nager à la piscine.

ORTHOGRAPHE

Attention au **-sc** !

piste nom fém.

1. *Le chien suit la piste d'un lièvre.* → sa trace sur le sol.
2. *Au cirque, nous étions assis tout près de la piste.* → l'endroit où a lieu le spectacle.
3. *L'avion roule sur la piste de l'aérodrome, il va décoller.*
4. *Les coureurs s'élancent sur la piste du stade.*

VOCABULAIRE

(Sens 1) Suivre quelqu'un à la piste. Perdre une piste. Une fausse piste. Brouiller la piste.

placard nom masc.

Clément accroche son manteau dans le placard de l'entrée.

place nom fém.

1. *Au milieu de la place, il y a une fontaine.*
2. *Yannick a trouvé une place pour garer la voiture.*
3. *Pousse-toi, tu prends trop de place.* → d'espace.
4. *Delphine a été reçue au concours à une très bonne place.* → un très bon rang.
5. *Pour son premier emploi, Jean a trouvé une bonne place.* → un bon travail.
6. *Marc doit partir, il laisse sa place à Corinne.* → Corinne le remplace.

■ **placer,** v. *J'ai placé l'armoire contre le mur du fond.* → j'ai mis. ■ **se placer,** v. *Pour mieux voir, Odile et Frédéric se sont placés tout près de la piste.* → ils se sont mis.

EXPRESSIONS

- *Il va au cinéma, j'aimerais* **être à sa place.**
- *André* **reste sur place.** → il ne bouge pas.
- *Agnès ne* **tient** *pas* **en place.** → elle bouge tout le temps.

Une grande famille :

déplacer		déplacement
placer		emplacement
remplacer	**place**	placement
		remplacement
plat		aplatir
plateau		

plafond nom masc.

Ce week-end, Michèle a peint le plafond de la cuisine. ≠ plancher, sol.

ORTHOGRAPHE

Attention au **d** final qui ne se prononce pas !

plage nom fém.

Baptiste et Céline jouent au ballon sur la plage.

se plaindre 25 verbe

Patrick se plaint d'avoir trop de travail. → il proteste.

GRAMMAIRE

Il **se plaint que** *l'eau est trop froide.*

plaine nom fém.

Nous descendons de la montagne et nous arrivons dans la plaine. → une grande étendue plate. ≠ colline, montagne.

AUTOUR DE

La plaine peut être couverte par une forêt, des cultures... ou traversée par un fleuve.

plainte nom fém.

Le petit chien a dû se faire mal, on entend des plaintes. → des cris qui expriment la douleur.

■ **plaintif, ive,** adj. *D'une voix plaintive, il suppliait qu'on ne l'abandonne pas seul dans la forêt.*

EXPRESSION

Fabien **a porté plainte** *pour le vol de sa bicyclette.* → il l'a signalé à la police.

plaire 27 verbe

Ce chanteur plaît aux enfants. → il répond à leur goût.

■ **plaisant, e,** adj. *Nous avons passé des moments bien plaisants pendant nos vacances.* ≃ agréable. ■ **plaisir,** n. m. *Je viendrai avec grand plaisir.* → grande joie. ■ **se plaire,** v. *Henri est dans une nouvelle école, il s'y plaît beaucoup.* → il est très content d'y être.

EXPRESSION

Cela m'a fait plaisir. → cela m'a plu.

plan nom masc.

1. *Patricia a dessiné le plan de sa future maison.* → un dessin qui en représente la disposition.
2. *Ce drame est au premier plan de l'actualité.* → à la première place.

EXPRESSIONS

- **Faire des plans** (par exemple, pour les vacances). → faire des projets.
- **Le plan d'une ville.** → la carte.

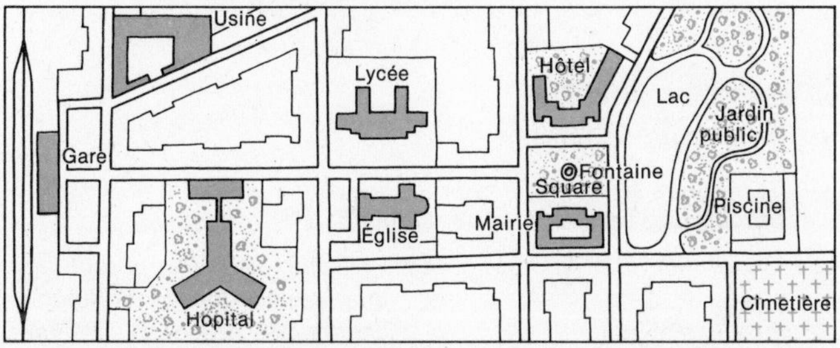

◄ Le plan d'une ville.

planche nom fém.

Serge a fabriqué une balançoire avec une planche et deux cordes. → une pièce de bois plate et allongée.

EXPRESSIONS

- On dessine sur une **planche à dessin.**
- On coupe le pain sur une **planche à pain.**
- On repasse sur une **planche à repasser.**

◄ Une planche à dessin.

planter 3 verbe

Sébastien a planté le noyau d'un avocat. → il l'a mis dans la terre.

■ **plante,** n. f. *Une plante possède une racine, une tige et des feuilles.*

VOCABULAIRE

La plante des pieds désigne le dessous des pieds.

plastique nom masc.

Virginie donne à boire au bébé dans un verre en plastique.

plat, plate adj.

1. *Pour jouer aux billes, il faut un sol plat.* → un sol uni, sans obstacles.
2. *Donne-moi une assiette creuse et une assiette plate.*

EXPRESSIONS

- *Poser sa main* **à plat.** → sur la paume.
- *Un pneu* **à plat.** → dégonflé.
- **A plat ventre.** → sur le ventre.

plat nom masc.

1. *Claude sort la tarte du moule et la pose sur un plat.*
2. *La pizza est un plat d'origine italienne.* → un mets.

plâtre nom masc.

1. *Les murs de la maison sont encore recouverts de plâtre.* → une poudre blanche qu'on mélange avec de l'eau et qui durcit en séchant.
2. *Bernard a la jambe dans le plâtre.* → elle est immobilisée dans des bandes durcies par du plâtre.

AUTOUR DE

On peut mettre un plâtre autour d'une partie du corps quand un os est cassé ou un muscle foulé.

P

plein, pleine — adj.

1. *Le cartable de Christian est plein de cahiers.* → il est rempli de.
2. *Delphine parle la bouche pleine.* ≠ vide.
3. *J'ai une pleine confiance en lui.* → entièrement confiance.

EXPRESSIONS

- **En pleine nuit.** ≠ **en plein jour.**
- **En plein air.** → dans la nature.

pleurer [3] — verbe

Le film était si triste que les spectateurs pleuraient. ≠ rire.

pleuvoir — verbe

Il pleut, Fabrice enfile son imperméable avant de sortir.

■ **pluie,** n. f. *Je n'aime pas cette pluie fine qui n'arrête pas.*

VOCABULAIRE

- Une pluie subite et violente est une averse. Une forte pluie accompagnée de vent et d'éclairs est un orage.

pli — nom masc.

Daniel repasse le pli de son pantalon.

■ **pliage,** [plijaʒ] n. m. *Éric apprend un pliage pour faire une cocotte en papier.* ■ **pliant, e,** adj. *Prends des chaises pliantes pour le pique-nique.* ■ **plier,** v. *Fanny plie la lettre et la glisse dans l'enveloppe.*

ORTHOGRAPHE

Attention au **e** dans : *je pli**e**rai, il pli**e**ra.*

plomb — nom masc.

Le plomb est un métal gris, lourd et mou.

■ **plombier,** n. m. *Le plombier a réparé la fuite sous l'évier.*

EXPRESSION

Un soldat de plomb. → une petite figure représentant un soldat, et qui, autrefois, était en plomb.

plonger [19] — verbe

1. *Héloïse a plongé son doigt dans le sirop.* → elle a trempé.
2. *Irène plonge dans la piscine.* → elle se jette dans l'eau la tête la première.

■ **plongée,** n. f. *Juliette apprend la plongée sous-marine.* ■ **plongeoir,** n. m. → un tremplin. ■ **se plonger,** v. **1.** *Martin s'est plongé dans un livre passionnant.* → il est entièrement occupé par sa lecture. **2.** *Avec plaisir, elle se plonge dans l'eau.*

VOCABULAIRE

Pour plonger, on peut prendre son élan en courant sur le plongeoir, puis sauter au bout du plongeoir, et aussi faire une figure en l'air avant de s'enfoncer dans l'eau.

◄ La plongée sous-marine. Le plongeur est équipé d'une combinaison souple, de palmes aux pieds et d'un casque (couvrant la tête) relié aux bouteilles d'oxygène qu'il porte sur le dos.

plume — nom fém.

1. *Les plumes de la colombe sont blanches et celles du corbeau sont noires.*
2. *Ludovic écrit avec un stylo à plume.*

■ **plumage,** n. m. *Le plumage de la pie est noir et blanc.*

EXPRESSION

Léger comme une plume. → très léger.

plupart nom fém.

La plupart des élèves viennent à pied à l'école. ≠ peu.

GRAMMAIRE

Après **la plupart**, le verbe est toujours au pluriel : **La plupart** *ont réussi l'examen.*

plus mot inv.

1. *Nicole est plus grande qu'Olivier.* ≠ moins.
2. *Dix plus deux égale douze.* → ajoutés à.
3. *Jean est le plus grand de la classe.* ≠ le moins.
4. *Il fait de plus en plus beau.* → toujours plus.

■ **ne... plus,** loc. inv. **1.** *Julien ne pleure plus.* → il a fini de pleurer. **2.** *Il n'y a plus de pain.* ≠ encore.

GRAMMAIRE

Plus sert à former le comparatif de supériorité (**plus fort**) et le superlatif (**le plus fort**).

EXPRESSION

Une fois **de plus,** *Patrick s'est trompé.* → une nouvelle fois.

plusieurs [plyzjœʀ] mot inv.

La classe a une porte et plusieurs fenêtres.
→ *Plusieurs* désigne un nombre peu élevé, toujours supérieur à un et, en général, supérieur à deux.

ORTHOGRAPHE

N'oublie pas le **s** final.

plutôt mot inv.

1. *Arrête de pleurer ! Dis-moi plutôt où tu as mal.* ≃ de préférence.
2. *Elle joue plutôt qu'elle ne travaille.* ≃ au lieu de.

ORTHOGRAPHE

N'oublie pas l'accent circonflexe sur le **o**.

poche nom fém.

Bruno sort son mouchoir de sa poche.

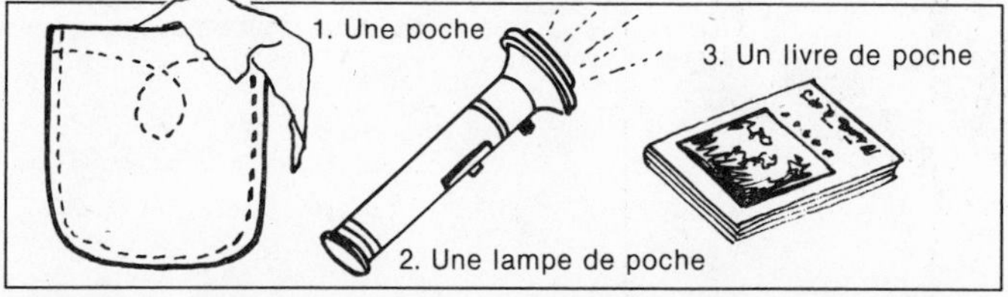

EXPRESSIONS

- *Clarisse a 5 F d'***argent de poche** *par semaine.* → l'argent pour les petites dépenses.
- **Un livre de poche, une lampe de poche.** → se dit d'objets petits qui peuvent tenir dans la poche.

poêle [pwal] nom fém.

Denis fait cuire une escalope dans la poêle.

poème nom masc.

Grégoire recopie un poème de Max Jacob sur son cahier de poésies. → un texte en vers.

poids nom masc.

1. *Le poids du cartable d'Éric lui fait mal au dos.*
2. *Elle a perdu du poids, mais lui en a pris.* → elle a maigri, mais il a grossi.

ORTHOGRAPHE

Attention au **-ds** final.

poignée nom fém.

1. *J'ai arraché une poignée d'herbe devant la maison.* → la quantité que peut contenir une main fermée.
2. *Le maire a donné une poignée de main à tous ses invités.* → il leur a serré la main.
3. *Il faudra remplacer la poignée de la porte d'entrée.*

ORIGINE

Poignée vient de poing.

poignet nom masc.

Éliane porte un bracelet au poignet droit. → l'articulation entre la main et l'avant-bras.

ORIGINE

Poignet vient de poing.

poil [pwal] nom masc.

1. *Il y a des poils blancs dans la barbe de grand-père.*
2. *Le chat perd ses poils.*

VOCABULAIRE

Poil → pelage.
Plume → plumage.

poing nom masc.

Fabien tapait sur la porte avec ses poings. → avec ses mains fermées.

EXPRESSION

Dormir à poings fermés. → dormir très profondément.

point nom masc.

1. *Notre équipe a marqué huit points.* ≃ but.
2. *On met toujours un point à la fin d'une phrase, ainsi que sur le* i *et le* j *minuscules.* → petit signe circulaire.
3. *Le pull de Claude est tricoté au point de jersey.*
4. *Ces deux filles ont des points communs.* → elles se ressemblent sous certains aspects.

EXPRESSIONS

- **Un point de côté.** → une douleur sur le côté.
- **Partager un point de vue.** → partager une opinion, être d'accord.
- **Sur le point de** → bientôt.

pointe nom fém.

1. *Chloé s'est piqué le doigt avec la pointe de son compas.*
2. *Une industrie à la pointe du progrès.* → très en avance.
3. *Quelle est ta vitesse de pointe ?* → ta vitesse maximum.

EXPRESSIONS

- **Faire des pointes.** → se tenir sur la pointe des pieds (pour une danseuse classique).
- **Marcher sur la pointe des pieds.** → marcher sur le bout des pieds, tout doucement.

poire nom fém.

Mireille mange une poire au dessert.

■ **poirier,** n. m. *On cueille des poires sur le poirier.*

poireau nom masc.

Claude prépare la soupe en épluchant des pommes de terre, des carottes et des poireaux. → des légumes au pied blanc et aux feuilles vertes.

VOCABULAIRE

Une botte de poireaux.

pois nom masc.

Évelyne ouvre une boîte de petits pois.

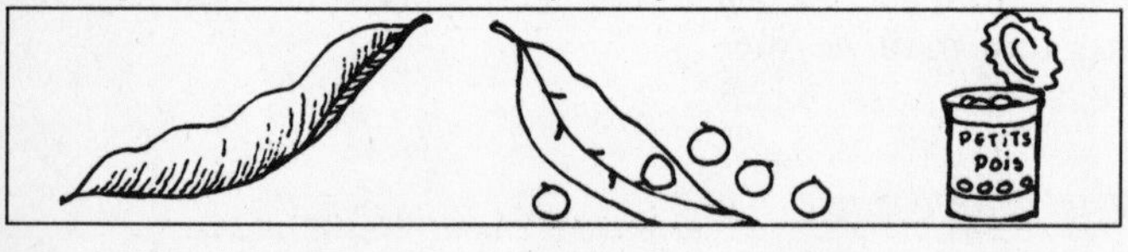

ORTHOGRAPHE

Pois prend un **s** final même au singulier.

poisson nom masc.

Les poissons rouges nagent dans le bocal.

■ **poissonnerie,** n. f. *On achète du poisson à la poissonnerie.* ■ **poissonnier, ière,** n. m. et f. *Le poissonnier vend du poisson et des coquillages.*

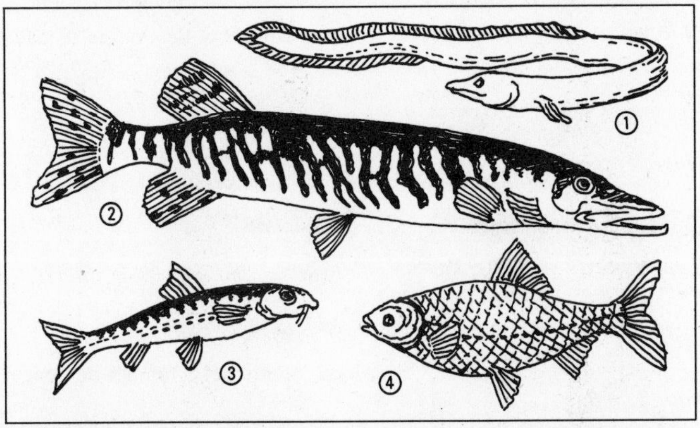

1. Une anguille.
2. Un brochet.
3. Un goujon.
4. Un gardon.

EXPRESSION

Poisson d'avril. → plaisanterie qu'on fait le 1er avril de chaque année.

AUTOUR DE

Les poissons vivent dans l'eau et nagent grâce à leurs nageoires. Ils pondent des œufs pour se reproduire.

poivre nom masc.

Liliane met du sel et du poivre sur la viande. → une épice.

police nom fém.

La maison de nos voisins a été cambriolée : ils ont appelé la police.

■ **policier,** n. m. *Des policiers en uniforme font une ronde le soir dans notre ville.* ≃ gendarme.

EXPRESSION

Police-secours. → service qui apporte de l'aide en cas d'urgence.

politesse nom fém.

Quand on vous demande quelque chose, il faut répondre avec politesse. ≃ courtoisie. ≠ impolitesse.

■ **poli, e,** adj. *Elle n'est pas très polie : elle est passée sans me dire bonjour.* → elle est mal élevée.

EXPRESSION

Formules de politesse : *s'il vous plaît* et *merci.*

P

polluer 3 verbe

Le naufrage du pétrolier a pollué la côte. → il l'a salie avec du pétrole.

■ **pollution,** n. f. *La pollution des mers.*

ORTHOGRAPHE

Attention aux deux l !

pomme nom fém.

Josiane fait de la compote de pommes, Xavier mange un chausson aux pommes.

■ **pommier,** n. m. *Les fleurs du pommier sont roses.*

EXPRESSIONS

- **Haut comme trois pommes.** → petit.
- **Une pomme de pin.** → le fruit du pin.
- **Vert pomme.** → vert vif et clair.

pomme de terre nom fém.

Il faut laver les pommes de terre et les faire cuire pour les manger.

VOCABULAIRE

Un sac de pommes de terre. Éplucher des pommes de terre.

pompe nom fém.

1. *Yvette regonfle le pneu de son vélo avec une pompe.*
2. *La pompe à incendie projette un jet puissant sur la maison en flammes.*

VOCABULAIRE

La pompe à essence permet de distribuer de l'essence.

pompier ou **sapeur-pompier** nom masc.

La maison brûlait, les pompiers sont arrivés très vite pour éteindre le feu.

ORIGINE

Pompier vient de pompe (à eau).

pondre 31 verbe

Les oiseaux, les reptiles, les poissons, les insectes pondent des œufs.

poney [pɔnɛ] nom masc.

Véronique fait une promenade à dos de poney. → sorte de cheval d'une race de petite taille.

ORTHOGRAPHE

Attention au **-ey** !

VOCABULAIRE

La ponette est la femelle du poney.

pont nom masc.

Philippe et Céline cherchent un pont pour traverser la rivière.

■ **pont-levis,** n. m. comp. *Le pont-levis du château fort est abaissé.*

VOCABULAIRE

Le pont enjambe la rivière. On franchit, passe un pont.

population nom fém.

La population mondiale compte plusieurs milliards d'êtres humains. → l'ensemble des personnes.

VOCABULAIRE

La population d'une ville, d'un village, d'un quartier, d'un pays.

porc [pɔʀ] nom masc.

Le jambon, le boudin, le saucisson, le lard sont fabriqués à partir du porc. ≃ cochon.

AUTOUR DE

La femelle du porc est la truie, et les petits sont les porcelets.

port [pɔʀ] nom masc.

Il y a beaucoup de bateaux dans le port, certains transportent des marchandises, d'autres des voyageurs.

ORTHOGRAPHE

Attention au **t** final !

porte nom fém.

Antoinette entre dans la classe et ferme la porte.

EXPRESSION

Mettre à la porte. → mettre dehors, renvoyer.

porter 3 verbe

1. *Antoine porte la valise.* → il transporte.
2. *Grégoire porte un manteau vert.* → il est vêtu de.
3. *Anne porte ses chaussures chez le cordonnier.*

■ **se porter,** v. *Virgine est guérie, maintenant, elle se porte bien.* → elle est en bonne santé.

VOCABULAIRE

Avec porte, du verbe porter, on a formé les mots suivants : porte-avions, porte-clés, porte-documents, portefeuille, portemanteau, porte-monnaie.

portrait nom masc.

Virginie fait le portrait de son frère sur un papier. → elle fait un dessin ou une peinture qui le représente.

VOCABULAIRE

Portrait en noir ou en couleurs ; au crayon, à l'encre, au pinceau.

poser 3 verbe

1. *Thomas pose son cartable par terre et le pain sur la table.* ≃ déposer. ≠ enlever.
2. *Pierre et Janine posent du papier peint dans le couloir.* → ils mettent.

■ **position,** n. f. *Jeanne a mal au dos, la position assise lui est pénible.* → il lui est pénible d'être assise. ■ **se poser,** v. *La mouche se pose sur la lampe.* → elle s'arrête sur.

EXPRESSION

Sylvie **pose une question** *à Stéphane.* → elle l'interroge.

posséder 3 verbe

Viviane voudrait posséder un cheval. ≃ avoir.

VOCABULAIRE

Posséder une maison, de l'argent.

possible adj.

1. *« Est-ce que je peux venir avec vous ? – Ce n'est pas possible, il n'y a plus de place dans la voiture. »* → tu ne peux pas.
2. *Le ciel est noir, il est possible qu'il pleuve.* → il se peut qu'il pleuve.

■ **possibilité,** n. f. **1.** *Marianne a donné à Jacques la possibilité de venir ou de rester.* **2.** *Luc ne croit pas à la possibilité d'un orage.* → qu'il puisse y avoir un orage.

ORIGINE

Possible vient de pouvoir.

VOCABULAIRE

Hésiter entre plusieurs possibilités. Le plus possible ≠ le moins possible.

poste nom fém.

Angéline achète des timbres à la poste. → au bureau de poste.

■ **postal, e,** adj. *Je t'envoie une carte postale de Bretagne.* ■ **poster,** v. *Va poster cette lettre.* → la mettre dans une boîte aux lettres.

VOCABULAIRE

Un bureau de poste. Un employé des postes. La poste aérienne. Le cachet de la poste. Un calendrier des postes.

POSTES ET TELECOMMUNICATIONS

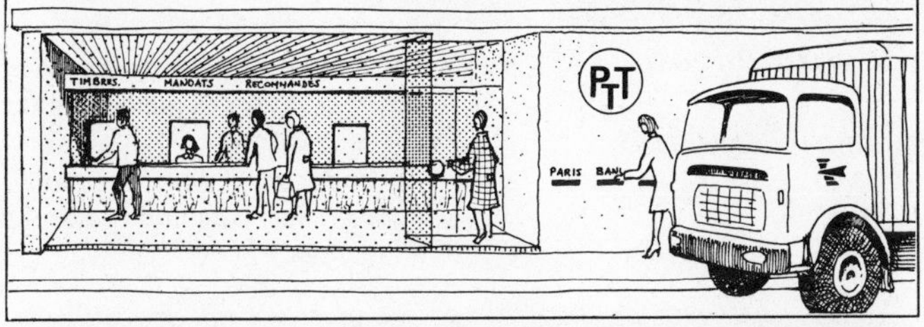

P

pot nom masc.

Sur le balcon, il y a des géraniums dans des pots.

ORTHOGRAPHE

Attention au **t** final !

poteau nom masc.

Le toit de la cabane est posé sur quatre poteaux.

poterie nom fém.

Geneviève apprend la poterie : elle modèle de la pâte et la fait cuire au four. → l'art du potier.

AUTOUR DE

La pâte rougeâtre utilisée en poterie est à base d'argile.

poudre nom fém.

1. *Sandrine a écrasé une craie qui s'est transformée en poudre.*
2. *Elisabeth a acheté du chocolat en poudre.*

■ **poudreux, euse,** adj. *La neige est poudreuse.*

VOCABULAIRE

Du sucre en poudre ; du lait en poudre ; du café en poudre ; du chocolat en poudre. De la poudre à éternuer.

poulain, pouliche nom masc., nom fém.

Le poulain et la pouliche sont les petits du cheval et de la jument. → petit du cheval jusqu'à ce qu'il ait trente mois.

ORTHOGRAPHE

Attention au **-ain** !

poule nom fém.

La poule a pondu un œuf. → la femelle du coq.

■ **poulet,** n. m. *Mardi nous avons mangé du poulet rôti.* → un jeune coq ou une jeune poule.

AUTOUR DE

La poule est la femelle du coq. Elle pond des œufs qu'elle couve pour les faire éclore. Son cri : elle glousse.
Le petit de la poule s'appelle le poussin (et aussi poulet ou poulette quand il a entre trois et dix mois).

poumon nom masc.

Quand on souffle, on chasse l'air de ses poumons.

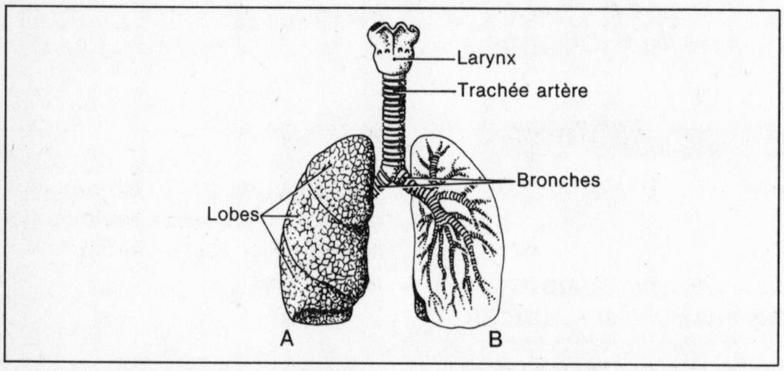

◄ 1. Le poumon gauche (extérieur).
2. Le poumon droit (en coupe).

EXPRESSIONS

- **Aspirer à pleins poumons.** → aspirer profondément.
- **Chanter, crier à pleins poumons.** → de toutes ses forces.

pour mot inv.

1. *Irène a acheté trois bonbons pour le prix de deux.* → Indique l'échange.
2. *Pour Julien, les meilleurs bonbons sont les caramels.* → en ce qui concerne.
3. *Jérémie part pour l'Australie.* → Indique la direction.
4. *Annie est partie pour deux jours.* → Indique la durée.
5. *Sophie prépare son maillot de bain pour aller à la piscine.* → Indique le but.
6. *Claude a été puni pour son étourderie.* → Indique la cause.
7. *Jean-Marie a reçu des patins à roulettes pour son anniversaire.* → Indique la circonstance.

EXPRESSIONS

- *Quand elle* **fut pour** *partir, il ouvrit la porte.* → quand elle fut sur le point de.
- *Ils* **sont** *tous* **pour** *le projet.* → ils sont d'accord pour, ils soutiennent.

pourquoi mot inv.

« Pourquoi pleures-tu ? – Parce que je me suis fait mal. »

GRAMMAIRE

Pourquoi sert à interroger.

poursuivre verbe

1. *Nadine a poursuivi Bruno et a réussi à le rattraper.* → elle a couru après lui.
2. *Après avoir visité le zoo, nous avons poursuivi le voyage.* → nous avons continué.

■ **poursuite,** n. f. *Il y avait deux scènes de poursuite dans ce western.* ■ **poursuivant, e,** n. m. et f. *Les voleurs ont échappé à leurs poursuivants.* → aux personnes qui les pourchassaient.

EXPRESSIONS

- *Le chien s'élance* **à la poursuite du** *lapin.*
- **Jouer à un jeu de poursuite :** par exemple, jouer à chat perché, jouer aux gendarmes et aux voleurs.

pourtant mot inv.

Guillaume est parti à l'heure ; pourtant il est en retard. → cependant, mais.

GRAMMAIRE

Pourtant marque une opposition entre deux choses qui sont liées.

pousser verbe

1. *Sur la porte est écrit : « Poussez ! ».* ≠ tirer.
2. *Annick pousse son père à changer de voiture.* → elle insiste pour qu'il le fasse.
3. *Aurélie s'est cognée contre la porte et a poussé un cri.*
4. *Des mauvaises herbes poussent dans le jardin.* → elles se développent, se multiplient.

■ **se pousser,** v. *Poussez-vous ! Laissez passer l'ambulance.* → écartez-vous.

VOCABULAIRE

(Sens 1) Pousser du coude, du genou.
(Sens 3) Pousser un soupir, un hurlement, un éclat de rire.
(Sens 4) On dit pousser pour la végétation qui grandit (l'herbe, les champignons, le blé) et pour ce qui grandit sur le corps (les ongles, la barbe, les cheveux) ou ce qui apparaît (les dents).

poussière nom fém.

Jean-Paul essuie la poussière sur les meubles.

■ **poussiéreux, euse,** adj. *Un livre poussiéreux.* → couvert de poussière.

EXPRESSION

Tomber en poussière. → en décomposition.

pouvoir [28] verbe

1. *Cédric peut traverser la rue seul, il est assez grand.* → il en est capable.
2. *Une bille peut être en porcelaine, en verre, en métal.* → il y a plusieurs possibilités.
3. *Xavier ne peut pas sortir, il est puni.* → il n'en a pas la permission.
4. *Vous pouvez jouer au grenier ou au jardin.* → vous avez la possibilité ou le droit de.

■ **se pouvoir,** v. **1.** *Il se pourrait qu'il ne vienne pas.* **2.** *« Nadine a-t-elle oublié son cartable ? – Cela se peut, elle est si étourdie ! »*

GRAMMAIRE

Pouvoir est un verbe auxiliaire. Le participe passé **pu** reste toujours invariable.

EXPRESSIONS

- *Violaine s'assied, elle* **n'en peut plus.** → elle est épuisée.
- **N'y pouvoir rien.** → ne pas pouvoir intervenir.

P

prairie nom fém.

Les vaches broutent l'herbe de la prairie. → un terrain recouvert d'herbe. ≃ pâturage, pré.

pratique adj.

Pour aller au stade, la bicyclette est plus pratique que le car. → plus commode.

EXPRESSION

Un exercice pratique, des travaux pratiques.

pratiquer [3] verbe

Éliane pratique régulièrement le judo. → elle en fait.

■ **pratique,** n. f. *La pratique de la natation lui a musclé le dos.* → l'exercice habituel.

pré nom masc.

Il y a des moutons dans le pré. → un terrain recouvert d'herbe. ≃ pâturage, prairie.

précéder [3] verbe

1. *Irène nous précède pour nous montrer le chemin.* → elle marche devant nous. ≠ suivre.
2. *Dans l'ordre alphabétique, le* s *précède le* t. → il est placé avant. ≠ succéder à, suivre.

■ **précédent, e,** adj. *En vacances, Luc a retrouvé ses amis de l'année précédente.* ≠ suivant.

VOCABULAIRE

- Accompagner. → marcher en même temps, aux côtés de.
- Précéder. → marcher devant.
- Suivre. → marcher derrière.

précieux, précieuse adj.

L'argent et l'or sont des métaux précieux.

ORIGINE

Précieux appartient à la famille du mot : prix.

précis, précise adj.

1. *Jean-Paul ne nous a pas donné de renseignements précis ; il a dit : « C'est près du bois. »* → clairs. ≠ imprécis, vague.
2. *Annette a rendez-vous à 14 heures précises.* → à 14 heures exactement.

■ **précisément,** mot inv. *Explique-nous précisément où tu habites.* ≠ à peu près. ■ **préciser,** v. *Précisez-moi la date de votre départ.* ■ **précision,** n. f. *Alice se rappelle avec précision tout ce qu'elle a vu.* → de façon exacte.

VOCABULAIRE

Faire une mesure précise. Des détails précis. Préciser une idée. Dire précisément où on a mal.

préféré, préférée adj.

Cette poupée aux cheveux longs est la préférée de Juliette. → la favorite.

■ **préférence,** n. f. *Parmi tous les desserts, Franck a une préférence pour les œufs à la neige.* → il aime mieux. ■ **préférer,** v. *Agnès préfère les pyjamas aux chemises de nuit.*

GRAMMAIRE

- **Préférer** *une chose ou une personne* **à** *une autre.*
- **Préférer** *faire quelque chose* **plutôt que** *de faire autre chose.*

EXPRESSION

Choisir une chose **de préférence à** *une autre.*

premier, première adj., nom masc., nom fém.

1. adj. *Janvier est le premier mois de l'année.*
2. n. m. et f. *Annick court plus vite que les autres : elle arrive toujours la première.* ≠ dernier.

■ **premièrement,** mot inv. *Pour aller travailler, Éliane prend premièrement le train et deuxièmement le métro.* → en premier.

ORTHOGRAPHE

L'abréviation de **premier** est **1er**.

EXPRESSIONS

- **Faire ses premiers pas.** → marcher pour la première fois.
- **Le premier, la première** *de la classe.* → le (la) meilleur(e) élève.

prendre [31] — verbe

1. *Antoine prend un bonbon dans le paquet.* ≃ saisir.
2. *Au cours de judo, on prend les enfants à partir de 7 ans.* → on accueille.
3. *Monique a bien pris la critique de Jérôme.* → elle l'a bien acceptée.
4. *Sébastien imite la maîtresse : il prend sa façon de parler.* → il imite.
5. *David prend du chocolat et des tartines au petit déjeuner.* → il mange.
6. *La brosse de Martine a disparu. Qui l'a prise ?* → qui l'a emportée ?
7. *Le rangement de sa chambre lui a pris deux heures.* → il lui a demandé.
8. *Les pêcheurs ont pris des truites.* → ils ont attrapé.
9. *Jean-Marc prend le train.* → il voyage en.

■ **se prendre,** v. **1.** *Nicolas s'est pris les pieds dans le tapis.* **2.** *Ma parole ! Il se prend pour un grand seigneur !* → il croit être.

EXPRESSIONS

- *Jean et Nicolas* **ont pris** *leur grande sœur* **comme** *arbitre.* ≃ se servir de.
- *Dans le noir, Xavier* **a pris** *le chat* **pour** *un coussin.* → il a confondu le chat avec.
- *Xavier* **est pris** *tous les mercredis.* → il est occupé.
- **Qu'est-ce qui te prend ?** (fam.). → qu'est-ce qui t'arrive ? (quand on fait ou dit une chose bizarre).
- *Elle* **se prend** *pour une héroïne.* → elle pense être.
- *Bénédicte* **s'y prend** *mal pour faire le nœud.* → elle agit mal pour obtenir le résultat voulu.

prénom — nom masc.

Le prénom de notre instituteur est Jacques.

ORTHOGRAPHE

Attention au **-m** final. Pense à nommer !

préparer [3] — verbe

1. *Julien et Céline préparent leur déguisement.* → ils le font à l'avance pour qu'il soit prêt à temps.
2. *Paul prépare le dîner.* → il fait.

■ **préparation,** n. f. *La préparation du pique-nique a été rapide.* ■ **se préparer,** v. *Hélène se prépare pour aller en classe : elle met son manteau et son bonnet.* → elle s'habille.

EXPRESSIONS

Préparer un examen, un concours. → travailler pour être prêt à le passer.

VOCABULAIRE

On peut : préparer un repas, une fête, une surprise, un cadeau.

près de — mot inv.

1. *Christine habite près de l'école.* ≠ loin de.
2. *Jérôme a mangé près de la moitié du gâteau.* ≃ un peu moins de, environ.

EXPRESSIONS

(Avec près, mot inv.) :
- **A peu près.** → environ.
- Anne met des lunettes pour lire **de près.** ≠ **de loin.**
- *Nous voici arrivées : la maison est* **tout près.**

1. présent, présente — adj.

1. *Les personnes présentes ont entendu ce qu'il a dit.* → les personnes qui étaient là. ≠ absent.
2. *Quand on a appelé son nom, Anne a répondu : Présente !*

■ **présence,** n. f. *La présence aux cours est obligatoire.* ≠ absence.

GRAMMAIRE

Présent se construit avec **à** : **être présent à** *une cérémonie.*

EXPRESSION

En présence de. ≃ en face de, avec.

2. présent — nom masc.

Dans la phrase suivante : Elle chante, le verbe chante *est au présent de l'indicatif.*

EXPRESSION

A présent. → maintenant.

P

présenter 3 verbe

1. *Marguerite nous a présenté sa nouvelle voisine.* → elle nous a fait connaître.
2. *Denis présente son billet au contrôleur.* → il montre.
3. *Nicole a présenté le spectacle, en expliquant qui l'avait préparé et réalisé.*

■ **présentation,** n. f. **1.** au plur. *Marguerite a fait les présentations : Stéphanie, voici Laurent.* **2.** *Il y a trop de taches et de ratures : il faut soigner la présentation du devoir.* ■ **se présenter,** v. **1.** *Noëlle s'est présentée aux élections et elle a été élue.* **2.** *Viviane voulait partir ; elle a pris l'occasion qui s'est présentée.* → qui s'est offerte. ≃ apparaître.

ORTHOGRAPHE

Présentations (sens 1) est au pluriel, car on présente une personne à une autre, et réciproquement.

VOCABULAIRE

- Présenter des papiers d'identité.
- Présenter une émission, un concert, un numéro de cirque.
- Se présenter à un examen, à un concours.

presque mot inv.

Presque tous les élèves étaient présents : il n'y avait que deux malades. ≃ à peu près, pas tout à fait, pratiquement.

GRAMMAIRE

Presque peut se rapporter à un nom, un pronom, un verbe ou un adverbe.

pressé, pressée adj.

1. *Marc se dépêche d'ouvrir le paquet : il est pressé de manger un bonbon.* → il a hâte.
2. *Termine tranquillement ton travail, ce n'est pas pressé.* → ce n'est pas urgent.

■ **presser,** v. *Michel presse un citron.* ■ **se presser,** v. **1.** *Presse-toi, le car arrive.* → dépêche-toi. **2.** *Les spectateurs se pressent les uns contre les autres pour mieux voir le défilé.* → ils se serrent.

EXPRESSIONS

- **Le temps presse.** → il reste peu de temps.
- **Rien ne presse.** → il n'y a rien d'urgent.

prêt, prête adj.

1. *Nathalie cherche son cartable, Loïc est déjà prêt à partir à l'école.* → il a fini de se préparer.
2. *Magali voudrait que son déguisement soit prêt pour la fête.* → qu'il soit fini.

■ **prêter,** v. *Paul rend à Odile le livre qu'elle lui a prêté.*

GRAMMAIRE

Prêt se construit avec **à**.

EXPRESSIONS

- A vos marques ! **Prêts ?** Partez ! → pour le départ d'une course à pied.
- **Etre prêt à tout.** → risquer tout.

preuve nom fém.

Vincent pense que Pauline ment, mais il n'a pas de preuve. → une indication qui lui permettrait d'en être sûr.

EXPRESSION

Chantal **fait preuve d'***originalité.* → elle montre.

prévenir 34 verbe

1. *Jeanine avait prévenu Julien : s'il ne mettait pas son casque, il aurait une amende.* → elle lui avait dit que cela arriverait.
2. *Pierre téléphone à ses parents pour les prévenir de son retard.* → pour les informer.

CONJUGAISON

Prévenir se conjugue comme **venir**, mais ce n'est pas le même auxiliaire au passé : *Je* **suis** *venu. J'***ai** *prévenu.*

prévoir 37 verbe

Mireille avait prévu que Martine arriverait en retard. → elle l'avait pensé à l'avance.

■ **prévision,** n. f. *Les prévisions de Jacques étaient justes : il a plu cet après-midi.* ≃ calcul.

EXPRESSION

Comme prévu, *Martine était en retard.*

prince, princesse nom masc., nom fém.

Christine lit un conte de fées dans lequel le prince tue un dragon et sauve la princesse.

AUTOUR DE

Le prince héritier est le fils du roi et il est destiné à devenir roi.

principal, principale adj.

1. *Les principaux meubles de la classe sont des tables et des chaises.* → les plus importants.
2. *Dans la phrase : Marie raconte une histoire qui fait rire Lucien,* Marie raconte une histoire *est la proposition principale ou la principale.* ≠ subordonnée.

EXPRESSION

Jean-Louis est en retard, mais **le principal,** *c'est qu'il soit venu.* → l'essentiel.

printemps nom masc.

Les feuilles poussent sur les arbres, c'est le printemps. → saison allant du 20-22 mars au 20-22 juin.

■ **printanier, ière,** adj. *Profitons de cette température printanière pour sortir.* → douce comme au printemps.

GRAMMAIRE

On dit : **au** *printemps,* mais **en** *été,* **en** *automne,* **en** *hiver.*

ORIGINE

Printemps vient de mots latins qui veulent dire : premier temps.

prison [pʀizɔ̃] nom fém.

L'assassin a été mis en prison.

■ **prisonnier, ière,** n. m. et f. ou adj. **1.** n. m. et f. *Trois prisonniers ont été libérés ce matin.* **2.** adj. *L'héroïne était retenue prisonnière dans la tour.* → elle était emprisonnée.

VOCABULAIRE

Libérer de prison. S'évader de prison. Condamner à deux ans de prison. Un gardien de prison.

priver 3 verbe

Bruno est puni : il est privé de piscine. → on lui a interdit d'y aller.

■ **privé, e,** adj. **1.** *Sur le mur, il y a une pancarte : « Propriété privée, défense d'entrer. »* → appartenant à un particulier. **2.** *Luc va à l'école communale, Martin va dans une école privée.* ≠ public.
■ **se priver,** v. *Les dents d'Élodie sont abîmées : elle devrait se priver de bonbons.* → renoncer (aux).

EXPRESSION

La vie privée. → la vie personnelle.

P

VOCABULAIRE

(Sens 1) Un chemin, un domaine privé ; une voie privée.
(Sens 2) Une entreprise privée.

prix nom masc.

1. *Quel est le prix d'un paquet de bonbons ?*
2. *Marielle a remporté le premier prix du concours.* ≃ récompense.

EXPRESSION

Jacques veut **à tout prix** *venir.* → absolument.

probable adj.

Les nuages sont bien noirs, un orage paraît probable. → cela n'est pas tout à fait sûr, mais c'est vraisemblable.

■ **probablement,** mot inv. *Il va probablement pleuvoir.*

EXPRESSION

Il est probable que. → il y a de grandes chances que.

problème nom masc.

1. *Louise fait un problème d'arithmétique.*
2. *Mathilde a des problèmes de santé.* → des ennuis.

VOCABULAIRE

Poser, résoudre un problème. Trouver la solution d'un problème.

prochain, prochaine adj.

La prochaine fois, Viviane reviendra avec Marc. → la fois suivante. ≠ dernier, précédent.

■ **prochainement,** mot inv. *Nous le reverrons prochainement.* → bientôt. ■ **proche,** adj. *La table de Michèle est toute proche du mur.* ≠ éloigné.

ORTHOGRAPHE

Prochain se prononce [pʀɔʃɛn] devant les noms masculins commençant par une voyelle : *le prochain orage.*

produire 13 verbe

1. *La France ne produit pas de pétrole.* → elle n'en tire pas de son sol.
2. *La colère de Marianne a produit une impression curieuse.* → elle a causé, provoqué.

■ **production,** n. f. *La production de l'usine est de cent voitures par jour.* ■ **produit,** n. m. *Les colorants sont des produits chimiques.* ■ **se produire,** v. *La panne s'est produite au milieu de l'émission.* → elle est arrivée, survenue.

VOCABULAIRE

Un arbre produit des fruits. Cette région produit du blé et du maïs. Cette usine produit 10 000 tonnes de papier par an.

profession nom fém.

La maîtresse nous a demandé quelle était la profession de nos parents. → le métier.

profiter 3 verbe

1. *Ludovic a profité de l'expérience de Jeanne.* → il a tiré avantage de. ≠ négliger.
2. *Marie a profité de la distraction de Jacques pour prendre un bonbon.* → elle a saisi l'occasion.

GRAMMAIRE

Marie a **profité de ce que** *Jacques était distrait. C'est le moment,* **profites-en.**

profond, profonde adj.

Dans la piscine, le grand bain est plus profond que le petit. → son fond est situé plus bas.

■ **profondeur,** n. f. *La profondeur du petit bain est de 90 cm.*

ORTHOGRAPHE

Attention au **d** final ! Pense à *profondeur.*

programme nom masc.

Clémence regarde dans le programme s'il y a une émission pour les enfants. → la liste de toutes les émissions prévues.

ORTHOGRAPHE

Attention aux deux **m** !

progrès nom masc.

Les notes d'Alain sont meilleures qu'au trimestre précédent, il y a un progrès sensible. → une amélioration.

ORTHOGRAPHE

Attention au **s** final, même au singulier !

projecteur — nom masc.

1. *La piste du cirque est éclairée par des projecteurs.* → des lampes qui envoient une forte lumière.
2. *Avant de passer le film, Daniel installe le projecteur.* → un appareil qui projette les images sur un écran.

■ **projectile,** n. m. *Avec son lance-pierres, Ariane envoie de petits projectiles : ce sont des cailloux.* → des objets qu'on lance. ■ **projeter,** v. *La maîtresse a projeté des diapositives sur un écran.* → elle a fait apparaître.

◄ Deux projecteurs de film.

VOCABULAIRE

- Un projecteur de théâtre.
- Projeter une ombre sur le mur.
- Un appareil de projection.

AUTOUR DE

Voici d'autres projectiles : des boulets de canon, des balles de revolver, des boules de neige, etc. On peut lancer un projectile à la main, avec une arme à feu, avec un arc, etc.

projet — nom masc.

Jeanne a le projet de repeindre sa chambre. → l'intention. ≃ plan.

VOCABULAIRE

On peut faire, former, réaliser un projet.

se promener [6] — verbe

Le dimanche, Julien se promène dans les bois avec ses parents. → il marche pour le plaisir ou pour la détente.

■ **promenade,** n. f. *Marie a fait une grande promenade sur la plage.* ■ **promeneur, euse,** n. m. et f. *Il y a beaucoup de promeneurs dans la forêt.*

ORTHOGRAPHE

Promener se conjugue comme **mener**, avec un accent grave avant un **e** muet : *je me prom**è**ne.*

promettre [20] — verbe

Les parents de Cédric lui ont promis de l'emmener au cinéma. → ils se sont engagés à.

■ **promesse,** n. f. *Les parents de Cédric ont tenu leur promesse.*

EXPRESSION

Tenir sa promesse ≠ manquer à sa promesse.

proposer [3] — verbe

Janine propose à Serge d'aller avec elle à la piscine. ≃ offrir.

■ **proposition,** n. f. **1.** *La proposition de Janine plaît beaucoup à Serge.* ≃ suggestion. **2.** *Dans la phrase* Janine emmène Serge, qui est content, *il y a deux propositions : une proposition principale et une proposition subordonnée.* ■ **se proposer,** v. *David s'est proposé pour faire la vaisselle.* → il a offert ses services.

EXPRESSION

Sur la proposition de. → en acceptant ce qui a été proposé par.

AUTOUR DE

On peut accepter ou refuser une proposition.

1. propre — adj.

1. *Benjamin a construit cette maquette de ses propres mains.* → sans l'aide de quelqu'un d'autre.
2. Patrick, Saint-Malo *sont des noms propres ;* grenouille, maison *sont des noms communs.*

AUTOUR DE

Les noms propres commencent toujours par une majuscule.

P

2. propre adj.

Il faut avoir les mains propres pour se mettre à table. ≠ sale.

■ **proprement,** mot inv. *Essaie de manger proprement.* ≠ salement. ■ **propreté,** n. f. *La propreté de la cuisine ne dure pas longtemps.*

EXPRESSIONS

- **Propre comme un sou neuf.** → très propre.
- **Recopier au propre** (≠ au brouillon).

propriétaire nom masc. ou fém.

Mes parents sont propriétaires de notre maison. → ils la possèdent, elle est à eux.

■ **propriété,** n. f. *Ce vélo appartient à Nicole.* → il est à elle.

VOCABULAIRE

(Sur un écriteau) Propriété privée, défense d'entrer.

protéger [19] verbe

1. *Quand son chien a été attaqué, Renaud a réussi à le protéger.* → à empêcher qu'on lui fasse du mal.
2. *Un parapluie protège de la pluie.* ≃ garantir.

■ **protection,** n. f. **1.** *Alain est venu demander la protection de son frère.* ≃ aide. **2.** *Ces lunettes assurent une bonne protection contre le soleil.* ≃ défense, garantie.

ORTHOGRAPHE

Attention au **e** après le **g** : *nous protég**e**ons.*

GRAMMAIRE

Protéger de *la pluie* ou **protéger contre** *la pluie.*

prouver [3] verbe

Il pleut depuis 10 heures : or, l'espace sous la voiture n'est pas mouillé. Cela prouve qu'elle a été garée avant 10 heures. → cela apporte la preuve, cela permet d'en être sûr.

EXPRESSION

Cela ne prouve rien. → cela ne démontre rien.

proverbe nom masc.

Pierre qui roule n'amasse pas mousse *est un proverbe français.* → une courte phrase qui exprime, avec une image, une vérité ou un conseil de sagesse.

province nom fém.

1. *L'Alsace et la Provence sont des provinces françaises.*
2. *Laurent habite Paris, Florent habite en province.* → en dehors de la capitale.

■ **provincial, e,** n. m. et f. *Florent est un provincial.*

AUTOUR DE

Les premières provinces étaient les pays conquis par les Romains. La Gaule comprenait 17 provinces, qui furent l'origine des provinces françaises.

prudent, prudente adj.

Quand on roule à bicyclette sur la grand-route, il faut être prudent et bien tenir sa droite. ≠ imprudent.

■ **prudence,** n. f. *Nicole a ralenti au carrefour par prudence.* → par précaution.

VOCABULAIRE

Un conseil de prudence.

prune nom fém.

La reine-claude est une prune verte, la mirabelle est une prune jaune, la quetsche est une prune violette.

■ **pruneau,** n. m. *Les pruneaux sont des prunes séchées.*

ORTHOGRAPHE

Des prun**eaux**.

public, publique — adj.

1. *L'hôpital est un établissement public.* ≠ privé.
2. *La nouvelle de leur mariage est maintenant publique.* → elle est connue de tous.

■ **public,** n. m. **1.** *A la fin du concert, le public a applaudi.* → les spectateurs. **2.** *L'exposition est réservée aux professionnels, le public n'y est pas admis.*

EXPRESSIONS

- **En public.** → devant un certain nombre de personnes.
- **L'opinion publique.** → ce que pensent les gens.
- **Un jardin public.** → ouvert à tous.

publicité — nom fém.

Yvan regarde les publicités à la télévision. → les petits films qui conseillent d'acheter un produit.

AUTOUR DE

La publicité peut être aussi faite par affiches, par dépliants, ou se trouver dans des journaux.

puce — nom fém.

Le chien se gratte, il a des puces. → des petits insectes bruns qui sautent et piquent les êtres humains et les animaux.

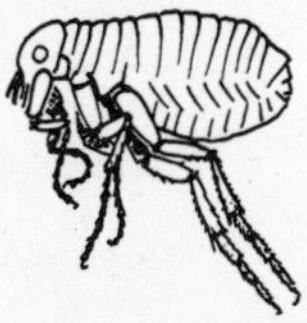

◄ Une puce.

EXPRESSION

Le marché aux puces ou **les puces.** → le marché où l'on vend des objets d'occasion.

puisque — mot inv.

Puisqu'il pleut, nous ne pouvons pas aller nous promener.

puissant, puissante — adj.

1. *La moto de Louis est plus puissante que la tienne.*
2. *Cet homme a une voix puissante.* → très forte.

■ **puissance,** n. f. **1.** *La puissance de ses muscles.* ≃ force. **2.** *La puissance d'un moteur.* ≃ cylindrée.

EXPRESSION

Attention, freins puissants ! (inscription à l'arrière de certains camions).

puits — nom masc.

Quand il n'y avait pas d'eau courante, on allait chercher l'eau à la fontaine ou au puits. → un trou circulaire creusé dans le sol pour atteindre la nappe d'eau souterraine.

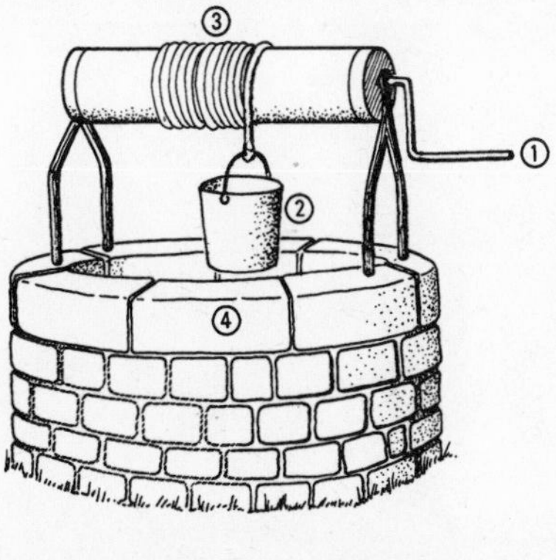

◄ Un puits :
1. La manivelle.
2. Le seau.
3. La corde.
4. La margelle.

ORTHOGRAPHE

Attention au **ts** final.

VOCABULAIRE

Un puits tari. → où il n'y a plus d'eau (ou puits à sec).

P

pull-over ou **pull** nom masc.

Viviane a chaud, elle enlève son pull. → un tricot qui s'enfile par la tête.

ORTHOGRAPHE

Des pull-overs ou *des pulls*.

punir [4] verbe

Géraldine a été punie pour avoir menti. ≠ récompenser.

■ **punition,** n. f. *Géraldine a reçu une punition : elle a été privée de cinéma.*

EXPRESSION

Lever une punition. → la supprimer.

pur, pure adj.

1. *Dans les montagnes, l'air est pur.* ≠ pollué.
2. *Ce manteau est en pure laine.* → il n'est fait que de laine. ≠ mélangé.

■ **pureté,** n. f. *La pureté de l'eau d'un torrent.*

VOCABULAIRE

Une boisson pur jus de fruit. Une confiture pur fruit pur sucre (où il n'y a que ces deux éléments).

puzzle [pœzl] nom masc.

Matthieu cherche où placer une pièce de son puzzle.

ORTHOGRAPHE

Attention aux deux **z** !

pyjama nom masc.

Charles dort en pyjama, et Mélanie en chemise de nuit.

ORTHOGRAPHE

Des pyjama**s**.

Qq

quadrillé, quadrillée [kadʀije] adj.

Les feuilles de mon cahier sont quadrillées.

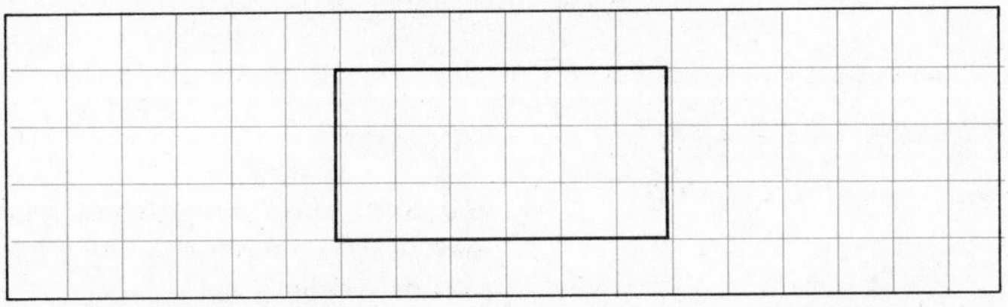

■ **quadrillage** [kadʀijaʒ], n. m. *Aide-toi du quadrillage pour dessiner ton rectangle.*

ORTHOGRAPHE

- Certains mots de cette famille se prononcent [ka] : quadrillé, quartier, quatre...
  D'autres se prononcent [kwa] : quadrilatère, quaternaire...
- En français, la lettre **q** est toujours suivie d'un **u**, et l'ensemble se prononce [k].

quai [kɛ] nom masc.

1. *Près de la voie ferrée, les voyageurs attendent le train sur le quai.*
2. *Dans le port, les bateaux accostent au quai.*

qualificatif adj.

L'adjectif qualificatif précise le nom : un grand *mur, une chanson* triste.

GRAMMAIRE

L'adjectif qualificatif indique la qualité (voir *qualité* sens 1) d'une personne, d'un animal ou d'une chose.

qualité [kalite] nom fém.

1. *Quelles sont les qualités de cette eau ?* → les propriétés.
2. *Il a une grande qualité, c'est la loyauté.* ≠ défaut.

EXPRESSION

Il a été embauché **en qualité de** *comptable.* → en tant que.

quand [kɑ̃] mot inv.

1. *Nous restons à la maison quand il pleut.* ≃ lorsque.
2. *Quand partez-vous en vacances ?* → à quel moment partez-vous ?
3. *Il y avait de l'orage, mais ma sœur est sortie quand même.* ≃ malgré tout.

PROVERBE

Quand le chat n'est pas là, les souris dansent.

quantité nom fém.

Dans les supermarchés, une grande quantité de marchandises est étalée sur les rayons. ≃ abondance.

EXPRESSION

Cet arbre a donné des fruits **en grande quantité.** ≃ beaucoup.

quart [kaʀ] nom masc.

1. *5 est le quart de 20.* → le résultat de 20 : 4.
2. *La récréation dure un quart d'heure ; nous rentrerons en classe à quatre heures moins le quart.* → 15 minutes.

ORTHOGRAPHE

Un **quart** s'écrit $\frac{1}{4}$; **trois quarts**, $\frac{3}{4}$.

quartier [kaʀtje] nom masc.

1. *Dans quel quartier habites-tu ?* → quelle partie de la ville ?
2. *On peut partager une pomme en quatre quartiers.* → quatre parties.

1. Les quartiers d'une pomme.
2. Un quartier de lune.

ORIGINE

Quartier appartient à la famille du mot **quatre.**

VOCABULAIRE

Un quartier de lune : le premier quartier suit la nouvelle lune, le dernier quartier, la pleine lune.

quatre adj. num. inv.

Dans une année, il y a quatre saisons : le printemps, l'été, l'automne, l'hiver.

EXPRESSION

Elle **s'est mise en quatre** *pour faire plaisir à sa mère.* → elle a fait tout ce qu'elle a pu.

que mot inv.

1. *Le gâteau que mange Béatrice est excellent.*
2. *Que dis-tu, Jean-Pierre ?*
3. *Maman veut que tu mettes un tablier.*
4. *Nous ne sommes pas en retard, il n'est que 8 heures.* → il est seulement.

GRAMMAIRE

Que peut introduire une relative (1), une interrogative (2), une complétive (3).

quel, quelle adj.

1. *Quel manteau mettras-tu ? Quelle heure est-il ?* → Introduit une phrase interrogative.
2. *Quels beaux costumes !* → Introduit une phrase exclamative.

ORTHOGRAPHE

- Au pluriel : quel**s** – quell**es**.
- *J'aime le gâteau* **quel qu'il soit** *et la tarte* **quelle qu'elle soit.**

quelconque adj.

1. *Prenez un fruit quelconque.* → au hasard, n'importe lequel.
2. *Je le trouve quelconque, ton camarade.* ≃ ordinaire.

ORTHOGRAPHE

Attention le son [k] dans ce mot s'écrit de deux façons : **c** puis **qu**.

quelque adj.

1. *Nous avons acheté quelques fruits pour le dessert.* ≃ divers, plusieurs.
2. *Il y a quelque temps, son oncle est venu.* → il y a un certain temps.

VOCABULAIRE

On retrouve quelque dans : quelqu'un ; quelques-uns ; quelquefois.

question nom fém.

1. *L'animateur du jeu posa une question difficile ; le candidat ne put y répondre.* → une interrogation. ≠ réponse.
2. *Dans ce journal, il est question du prochain salon du bricolage.* → on parle du.

AUTOUR DE

Au Moyen Age, on soumettait quelquefois un accusé à des tortures qu'on appelait « supplice de la question », pour l'obliger à parler.

questionner, v. *Jonathan m'a questionné pour savoir si j'avais bien retenu mes dates d'histoire.* → il m'a interrogé.

queue [kø] nom fém.

1. *L'écureuil a une queue en panache.*
2. *Ma grand-mère fait de la tisane avec des queues de cerises.*

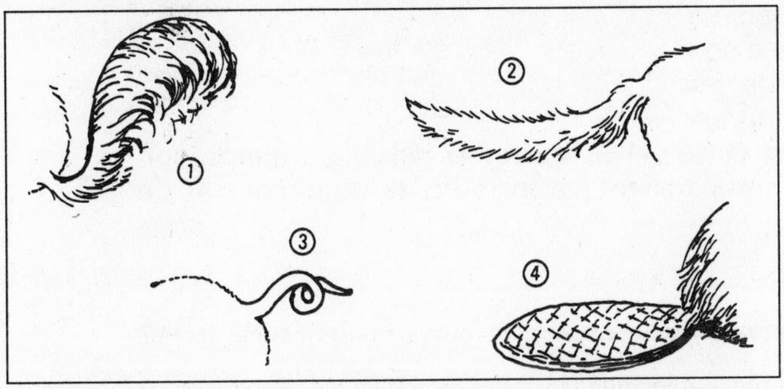

◀ Quatre queues d'animaux :
1. L'écureuil.
2. Le chien.
3. Le porc.
4. Le castor.

EXPRESSIONS

- *Le coureur malheureux était* **en queue de** *peloton.* → tout à la fin.
- *Les clients* **font la queue** *devant le magasin.* → ils se mettent en file pour attendre leur tour.

qui mot inv.

1. *Donne-moi le verre qui est sur la table.* → introduit une proposition subordonnée relative.
2. *Embrassez qui vous voudrez.* → la personne que.
3. *Qui as-tu vu en te promenant ?* → quelle personne ?

quille [kij] nom fém.

1. *Dans la cour, les enfants jouent aux quilles.*
2. *La quille du bateau plonge dans l'eau lorsqu'il flotte, et frotte sur le sable quand on tire le bateau au rivage.*

◀ La quille du navire.

EXPRESSION

Alors que Luce et Agnès m'aidaient à faire un gâteau, Mathieu est arrivé **comme un chien dans un jeu de quilles.** → au mauvais moment, en dérangeant tout.

quitter [3] verbe

1. *En arrivant à la maternelle, la petite Isabelle quitte sa maman à la porte de l'école.* → elle se sépare de.
2. *Le chien ne veut pas quitter son maître.* ≃ abandonner.

EXPRESSION

Ne pas quitter des yeux. → suivre sans cesse du regard.

Q

quoi mot inv.

1. *François, curieux, voudrait savoir à quoi sert cet outil.*
2. *Elle m'a apporté ce panier de fruits, après quoi elle est partie.* → après cela.
3. *Ces gens si pauvres ont à peine de quoi vivre.* → des ressources.

ORTHOGRAPHE

Quoi est un mot invariable qui s'emploie en interrogeant :
– **Quoi** *de neuf ?* ;
ou en s'exclamant :
– **Quoi !** *tu n'en as pas ?*

quotidien, quotidienne adj.

Le facteur distribue le courrier, c'est son travail quotidien. → de chaque jour.

■ **quotidien,** n. m. *Tous les matins, mon père achète et lit un quotidien.* → un journal qui paraît tous les jours.

ORTHOGRAPHE

quotidien → quotidi**enne**, comme ancien → anci**enne**.

19. Les transports *(page ci-contre)*

LES TRANSPORTS
① Hélicoptère ② Avion supersonique ③ Terrain d'aviation ④ Cargo ⑤ Route ⑥ Camion-citerne ⑦ Automobile ⑧ Locomotive ⑨ Voiture de voyageurs ⑩ Wagon-citerne ⑪ Péniche ⑫ Écluse ⑬ Motard ⑭ Camion ⑮ Pont ferroviaire

Du haut de la montagne Sainte-Geneviève, on découvre la vallée et l'important trafic de ses voies de communication. La route longe le fleuve presque jusqu'à son embouchure. La voie de chemin de fer enjambe l'un et l'autre. Spectacle impressionnant et quelque peu terrifiant : cette vallée, autrefois paisible, a perdu son caractère et sa douceur et retentit maintenant de mille bruits de moteur et de ferraille.

Serge

J'emploie le mot juste
- Combien de véhicules automobiles terrestres circulant sur les routes, figurent sur la carte ? Classe-les par catégories.
- Maintenant, propose un classement par catégories de tous les véhicules présentés.
- Quels bruits font :
  a) la moto ; b) l'hélicoptère ; c) le train. Trouve un verbe pour définir chacun de ces bruits.

Des mots aux idées
- Quels mots de cette liste ont un rapport avec :
  a) la route ; b) la voie ferrée ; c) la voie fluviale :
  tunnel – ballast – fossé – berge – quai – cheminot – trottoir – virage – amont – garde-barrière – voirie – gare – croisement.
- Donne plusieurs noms de métiers ayant rapport avec la navigation aérienne.

Des mots pour parler
- Le pilote de l'hélicoptère dit ce qu'il voit. Raconte.
- As-tu déjà vu un paysage ressemblant à celui-ci ! Si oui, situe-le et décris-le.

20. La mer *(p. 378-379)*

L'eau et la mer
L'**eau douce** est l'eau qui tombe du ciel ou qui coule des sources.
L'**eau salée** est celle qui constitue les mers et les océans.

La mer
- La mer est animée d'un mouvement régulier et quotidien : la **marée.** La marée montante s'appelle le **flux,** la marée descendante, le **reflux.**
- La mer peut être calme, agitée, houleuse, démontée.

Agitée, elle forme des *flots,* des *vagues,* des *lames,* des *crêtes,* des *ondulations.*
Démontée, elle est le lieu des ouragans, des *tempêtes,* des *cyclones,* des *tornades,* des *raz de marée.*
- La présence de *roches,* d'*écueils,* de *récifs* rend dangereuse la navigation en mer.
- La côte se découpe en *criques, anses, calanques, baies* et *golfes.*

Dans les profondeurs de la mer vivent une **faune** et une **flore** marines.

La côte
La côte peut être rocheuse, plate, basse. Elle est parfois bordée de **dunes** ou aménagée en **plage.**
On y trouve du *sable* ou des *galets,* à moins qu'elle ne se présente sous la forme d'une **falaise.**
La côte, lorsqu'elle est élevée et s'avance dans la mer, a pour nom : **cap** ou **promontoire.**

Le port
Il y a des *ports de commerce,* des *ports de guerre,* des *ports de plaisance.*
L'entrée du port est souvent protégée *par une digue* ou une *jetée.*
Le *phare* envoie des signaux aux bateaux ; les *balises* indiquent les endroits dangereux pour la navigation.

(suite à la p. 381)

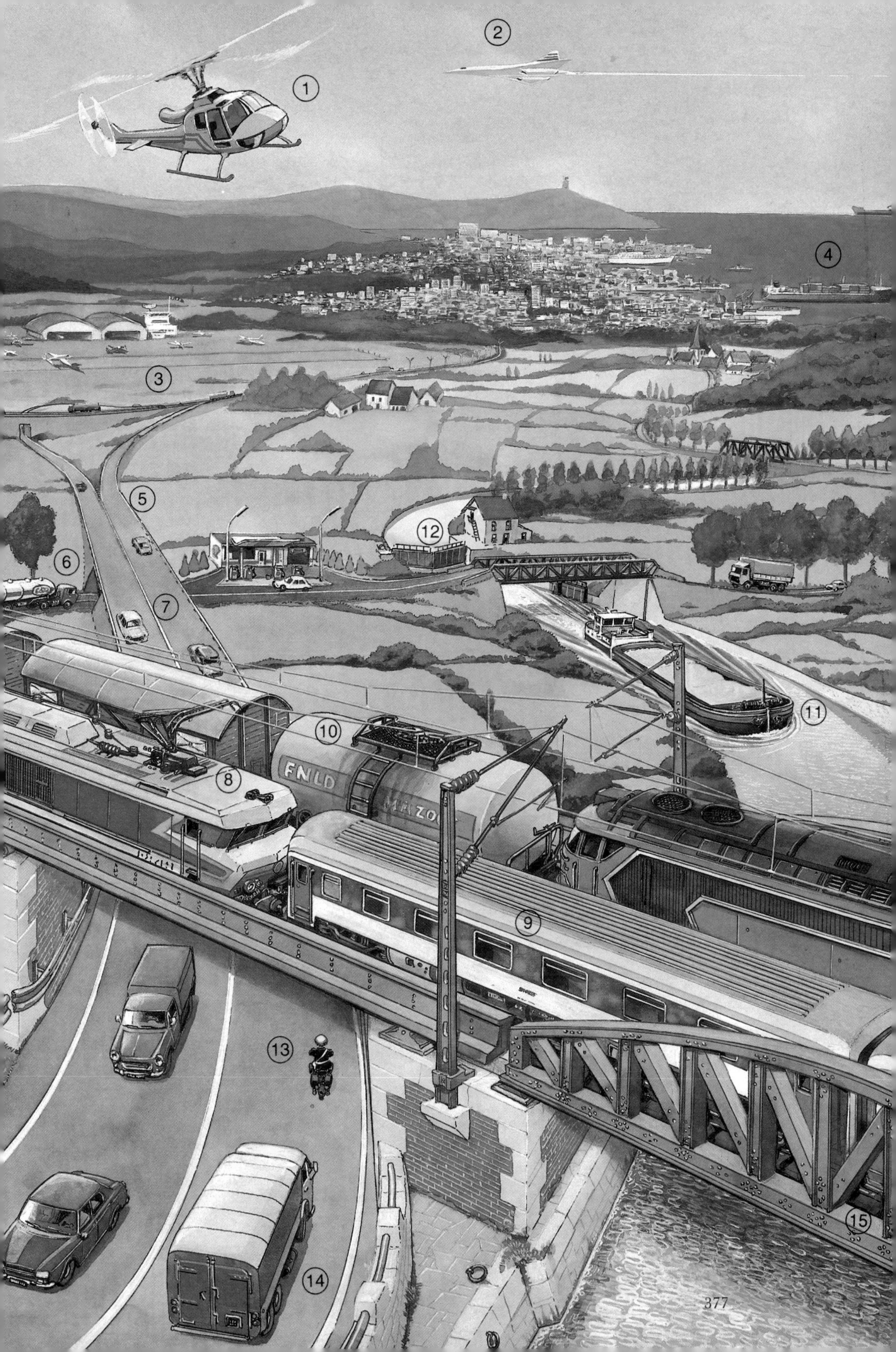
1
2
3
4
5
6
7
8
9
10
11
12
13
14
15
FNLD

24
1
2
5
14
4
23
6
13
3
8
10
9
7
11

LA MER

① Phare ② Cargo ③ Bateau de pêche ④ Mouettes ⑤ Remorqueur ⑥ Petite jetée ⑦ Marin pêcheur ⑧ Filet de pêche ⑨ Étoile de mer ⑩ Oursins ⑪ Bigorneau ⑫ Épuisette ⑬ Baigneur ⑭ Hors-bord ⑮ Voilier ⑯ Piscine ⑰ Plongeoir ⑱ Bouée ⑲ Château de sable ⑳ Parasols ㉑ Tentes ㉒ Drapeau (pour l'autorisation de la baignade) ㉓ Planche à voile ㉔ Docks

HÔPITAL
PIÉTONS
STOP
LIBERTÉ
BIBLIOTHÈQUE
SAMU
1
2
3
4
5
6
7
8
9
10
11
12
13
14
15
16
17
18
19
20

(suite de la p. 376)

Les bateaux séjournent dans des *bassins* et sont amarrés au *quai*. Les remorqueurs servent à guider d'autres bateaux en mer.
Sur le port se trouvent parfois des *docks*, des *entrepôts*.
A leur arrivée au port, les navires doivent se soumettre *aux formalités de la douane*.
On construit ou on répare les bateaux dans des *chantiers de construction (ou chantiers navals)*.

Le navire
La *proue* est la partie avant du bateau, la *poupe*, la partie arrière.
On va et vient sur le *pont* du bateau. La *soute* et les *cales* se situent dans la partie inférieure.
Le *gouvernail* et la *barre* servent à le diriger. Les voiliers sont munis de *mâts* qui portent, comme les *cordages*, plusieurs noms différents.
Les *passagers* et l'*équipage embarquent et débarquent*. Au départ, le navire *lève l'ancre* : il *appareille*.
Un navire *échoué* devient une *épave*.

La navigation
La navigation est le fait d'aller sur l'eau – que ce soit la mer, un lac, un fleuve – à l'aide d'embarcations.
La navigation *au long cours* mène vers des terres lointaines.
La navigation *de plaisance* permet de faire des *croisières* et du *sport nautique*.
La navigation *fluviale* s'effectue sur les fleuves, les rivières et les canaux.
Le *marin* est un homme qui navigue en mer. Le *matelot* navigue sur un bateau qui appartient à l'État et le *marinier* navigue sur les fleuves.

La pêche maritime
Le port de pêche voit accoster les *thoniers*, les *sardiniers*, les *haranguiers*, les *morutiers*, les *terre-neuvas*, les *pinasses*, les *chalutiers*.
Sur le bateau travaillent le *patron*, les *pêcheurs*, les *mousses*, vêtus de *bottes*, de *cirés*, de *suroîts* (chapeaux).

21. La circulation en ville *(page ci-contre)*

De la terrasse supérieure des grands magasins, on a un point de vue inhabituel sur la circulation dans notre quartier. La proximité de l'école, de l'hôpital et de la mairie explique l'affluence dans les rues. Il faut respecter scrupuleusement les signalisations, en particulier les feux tricolores et les panneaux d'interdiction, pour éviter d'être la victime d'un accident. L'imprudence est la cause de la plupart des accidents.

Evelyne

J'emploie le mot juste
- Quels panneaux, gestes ou signaux indiquent que l'on doit s'arrêter ? Réponds à partir de la planche.
- Que peut faire une voiture ? Emploie tous les verbes d'action que l'on peut utiliser pour signaler le mouvement d'une voiture.
- Décris le square et les personnages qui s'y trouvent.

LA CIRCULATION EN VILLE
(1) Passage piéton (2) Bande stop (3) Panneau de stop (4) Véhicule en arrêt momentané (5) Feux tricolores (6) Piéton (7) Piétonne (8) Panneau signalant un hôpital (9) Trottoir (10) Boîte à lettres (11) Cyclomotoriste (12) Autobus à l'arrêt (13) Véhicule prioritaire (14) Feu pour le passage ou l'interdiction de passage pour les piétons (15) Agent de la circulation (16) Cycliste (17) Arrêt d'autobus (18) Barrière d'entrée mobile (19) Bande jaune de stationnement pour les bus (20) Square

Des mots aux idées
- Quels sont les véhicules prioritaires en circulation urbaine ?
- Que trouve-t-on dans le code de la route ? Connais-tu d'autres emplois du mot « code » ? Lesquels ?

Des mots pour parler
- Décris le chemin que doit parcourir un enfant qui sort de l'école et qui doit prendre le bus.
- Dessine les panneaux du code de la route que tu as déjà vus, et dis ce qu'ils signifient.

Rr

racine nom fém.

1. *Le chêne est un arbre qui possède de fortes racines.*
2. *Les dents ont des racines plantées dans la gencive.*

AUTOUR DE

Nous mangeons la racine de certains légumes : des carottes, des navets, des radis...

raconter [3] verbe

Quelquefois, ma grand-mère me raconte des souvenirs de sa jeunesse. ≃ conter.

radio [ʀadjo] nom fém.

1. *Un accident d'avion vient d'être annoncé à la radio.*
2. *Le médecin a fait une radio du bras cassé.* → une photo prise aux rayons X. ≃ radiographie.

GRAMMAIRE

Ce mot est une abréviation, comme : **ciné, photo** ou **télé.**

rafale nom fém.

Pendant la tempête, le vent soufflait par rafales. → par coups violents. ≃ bourrasque.

ORTHOGRAPHE

Dans ce mot, il y a un seul **f** et un seul **l**.

rafraîchir [4] verbe

En été, je rafraîchis mes boissons avec des glaçons. ≃ refroidir.

ORTHOGRAPHE

Ce mot s'écrit avec un seul **f** et un accent circonflexe sur le **i**.

■ **rafraîchissement,** n. m. *Après la promenade, nous avons pris des rafraîchissements.* → des boissons fraîches. ■ **se rafraîchir,** v. *Le temps se rafraîchit.* → il devient plus froid.

rage nom fém.

1. *Atteint par la rage, le chien a dû être abattu.* → une maladie contagieuse transmise par morsure.
2. *En voyant qu'il avait été volé, il devint fou de rage.* → il montra une violente colère.

EXPRESSIONS

- **Une rage de dents.** → une crise aiguë, une douleur vive aux dents.
- *La tempête* **fait rage.** → elle se déchaîne avec une extrême violence. ≃ fureur.

raide adj.

1. *Paola a les cheveux raides.* → qui manquent de souplesse.
2. *L'escalier qui monte au grenier est raide.* ≃ abrupt.
3. *A son poste, le soldat de la garde se tenait très raide.* → droit et immobile.

EXPRESSION

Au moment de l'examen, Pierre eut l'impression **d'être sur la corde raide** (fam.). → dans une position délicate, dangereuse.

■ **raideur,** n. f. *Il y a une certaine raideur dans son attitude.* ≠ aisance, souplesse.

1. raie nom fém.

1. *François se coiffe toujours avec une raie sur le côté.* → une ligne de partage faite au peigne.
2. *La robe de Véronique est bleue avec des raies blanches.* → des lignes. ≃ rayure, trait.

ORTHOGRAPHE

Attention : distingue raie et rayure.

2. raie nom fém.

Au menu de midi, il y a de la raie au beurre noir. → un poisson de mer, plat et cartilagineux.

raisin [ʀɛzɛ̃] nom masc.

Au dessert, Michel apporta de grosses grappes de raisin noir. → le fruit de la vigne.

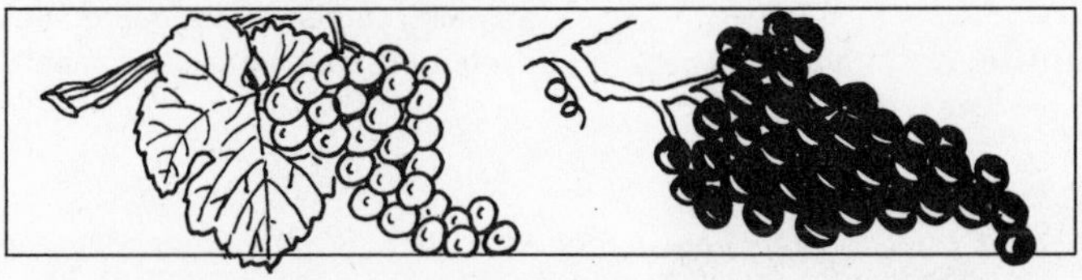

AUTOUR DE

On coupe les grappes de raisin au moment de la vendange. Le raisin, blanc ou noir, écrasé, donne du jus (le moût), qui, en fermentant, devient le vin.

raison [ʀɛzɔ̃] nom fém.

1. *Vincent a l'âge de raison, il sait juger, comprendre.* ≃ sagesse, faculté de juger.
2. *De ces deux personnes, c'est la seconde qui a raison.* ≠ avoir tort.
3. *Elle a perdu la raison.* → elle n'a plus l'esprit sain.
4. *Pour quelle raison faites-vous cela ?* → pour quel motif ?

■ **raisonnable,** adj. *J'ai acheté cette voiture à un prix raisonnable.*

EXPRESSIONS

- *Vous prendrez ces comprimés* **à raison de** *deux par jour.* → au rythme de.
- **Plus que de raison.** → plus qu'il ne faut, avec exagération.
- **Sans rime ni raison.** → absurde.

ramasser [3] verbe

Avant d'entreprendre une nouvelle partie, Sylvain a ramassé les cartes éparpillées sur la table. → il a regroupé, réuni les cartes.

■ **ramassage,** n. m. *Un car de ramassage pour les écoliers.* → qui les prend en différents endroits.

ORTHOGRAPHE

Attention ! Ce verbe s'écrit avec deux **s** et un seul **m**.

R

rameau nom masc.

Ce matin, j'ai vu un lézard se glisser dans des rameaux de noisetiers. → des petites branches.

ORTHOGRAPHE

Des ram**eaux**.

rampe nom fém.

Bien que ce soit défendu, Jean descend sur la rampe de l'escalier. → la balustrade.

■ **ramper,** v. → avancer sur le ventre à la façon des reptiles.

ORTHOGRAPHE

Devant un **b**, un **p** ou un **m**, on doit mettre la lettre **m**, sauf dans bon**b**on, bo**n**bonnière, embo**n**point, néa**n**moins.

randonnée nom fém.

Les scouts ont décidé de faire une randonnée à bicyclette dimanche prochain. → un circuit dans la nature, à travers champs et bois. ≃ course, excursion, grande promenade.

AUTOUR DE

Il existe en France des circuits de grande randonnée pédestre (à pied) signalés par des écriteaux.

ranger 19 verbe

Après son travail, le plombier range ses outils. → il les place en ordre. ≃ aligner, classer, ordonner, placer.

■ **rang,** n. m. *Les soldats se mettent en rang.* ■ **rangée,** n. f. *Une rangée de livres sur l'étagère.* ■ **se ranger,** v. *Le taxi se range près du trottoir.* → il se gare, se place.

EXPRESSIONS

- *On demandait un musicien pour l'orchestre ; Robert* **s'est mis sur les rangs.** → il s'est porté candidat.
- **Se mettre en rang.** → s'aligner.

ranimer 3 verbe

On tenta de ranimer le noyé en pratiquant la respiration artificielle. → de le faire revenir à la vie.

GRAMMAIRE

On ranime le feu, on ranime le courage de quelqu'un.

rapide adj.

Frédéric a été le plus rapide, il a gagné la course. ≠ lent.

■ **rapidement,** mot inv. ≃ vite. ■ **rapidité,** n. f. *Ma commande m'est parvenue avec une grande rapidité.* → très vite. ≃ vitesse.

AUTOUR DE

Il arrive qu'un fleuve ait, à un certain endroit, une pente très forte ; on appelle cela un rapide.

◀ Le franchissement d'un rapide, lors d'une épreuve de canoë-kayak.

se rappeler 7 verbe

Michel ne se rappelait plus l'endroit où j'habitais, il s'est trompé de rue. → il ne se souvenait plus de. ≠ oublier.

GRAMMAIRE

Je me rappelle cette chanson, je me souviens **de** *cette chanson.*

rapport nom masc.

1. *Comme il avait vu l'accident, on demanda à mon oncle d'en faire un rapport écrit.* → un compte rendu, un récit, un témoignage.
2. *Nous n'avons plus de rapports avec cette famille.* → nous ne la fréquentons plus. ≃ relation.
3. *Ces champs sont d'un bon rapport.* → ils rapportent de l'argent, ils produisent de bonnes récoltes. ≃ rendement.

■ **rapporter,** v. **1.** *Rapporte-moi mon livre si tu viens me voir.* → rends-le moi. **2.** *Il a rapporté à Joël ce que tu lui avais dit secrètement.* → il a dit.

AUTOUR DE

Un rapporteur sert à mesurer des angles.

▼

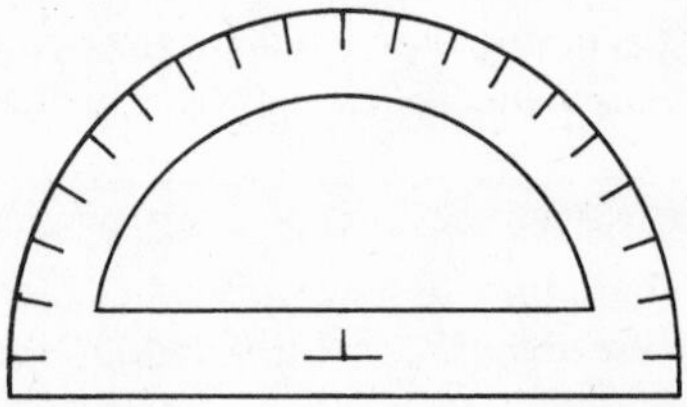

rare adj.

Ce collectionneur nous a montré quelques timbres rares auxquels il tient beaucoup. → des timbres précieux. ≃ exceptionnel. ≠ commun, ordinaire.

■ **rarement,** mot inv. → peu souvent. ■ **rareté,** n. f. *La rareté d'une pierre précieuse, d'un bois en fait le prix.*

EXPRESSIONS

- *Jean a fait preuve* **d'un rare courage.** ≃ extraordinaire, peu commun.
- *Tes visites* **se font rares.** → tu viens peu souvent.

rassembler 3 verbe

Toute la famille se rassemble pour le repas du soir. → elle se regroupe, se réunit. ≠ disperser, éparpiller.

■ **rassemblement,** n. m. *Un rassemblement de personnes autour d'un accident.* ≃ groupement.

rat nom masc.

1. *Dans le grenier, les rats ont grignoté des chiffons et de vieux journaux.* → des animaux rongeurs.
2. *Les petits rats de l'Opéra sont de jeunes danseurs et danseuses de la classe de danse.*

EXPRESSION

Le voleur est **fait comme un rat** (fam.). → il est pris au piège.

◄ A gauche, un rat ; à droite, une souris.

râteau nom masc.

En automne, Camille ramasse les feuilles mortes avec un râteau.

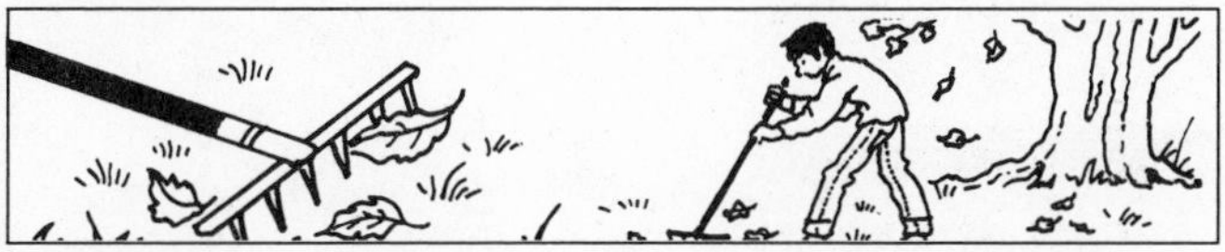

ORTHOGRAPHE

Râteau, gâteau, château prennent tous un accent circonflexe sur le **a.**

rattraper 3 verbe

1. *La police a rattrapé le prisonnier qui s'était évadé.* → elle a repris.
2. *Le courageux cycliste a réussi à rattraper le peloton.* → à le rejoindre.

ORTHOGRAPHE

Ce mot s'écrit avec deux **t,** mais un seul **p.**

R

ravi, ravie adj.

A son sourire, on voyait qu'elle était ravie. → heureuse. ≠ attristé, navré.

■ **ravissant, e,** adj. *Un tableau ravissant.* ≃ charmant, joli.

rayer [reje] ou [rɛje] 21 verbe

Ne place pas tes outils sur la table, tu risques de rayer le vernis. ≃ érafler.

rayon [ʀɛjɔ̃] nom masc.

1. *Les rayons du soleil m'éblouissent.* ≃ l'éclat.
2. *Le rayon d'un cercle est la ligne droite qui va du centre au bord du cercle.*
3. *Les rayons de la bicyclette brillent au soleil.*
4. *Le libraire range les livres sur les rayons de sa boutique.* → les étagères.

EXPRESSIONS

- **Les rayons X** *sont employés par les médecins pour examiner les organes intérieurs du corps humain.*
- *Ce médecin a des clients* **dans un rayon de** *dix kilomètres.* → à 10 km à la ronde.

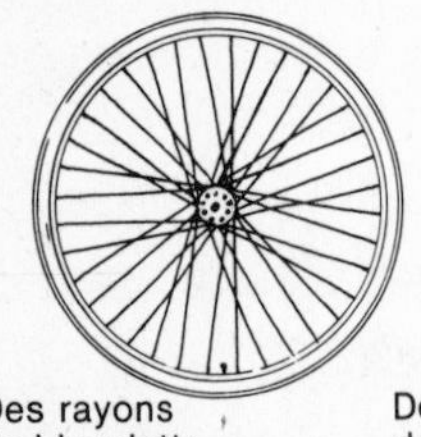

Des rayons de bicyclette

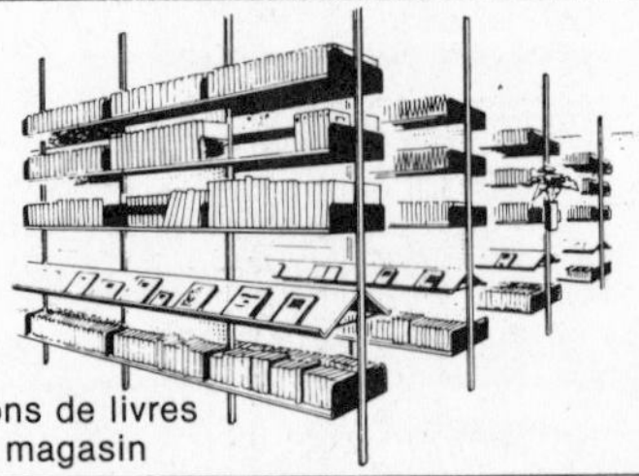

Des rayons de livres dans un magasin

Des rayons de soleil

■ **rayonnant, e,** adj. *Il est rayonnant de bonheur.* → très heureux. ■ **rayonner,** v. *La chaleur du poêle rayonne dans la pièce.* → elle se diffuse.

réaliser [3] verbe

Guillaume désirait un vélo ; en faisant des économies, il a pu réaliser son projet. ≃ accomplir.

■ **réalisation,** n. f. *La réalisation d'un projet.* → son accomplissement.

réalité nom fém.

Les fées n'existent pas dans la réalité. → elles n'existent pas vraiment. ≠ illusion, imagination, rêve, vision.

■ **réel, elle** [ʀeɛl], adj. *Mon oncle m'a invité à passer quelques jours dans sa ferme ; j'y ai pris un réel plaisir.* ≃ authentique, certain, incontestable, véritable, vrai.

GRAMMAIRE

Dans la phrase suivante : *Il arriva une catastrophe,* « **il** » est le sujet *apparent,* « **une catastrophe** » est le sujet *réel.*

rébus [ʀebys] nom masc.

Pierre essaie de résoudre des rébus. → un jeu de mots qui consiste à faire trouver des mots ou une phrase d'après des dessins successifs.

récent [ʀesɑ̃], **récente** adj.

A la télévision et dans les journaux quotidiens sont relatés les événements récents. → qui viennent de se produire. ≃ actuel. ≠ ancien, vieux.

■ **récemment** [ʀesamɑ̃], mot inv. *Je l'ai vu récemment.* → il y a peu de temps.

ORTHOGRAPHE

On ne met jamais de cédille sous le **c** quand il est suivi d'un **e**.

recette nom fém.

1. *Pour faire les crêpes, nous avons essayé une nouvelle recette.* ≃ préparation.
2. *Le soir, le commerçant compte la recette de sa journée.* → la somme encaissée, le produit des ventes.

recevoir 30 verbe

1. *Caroline a reçu une montre à quartz pour son anniversaire.* → on lui a donné, offert.
2. *Dimanche dernier, mes parents recevaient des amis à déjeuner.* → ils accueillaient, invitaient.
3. *Le frère aîné de Jean-Pierre a été reçu au concours d'entrée à l'École normale.* → il a été admis, accepté. ≠ éliminer, exclure, refuser.
4. *La Seine reçoit les eaux de plusieurs affluents.*
5. *Ce médecin reçoit entre 20 heures et 22 heures.* → il donne ses consultations.

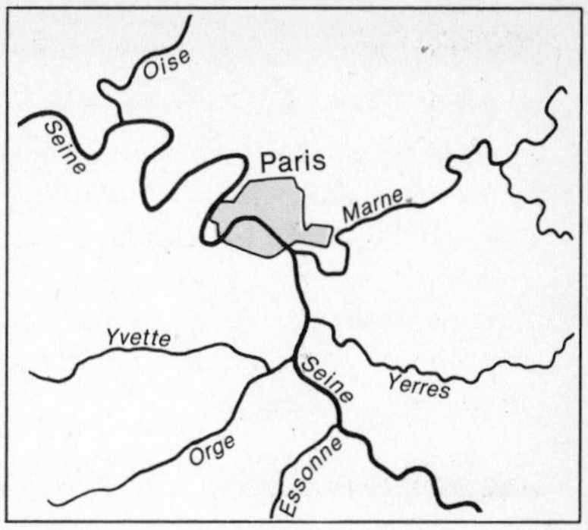

La Seine reçoit plusieurs affluents.

rechercher 3 verbe

1. *Certains philatélistes passionnés recherchent des timbres rares.* → ils cherchent.
2. *La police recherche un dangereux criminel.* → elle poursuit.

■ **recherche,** n. f. **1.** *Le malfaiteur a échappé aux recherches de la police.* **2.** *Chaque année, les savants font des progrès dans leurs recherches contre le cancer.* → leurs travaux.

récit nom masc.

1. *Certains soirs, le vieux marin faisait le récit des aventures qui lui étaient arrivées en bateau.* → il racontait ce qui lui était arrivé. ≃ exposé, histoire.
2. *Guillaume aime lire des récits d'aventures.* → des histoires racontant des aventures généralement imaginaires.

VOCABULAIRE

Un récit peut être : détaillé, fabuleux, fidèle, historique, merveilleux.

■ **récitation,** n. f. *L'instituteur nous a donné une récitation de vingt lignes à apprendre.* ■ **réciter,** v. *Charlotte m'a récité sa leçon d'anglais, elle la sait parfaitement.* → elle à dit à haute voix.

récolte nom fém.

Cette année, il a fait beau, le cultivateur espère faire une bonne récolte. ≃ cueillette, moisson, vendange.

VOCABULAIRE

Une récolte peut être : abondante, décevante, magnifique, maigre ou pauvre.

■ **récolter,** v. → ramasser, recueillir.

récompenser 3 verbe

Marc a été récompensé pour son travail. → il a reçu un cadeau. ≠ châtier, punir.

VOCABULAIRE

On peut récompenser par : un prix, une somme d'argent, une décoration, une médaille, un diplôme...

R

■ **récompense,** n. f. *Une forte récompense sera offerte à celui qui retrouvera le chien perdu.* ≃ don.

réconcilier [ʀekɔ̃silje] 3 verbe

Après s'être violemment disputés, Jacques et Pierre se sont réconciliés. → ils se sont de nouveau entendus. ≃ se brouiller, se fâcher.

■ **réconciliation,** n. f. *J'ai assisté à la réconciliation de Jacques et de Pierre.*

reconnaître 23 verbe

1. *Mon oncle est resté dix ans au Brésil, mais je l'ai bien reconnu à son retour.* ≃ identifier.
2. *Maxime a reconnu qu'il avait copié sur son voisin.* → il l'a avoué, admis.

■ **reconnaissance,** n. f. ≠ ingratitude, oubli. ■ **reconnaissant, e,** adj. *Je lui suis reconnaissant de m'avoir raccompagné en pleine nuit.* ≠ ingrat.

ORTHOGRAPHE

Ce verbe vient de **connaître,** qui s'écrit avec un accent circonflexe sur le **i** dans il connaît : le **i** est avant le **t** ; mais sans accent dans je conn**ais** : le **i** est avant le **s**.

record [ʀəkɔʀ] nom masc.

1. *Le record de saut en longueur vient d'être battu.* ≃ exploit sportif, performance.
2. *Un chiffre record de vente.* → jamais atteint.

VOCABULAIRE

- On peut améliorer, battre, détenir, égaler, établir un record.
- Un recordman : un champion.

récréation [ʀekʀeasjɔ̃] nom fém.

Vers 10 heures, les élèves ont droit à une récréation de dix minutes. ≃ délassement, détente, distraction.

rectangle nom masc. et adj.

1. n. m. *Les vitres de cette fenêtre sont des rectangles de verre.*
2. adj. *Un triangle rectangle possède un angle droit.*

■ **rectangulaire,** adj. *Une table rectangulaire.*

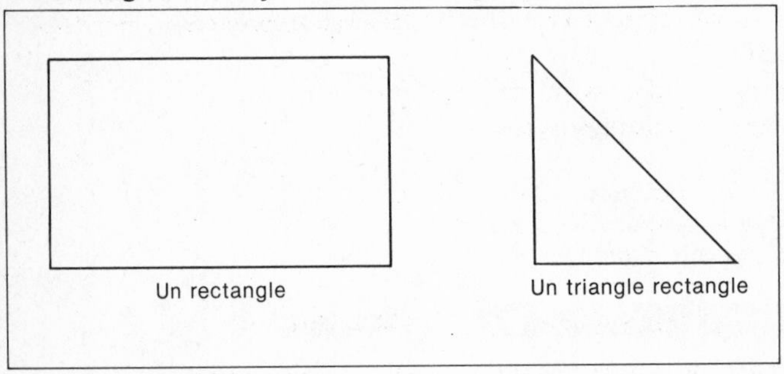

◄ Le rectangle et le triangle rectangle sont deux figures géométriques comme le losange, le cercle, le carré...

ORIGINE

Le mot rectangle vient de deux mots latins : rectus → droit, et angulus → angle.

recueillir [ʀəkœjiʀ] verbe

1. *Les abeilles recueillent le pollen dans les fleurs pour en faire le miel.* → elles récoltent.
2. *Nos voisins ont recueilli un chat perdu.* → ils l'ont abrité chez eux et l'ont gardé.

■ **recueil,** n. m. *Un recueil de poésies.* → un livre regroupant des poèmes.

ORTHOGRAPHE

Ce mot s'écrit -**uei** après **c**, comme dans ac**cueil**, **cueil**lette.

reculer 3 verbe

L'automobiliste a reculé pour pouvoir faire son créneau. → il a fait marche arrière.

EXPRESSION

Lise **ne recule devant rien.** → elle prend des risques.

rédaction nom fém.

A l'école, Lucile a souvent de bonnes notes à ses rédactions. ≃ narration.

redouter 3 verbe

Le candidat à l'examen redoute les questions de l'examinateur. → il craint, il a peur de. ≠ souhaiter.

■ **redoutable,** adj. → dangereux, effrayant.

VOCABULAIRE

Un animal, une arme ou un ennemi redoutable.

réfléchir 4 verbe

1. *Le miroir de Gérard réfléchit la lumière du soleil.* → il reflète, renvoie.
2. *Avant d'écrire la solution d'un problème de calcul, il est bon de réfléchir.* ≃ étudier, examiner, penser.

■ **réflexion** [ʀeflɛksjɔ̃], n. f. **1.** *Le directeur lui a fait des réflexions sur son manque de travail.* → des remarques déplaisantes. **2.** *A la réflexion, je pense qu'il a raison.* → en réfléchissant, en pensant.

EXPRESSION

Je **demande à réfléchir.** → je ne veux pas prendre de décision immédiatement.

reflet [ʀəflɛ] nom masc.

1. *Les cheveux de cette dame âgée ont des reflets argentés.*
2. *Dans les fenêtres de la maison voisine, on aperçoit les reflets du soleil.* → des rayons lumineux réfléchis par les vitres.

■ **refléter,** v. **1.** *L'eau au repos reflète les lumières.* → elle renvoie. **2.** *Son visage reflète l'inquiétude.* → il montre, révèle.

ORTHOGRAPHE

Attention à l'accent dans la conjugaison : nous refl**é**tons, mais il refl**è**te.

refrain nom masc.

Tout le groupe a repris le refrain en chœur.

refuge nom masc.

L'orage nous a surpris dans la rue et nous avons trouvé refuge sous un porche. → nous avons trouvé abri, asile.

■ **réfugié, e,** n. m. et f. → personne qui doit quitter son pays pour s'installer ailleurs à la suite d'une guerre, d'une castastrophe... ■ **se réfugier,** v. *Le petit Laurent se réfugie dans les bras de sa grand-mère.* ≃ s'abriter.

EXPRESSION

Un refuge de montagne. → une petite construction en haute montagne servant de logis ou d'abri aux alpinistes.

refus [ʀəfy] nom masc.

Quand je lui ai demandé de venir me voir, il m'a répondu par un refus. ≠ acceptation, accord, consentement.

■ **refuser,** v. **1.** *Gérard a refusé l'aide de son camarade.* → il a rejeté, repoussé. ≠ accepter, accorder. **2.** *Sophie a été refusée à l'examen.* → elle a été recalée (fam.). ≠ admettre.

regard nom masc.

1. *Pascal jette un regard rapide sur le journal.* → il parcourt sans lire.
2. *En levant les yeux de mon livre, j'ai vu le regard de mon petit frère posé sur moi.* → ses yeux qui me fixaient.

■ **regarder,** v. *Joëlle regarde son amie s'éloigner.* → elle l'observe.

ORTHOGRAPHE

N'oublie pas le **d** final. Pense à regar**d**er.

EXPRESSION

Se regarder en chiens de faïence. → froidement.

région [ʀeʒjɔ̃] nom fém.

L'an dernier, nous avons campé dans la région de Toulon. → les environs. ≃ province.

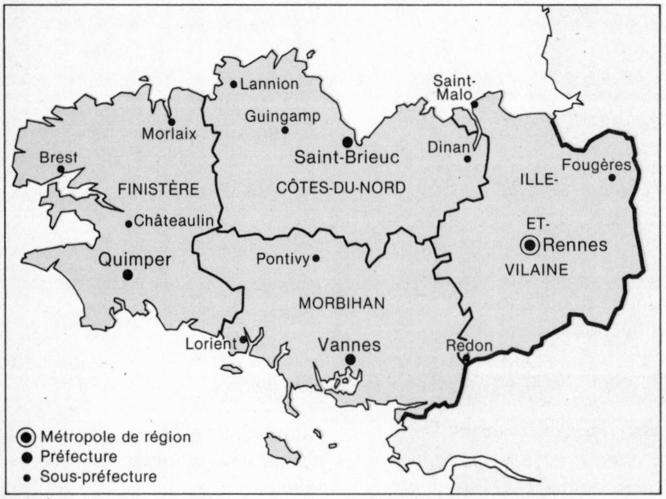

◄ La Bretagne est une région composée de quatre départements : le Finistère, les Côtes-du-Nord, le Morbihan, l'Ille-et-Vilaine.

ORTHOGRAPHE

Des plats région**aux**, des coutumes région**ales**.

AUTOUR DE

La France comprend plus de 22 régions : la Lorraine, l'Ile-de-France, la Bretagne, la Provence, etc.

■ **régional, e,** adj. *Si tu vas en Bourgogne, tu goûteras les spécialités régionales.* → de la région.

règle nom fém.

1. *Avec une règle, on peut tracer des lignes droites.*
2. *On ne doit pas s'emparer de ce qui appartient aux autres, c'est une règle de morale.* ≃ loi, principe.
3. *Pour bien écrire le français, il faut respecter les règles de grammaire.*

■ **régler,** v. **1.** *N'oublie pas de régler l'addition.* → de payer. **2.** *Le poste de télévision est mal réglé.*

ORTHOGRAPHE

Le mot r**è**gle s'écrit avec un accent grave. Mais le mot r**é**gler prend un accent aigu.

EXPRESSION

Une règle de trois. → une opération double qui se fait avec trois nombres.

regret [ʀəgʀɛ] nom masc.

1. *Olivier a des regrets d'avoir été si brutal avec sa sœur.* → il s'en veut.
2. *Perrine a prêté ses livres à Virginie parce qu'on l'a obligée, mais elle l'a fait à regret.* → sans plaisir, malgré elle.

■ **regrettable,** adj. *Quel incident regrettable !* ≃ déplorable, fâcheux, malheureux. ■ **regretter,** v. **1.** *Je regrette de t'avoir fait attendre.* → j'en suis ennuyé. **2.** *Il ne cesse de regretter le départ de son fidèle ami.* → il en éprouve du chagrin.

GRAMMAIRE

- *Je* **regrette de** *ne pas t'avoir vu.*
- *Je* **regrette qu'***il soit parti.*
- *Je* **regrette** *le temps passé.*

EXPRESSION

J'ai le regret de ou **je suis au regret de** *t'annoncer ton échec à l'examen.* → je suis obligé de.

reine nom fém.

1. *La reine d'Angleterre est présente aux cérémonies officielles.* → la souveraine qui règne sur un pays.
2. *La reine Marie-Antoinette était la femme du roi Louis XVI.*
3. *Tu n'aurais pas dû avancer ta reine, dit Xavier à son jeune frère.* → une pièce du jeu d'échecs, la seconde (en valeur) après le roi.

EXPRESSIONS

- La **reine mère.** → la mère du roi.
- **Des bouchées à la reine.** → des mets faits d'une petite croûte feuilletée et garnie.

relever [6] verbe

1. *Il fait un vent si glacial que Georges a relevé son col.* → il a remonté.
2. *Ce soldat monte la garde depuis quatre heures : il est temps de le relever.* → de le remplacer, le relayer.
3. *Dans mon devoir, la maîtresse a relevé six fautes.* → elle a noté, souligné.
4. *On peut relever la saveur d'une sauce grâce à du sel, du poivre et des condiments.* → agrémenter, assaisonner, épicer, pimenter.

ORIGINE

Ce mot vient du verbe lever : mettre debout, plus droit, plus haut.

EXPRESSION

L'employé du service des eaux est venu **relever le compteur.** → il a noté le nombre indiqué.

relief [ʀəljɛf] nom masc.

1. *Le relief de cette île volcanique est accidenté.* → la surface (en parlant d'un terrain).
2. *Sur les pièces de monnaie, les dessins et les inscriptions apparaissent en relief.* ≃ en saillie. ≠ creux.

ORIGINE

Appartient à la famille du mot : relever.

religion [ʀəliʒjɔ̃] nom fém.

Tous les gens n'ont pas la même religion : le catholique va à l'église, le protestant au temple. ≃ croyance, foi.

remarquable adj.

Karine a fait des progrès remarquables au piano. → importants. ≠ banal, insignifiant, négligeable, ordinaire.

■ **remarque,** n. f. *Claude fait des remarques à un camarade sur son travail.* → des réflexions, des critiques. ■ **remarquer,** v. **1.** *Avez-vous remarqué sa démarche ?* → avez-vous noté, fait attention à. **2.** *Elle cherche à se faire remarquer.* → elle veut attirer l'attention sur elle.

remercier [3] verbe

1. *Muriel a remercié son frère de lui avoir offert un si beau livre.* → elle lui a dit merci.
2. *Voulez-vous que je porte votre valise ? – Je vous remercie.* → Formule de politesse.

GRAMMAIRE

On remercie quelqu'un **pour** ou **de** quelque chose.

remettre [20] verbe

1. *Quand tu auras fini ce livre, remets-le à sa place dans la bibliothèque.* ≃ replacer.
2. *Le télégraphiste a remis un pli urgent à M. Dupont.* → il le lui a donné.

■ **se remettre,** v. **1.** *Guillaume, malgré la promesse qu'il avait faite, s'est remis à fumer.* → il a recommencé. **2.** *Françoise s'est bien remise de sa maladie.* → elle s'est guérie, rétablie.

EXPRESSION

Je **m'en remets à vous.** → je m'en rapporte à vous, je vous fais confiance.

PROVERBE

Il ne faut jamais remettre au lendemain ce qu'on peut faire le jour même.

remords [ʀəmɔʀ] nom masc.

Je l'ai laissée seule à la maison, je commence à avoir des remords. → des regrets.

ORTHOGRAPHE

Les deux consonnes finales **-ds** ne se prononcent pas.

R

rempart [ʀɑ̃paʀ] nom masc.

Dans cette petite ville, il y a encore des remparts qui datent du Moyen Age. ≃ des murailles fortifiées.

ORTHOGRAPHE

N'oublie pas le **t** final que l'on ne prononce pas.

remplacer [26] verbe

1. *Pour remplacer un carreau cassé, il faut une vitre et du mastic.* → pour changer un carreau.
2. *L'acteur étant malade au moment de la représentation, il a fallu le remplacer.* → faire jouer un autre acteur.

■ **remplaçant, e,** n. m. et f. *L'instituteur est malade, c'est un remplaçant qui fait la classe.* ■ **remplacement,** n. m. *Ce jeune maître effectue un remplacement.*

remplir verbe

1. *J'ai rempli mon verre de jus d'orange.* ≠ vider.
2. *Antoine remplit une grille de mots croisés.* → il y place des mots.
3. *Il ne remplissait pas les conditions demandées pour ce poste.* → il ne correspondait pas au poste.

EXPRESSION

Ce spectacle magnifique **a rempli** *la salle.* → il n'y avait plus une place de libre.

remuer [3] verbe

1. *Le vétérinaire a endormi le chien pour l'empêcher de remuer.* → de s'agiter, de bouger, de faire des mouvements.
2. *Remue la vinaigrette dans le saladier avant d'y mettre la salade.* ≃ agiter, battre, mélanger.

■ **remuant, e,** adj. *Quel garçon remuant !* ≃ agité.

EXPRESSIONS

- *Allons,* **remue-toi !** → fais un effort, ne t'endors pas !
- **Remuer ciel et terre.** → se démener.

renard [ʀənaʀ] nom masc.

Dans la fable Le Corbeau et le Renard, *c'est le renard, le plus rusé, qui trompe le corbeau.*

ORTHOGRAPHE

N'oublie pas le **d** final.

EXPRESSION

Méfiez-vous de cet homme : **c'est un renard.** → un homme très malin et rusé.

VOCABULAIRE

Le renard glapit. Le petit du renard est le renardeau. Sa femelle s'appelle la renarde.

rencontrer [3] verbe

1. *Hier, en me promenant, j'ai rencontré mon moniteur de l'an dernier.* → j'ai retrouvé par hasard.
2. *Quand pourrions-nous nous rencontrer ?* → nous voir pour discuter.

■ **rencontre,** n. f. **1.** *Pars à sa rencontre, nous te suivons.* → au-devant de lui. **2.** *J'ai fait une rencontre inattendue ; devine !* → j'ai rencontré quelqu'un. **3.** *La rencontre de coupe du monde de football aura lieu à Berlin.* → le match.

PROVERBE

Il n'y a que les montagnes qui ne se rencontrent pas. → des personnes séparées se retrouvent facilement.

rendre [31] verbe

1. *Florence a rendu le parapluie que sa camarade lui avait prêté.* ≃ remettre, restituer.
2. *Après sa maladie, un séjour à la campagne lui rendra des forces.* → il lui redonnera.
3. *Cet enfant insupportable nous rendra fou.* → il nous fera perdre la tête.
4. *Après ce repas mal digéré, Richard, malade, a rendu* (fam.). ≃ vomir.

■ **se rendre,** v. *Cernés de toutes parts, les assiégés ont dû se rendre.* ≃ capituler, se livrer.

EXPRESSION

Rendre le dernier soupir. → décéder, mourir.

VOCABULAIRE

Ce verbe se trouve dans les expressions suivantes : rendre compte, rendre grâce, rendre la justice, rendre malade, rendre service, rendre visite...

renoncer [26] verbe

1. *Maurice voulait escalader ce sommet, mais c'était trop difficile et il a dû y renoncer.* ≃ abandonner.
2. *Le médecin a dit à ce malade du cœur de renoncer au café.* → de perdre l'habitude de. ≠ continuer, persévérer.

EXPRESSION

Le roi **a renoncé au trône.** → il a abdiqué, il a rejeté cette fonction.

renseigner [3] verbe

1. *Arrivé à Marseille, je cherchais la route pour aller au port : un agent de police m'a renseigné.* → il m'a informé, m'a donné des indications.
2. *Avant de te rendre à Moscou, il serait bon de te renseigner sur le climat.* ≃ se documenter, s'informer, recueillir des renseignements.

■ **renseignement,** n. m. ≃ avis, information.

renverser [3] verbe

1. *Ce midi au carrefour, un piéton a été renversé par une voiture.* → il est tombé sous le choc.
2. *Le médecin m'a dit de renverser la tête en arrière.* → de l'incliner en arrière.

EXPRESSIONS

On peut :
- **Renverser les quilles** d'un jeu,
- **Renverser de l'eau** sur la table,
- **Renverser la vapeur.** → faire marche arrière.

renvoyer [ʀɑ̃vwaje] [21] verbe

1. *Le patron, ayant peu de commandes, a été obligé de renvoyer trois ouvriers.* ≃ licencier.
2. *Pendant les vacances, la poste nous renvoie le courrier.* → elle nous réexpédie, nous retourne.
3. *Le mur renvoie le ballon.* ≃ relancer.

■ **renvoi,** n. m. *Tu risques un renvoi pour cette faute.*

ORIGINE

Renvoyer est composé du préfixe r-, signifiant : de nouveau, et du mot envoyer.

R

répandre [ʀepɑ̃dʀ] [31] verbe

1. *Caroline, cette étourdie, a répandu de la sauce sur la table.* → elle a renversé la sauce, qui s'est étalée.
2. *Le poêle répand dans la pièce une bonne chaleur.* → il dégage, il diffuse.

ORTHOGRAPHE

Répandre s'écrit avec un **a**. Les autres verbes en [ɑ̃] (étendre, prendre, vendre, etc.) s'écrivent avec un **e**.

réparer 3 verbe

Le garagiste répare les voitures, l'horloger répare les montres. → il remet en état. ≠ abîmer, détériorer.

■ **réparateur, trice,** n. m. et f. → personne qui répare. ■ **réparation,** n. f. *Ma voiture est en réparation.*

VOCABULAIRE

On peut : réparer un jouet, une serrure, mais aussi réparer une faute (la corriger).

repas nom masc.

1. *Claire aide sa mère à préparer le repas.*
2. *Toute la famille est réunie à l'heure du repas.* → le moment où l'on se met à table.

VOCABULAIRE

Un repas peut être : maigre, léger, frugal (où il y a peu à manger), ou abondant, copieux, plantureux.

repasser 3 verbe

1. *Le facteur est passé aujourd'hui, il repassera demain.* → il passera une nouvelle fois.
2. *Nicolas a bientôt une épreuve à subir et il repasse ses leçons.* → il révise, revoit.
3. *Après avoir lavé et séché le linge, on le repasse, le plie et le range.*

VOCABULAIRE

On peut repasser une serviette (avec le fer à repasser), un couteau (l'aiguiser), le crayon sur un dessin (renforcer les traits du dessin)...

repérer 3 verbe

1. *Avant de démonter un appareil, il est bon de repérer la position des pièces.* → de bien voir leur place.
2. *L'observateur de l'avion militaire a repéré une colonne ennemie en train d'avancer.* → il l'a remarquée et localisée.

■ **se repérer,** v. *Le Petit Poucet a semé des cailloux sur son chemin pour se repérer.* → afin de retrouver ce chemin au retour.

répéter 3 verbe

1. *Dans une chanson, le refrain répète les mêmes paroles après chaque couplet.* ≃ redire.
2. *Les comédiens sont en train de répéter.* → ils apprennent leurs rôles et s'exercent à jouer une nouvelle pièce.
3. *Certains échos répètent plusieurs fois les bruits.* ≃ multiplier, renouveler.

■ **répétition,** n. f. **1.** *Avant de représenter une pièce de théâtre, plusieurs répétitions sont nécessaires.* **2.** *Évite la répétition du verbe* être *dans cette phrase.* → de l'employer deux ou plusieurs fois.

EXPRESSION

Il ne se l'est pas fait répéter (deux fois). → il a fait tout de suite ce qu'on lui demandait de faire.

répliquer 3 verbe

Florent faisait des remontrances à Sabine, mais elle lui a vivement répliqué qu'il avait tort. ≃ répondre avec vivacité, riposter.

■ **réplique,** n. f. **1.** *Ces comédiens se donnent la réplique.* → ils se répondent. **2.** *Ce tableau est la réplique de l'autre.* → la reproduction, la copie.

GRAMMAIRE

Ce verbe s'emploie souvent entre virgules : *Ce ballon,* **réplique-t-elle,** *est à moi !*

répondre [31] — verbe

1. *Mon ami Gérard m'a envoyé une carte postale de ses vacances, je vais lui répondre sans tarder.*
2. *Voici un enfant bien timide : quand on le questionne, il n'ose pas répondre.* → dire sa pensée, donner son avis.
3. *Au téléphone, j'ai beau faire le numéro, ça ne répond pas.* → il n'y a personne.
4. *Sylvain a dit : « Je réponds de mon frère comme de moi-même ».* → je garantis la loyauté de mon frère.

■ **réponse,** n. f. *Sa réponse ne m'a pas convaincu.* ≠ demande, question.

EXPRESSIONS

- *Robert* **a réponse à tout.** → il sait beaucoup de choses et réplique rapidement.
- *Il* **fait les demandes et les réponses.** → il parle seul et imagine ce qu'on va lui répondre.

reportage — nom masc.

Dans le journal d'hier, il y avait un reportage intéressant sur le Japon. → un article dans lequel un journaliste (le reporter) raconte ce qu'il a observé dans le pays où il a été envoyé.

■ **reporter** [ʀəpɔʀtɛʀ], n. m. *Les reporters envoient leur article au journal.*

VOCABULAIRE

- On trouve des reporters dans les journaux, à la radio et à la télévision.
- Un reportage peut être écrit, photographique ou filmé.

repos — nom masc.

Après avoir entassé du bois toute la journée, j'ai besoin de repos. → de me délasser. ≃ détente, pause, répit. ≠ effort, fatigue, travail.

■ **se reposer,** v. *Après cette longue marche, je vais me reposer un peu.* → se détendre, dormir, rester inactif.

EXPRESSIONS

- *Lire une lettre* **à tête reposée.** → tranquillement, en prenant son temps.
- **Se reposer sur quelqu'un.** → lui faire confiance.

représenter [3] — verbe

1. *Le décor de théâtre représente un grand salon donnant sur un jardin.* ≃ figurer, imiter, reproduire.
2. *Cette maison représente toute sa fortune.* → elle est, constitue toute sa fortune.

■ **représentation,** n. f. **1.** *La représentation d'une pièce de théâtre.* → le fait de la jouer. **2.** *La représentation d'un village sur un tableau.* → la figuration. ■ **se représenter,** v. **1.** *Aurélie a échoué à l'examen du permis de conduire : elle va se représenter le mois prochain.* → elle se présentera de nouveau. **2.** *Représente-toi un immense château perdu dans la forêt.* → imagine.

R

reptile [ʀɛptil] — nom masc.

Au parc zoologique, le python a l'air de dormir : c'est un reptile dont il faut se méfier.

◄ Trois reptiles :
1. un serpent, 2. un lézard, 3. une tortue.

AUTOUR DE

On distingue les reptiles qui ont des pattes : crocodiles, lézards, tortues, et les reptiles sans pattes : serpents.

requin [Rəkɛ̃] nom masc.

Le requin blanc, qui peut atteindre dix mètres de long, est le poisson le plus redouté des marins et des plongeurs.

◄ *Un requin :* Il existe plusieurs sortes de requins : le requin bleu, le requin blanc, le requin noir, le requin-tigre, le requin-baleine, le requin-marteau...

VOCABULAIRE

Par comparaison, on dit quelquefois d'une personne féroce ou impitoyable : c'est un requin.

réserver [RezɛRve] 3 verbe

1. *Serge a réservé une place dans le train pour Strasbourg.* → il a loué, retenu.
2. *J'aime aller chez ma tante Hélène : elle me réserve toujours un bon accueil.* → elle me ménage.
3. *Je vous ai réservé la chambre bleue, dit ma mère à son amie.* → je vous ai gardé.

■ **réservation,** n. f. *La réservation d'une table au restaurant.* ■ **réserve,** n. f. **1.** *Les réserves mondiales de pétrole diminuent.* → les ressources. **2.** *Une réserve d'animaux sauvages.*

ORTHOGRAPHE

Quand un **s** est entre deux voyelles, il se prononce [z].

résister 3 verbe

1. *Hubert essaie d'ouvrir le tiroir de ce vieux meuble, mais il résiste.* → il ne cède pas.
2. *Dans le fort assiégé, les soldats ont résisté pendant huit jours.* → ils se sont défendus.
3. *Devant la boîte de chocolats, Nadine a résisté à la tentation.* → elle s'est défendue, a lutté, s'est retenue. ≠ céder, fléchir.

■ **résistance,** n. f. **1.** *La résistance d'une matière.* ≃ dureté, solidité. **2.** *Il m'a suivi sans résistance.* → sans faire d'opposition. ■ **résistant, e,** adj. *Un bois résistant.* → solide.

EXPRESSION

La choucroute fut servie comme **plat de résistance.** → plat principal, le plus important du repas.

résonner [Rezɔne] 3 verbe

Les semelles de bois résonnent sur le pavé. ≃ retentir.

ORIGINE

Ce mot vient de son comme sonner, sonnerie.

résoudre [RezudR] 32 verbe

Isabelle a bien du mal à résoudre son problème. → à trouver la solution. ≃ calculer, découvrir, deviner.

■ **se résoudre,** v. *Il faut quelquefois se résoudre à faire des sacrifices.* ≃ accepter de, se décider à.

respirer [ʀɛspiʀe] 3 verbe

Dans la forêt, il fait bon respirer à pleins poumons. → aspirer l'air et le rejeter.

■ **respiration,** n. f. *La respiration s'effectue par la bouche ou par le nez.*

AUTOUR DE

La respiration artificielle est faite par des mouvements spéciaux, sur un noyé, un asphyxié.

ressembler [ʀəsɑ̃ble] 3 verbe

Ceux qui connaissent sa famille disent que Paul ressemble à sa tante. → il a des traits communs, semblables. ≠ contraster, différer, s'opposer.

■ **ressemblance,** n. f. *La ressemblance est frappante entre ces deux garçons.*

EXPRESSIONS

- *Ce tableau* **ne ressemble à rien.** → il est informe, il n'a pas de sens.
- **Se ressembler comme deux gouttes d'eau.** → parfaitement.

rester 3 verbe

1. *Jean-Louis avait un sac de billes, mais il en a beaucoup perdu et il ne lui en reste que cinq.* → le sac n'en contient plus que cinq.
2. *Je dois rester à la maison ce matin car j'attends l'électricien.* → demeurer à, ne pas quitter.

■ **reste,** n. m. *Le paquet de bonbons est presque vide, je te donne le reste.* ≃ reliquat.

EXPRESSIONS

- *Nous n'avons mangé qu'une tartine et* **je suis resté sur ma faim.** → je n'ai pas assez mangé.
- *Le cambrioleur surpris s'est enfui* **sans demander son reste.** → il s'est sauvé rapidement.

résultat [ʀezylta] nom masc.

1. *Luce a fini son problème mais elle n'obtient pas le même résultat que Monique.*
2. *Marc a voulu sauter au-dessus de la haie. Résultat : il s'est tordu le pied.* ≃ conséquence.

■ **résulter,** v. *Qu'a-t-il résulté de cette rencontre ?* → qu'est-il advenu ?

VOCABULAIRE

Un résultat peut être : heureux ou malheureux, triomphal ou catastrophique, définitif ou provisoire.

retard [ʀətaʀ] nom masc.

1. *On annonce que le train Paris-Dijon aura une demi-heure de retard.* ≃ décalage, délai. ≠ avance.
2. *Il faut répondre à cette lettre sans retard.* → sans attendre, tout de suite.

■ **retardataire,** adj. et n. m. ou f. *Un élève retardataire.* → qui arrive en retard. ■ **retarder,** v. *Ma montre retarde de quatre minutes.* ≠ avancer.

EXPRESSION

Arriver en retard. → plus tard que l'heure prévue.

R

retenir 34 verbe

1. *Le récit de cette femme était embrouillé et sans intérêt : nous n'avons pas retenu grand-chose.* ≃ se souvenir.
2. *Ce voyageur a retenu une chambre d'hôtel pour quatre jours.* → il a demandé qu'on la lui réserve.
3. *Les cheveux de Lucile sont retenus par un ruban.* → ils sont attachés, fixés, maintenus.

■ **se retenir,** v. **1.** *Émile avait envie d'appeler à l'aide, mais il s'est retenu.* → il s'est contenu. **2.** *Il a failli tomber ; heureusement qu'il s'est retenu à la rampe.* → il s'est rattrapé.

retour nom masc.

1. *Christine a pris un billet aller et retour pour Marseille.*
2. *Elle a dit à son mari : je serai de retour dans trois jours.*
3. *Après un début de printemps, on a assisté à un retour au froid.* → il a fait froid à nouveau.

■ **retourner,** v. *Retournez à Lyon.* → revenez à.

EXPRESSION

Répondre par retour du courrier. → aussitôt après avoir reçu une lettre.

retraite [ʀətʀɛt] nom fém.

Mon grand-oncle André a pris sa retraite à soixante ans. → il a cessé son travail car il est en âge de ne plus travailler.

EXPRESSION

L'armée, vaincue, a dû **battre en retraite.** → elle a dû abandonner, se replier.

retrouver [3] verbe

1. *Patricia a retrouvé le tournevis que son petit frère avait égaré dans le sous-sol.* → elle l'a découvert, récupéré. ≠ oublier, perdre.
2. *Depuis sa grave maladie, la vieille dame a du mal à retrouver le sommeil.* → elle ne dort plus comme avant.

■ **se retrouver,** v. **1.** *Pierre et Jacques sont heureux de se retrouver.* **2.** *Dans la forêt, Mireille n'arrivait plus à se retrouver.* → elle avait perdu son chemin.

réunir [4] verbe

1. *On a réuni tous les enfants pour leur annoncer qu'on les emmènerait en excursion.* → on les a tous regroupés.
2. *Ce jeune garçon réunit toutes les qualités pour faire un bon médecin.* → il a l'ensemble des qualités pour.

■ **réunion,** n. f. *Une réunion entre amis.* ≃ rencontre. ■ **se réunir,** v. *Pour former un club sportif, tous les jeunes intéressés se sont réunis dans la salle des fêtes.* → ils se sont regroupés.

AUTOUR DE

L'île de la Réunion, dans l'océan Indien, à l'est de Madagascar, est un département français d'outre-mer dont la préfecture est Saint-Denis.

réussir [4] verbe

1. *Pour bien réussir la mayonnaise, prends un œuf et de l'huile à la même température.* → pour obtenir une belle mayonnaise.
2. *Maurice a réussi à convaincre son camarade.* → il y est arrivé, parvenu. ≠ échouer, manquer, rater.
3. *Le médecin est installé depuis deux ans et il réussit bien.* → il a des clients, du succès.

■ **réussite,** n. f. *La réussite à un examen.* ≠ échec.

EXPRESSION

Jean **fait une réussite.** → il joue seul aux cartes en les combinant d'une certaine manière.

rêve nom masc.

1. *Un ours me poursuivait et était sur le point de m'atteindre quand maman m'a réveillé : ce n'était qu'un rêve !* → une aventure imaginée par l'esprit durant le sommeil.
2. *Nicolas a vu passer, dit-il, la voiture de ses rêves.* → la voiture idéale, celle qu'il voudrait avoir.

■ **rêver,** v. **1.** *J'ai beaucoup rêvé cette nuit.* → j'ai fait des rêves. **2.** *Michel rêve de devenir vétérinaire.* → il souhaite vivement.

ORTHOGRAPHE

Ne pas oublier l'accent circonflexe sur le premier **e** des mots de cette famille.

GRAMMAIRE

On rêve **à** des merveilles. On rêve **de** quelqu'un. On rêve **qu'**il va se passer quelque chose.

réveil nom masc.

En vacances, dès mon réveil, j'allais courir dans les champs.

■ **réveiller,** v. *Réveille Paul, il est l'heure.* ■ **se réveiller,** v. *Marie-Christine se réveille chaque matin à 7 heures.*

VOCABULAIRE

Vers le mois d'avril, la vie reprend chez les végétaux, c'est le réveil de la nature. → la renaissance de la vie végétale.

révolte nom fém.

Monique éprouve toujours un sentiment de révolte devant une injustice. ≃ rébellion, résistance. ≠ apaisement, résignation, soumission.

■ **se révolter,** v. *En 1789, le peuple de Paris s'est révolté.*

VOCABULAIRE

On peut : préparer une révolte ; inciter, pousser à la révolte ≠ réprimer, combattre, étouffer une révolte.

rhinocéros [ʀinɔseʀɔs] nom masc.

Le rhinocéros est un mammifère herbivore à la peau épaisse.

◄ 1. Le rhinocéros d'Afrique.
2. Le rhinocéros d'Asie.

ORTHOGRAPHE

Attention au **h** après le **r**.

AUTOUR DE

- Le rhinocéros a sur le nez une corne (en Asie) ou deux cornes (en Afrique).
- Il peut avoir 4 mètres de long et près de 2 de haut.

rhume [ʀym] nom masc.

Norbert a un rhume : il n'arrête pas de se moucher.

ORTHOGRAPHE

Attention au **h** après le **r**.

riche [ʀiʃ] adj.

1. *On raconte que cet homme est le plus riche de la ville.* → il possède une grande fortune. ≃ fortuné. ≠ pauvre.
2. *Dans cette région, la terre est riche.* → elle fournit de belles récoltes, son sol contient des ressources. ≃ fertile. ≠ pauvre.
3. *Le fromage et le lait sont riches en calcium.* → ils en contiennent beaucoup.

■ **richement,** mot inv. ≠ pauvrement. ■ **richesse,** n. f. **1.** *Cet ouvrage est d'une grande richesse.* → il contient de nombreux renseignements. **2.** *Elle est connue pour sa richesse.* ≠ pauvreté. **3.** au plur. *Cette famille possède de grandes richesses.* → de l'argent et des biens.

VOCABULAIRE

- L'homme riche qui possède des millions de francs est appelé un millionnaire [miljɔnɛʀ] ; celui qui possède au moins un milliard est un milliardaire.
- Une personne très riche est richissime.

R

rideau nom masc.

1. *A la fenêtre de la cuisine pend un joli rideau blanc.* ≃ voilage.
2. *Le commerçant tire chaque soir le rideau de fer de son magasin.* → la fermeture métallique devant la vitrine.

EXPRESSION

Un rideau de peupliers. → une rangée d'arbres serrés et alignés formant comme un écran.

ridicule adj.

1. *Qu'il est ridicule avec ce pantalon trop court !* ≃ grotesque.
2. *Olivier voulait m'acheter mon appareil photo pour trois francs. Quelle somme ridicule !* → dérisoire, insignifiante.

■ **ridicule**, n. m. *Pascal n'ose pas sortir habillé ainsi : il a peur du ridicule.* → il a peur qu'on se moque de lui.

EXPRESSIONS

- *A force d'affirmer sans cesse des sottises, elle* **se couvre de ridicule.** → elle se rend ridicule aux yeux des autres.
- *Cet auteur* **a tourné en ridicule** *les défauts des hommes.* → il a fait rire de ces défauts.

rien [ʀjɛ̃] mot inv.

1. *Que t'a-t-elle répondu ? Rien.*
2. *Que t'a-t-elle répondu ? Elle ne m'a rien répondu.*

■ **rien,** n. m. *Paul n'est pas très appliqué : il perd son temps à des riens.* → à des détails, à des choses sans importance.

GRAMMAIRE

Ne est associé à **rien** pour former une négation : *Elle* **ne** *mange* **rien.**

rire verbe

Au cirque, les clowns nous ont bien fait rire. → ils nous ont amusés, divertis.

■ **rieur, euse,** adj. *Un enfant rieur.* → qui rit souvent.
■ **rire,** n. m. *Pauline n'a pas pu réprimer son rire en voyant ce passant grotesque.*

EXPRESSIONS

- *Mon oncle Pierre* **a le mot pour rire.** → il a de l'esprit et nous amuse par ses réflexions drôles.
- *Raoul, un peu honteux,* **rit jaune.** → il se force à rire pour dissimuler sa gêne, son dépit.

risque [ʀisk] nom masc.

En traversant la rivière sur un fil, le funambule prend de grands risques. ≃ danger.

■ **risquer,** v. ≃ s'aventurer, se hasarder.

EXPRESSION

Les risques du métier. → les inconvénients, les dangers d'un métier.

rivage nom masc.

Avant de se baigner, Perrine a déposé ses affaires sur le rivage. → sur le sol qui borde la mer ou le lac. ≃ côte, grève, plage.

■ **rive,** n. f. *Installé sur la rive, le pêcheur prépare ses lignes.* → sur la berge, le bord.

VOCABULAIRE

On dit rivage au bord de la mer, et rive au bord d'un cours d'eau.

rivière [ʀivjɛʀ] nom fém.

En vacances chez son grand-père, Jean va pêcher à la rivière. → un cours d'eau moyen.

AUTOUR DE

Un collier réunissant des diamants est appelé une rivière de diamants.

riz [ʀi] nom masc.

Au restaurant chinois, j'ai essayé de manger du riz avec des baguettes.

ORTHOGRAPHE

Riz reste invariable au pluriel.

roche nom fém.

1. *L'alpiniste grimpe le long de la roche en s'aidant de crochets et de cordes.* → une surface de matière minérale dure.
2. *La pierre ponce est une roche poreuse et légère qui peut flotter sur l'eau.* → une variété de pierre.

EXPRESSION

C'est **clair comme de l'eau de roche.** → c'est limpide, facile à comprendre.

roi — nom masc.

En France, le dernier roi, qui régna de 1830 à 1848, s'appelait Louis-Philippe Ier. ≃ monarque, souverain.

■ **royal, e** [ʀwajal], adj. **1.** *L'ambassadeur a été reçu par la famille royale.* → le roi et sa famille. **2.** *Les amis qui nous attendaient nous ont fait un accueil royal.* → digne d'un roi. ≃ grandiose, magnifique.

◄ Trois célèbres rois de France :
1. Louis IX (Saint Louis).
2. Henri IV.
3. Louis XIV.

EXPRESSION

Il est **heureux comme un roi.** → très heureux.

Une grande famille

reine, régime, régiment, royaume, royauté — **roi** — régent, règne, régner, royal, royalement.

rompre [31] — verbe

1. *Le chien a rompu la ficelle qui le tenait attaché à la grille.* → il a cassé cette ficelle. ≃ briser.
2. *Rémi et Fabien s'entendaient très bien, mais, à la suite d'une dispute, ils ont rompu leurs relations.* → ils ne se fréquentent plus, ne se parlent plus.

EXPRESSION

Après ce numéro, les spectateurs **ont applaudi à tout rompre.** → ils ont applaudi très fort.

rond, ronde — adj.

1. *La terre est ronde.* ≠ carré, rectangulaire, triangulaire.
2. *Ce bébé a une figure bien ronde.* ≠ anguleux, carré, maigre.

■ **rond,** n. m. *Marc trace un rond sur le papier.* → une figure géométrique. ■ **rond,** mot inv. *Ce moteur tourne rond.* → il fonctionne bien.

EXPRESSION

Tu me dois 51 F, mais donne-moi 50 F : ça **fera un compte rond.** → un nombre finissant par un ou deux zéros.

Une grande famille

rondelle, rondin — **rond** — arrondir, arrondissement

ronde — nom fém.

1. *A la récréation, filles et garçons font une ronde en chantant.* → ils forment un cercle en se tenant la main.
2. *Le soir, plusieurs policiers font une ronde dans le quartier.* → une tournée d'inspection pour s'assurer que tout va bien.

EXPRESSION

Il est connu **à vingt kilomètres à la ronde.** → dans un espace circulaire d'un rayon de 20 km.

rose — nom fém.

En septembre fleurissaient encore de belles roses dans le jardin.

■ **rose,** adj. *Véronique porte une robe rose.* ■ **rosier,** n. m. → arbuste qui porte des roses.

EXPRESSIONS

- **Découvrir le pot aux roses.** → le secret d'une affaire.
- **Voir la vie en rose.** → du bon côté, avec optimisme.

R

rossignol [ʀɔsiɲɔl] nom masc.

Invisible dans les arbres, le rossignol lance son chant mélodieux le soir venu. → un petit oiseau (10 à 15 cm) aux sifflements harmonieux.

EXPRESSION

Elle **chante comme un rossignol.** → gaiement, vivement.

roue nom fém.

Après sa chute, la roue arrière de son vélo s'est voilée.

rouge adj. et nom masc.

1. adj. *Dans le drapeau français, la couleur rouge est au bord alors que la couleur bleue est placée près de la hampe.*
2. n. m. *Elle se maquille avec du rouge à lèvres.*
3. n. m. *Cette robe est d'un joli rouge clair.* → d'une couleur rouge.

VOCABULAIRE

- Une personne peut devenir rouge de chaleur, de colère, de confusion, de froid, de honte.
- Un feu rouge, des poissons rouges, un rouge-gorge.

■ **rougir,** v. *Ne rougis pas, je ne te reproche rien.*

rouler 3 verbe

1. *Au départ des vacances, les voitures sont nombreuses à rouler sur l'autoroute.* → à circuler.
2. *Pour transporter ces grandes affiches, nous les avons roulées et placées dans un tube de carton.*

EXPRESSIONS

- *Certains Méridionaux parlent* **en roulant les r.** → ils font vibrer la lettre r.
- *On dit que cet homme* **roule sur l'or.** → qu'il est très riche.

route nom fém.

Quand nous partons en voyage, j'aime prendre les routes bordées de grands arbres. → des voies de communication à grande circulation.

EXPRESSION

Romain n'aurait pas dû passer par là, il **fait fausse route.** → il s'égare, il se trompe.

roux, rousse adj.

Claire a de beaux cheveux roux qu'elle brosse chaque matin.

ruche nom fém.

A la belle saison, les abeilles bourdonnent autour de la ruche.

VOCABULAIRE

La vie d'une ruche est bien organisée. L'essaim peut comprendre jusqu'à 50 000 abeilles.

rude adj.

1. *Mon grand-père dit qu'il a connu un hiver très rude : la rivière gelait.* ≃ difficile, dur, pénible, rigoureux.
2. *Le père de Jérôme n'a pas toujours bon caractère ; c'est un homme rude.* ≃ bourru, farouche.
3. *L'écorce du chêne est rude au toucher.* ≃ raboteux, rugueux.

■ **rudement,** mot inv. **1.** *Il m'a reçu rudement.* → de manière rude. **2.** *Elle est rudement gentille avec moi* (fam.). ≃ très.

EXPRESSION

Ce garçon a connu la pauvreté et les travaux pénibles : il **a été à rude école.** → il a eu des moments pénibles à supporter.

rue nom fém.

Solange a rencontré son amie dans la rue.

EXPRESSION

Jeter à la rue. → être chassé.

rugby [ʀygbi] nom masc.

Le rugby se joue avec un ballon ovale ; ce sport oppose deux équipes de quinze joueurs.

◀ 1. Une mêlée.
2. Un ballon de rugby.

ORIGINE

C'est parce que des étudiants de la petite ville anglaise de Rugby jouèrent les premiers à ce sport qu'on lui donna ce nom.

ruine [ʀɥin] nom masc.

1. *Avec Chantal, nous avons joué dans les ruines du vieux château, au milieu des tours et des murailles écroulées.* → des débris d'un bâtiment délabré et détruit. ≃ décombres, restes, vestiges.
2. *Il a fait de mauvaises affaires, il est au bord de la ruine.*

■ **ruineux, euse,** adj. *Quelle dépense ruineuse !* → coûteuse.

EXPRESSIONS

- *Entretenir cette grande propriété,* **c'est une ruine !** → cela coûte très cher.
- **Tomber en ruine.** → risquer de s'effondrer.

ruisseau [ʀɥiso] nom masc.

Un ruisseau coule au fond du jardin. → un petit cours d'eau qui va se jeter dans une rivière ou un lac.

ORTHOGRAPHE

Des ruiss**eaux**.

rusé, rusée adj.

Dans une fable de La Fontaine, le renard est un animal rusé qui flatte le corbeau naïf pour lui dérober son fromage. → il est habile et se sert d'une astuce pour tromper. ≃ malin.

■ **ruse,** n. f. ≃ astuce, stratagème.

EXPRESSION

Employer des ruses de Sioux. → des astuces, des manœuvres dignes des Indiens Sioux qui savaient se dissimuler, retrouver une piste, tromper l'ennemi.

rythme [ʀitm] nom masc.

1. *Dans l'orchestre, le batteur marque le rythme sur sa batterie par la grosse caisse, les caisses claires et les cymbales.* ≃ allure, cadence, mesure, mouvement, tempo [tɛmpo].
2. *Le médecin ausculte le malade et écoute son rythme cardiaque.* → le bruit régulier de son cœur.

■ **rythmique,** adj. *La danse rythmique.*

ORTHOGRAPHE

Attention au **y** avant le **t** et au **h** qui suit le **t**.

EXPRESSION

Ce spectacle se déroule **à un rythme endiablé.** → très rapidement, avec ardeur.

Ss

sable — nom masc.

Sur le sable, Marianne a construit un magnifique château.

AUTOUR DE

Le sable est fait de roches émiettées en petits grains durs.

sac — nom masc.

Après avoir tondu le gazon, nous avons mis l'herbe coupée dans un grand sac que nous avons ficelé.

sage — adj. et nom masc.

1. adj. *En sortant, maman m'a dit : « Surtout, sois bien sage ! »* → sois raisonnable, ne fais pas de bêtises. ≃ gentil, obéissant. ≠ désobéissant, insupportable.
2. adj. *Sophie a décidé de pardonner à son frère : c'est une sage décision.* ≃ prudent, raisonnable, réfléchi.
3. n. m. *Celui qui sait se contenter de peu pour trouver le bonheur est un sage.* → une personne qui a du bon sens, qui est raisonnable. ≠ fou, insensé.

■ **sagement,** mot inv. *Patricia et Mathieu jouent sagement dans le jardin.* ■ **sagesse,** n. f. *Si Jacques est très turbulent, sa petite sœur, par contre, est pleine de sagesse.* → elle est raisonnable.

AUTOUR DE

Après l'âge de 18 ans, peuvent apparaître aux extrémités des deux mâchoires, quatre dernières dents : ce sont des dents de sagesse.

saignant, saignante — adj.

1. *Lorsque je mange un bifteck, je l'aime bien saignant.* → peu cuit.
2. *Une plaie saignante.* → dont le sang coule.

■ **saigner,** v. *Ce pansement empêchera ta blessure de saigner.*

AUTOUR DE

Autrefois, les médecins pratiquaient la saignée pour soulager un malade en perçant une veine du bras.

sain, saine — adj.

1. *Ces pommes sont gâtées, mais celles-ci sont saines.* → bonnes.
2. *Il n'est pas sain de vivre dans cet air pollué.* → ce n'est pas bon pour la santé. ≃ salubre. ≠ dangereux, nuisible.

EXPRESSION

Michel est sorti **sain et sauf** *de ce grave accident.* → bien portant et sans blessure.

saisir [sezir] 4 — verbe

1. *Victor va grimper à la corde ; il la saisit à pleines mains.* → il l'attrape, l'empoigne, la prend. ≠ lâcher, laisser.
2. *Son frère lui a expliqué un problème sur les partages, mais Vincent n'a pas bien saisi les explications.* ≃ comprendre, percevoir.

VOCABULAIRE

On peut être saisi par : la curiosité, la douleur, l'émotion, le froid, un malaise, la mort, la surprise.

saison nom fém.

Il y a quatre saisons dans une année : le printemps, l'été, l'automne, l'hiver. → quatre périodes de trois mois.

salade nom fém.

Le cuisinier ajoute à l'assaisonnement de la salade de l'échalote finement hachée.

VOCABULAIRE

Des salades : la batavia, la chicorée frisée, l'endive, la laitue...

salaire nom masc.

Les ouvriers demandent une augmentation de salaire à partir du mois prochain. ≃ paie, rémunération.

■ **salarié, e,** n. m. et f. → celui, celle qui touche un salaire.

ORIGINE

Autrefois, on donnait à chaque soldat une ration de sel ou la somme correspondante. De là vient le mot « salaire ».

sale adj.

Tes mains sont sales, va les laver. ≃ dégoûtant, malpropre. ≠ net, propre.

■ **saleté,** n. f. ≠ propreté. ■ **salir,** v. → rendre sale. ≃ barbouiller, noircir, souiller, tacher. ■ **salissant, e,** adj. *Les vêtements blancs sont très salissants.*

EXPRESSION

Quelle sale bête (fam.) ! → bête (ou personne) désagréable.

saler 3 verbe

Avant de faire cuire les pâtes, il faut saler l'eau et la faire bouillir. → y mettre du sel.

■ **salé, e,** adj. *Ne remets pas de sel sur ton poisson, il est déjà assez salé.*

AUTOUR DE

La mer Morte (entre Israël et Jordanie) est un grand lac si salé qu'on y flotte aisément.

salle nom fém.

Alexandre et ses frères ont de la chance : leur père leur a aménagé une salle de jeux dans le grenier. → une grande pièce pour y jouer.

■ **salon,** n. m. → pièce où l'on reçoit des invités, des visiteurs.

VOCABULAIRE

Une salle de séjour, une salle à manger, une salle de bains, une salle d'attente, une salle de jeux, une salle d'opération, une salle de théâtre, de cinéma, de danse, de spectacle...

saluer 3 verbe

Après la représentation, les acteurs sont revenus sur scène saluer le public. → ils se sont inclinés pour remercier.

■ **salut,** n. m. *Du coin de la rue, il m'a adressé un grand salut.* ≃ bonjour.

EXPRESSIONS

- *Il reçut un secours de la mairie : ce fut* **sa planche de salut.** → cela le sauva.
- *J'ai failli tomber dans l'eau ;* **je dois mon salut à** *cette branche.* ≃ être sauvé par.

S

sandwich [sɑ̃dwitʃ] nom masc.

Ton voyage jusqu'à Marseille sera long ; prends ces sandwichs.

ORTHOGRAPHE

Des sandwich**s** ou des sandwich**es**.

ORIGINE

Le comte anglais de Sandwich aimait beaucoup jouer aux cartes. Pour qu'il ne quitte pas la table de jeu, son cuisinier imagina de lui préparer ce repas rapide qu'il pouvait manger tout en continuant de jouer. De là est venu le mot sandwich.

sang — nom masc.

En tombant dans la cour, Alice s'est écorché le genou ; le sang coule le long de la jambe.

EXPRESSION

Mon sang n'a fait qu'un tour. → j'ai été bouleversé.

sanglier [sɑ̃glije] — nom masc.

Le chasseur a tué un sanglier. → un porc sauvage à la peau épaisse, aux soies (les poils) dures et noires, qui vit dans les fourrés et les marécages.

VOCABULAIRE

La femelle du sanglier est la laie. Ses petits sont les marcassins.

1. Le sanglier.
2. Les marcassins.

sans — mot inv.

1. *Annette aurait voulu acheter ce journal, mais elle était sans argent.* → elle en manquait, elle en était dépourvue.
2. *Sans votre aide, je n'aurais pas pu franchir cet obstacle.* → si vous ne m'aviez pas aidé. ≠ avec.
3. *Je prends mon café sans sucre.* ≠ avec.
4. *Il est sorti par ce froid sans enfiler son manteau.* → il ne l'a pas enfilé.

EXPRESSIONS

- *Depuis trois jours, il pleut* **sans cesse.** → sans arrêt.
- **Il dépense sans compter.** → sans se soucier de l'argent.
- **Soyez sans crainte.** → n'ayez pas peur.
- *Il viendra* **sans doute.** → probablement.
- *Vous pouvez tous entrer,* **sans exception.** → absolument tous.

sapin — nom masc.

1. *A Noël, nous avons rapporté un sapin pour le décorer.* → un arbre résineux possédant des aiguilles, qu'il porte toute l'année.
2. *Pour aménager la pièce au premier étage, le menuisier a posé un parquet de sapin.* → des planches taillées dans le bois du sapin.

VOCABULAIRE

Le fruit du sapin, qu'on appelle pomme de pin, est dur et en forme de cône.

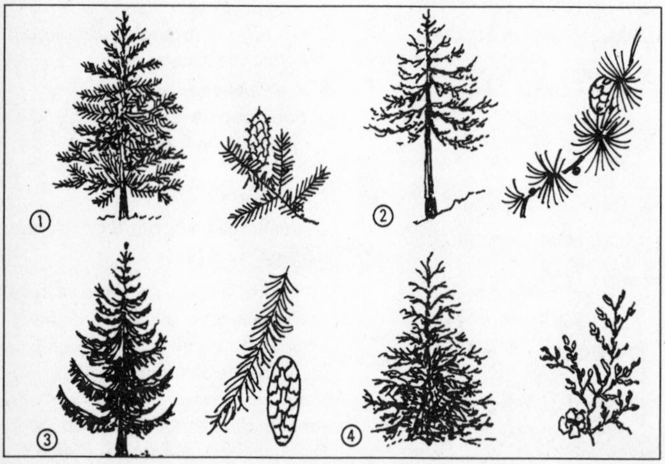

Le sapin appartient à la race des conifères. Voici plusieurs conifères :
1. Le sapin.
2. Le mélèze.
3. L'épicéa.
4. Le cyprès.

satisfaction nom fém.

1. *Bernard a construit tout seul un petit bateau qui flotte et avance sur l'eau. Quelle satisfaction !*
2. *Aurélie, par sa gentillesse, donne beaucoup de satisfaction à ses parents.* → beaucoup de joie. ≠ insatisfaction, peine.

■ **satisfaire,** v. ≃ combler, contenter. ≠ mécontenter, priver. ■ **satisfaisant, e,** adj. *Un travail satisfaisant.* → bon. ■ **satisfait, e,** adj. *Jean-Marc est satisfait : il a réussi enfin à terminer sa maquette de bateau.* ≠ fâché, mécontent.

EXPRESSION

Elle a protesté contre des voisins trop bruyants et **a obtenu satisfaction.**

sauce [sos] nom fém.

Muriel aime bien le riz à la sauce tomate. → un assaisonnement fait avec des tomates cuites écrasées.

sauf, sauve adj.

Grâce à son parachute, cet aviateur a eu la vie sauve. ≃ indemne, rescapé.

GRAMMAIRE

Cet adjectif finit par **-f** au masculin et **-ve** au féminin.

sauf mot inv.

Au mariage de Catherine, toutes ses amies étaient là, sauf Cécile, qui était en voyage. ≃ à part, excepté, hormis.

EXPRESSION

Sauf erreur (ou **omission**). → à moins d'avoir fait un oubli.

saut [so] nom masc.

1. *Charles a pris son élan et, d'un saut, a franchi le fossé.* ≃ bond.
2. *Le clown a accompli un saut périlleux.* → en sautant, il a fait un tour complet en l'air.

■ **sauter,** v. *Poursuivi, le voleur a sauté par-dessus la grille.* ■ **sautiller,** v. *Le moineau sautille sur le trottoir.*

EXPRESSIONS

- **Au saut du lit.** → de bon matin, à l'heure où l'on se lève.
- *La semaine prochaine,* **je ferai un saut** (fam.) *chez mon oncle.* → une visite rapide.

◄ Un saut au trempoline.

S

sauver [3] verbe

Les pompiers ont réussi à sauver une vieille dame de la maison en feu. → ils l'ont tirée du danger qui la menaçait.

■ **sauvetage,** n. m. *Le sauvetage d'un homme perdu en mer.* ■ **sauveteur,** n. m. → celui qui effectue un sauvetage. ■ **se sauver,** v. *En entendant les aboiements du chien, Claire se sauva à toutes jambes.* → elle courut pour échapper au danger.

AUTOUR DE

Quand un bateau va couler, son radiotélégraphiste envoie le message S.O.S. (en morse ... - - - ...), ce qui signifie en anglais : Save Our Souls (sauvez nos âmes).

savant, savante nom masc. et fém., adj.

1. n. m. et f. *Lavoisier, Pasteur, Branly furent de grands savants français.* ≃ chercheur, scientifique.
2. adj. *Au cirque, nous avons vu des chiens savants.* → des chiens dressés qui savaient accomplir des tours.

■ **savoir,** v. *Caroline sait beaucoup de choses.* ≃ connaître. ■ **savoir,** n. m. *Cet homme possède un grand savoir.* → il connaît beaucoup de choses.

VOCABULAIRE

Il est parti **je ne sais quand,** *pour aller* **je ne sais où,** *faire* **je ne sais quoi.**

savon nom masc.

Chaque matin, Colette mouille son gant de toilette et le frotte avec le savon. → un produit pour laver et dégraisser.

■ **savonneux, euse,** adj. *Une eau savonneuse.*

scaphandre [skafɑ̃dʀ] nom masc.

Pour explorer les fonds marins, le plongeur met son scaphandre ; il sera alors isolé de l'eau, pourra respirer et travailler en plongée.

■ **scaphandrier** [skafɑ̃dʀije], n. m. *Ce plongeur vêtu d'un scaphandre est un scaphandrier.*

ORTHOGRAPHE

Attention le son [f] s'écrit ici **ph**.

AUTOUR DE

On emploie aussi le mot scaphandre pour désigner le vêtement spécial des cosmonautes.

scène [sɛn] nom fém.

Au théâtre, les acteurs sont sur la scène, et les spectateurs, dans la salle. → le plateau surélevé, devant le public.

ORTHOGRAPHE

Attention au **c** après le **s**.

scie [si] nom fém.

Daniel a pris une scie et va découper une planche pour le placard.

■ **scier,** v. *Jean scie des planches pour construire une cabane.* → il découpe à la scie.

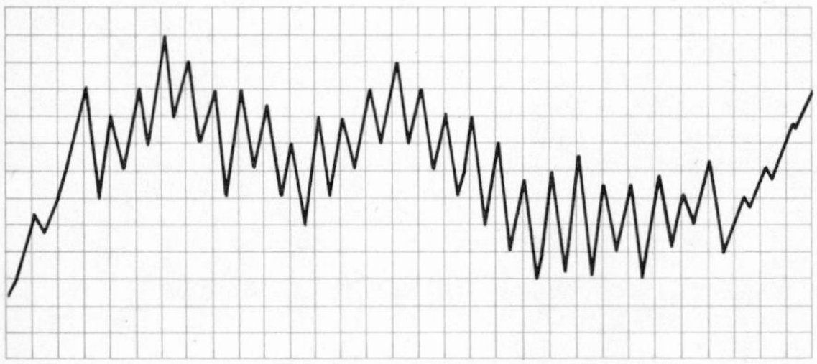

Un graphique en dents de scie

EXPRESSION

Le graphique de température du malade est **en dents de scie.** → son tracé rappelle les dents d'une scie.

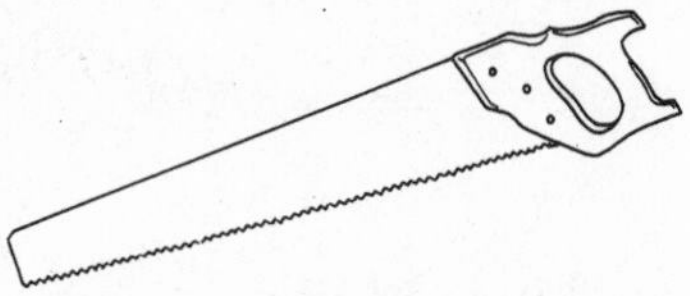

Une scie égoïne.

science nom fém.

1. *L'astronomie, la physique, la géologie sont des sciences.*
2. au sing. *Les progrès de la science ont permis d'améliorer les rendements des cultures.* ≃ recherche.

■ **scientifique,** adj. *Les progrès scientifiques ont permis de vaincre plusieurs maladies.*

EXPRESSION

Sciences naturelles. → études scientifiques portant sur ce qui peut être observé dans la nature (l'homme, les animaux, les plantes, les roches, etc.).

sculpter [skylte] 3 verbe

Sabine a sculpté un personnage dans un bloc de bois.
→ elle l'a taillé dans le bois.

■ **sculpteur,** n. m. *Le sculpteur a taillé une statue dans la pierre.* ■ **sculpture,** n. f. *La façade du château est ornée de sculptures.*

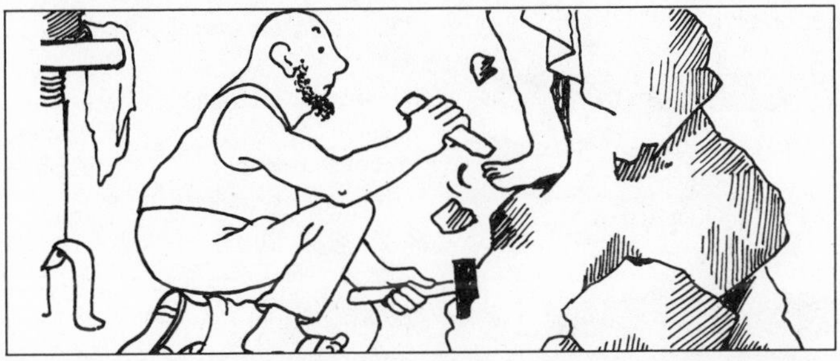

ORTHOGRAPHE

Attention au **p** qui ne se prononce pas !

GRAMMAIRE

S'il s'agit d'une femme, on dit aussi : *un sculpteur.*

VOCABULAIRE

Sculpter un bloc de marbre. Le sculpteur taille la pierre avec un ciseau et un marteau.

séance [seɑ̃s] nom fém.

1. *La séance est ouverte !, a dit la présidente de l'association.*
2. *La séance commence à 21 h et le film passe une demi-heure après.* ≃ représentation, spectacle.

VOCABULAIRE

La séance est **suspendue, interrompue.** *La séance est* **levée, terminée.**

seau [so] nom masc.

Dominique trempe la serpillière dans le seau et la passe sur le carrelage.

EXPRESSION

Il pleut à seaux. → il pleut abondamment.

sec, sèche adj.

1. *Quand le linge est sec, Guy le plie et le range.* ≠ humide, mouillé.
2. *Attention à la porte ! La peinture n'est pas sèche.* ≠ frais.
3. *La branche a cassé avec un bruit sec.* → rapide et net.
4. *Il m'a répondu d'un ton sec.* ≃ cassant, dur. ≠ aimable, gentil.

■ **sécher,** v. *Comme il pleut, le linge ne sèche pas vite.* ■ **sécheresse,** n. f. **1.** *Pendant la sécheresse au Sahel, des troupeaux entiers sont morts.* **2.** *Répondre avec sécheresse.* ≃ dureté, insensibilité.

EXPRESSIONS

- **A sec.** → sans liquide (sans eau, sans essence) ou (fam.) sans argent.
- **Pain sec** (sans rien pour l'accompagner).
- **Avoir la gorge sèche.** → avoir soif.
- **Mettre au sec.** → à l'abri de l'humidité.

seconde [səgɔ̃d] nom fém.

Il y a 60 secondes dans une minute.

ORTHOGRAPHE

Attention au **c** qui se prononce [g].

secouer [səkwe] 3 verbe

1. *Sylvain secoue la bouteille avant de l'ouvrir.* → il l'agite.
2. *Marie a été très secouée par son accident.* → ébranlée.

EXPRESSION

Secoue-toi, secouez-vous (fam.). → ne restez pas là sans rien faire.

secours nom masc.

1. *« Au secours ! », criait Anne, bloquée dans l'ascenseur, et Corinne a couru chercher du secours.* ≃ de l'assistance.
2. au pl. *La commune a envoyé des secours aux victimes du tremblement de terre.* → de l'aide.

■ **secourir,** v. *L'alpiniste en danger a été rapidement secouru.*

ORTHOGRAPHE

Attention au **s** final même au singulier !

EXPRESSION

Une roue de secours. → une roue de rechange.

S

secret nom masc.

Damien sait quels cadeaux Alice recevra pour son anniversaire, mais il ne le lui dira pas, car c'est un secret. → quelque chose qu'il ne doit pas révéler.

EXPRESSION

C'est le secret de Polichinelle, ce n'est pas un secret. → une chose que tout le monde sait.

secrétaire nom masc. ou fém.

La directrice dicte une lettre à sa secrétaire.

ORTHOGRAPHE

On dit **un** ou **une** secrétaire.

sel nom masc.

Ajoute une pincée de sel à ta soupe, j'ai oublié de la saler.

■ **saler,** v. *Saler l'eau de cuisson des légumes.* ■ **salière,** n. f. → petit récipient contenant du sel.

Une grande famille

saler, (marais) salants, **sel**, salade, saladier, salaire

selle nom fém.

1. *Anne met son pied dans l'étrier et se hisse sur la selle.*
2. *Dans les côtes, Richard pédale en danseuse, sans s'asseoir sur la selle.* → le siège d'une bicyclette.

■ **seller,** v. *Selle ton cheval avant de le monter.*

EXPRESSION

En selle ! (ordre de monter à cheval, de se mettre en selle).

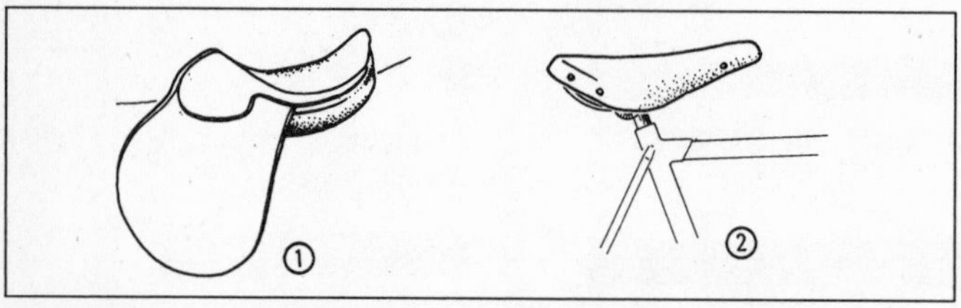

◄ 1. Une selle de cheval.
2. Une selle de bicyclette.

semaine nom fém.

Dimanche est le premier jour de la semaine. → la période de sept jours allant du dimanche au samedi.

sembler 3 verbe

1. *Sa réponse m'a semblé bizarre.* → elle m'a paru.
2. *Il me semble que tu as encore grandi.* → j'ai l'impression que.

■ **semblable,** adj. *Julien est parfaitement semblable à son jumeau.* ≃ identique, pareil. ≠ différent, distinct.

EXPRESSION

Quand son père est entré dans la chambre, Marie **a fait semblant de** *dormir.* → elle a fait comme si elle dormait.

sens [sɑ̃s] nom masc.

1. *L'odorat est le sens qui nous permet de percevoir les odeurs.*
2. *Géraldine a le sens de l'humour.*
3. *Si tu ne connais pas le sens d'un mot, cherche-le dans le dictionnaire.* → la signification.
4. *J'allais vers l'école, la voiture venait en sens contraire.* → dans la direction.
5. *Plie ce drap dans le sens de la longueur.*

■ **sensible,** adj. **1.** *Ludovic a la gorge sensible, il attrape facilement des angines.* **2.** *Grégoire est très sensible aux critiques, il se vexe pour un rien.* ≃ susceptible.

EXPRESSIONS

- **Bon sens.** → capacité de bien juger, de juger raisonnablement.
- **En dépit du bon sens.** → n'importe comment.
- **Sens dessus dessous.** → à l'envers, dans un grand désordre.

sensation — nom fém.

La première fois que Sylvain a nagé dans la mer, il a éprouvé une sensation très agréable.

■ **sensationnel, elle,** adj. *Pour moi, ce voyage en Inde a été un événement sensationnel dans ma vie.* ≃ exceptionnel, extraordinaire.

EXPRESSION

Faire sensation. → faire une forte impression.

sentir [4] — verbe

1. *Le matin, je sens la bonne odeur du pain frais près de la boulangerie.* → je perçois. ≃ humer.
2. *Le lilas sent fort.* ≃ répandre une odeur.
3. *Marie sent que Bruno ne tiendra pas sa promesse.* → elle a le sentiment.

■ **sentiment,** n. m. *Daniel éprouve un sentiment de jalousie. Denise, elle, ne manifeste pas ses sentiments.* ■ **se sentir,** v. *Irène se sent fatiguée ce soir.* → elle a l'impression d'être fatiguée.

EXPRESSION

Faire sentir que. → faire comprendre que.

Une grande famille

sensation		insensibilité
sensibilité		insensible
sensible		insensiblement
senteur	sens	
sentiment		ressentir
sentimental		sentir

séparer [3] — verbe

1. *Paul et Bruno bavardaient tout le temps ; le professeur a dû les séparer.* ≠ laisser ensemble, réunir.
2. *Les deux jardins sont séparés par une haie.*

EXPRESSION

Séparer les combattants. → les empêcher de se battre.

sérieux, sérieuse — adj.

1. *Jacques lit un livre sérieux.* ≠ amusant.
2. *Estelle fait toujours son travail à l'avance, quelle élève sérieuse !* ≃ appliqué, raisonnable, travailleur. ≠ étourdi, léger.

■ **sérieux,** n. m. *Quand tu racontes une histoire drôle, essaie de garder ton sérieux.* → essaie de ne pas rire.

EXPRESSIONS

- **Prendre au sérieux.** → considérer comme important.
- **Se prendre au sérieux.** → se considérer comme très important.

serpent — nom masc.

Si tu vois un serpent, méfie-toi : s'il a une tête triangulaire, ce peut être une vipère ; s'il a la tête arrondie, c'est sans doute une couleuvre, et elle n'est pas dangereuse.

◀ Un charmeur de serpent.

ORTHOGRAPHE

Attention au **t** final !

AUTOUR DE

Le serpent est un reptile, il rampe. Il a un long corps sans membres, couvert d'écailles. Il y a plus de deux mille espèces de serpents. La piqûre de serpents venimeux (comme la vipère) peut être mortelle.

S

22. La France *(page ci-contre)*

01 AIN	Bourg-en-Bresse
02 AISNE	Laon
03 ALLIER	Moulins
04 ALPES (Hte Prov.)	Digne
05 ALPES (Hautes)	Gap
06 ALPES-MARITIMES	Nice
07 ARDÈCHE	Privas
08 ARDENNES	Charleville-Mézières
09 ARIÈGE	Foix
10 AUBE	Troyes
11 AUDE	Carcassonne
12 AVEYRON	Rodez
13 BOUCHES DU RHÔNE	Marseille
14 CALVADOS	Caen
15 CANTAL	Aurillac
16 CHARENTE	Angoulême
17 CHARENTE-MARITIME	La Rochelle
18 CHER	Bourges
19 CORRÈZE	Tulle
20 CORSE	Ajaccio (C. du Sud) Bastia (Haute Corse)
21 CÔTE-D'OR	Dijon
22 CÔTES-DU-NORD	Saint-Brieuc
23 CREUSE	Guéret
24 DORDOGNE	Périgueux
25 DOUBS	Besançon
26 DRÔME	Valence
27 EURE	Evreux
28 EURE-ET-LOIR	Chartres
29 FINISTÈRE	Quimper
30 GARD	Nîmes
31 GARONNE (Haute)	Toulouse
32 GERS	Auch
33 GIRONDE	Bordeaux
34 HÉRAULT	Montpellier
35 ILLE-ET-VILAINE	Rennes
36 INDRE	Châteauroux
37 INDRE-ET-LOIRE	Tours
38 ISÈRE	Grenoble
39 JURA	Lons-le-Saunier
40 LANDES	Mont-de-Marsan
41 LOIR-ET-CHER	Blois
42 LOIRE	St-Etienne
43 LOIRE (Haute)	Le Puy
44 LOIRE-ATLANTIQUE	Nantes
45 LOIRET	Orléans
46 LOT	Cahors
47 LOT-ET-GARONNE	Agen

48 LOZÈRE	Mende
49 MAINE-ET-LOIRE	Angers
50 MANCHE	Saint-Lô
51 MARNE	Châlons-sur-Marne
52 MARNE (Haute)	Chaumont
53 MAYENNE	Laval
54 MEURTHE-ET-MOSELLE	Metz
55 MEUSE	Bar-le-Duc
56 MORBIHAN	Vannes
57 MOSELLE	Nancy
58 NIÈVRE	Nevers
59 NORD	Lille
60 OISE	Beauvais
61 ORNE	Alençon
62 PAS-DE-CALAIS	Arras
63 PUY-DE-DÔME	Clermont-Ferrand
64 PYRÉNÉES-ATLANTIQUES	Pau
65 PYRÉNÉES (Hautes)	Tarbes
66 PYRÉNÉES-ORIENTALES	Perpignan
67 RHIN (Bas)	Strasbourg
68 RHIN (Haut)	Colmar
69 RHÔNE	Lyon
70 SAÔNE (Haute)	Vesoul
71 SAÔNE-ET-LOIRE	Mâcon
72 SARTHE	Le Mans
73 SAVOIE	Chambéry
74 SAVOIE (Haute)	Annecy
75 SEINE	Paris
76 SEINE-MARITIME	Rouen
77 SEINE-ET-MARNE	Melun
78 YVELINES	Versailles
79 SÈVRES (Deux)	Niort
80 SOMME	Amiens
81 TARN	Albi
82 TARN-ET-GARONNE	Montauban
83 VAR	Toulon
84 VAUCLUSE	Avignon
85 VENDÉE	La Roche-sur-Yon
86 VIENNE	Poitiers
87 VIENNE (Haute)	Limoges
88 VOSGES	Epinal
89 YONNE	Auxerre
90 TERRITOIRE DE BELFORT	Belfort
91 ESSONNE	Evry
92 HAUTS-DE-SEINE	Nanterre
93 SEINE-ST-DENIS	Bobigny
94 VAL-DE-MARNE	Créteil
95 VAL-D'OISE	Pontoise

23. La Belgique *(p. 414)*

superficie : 30 513 km²
population : 9 870 000 h

LES RÉGIONS

1) BASSE BELGIQUE
Flandre maritime (O)
Flandre intérieure (centre)
Campine (E)

2) MOYENNE BELGIQUE

3) ARDENNES
Famenne
Condroz
Hautes Fagnes (E)

LORRAINE BELGE
Enclave de Baarle-Hertog (Pays-Bas)

LES PROVINCES :

	superficie	habitants	
Anvers (Anvers)	286 029	1 575 600 h	**(néerlandais)**
Brabant (Bruxelles)	337 078	2 221 800 h	**(français/ néerlandais)**
Flandre			
Occid. (Bruges)	298 175	1 331 100 h	**(néerlandais)**
Orientale (Gand)	378 992	1 305 200 h	**(néerlandais)**
Liège (Liège)	387 631	1 004 100 h	**(français)**
Limbourg (Nasselt)	242 199	716 100 h	**(néerlandais)**
Luxembourg (Arlon)	441 841	223 400 h	**(français)**
Namur (Namur)	366 025	406 000 h	**(français)**

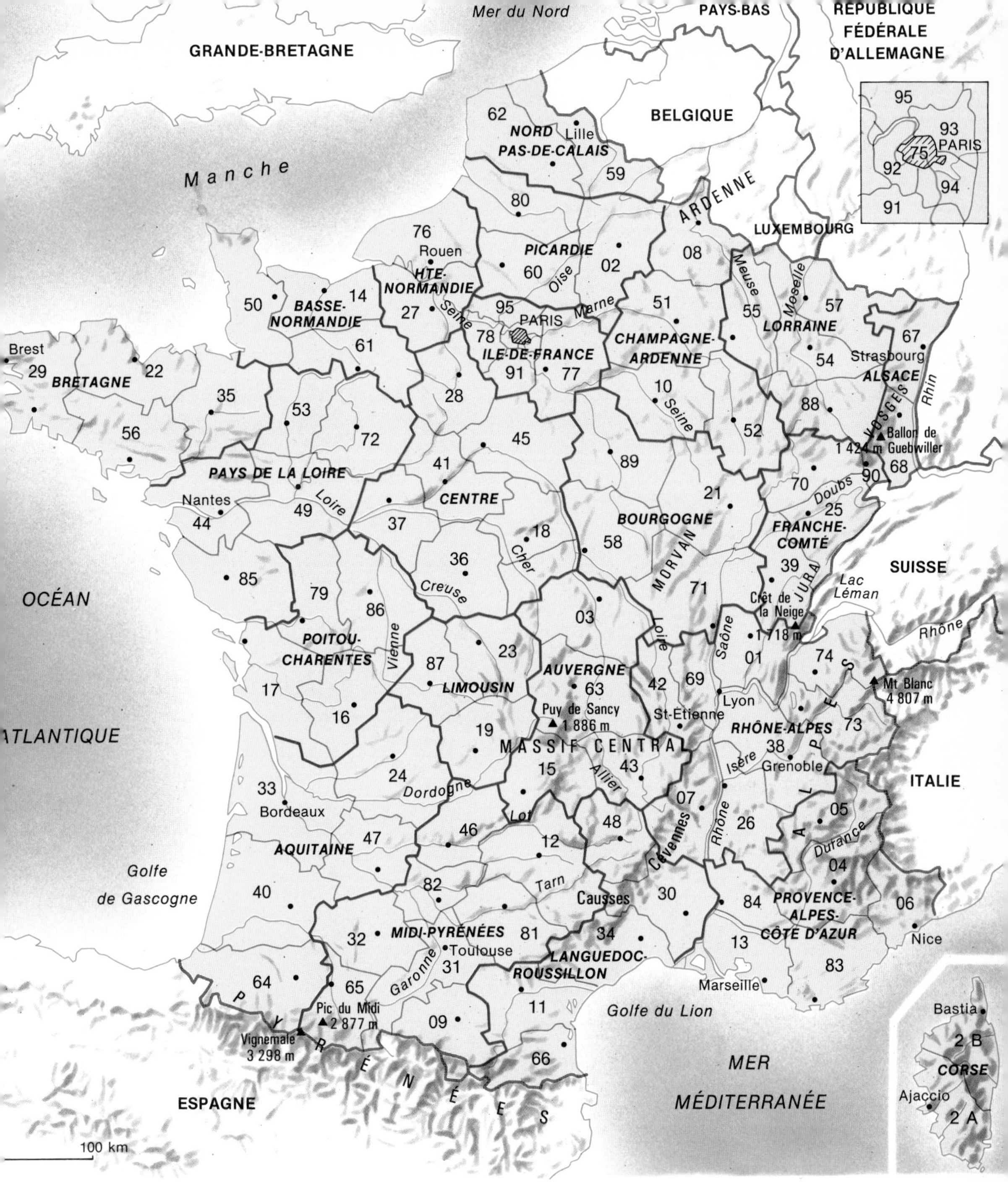

La France est un pays de 52 millions d'habitants. Sa superficie est de 551 602 km² en comptant les îles, notamment la Corse (8 747 km²). Les principales régions administratives sont :

- L'ALSACE
- L'AQUITAINE
- L'AUVERGNE
- LA BASSE-NORMANDIE
- LA BOURGOGNE
- LA BRETAGNE
- LE CENTRE
- LA REGION CHAMPAGNE-ARDENNE
- LA CORSE
- LA FRANCHE-COMTE
- LA HAUTE-NORMANDIE
- L'ILE DE FRANCE
- LE LANGUEDOC-ROUSSILLON
- LE LIMOUSIN
- LA LORRAINE
- LA REGION MIDI-PYRENEES
- LE NORD-PAS-DE-CALAIS
- LE PAYS DE LA LOIRE
- LA PICARDIE
- LE POITOU-CHARENTES
- LA PROVENCE-ALPES-CÔTE D'AZUR
- LA REGION RHÔNE-ALPES

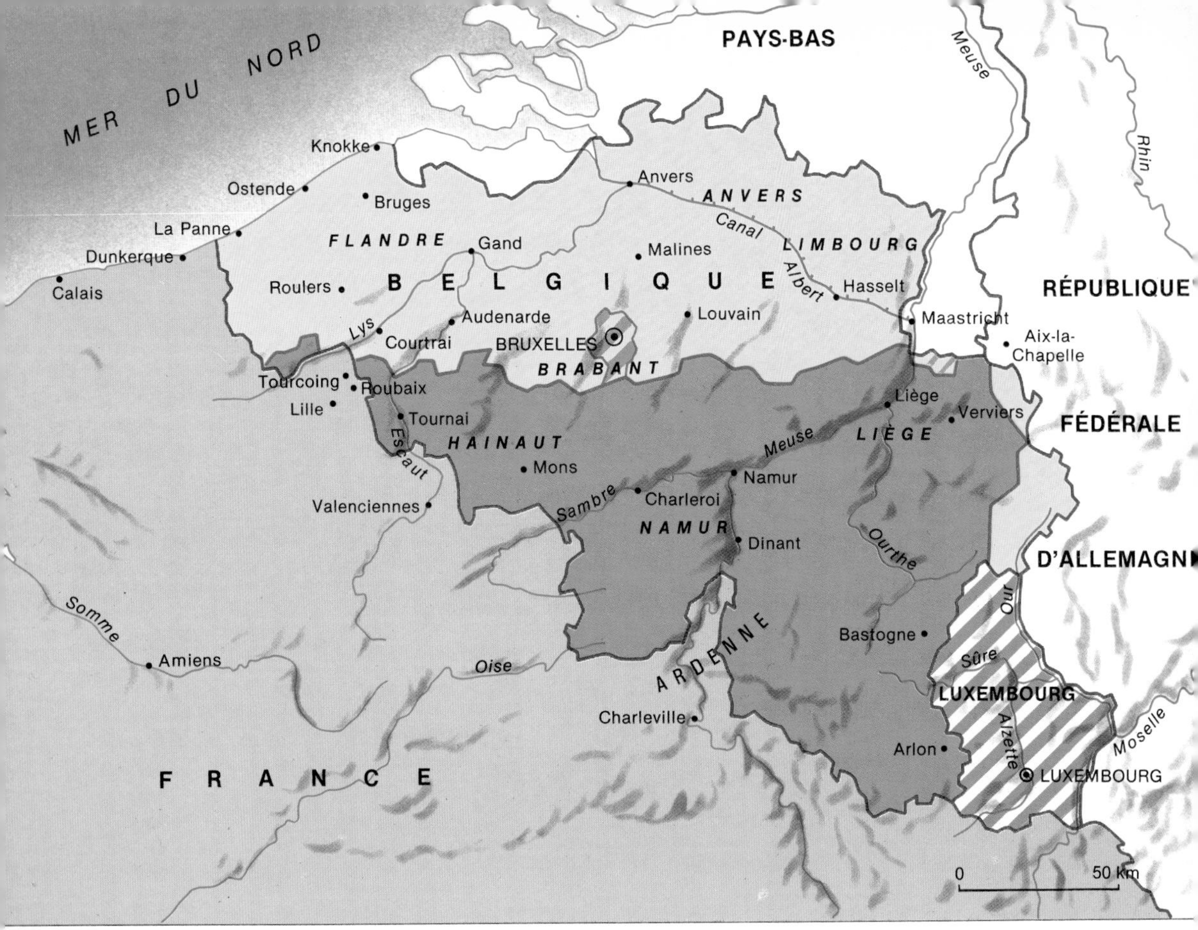
PAYS-BAS
MER DU NORD
Meuse
Rhin
Knokke
Ostende
Bruges
La Panne
Dunkerque
Calais
FLANDRE
Gand
Anvers
ANVERS
Canal
Albert
LIMBOURG
Malines
BELGIQUE
Roulers
Hasselt
RÉPUBLIQUE
FÉDÉRALE
D'ALLEMAGNE
Audenarde
Louvain
Maastricht
Aix-la-Chapelle
Lys
Courtrai
BRUXELLES
BRABANT
Tourcoing
Roubaix
Lille
Tournai
Liège
Verviers
LIÈGE
HAINAUT
Escaut
Meuse
Mons
Namur
Sambre
Charleroi
Valenciennes
NAMUR
Dinant
Ourthe
Our
Somme
Bastogne
Sûre
Amiens
Oise
ARDENNE
LUXEMBOURG
Alzette
Moselle
Charleville
Arlon
LUXEMBOURG
FRANCE
0
50 km

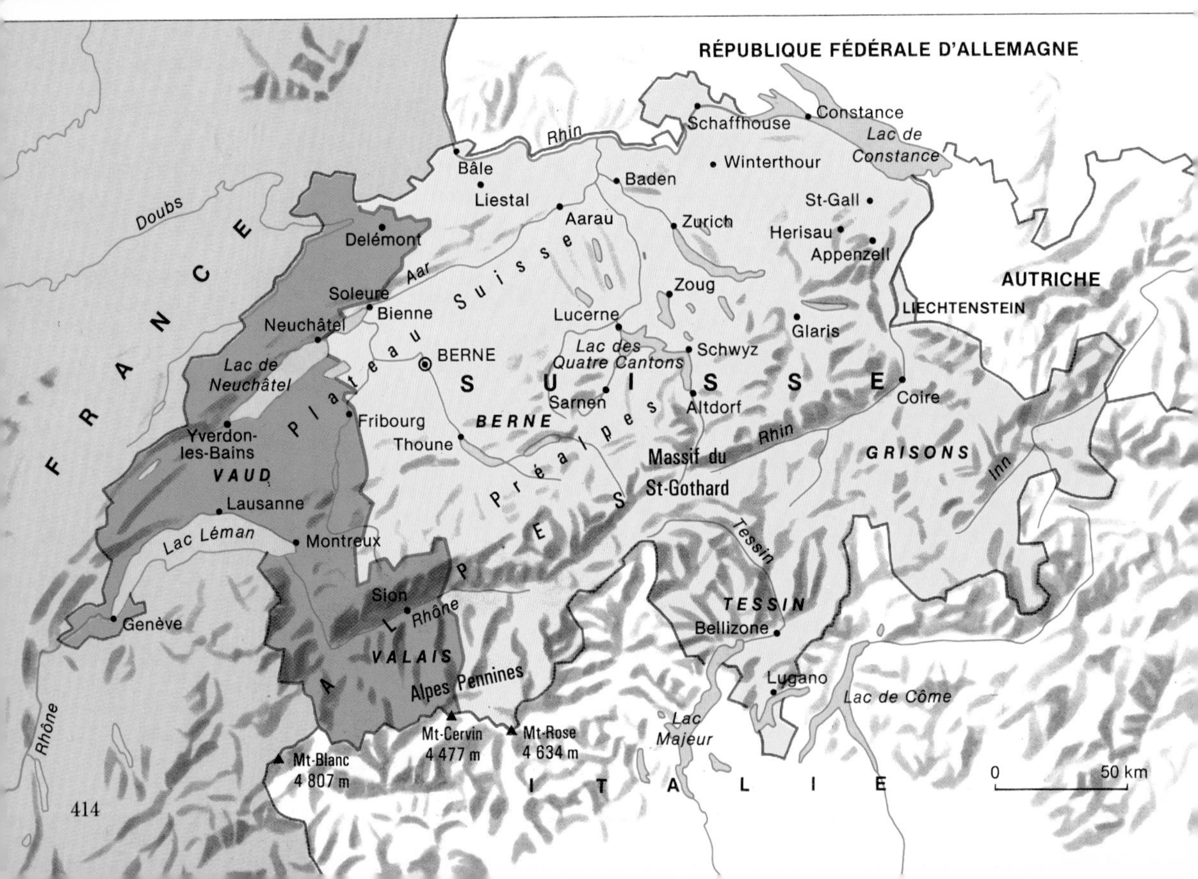
RÉPUBLIQUE FÉDÉRALE D'ALLEMAGNE
Schaffhouse
Constance
Lac de Constance
Rhin
Bâle
Winterthour
Liestal
Baden
St-Gall
Doubs
Aarau
Zurich
Herisau
Appenzell
Delémont
FRANCE
Aar
Plateau Suisse
AUTRICHE
Soleure
Zoug
LIECHTENSTEIN
Bienne
Lucerne
Glaris
Neuchâtel
Lac des Quatre Cantons
Schwyz
BERNE
Lac de Neuchâtel
SUISSE
Coire
Sarnen
Altdorf
Fribourg
Préalpes
Yverdon-les-Bains
BERNE
Thoune
Massif du St-Gothard
Rhin
GRISONS
VAUD
Inn
Lausanne
Lac Léman
Montreux
ALPES
Tessin
Sion
Rhône
TESSIN
Genève
Bellizone
VALAIS
Alpes Pennines
Lugano
Lac de Côme
Rhône
Lac Majeur
Mt-Cervin
4 477 m
Mt-Rose
4 634 m
Mt-Blanc
4 807 m
ITALIE
0
50 km

La couleur verte représente la France ; le bistre foncé, les zones francophones ; le bistre clair, les zones non francophones ; le bistre en stries indique une zone – en partie – francophone. (⟶ v. p. 417)

← 24. La Suisse

superficie : 41 293,2 km²
population : 6 350 000 h
trois grandes régions
- Les Alpes
- Le Jura
- Le Plateau Suisse

CANTONS

Appenzell (Rhodes extérieures) ***allemand***
Appenzell (Rhodes intérieures) ***allemand***
Argovie ***allemand***
Bâle-ville ***allemand***
Bâle-campagne ***allemand***
Berne ***allemand et français***
Fribourg ***allemand et français***
Genève ***français***
Glaris ***allemand***
Grisons ***allemand, italien, romanche***
Jura ***français***
Lucerne ***allemand***
Neuchâtel ***français***
Saint-Gall ***allemand***
Schaffhouse ***allemand***
Schwyz ***allemand***
Soleure ***allemand***
Tessin ***italien***
Thurgovie ***allemand***
Unterwald-Nidwald ***allemand***
Unterwald-Obwald ***allemand***
Uri ***allemand***
Valais ***français et allemand***
Vaud ***français***
Zoug ***allemand***
Zurich ***allemand***

TERRE DU NORD-OUEST
80°
GROENLAND
COLOMBIE
BRITANNIQUE
ALBERTA
SASKATCHEWAN
MANITOBA
St-Boniface
C A N A D A
Baie d'Hudson
Pourcentage de francophones
QUÉBEC : 81 %
ONTARIO : 7,6 %
N. BRUNSWICK : 37 %
TERRE-NEUVE : 2,8 %
MANITOBA (dont St Boniface)
et Ile du PRINCE ÉDOUARD : 6,7
TERRE-NEUVE
LABRADOR
QUÉBEC
ONTARIO
Sept-Iles
St-Laurent
Saguenay
Chicoutimi
Lac Supérieur
Ottawa
Trois Rivières
QUÉBEC
NOUVEAU BRUNSWICK
Lac Michigan
Lac Huron
OTTAWA
Sherbrooke
Moncton
Montréal
NLLE ÉCOSSE
Toronto
Lac Ontario
Lac Érié
ST-PIERRE ET MIQUELON
Grande Miquelon
Petite Miquelon
St-Pierre
20 km
Missouri
ÉTATS-UNIS
Mississippi
New York
WASHINGTON
Rivière Rouge
LOUISIANE
Lafayette
BATON ROUGE
Nlle Orléans
Rio Grande
MEXIQUE
Golfe du Mexique
OCÉAN
ATLANTIQUE
Bahamas
MEXICO
LA HAVANE
CUBA
Tropique du Cancer
Grandes Antilles
RÉPUBLIQUE DOMINICAINE
OCÉAN
PACIFIQUE
BELIZE
JAMAÏQUE
HAÏTI
ST-DOMINGUE
KINGSTON
PORT-AU-PRINCE
San Juan
GUATEMALA
HONDURAS
Porto-Rico
SALVADOR
ANTILLES FRANÇAISES
Guadeloupe
Martinique
Mer des Caraïbes
NICARAGUA
Petites Antilles
COSTA RICA
FUTUNA
I. Futuna
I. Alofi
14° 15′ S
20 km
178° O
WALLIS
13° 15′ S
I. Uvéa
20 km
176° O
PANAMA
CARACAS
VENEZUELA
MÉLANÉSIE FRANÇAISE
166° E
Nouvelles Hébrides
Efate
Vila
18° S
Iles Loyauté
Nouvelle Calédonie
Nouméa
200 km
POLYNÉSIE FRANÇAISE
Mooréa
Papeete
Tahiti
149° O
Marquises
Archipel des Tuamotu
Iles de la Société
Tahiti
18° S
BOGOTA
COLOMBIE
GEORGETOWN
PARAMARIBO
GUYANA
St-Laurent
SURINAM
Kourou
CAYENNE
GUYANE FRANÇAISE
QUITO
ÉQUATEUR
Équateur
BRÉSIL
Amazone
PÉROU
1 000 km

25. L'Afrique *(p. 415)*

Pays	Superficie	Capitale
AFRIQUE DU SUD	1 125 800 km²	Prétoria
ALGÉRIE	2 381 741 km²	Alger
ANGOLA	1 246 700 km²	Luanda
BENIN	112 622 km²	Porto-Novo
BOTSWANA	582 000 km²	Gaborone
BURUNDI	27 834 km²	Bujumbura
CAMEROUN	475 442 km²	Yaoundé
CENTRAFRIQUE	622 984 km²	Bangui
CONGO	342 000 km²	Brazzaville
COTE D'IVOIRE	322 462 km²	Abidjan
DJIBOUTI	23 400 km²	Djibouti
EGYPTE	997 738 km²	Le Caire
ETHIOPIE	1 223 600 km²	Addis Abeba
GABON	267 667 km²	Libreville
GAMBIE		Banjul
GHANA	238 537 km²	Accra
GUINÉE	245 857 km²	Conakry
GUINÉE-BISSAU	36 125 km²	Bissau
GUINÉE-ÉQUATORIALE	28 051 km²	Malabo
HAUTE-VOLTA	274 200 km²	Ouagadougou
KENYA	582 646 km²	Nairobi
LESOTHO	30 355 km²	Maseru
LIBÉRIA	111 369 km²	Monrovia
LIBYE	1 775 500 km²	Tripoli
MADAGASCAR	587 041 km²	Antananarivo
MALAWI	118 484 km²	Lilongwe
MALI	1 240 000 km²	Bamako
MAROC	710 850 km²	Rabat
MAURITANIE	1 030 700 km²	Nouakchott
MOZAMBIQUE	801 590 km²	Maputo
NAMIBIE	824 292 km²	Windhœk
NIGER	1 189 000 km²	Niamey
NIGÉRIA	923 768 km²	Lagos
OUGANDA	241 139 km²	Kampala
RWANDA	26 338 km²	Kigali
SÉNÉGAL	197 161 km²	Dakar
SIERRA LEONE	71 740 km²	Freetown
SOMALIE	637 657 km²	Mogadiscio
SOUDAN	2 505 813 km²	Khartoum
SWAZILAND	17 363 km²	Mbabane
TANZANIE	945 087 km²	Dar es Salaam
TCHAD	1 284 000 km²	N'Djamena
TOGO	56 785 km²	Lomé
TUNISIE	163 610 km²	Tunis
ZAIRE	2 344 885 km²	Kinshasa
ZAMBIE	752 614 km²	Lusaka
ZIMBABWE	390 759 km²	Harrar

26. Le français parlé dans le monde.

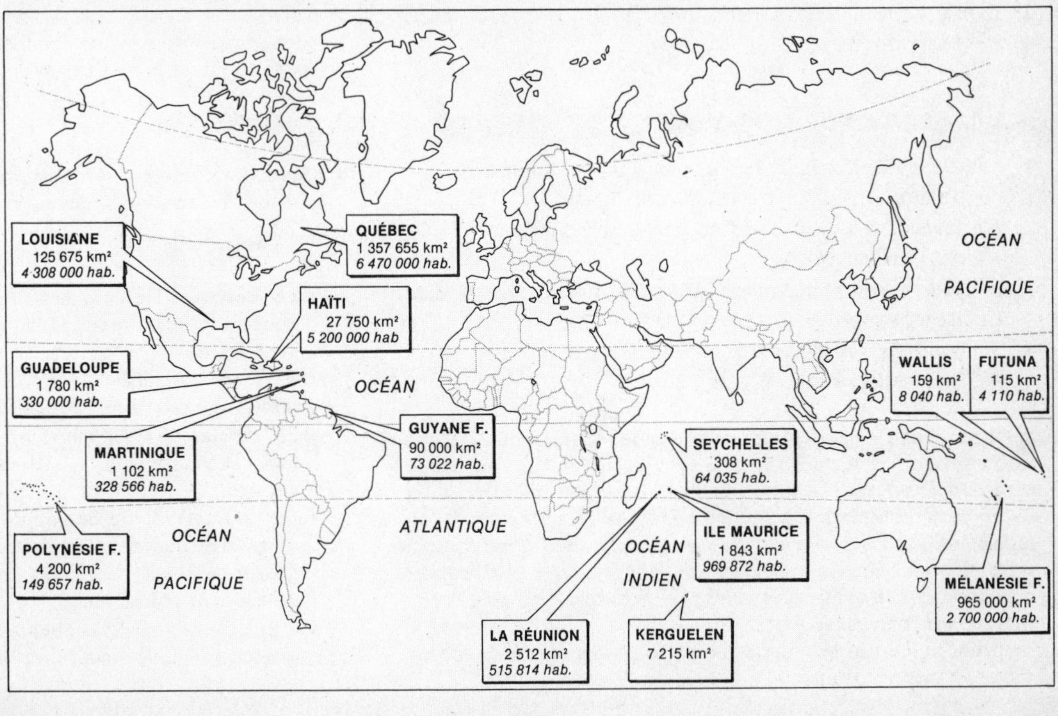

serrer [3] verbe

1. *Laurent serrait son mouchoir dans sa main.*
2. *Constance serre ses mots pour que la phrase tienne sur une seule ligne.* → elle les place très près les uns des autres. ≠ espacer.
3. *Charlotte ne veut pas pleurer, elle serre les dents.*
4. *Martin serre ses lacets pour que ses chaussures tiennent bien.* ≠ desserrer.

■ **serré, e,** adj. **1.** *Ma ceinture est trop serrée, j'étouffe.* **2.** *Poussez-vous ! Nous sommes déjà assez serrés.* → placés l'un contre l'autre. ■ **se serrer,** v. *On peut tenir à cinq sur ce banc en se serrant un peu.*

ORTHOGRAPHE

Attention aux deux **r** !

EXPRESSIONS

- **Avoir la gorge serrée, le cœur serré** (par la tristesse, la peine, l'émotion).
- **Être serrés comme des sardines** (fam.). → être très serrés sans pouvoir bouger (comme des sardines dans une boîte de conserve).
- **Serrer la main à quelqu'un.** → lui donner une poignée de main.

serrure nom fém.

David met la clef dans la serrure et ouvre la porte.

■ **serrurier,** n. m. *Le serrurier pose des serrures, des verrous, fabrique des clefs, etc.*

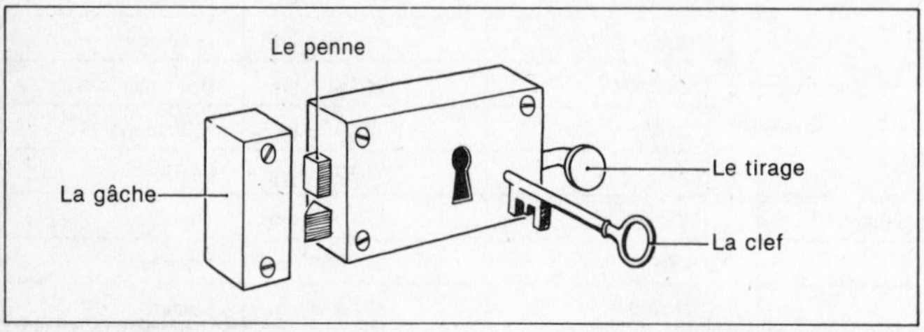

◄ Une serrure.

serviette nom fém.

1. *Paul s'essuie les mains avec une serviette de toilette.*
2. *Denise range ses documents dans une serviette en cuir.* ≃ porte-documents.

VOCABULAIRE

On peut nouer, déplier sa serviette, s'essuyer la bouche avec sa serviette, la ranger dans un rond de serviette ou un porte-serviette.

servir [24] verbe

1. *Les clients sont servis à la terrasse ou au comptoir.* → on leur apporte ce qu'ils commandent.
2. *Un stylo sert à écrire, un tournevis sert à visser.* → on l'utilise pour.
3. *Le couloir leur sert de piste de patins à roulettes.* ≃ être utilisé comme.
4. *Son courage lui a servi à surmonter cette épreuve.* → il l'a aidé.

■ **serveur, euse** → personne qui assure le service (sens 2) dans une cantine, un restaurant... ■ **service,** n. m. **1.** *Pourrais-tu me rendre un service ?* → faire quelque chose pour m'aider. **2.** *A la cantine, le premier service est à midi, le second à 1 heure.* **3.** *Au restaurant, le service n'est pas toujours compris dans le prix.* → la somme donnée pour le service. ≃ pourboire. **4.** *La poste, le chemin de fer sont des services publics.* ≃ entreprise. ■ **se servir,** v. **1.** *Charlotte passe le plat à Christelle, qui se sert copieusement.* ≃ prendre (ce qui est sur la table). **2.** *Julien se sert de ciseaux à bouts ronds.* ≃ utiliser.

GRAMMAIRE

On sert **quelqu'un.** On sert **du** poisson. On sert **avec** une cuiller.

EXPRESSIONS

- **Le service militaire** → le temps que les jeunes gens passent dans l'armée.
- **A votre service.** → je suis prêt(e) à vous aider (formule).
- **En service.** → qui fonctionne (pour un appareil). ≠ **hors service.**
- **Être au service de quelqu'un.** → travailler pour cette personne.
- **Être de service.** → travailler (à un moment précis).
- **Rendre service à quelqu'un.** → l'aider, lui être utile.

seul, seule — adj. et nom masc. et fém.

1. adj. *Nadine est restée seule pendant que ses parents faisaient des courses.*
2. adj. *Il ne reste qu'un seul cartable, c'est celui de Patrice.*
3. adj. *Pierre a mis le couvert tout seul.* → sans aide.
4. n. m. et f. *Denis est le seul à se plaindre.* ≃ unique.

■ **seulement,** mot inv. **1.** *Elle est restée seulement quelques minutes.* → ne... que. **2.** *Guy voudrait jouer au tennis, seulement il ne retrouve plus sa raquette.* ≃ mais.

EXPRESSION

Si seulement. → si encore, si au moins.

VOCABULAIRE

En une seule fois, d'un seul coup. Résoudre un problème seul. Elle y est arrivée toute seule.

sévère — adj.

La maîtresse est sévère, elle donne souvent des punitions. ≃ dur. ≠ indulgent.

■ **sévérité,** n. f. *Punir, réprimander avec sévérité.* → dureté.

ORTHOGRAPHE

Attention aux accents : **sévère, sévérité.**

siècle [sjɛkl] — nom masc.

1. *Le téléphone a été inventé il y a un peu plus d'un siècle.* ≃ cent ans.
2. *Nous sommes au 20ᵉ siècle.* → période comprise entre 1900 et 1999.

EXPRESSIONS

- **Depuis des siècles.** → depuis longtemps.
- **Il y a un siècle.** → il y a très longtemps.

siffler [3] — verbe

1. *Dorothée siffle un air à la mode.*
2. *Gaston siffle son chien pour l'appeler.*
3. *Le public mécontent a sifflé l'artiste.* ≠ applaudir.

■ **sifflement,** n. m. *On entendait le sifflement du vent dans la cheminée.* ■ **sifflet,** n. m. *L'arbitre a donné un coup de sifflet pour arrêter le match.*

VOCABULAIRE

La bouilloire siffle. Le merle, le loriot, le serpent sifflent. La balle, la flèche sifflent à mes oreilles. L'agent de police a sifflé la voiture. L'arbitre siffle la faute.

signal [siɲal] — nom masc.

1. *Au signal, les concurrents ont pris le départ de la course.*
2. *La conductrice n'a pas vu le signal et n'a pas ralenti.*

■ **signalement,** n. m. *Voici son signalement : elle est grande et blonde, et elle portait un imperméable beige.* ■ **signaler,** v. **1.** *Le cycliste tend son bras pour signaler qu'il va tourner.* → indiquer. **2.** *Je te signale que tu as laissé le robinet ouvert.* → je te fais remarquer.

ORTHOGRAPHE

Des signa**ux**.

EXPRESSION

Donner le signal de (quelque chose). → marquer le début de.

signer [3] — verbe

Pauline a oublié de signer sa lettre. → d'écrire son nom en bas.

■ **signature,** n. f. *Josette s'amuse à imiter la signature de sa mère.*

VOCABULAIRE

Signer un chèque. Déchiffrer une signature illisible.

S

signe — nom masc.

1. *Un bâillement peut être un signe d'ennui ou de faim.* → il montre que l'on s'ennuie ou que l'on a faim.
2. *L'agent nous a fait signe de passer.* ≃ geste, mouvement.
3. *= est le signe d'égalité.* ≃ symbole.

EXPRESSION

C'est bon (mauvais) signe. → quelque chose de bon (ou de mauvais) arrivera.

silence — nom masc.

Taisez-vous ! Un peu de silence ! → ne parlez pas, ne faites pas de bruit !

■ **silencieux, euse,** adj. **1.** *Les enfants sont restés silencieux quelques instants.* → ils n'ont pas fait de bruit, ils se sont tus. **2.** *Quand les enfants ne sont pas là, la maison est silencieuse.* ≃ calme. ≠ bruyant.

EXPRESSIONS

- **Une minute de silence.** → un moment d'une minute où l'on pense en silence aux morts.
- **Un silence de mort.** → un silence total et pénible à supporter.
- **Garder le silence.** → se taire.

simple — adj.

1. *Malgré son succès, Marie est restée simple.* → accessible, franche.
2. *Tu devrais faire un double nœud, il tiendrait mieux qu'un nœud simple.* ≠ composé, double, multiple.
3. *Xavier est très susceptible ; une simple remarque le vexe.* → rien qu'une remarque.
4. *Dorothée n'arrive pas à résoudre ce problème ; pourtant, il est simple.* ≃ clair. ≠ compliqué, difficile.
5. *Notre repas est simple : des tomates et des œufs.* ≠ luxueux, magnifique, recherché.

■ **simplicité,** n. f. **1.** *Marie parle de sa victoire avec simplicité.* ≠ recherche. **2.** *La simplicité d'une question.* ≠ complexité.

GRAMMAIRE

Au sens 3, « simple » se met avant le nom.

VOCABULAIRE

Billet simple (≠ aller et retour). Feuille simple (sens 2) (≠ double). Les temps simples du verbe (≠ composé). Jouer en simple (au tennis).

sincère — adj.

1. *Sois sincère ! Dis-moi ce que tu penses de mon poème !* ≃ franc. ≠ menteur, trompeur.
2. *Julie m'a fait des compliments sincères.* ≠ hypocrite, mensonger.

■ **sincérité,** n. f. *La sincérité d'une réponse, d'une attitude.*

VOCABULAIRE

Une nature ou un caractère sincère. Une amie sincère, un repentir sincère.

singe — nom masc.

Au zoo, Yves et Nicole lancent des cacahuètes aux singes.

EXPRESSIONS

- **Malin comme un singe.** → très astucieux et habile.
- **Faire le singe.** → faire des grimaces.

AUTOUR DE

La femelle du singe s'appelle la guenon.

singulier, singulière — adj.

Voici un homme bien singulier. ≃ bizarre, étrange.

■ **singulier,** n. m. *Le singulier de* signaux *est* signal. ≠ pluriel.

AUTOUR DE

Le nom possède un nombre et un genre : il est singulier ou pluriel, masculin ou féminin.

situation [sityasjɔ̃] nom fém.

1. *La forteresse a été construite sur une colline ; c'était une excellente situation pour observer l'ennemi.* ≃ emplacement.
2. *Le mensonge de Christophe a mis Jérôme dans une situation pénible.* ≃ cas, position.

■ **situer,** v. **1.** *L'auteur a situé son histoire en Bretagne, au temps du roi Arthur.* ≃ placer. **2.** *La cuisine est située au sud.* → orientée au sud.

VOCABULAIRE

La situation (sens 1) d'une ville, d'une maison. Une situation (sens 2) nouvelle, agréable, délicate, embarrassante.

ski nom masc.

Cet hiver, Sandrine a appris à faire du ski, mais elle est souvent tombée dans la neige !

■ **skier** [skje], v. → glisser sur la neige à l'aide de skis.
■ **skieur, euse,** n. m. et f. *A Courchevel, des skieurs et des skieuses s'exercent à descendre les pistes enneigées.*

Une paire de skis.

société [sɔsjete] nom fém.

1. *Dans les sociétés de l'Antiquité, il y avait des esclaves et des hommes libres.* ≃ collectivité.
2. *François travaille dans une société de transports.* ≃ entreprise.
3. *Pour pêcher dans l'étang, il faut être membre de la société de pêche.* ≃ association.

■ **social, e,** adj. **1.** *Les ouvriers constituent une classe sociale.* **2.** *Le gouvernement pratique une politique sociale.* → qui améliore la vie de la population.

EXPRESSIONS

- **Une assistante sociale.** → une personne dont le travail est d'aider les gens.
- **Jeux de société.** → jeux qui se jouent à plusieurs (par exemple : jeu de l'oie, petits chevaux).
- **La société.** → l'ensemble des gens (≠ l'individu).

sœur [sœʀ] nom fém.

1. *La mère de Frédéric attend un enfant ; Frédéric aura un petit frère ou une petite sœur.*
2. *A l'école religieuse, le professeur de latin est une sœur.* ≃ religieuse.

VOCABULAIRE

Une grande sœur, une sœur cadette. Des sœurs jumelles.

soi pron. pers.

1. *Après la promenade, chacun est rentré chez soi.* → dans sa maison.
2. *Quand on ne regarde pas devant soi, on risque de tomber.*

■ **soi-même,** pron. pers. *Il faut apprendre à se connaître soi-même.*

EXPRESSION

Ça va de soi. → c'est normal, naturel, évident.

S

soie nom fém.

La soie est fabriquée par la chenille du ver à soie ; on en fait du tissu fin et brillant.

AUTOUR DE

La soie est un fil formé par la bave séchée du ver à soie.

soif nom fém.

Si tu as soif, bois de l'eau, c'est ce qui désaltère le mieux !

EXPRESSION

Boire jusqu'à plus soif (fam.). → boire beaucoup.

soigner [3] — verbe

1. *Paul est malade, il reste au lit pour soigner sa grippe.*
2. *Pierre a recopié son devoir en soignant son écriture.* → en écrivant avec soin. ≠ bâcler.
3. *Mireille soigne son hamster.* → elle lui donne à manger, elle nettoie sa cage.

■ **soin** [swɛ̃], n. m. **1.** *La malade va mieux, mais elle a encore besoin de soins.* **2.** *Julien range ses timbres avec soin.* ■ **se soigner,** v. *S'il veut guérir, il faut qu'il se soigne.*

EXPRESSIONS

- **Avoir soin de, prendre soin de.** → s'occuper de, veiller à ce que (quelqu'un soit bien ou que quelque chose soit en bon état).
- **Être aux petits soins (pour quelqu'un).** → veiller à ce qu'il soit bien.

soir [swaʀ] — nom masc.

Dans la journée, les parents travaillent et les enfants sont à l'école : toute la famille se retrouve le soir. ≠ matin.

■ **soirée,** n. f. *Nous avons passé la soirée à regarder des photos.* ≠ matinée.

VOCABULAIRE

A ce soir ! Bonne soirée ! Les soirées sont fraîches. Jouer aux cartes toute la soirée.

1. sol — nom masc.

1. *Pour faire certains mouvements de gymnastique, il faut se coucher sur le sol.* → par terre.
2. *La région est humide, car le sol est imperméable.* → la terre.

VOCABULAIRE

Un sol brun, rouge, argileux, sablonneux, calcaire, fertile, pauvre. Exploiter, enrichir, traiter un sol.

2. sol — nom masc.

Sol *est la cinquième note de la gamme.*

soldat — nom masc.

Jean-Luc effectuera bientôt son service militaire : il sera soldat pendant un an. ≃ militaire.

ORTHOGRAPHE

N'oublie pas le **t** !

soleil [sɔlɛj] — nom masc.

1. *La Terre tourne autour du Soleil.* → l'astre qui donne lumière et chaleur à la Terre et autour duquel celle-ci tourne.
2. *Béatrice met un chapeau pour se protéger du soleil.* → des rayons diffusés par le Soleil.

EXPRESSIONS

- **Le soleil de minuit** (dans les régions polaires, le soleil ne se couche pas pendant six mois, et on peut le voir à minuit).
- **Un coup de soleil.** → une brûlure causée par le soleil.

solide — adj.

Le banc que Paul a fabriqué avec des planches n'est pas très solide. → résistant. ≃ robuste. ≠ fragile.

■ **solide,** n. m. *L'huile est un liquide, l'oxygène est un gaz, la pierre est un solide.* ■ **solidité,** n. f. *Avant de t'asseoir, vérifie la solidité du banc !* ≃ résistance. ≠ fragilité.

EXPRESSIONS

- **Un(e) ami(e) solide.** → sur qui l'on peut compter.
- **Avoir un solide appétit.** → avoir un grand appétit.
- **Être solide** (pour une personne). → être résistant et vigoureux.

solution [sɔlysjɔ̃] — nom fém.

1. *Caroline cherche la solution de son problème de maths.*
2. *Chantal a proposé une solution : si la voiture ne démarre pas, on prendra le train.*

EXPRESSION

Une solution de facilité, de paresse. → qui demande le minimum d'efforts.

sombre adj.

1. *La pièce est sombre, il faut allumer la lumière pour lire.* ≃ obscur. ≠ clair.
2. *Bleu marine est une couleur sombre.* ≃ foncé. ≠ clair.
3. *Juliette a des soucis, elle a l'air sombre.* → triste et inquiet. ≠ gai, joyeux.

EXPRESSION

Il fait sombre. → il y a peu de lumière.

sommeil [sɔmɛj] nom masc.

Fabrice est fatigué le matin, il manque de sommeil. → il n'a pas assez dormi.

■ **sommeiller** [sɔmɛje], v. *Quand tu es entrée, je ne dormais pas profondément, je sommeillais.*

EXPRESSIONS

- **Dormir d'un sommeil de plomb.** → dormir très profondément.
- **Tomber de sommeil.** → être très fatigué.

sommet nom masc.

1. *Après plusieurs heures d'escalade, elles sont arrivées au sommet de la montagne.* → la cime. ≠ bas, pied.
2. *Un triangle a trois sommets.*

EXPRESSION

Cet artiste est **au sommet de** *sa gloire.* → au plus haut de.

son nom masc.

Mathilde sait reconnaître le son du violon et le son de la trompette. ≃ bruit, harmonie, musique.

EXPRESSION

Danser **au son de** *l'accordéon.* → en suivant la musique de.

sonner [sɔne] 3 verbe

1. *De temps en temps, on entend la cloche de l'église qui sonne.*
2. *Quelqu'un a sonné ; Jeanne va ouvrir la porte.*

■ **sonnerie,** n. f. *La sonnerie du téléphone m'a réveillé.* ■ **sonnette,** n. f. *Joséphine appuie sur la sonnette ; Georges va ouvrir la porte.* ■ **sonore,** adj. **1.** *Une voix sonore.* → qui résonne fort. **2.** *Une salle sonore.* → qui renvoie les sons.

ORTHOGRAPHE

Attention ! deux **n** pour **sonner, sonn**ette, so**nn**erie, conso**nn**e, résonner ; un seul **n** pour sonore, sonorité, résonance.

EXPRESSION

Sonner faux. → donner une impression d'hypocrisie.

sorcière nom fém.

On raconte dans les légendes que les sorcières se déplacent la nuit en volant, à cheval sur un balai.

■ **sorcier,** n. m. et adj. **1.** n. m. *Certains peuples d'Afrique demandent aux sorciers de faire venir la pluie.* **2.** adj. *Ce n'est pas sorcier.* → ce n'est pas difficile, compliqué.

Une grande famille

sorcellerie — ensorceler
sorcière — ensorceleur
sorcier — ensorcellement

sort
sortilège

sorte nom fém.

1. *Alice et Jérôme ont décoré le sapin de Noël avec plusieurs sortes de guirlandes : une rouge, une bleue, une dorée.*
2. *Avec du papier crépon et des petits personnages, Nathalie a préparé une sorte de crèche.* → une espèce de, quelque chose qui ressemble à.

EXPRESSIONS

- **De (telle) sorte que** → de manière que, si bien que.
- **De telle sorte.** → d'une certaine manière, pour ainsi dire.

S

sortir [24] verbe

1. *Les enfants sortent de l'école à 17 h.* ≠ entrer.
2. *Tant que Paul est malade, il n'a pas le droit de sortir.* → d'aller dehors.
3. *Jacques sort le plat du four.* ≃ extraire.
4. *Ce constructeur sort un nouveau modèle de voitures.* → il met en vente.

■ **sortie,** n. f. **1.** *La cloche sonne l'heure de la sortie.* **2.** *Je t'attends à la sortie.* → à la porte par où l'on sort. **3.** *Charles aime les sorties au théâtre ou au cinéma.* **4.** *La sortie d'un livre.* ≃ publication.

EXPRESSIONS

- **Sortir d'affaire, se sortir d'embarras, s'en sortir.** → se tirer d'une situation embarrassante.
- **Sortir de l'ordinaire.** → être original.

sot, sotte adj. ou nom masc. et fém.

Arrête de répéter les bêtises que tout le monde dit, espèce de sot ! ≃ idiot.

■ **sottise,** n. f. *Réfléchis avant de parler ! Ne dis pas de sottises.* ≃ ânerie, bêtise.

souci [susi] nom masc.

Sophie cherche du travail depuis plusieurs mois, et cela lui donne beaucoup de souci. ≃ inquiétude, préoccupation.

■ **soucieux** [susjø], **euse,** adj. *Un air soucieux.* ■ **se soucier (de),** v. *L'examen est dans un mois, mais Alexandre ne semble guère s'en soucier.* → y penser, en être préoccupé.

EXPRESSION

Se faire du souci. → s'inquiéter.

VOCABULAIRE

Avoir de graves soucis. Oublier ses soucis.

souffler [3] verbe

1. *Quand le vent souffle, les feuilles bougent.*
2. *Anne a soufflé les bougies de son gâteau d'anniversaire.* → elle les a éteintes.
3. *Martin ne savait pas sa leçon, Virginie lui a soufflé la bonne réponse.* → elle lui a dit à voix basse.

■ **souffle,** n. m. **1.** *Il n'y a pas un souffle d'air.* **2.** *Anne a éteint les neuf bougies d'un seul souffle.*

EXPRESSIONS

- **Ne pas souffler mot.** → ne rien dire.
- **Avoir le souffle coupé.** → être très étonné.
- **Être à bout de souffle.** → être épuisé, haleter de fatigue.
- **Reprendre son souffle.** → retrouver ses forces.

souffrir [22] verbe

1. *Guillaume s'est brûlé au bras ; il souffre de sa brûlure.* → cela lui fait mal.
2. *Les arbres ont souffert de la grêle.* → ils ont été abîmés par.

■ **souffrance,** n. f. *Une pommade calmera la souffrance de Guillaume.* → la douleur. ■ **souffrant, e,** adj. *Marcel est souffrant, il reste au lit ce matin.* → légèrement malade.

EXPRESSION

Ne pas pouvoir souffrir quelqu'un (fam.). → le détester.

VOCABULAIRE

Souffrir avec patience, en silence, sans se plaindre. Souffrir des dents, d'une maladie, du froid, de la faim, de la sécheresse.

souhaiter [swɛte] [3] verbe

Mireille souhaite à Jean-Marc de faire un bon voyage.

■ **souhait** [swɛ], n. m. *Le souhait de Mireille s'est réalisé.* ≃ désir, vœu. ■ **souhaitable** [swɛtabl], adj. *Il est souhaitable que tu sois plus attentif !* ≃ désirable.

GRAMMAIRE

Souhaiter se construit avec **de** et l'infinitif, ou avec un c.o.d. *Elle lui souhaite : « Bon voyage ! »*, ou avec **que** : *Elle souhaite que son voyage soit agréable.*

soulager [19] verbe

Martine était inquiète de la disparition de son chat ; elle a été soulagée de le voir revenir. ≃ calmer, tranquilliser. ≠ affliger, gêner.

■ **soulagement,** n. m. **1.** *La présence de son ami est un soulagement pour lui.* → une aide, une délivrance. **2.** *Elle a poussé un soupir de soulagement.* ≃ apaisement, détente.

ORTHOGRAPHE

Attention au **e** dans la conjugaison : nous soulag**e**ons.

soulever [6] verbe

1. *La valise est lourde, j'ai du mal à la soulever.*
2. *L'apparition des clowns a soulevé l'enthousiasme chez les enfants.* → elle a provoqué.

souple adj.

Corinne est très souple : elle sait faire le grand écart. ≠ raide, rigide.

■ **souplesse,** n. f. *La souplesse d'une branche de noisetier.*

VOCABULAIRE

La souplesse du chat, de l'acrobate, de la danseuse, d'une tige, d'une lame.

source [suʀs] nom fém.

1. *En nous promenant dans la montagne, nous avons découvert la source de ce ruisseau.*
2. *Pour faire sécher le linge plus vite, il faut le mettre près d'une source de chaleur.* → un endroit produisant de la chaleur.
3. *Le pétrole est une source d'énergie.* → un moyen d'obtenir de l'énergie.

EXPRESSIONS

- **Couler de source.** → être la conséquence normale de quelque chose.
- *La Loire* **prend sa source** *au mont Gerbier-de-Jonc.* → elle sort de terre.
- **Savoir de source sûre.** → être très bien informé.

sourcil [suʀsi] nom masc.

Michèle a des sourcils bien dessinés.

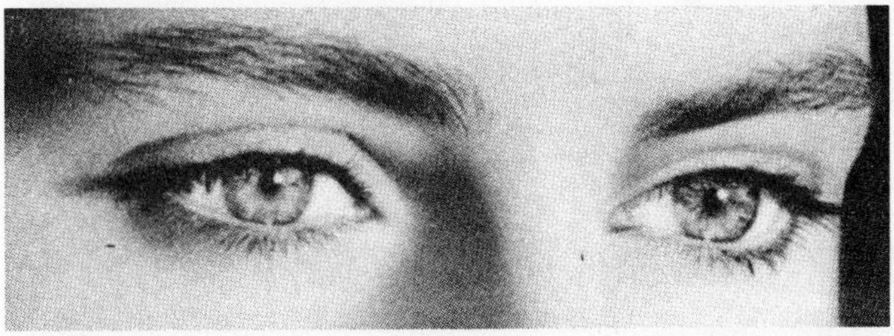

ORTHOGRAPHE

Attention au **l** final.

sourd, sourde adj. ou nom masc. et fém.

1. *Charles porte un appareil, car il est sourd d'une oreille.* → il n'entend pas.
2. *La chaise est tombée sur le tapis avec un bruit sourd.* ≠ aigu, éclatant, net.

EXPRESSIONS

- **Crier, frapper comme un sourd.** → très fort.
- **Faire le sourd, faire la sourde oreille.** → faire comme si on n'entendait pas.

sourire nom masc.

Le photographe dit « Un sourire pour la photo ! »

■ **sourire,** v. *Réjouis par la nouvelle, les enfants sourient.* ■ **souriant** [suʀjɑ̃], **e,** adj. *Un air, un visage souriant.*

EXPRESSION

La chance me (te, lui, etc.) sourit. → elle m' (t', lui) est favorable.

S

souris nom fém.

Le chat a attrapé une souris.

EXPRESSION

Il voudrait se cacher dans un trou de souris (tellement il est gêné ou tellement il a peur).

sous mot inv.

1. *Le chat est caché sous l'armoire.* ≃ en-dessous de. ≠ sur.
2. *Les soldats sont sous les ordres de l'officier.* → ils doivent obéir aux ordres de.
3. *Mon arrière-grand-mère est née sous la IIIe République.* ≃ au temps de.
4. *Gilles a accepté, sous l'influence de sa sœur, de venir au cinéma.* ≃ à cause de.

EXPRESSIONS

- **Sous clef.** → enfermé.
- **Sous les verrous.** → emprisonné.

soustraction [sustʀaksjɔ̃] nom fém.

David fait une soustraction : 285 – 32 = 253. ≠ addition.

■ **soustraire,** v. *David a soustrait 32 de 285 : il reste 253.* → il a enlevé, ôté. ≠ additionner, ajouter.

EXPRESSION

Signe de soustraction : –.

souterrain [suteʀɛ̃], **souterraine** adj.

On peut traverser la voie ferrée grâce au passage souterrain. ≠ aérien, en surface.

■ **souterrain,** n. m. *Le guide du château nous a montré l'entrée du souterrain.* → de la galerie qui est sous terre.

VOCABULAIRE

Une galerie, une cavité, une nappe d'eau, un abri, un cachot souterrains.

se souvenir [34] verbe

Gabrielle se souvient bien de sa maîtresse de maternelle. → elle se rappelle.

■ **souvenir,** n. m. *Ses vacances à la mer lui ont laissé un excellent souvenir.* → une trace dans la mémoire.

GRAMMAIRE

Se souvenir de *quelque chose ou* **de** *quelqu'un. Il* **se souvient qu'***elle était blonde. Elle* **se souvient d'***avoir beaucoup chanté.*

souvent mot inv.

Le dimanche, Martin et Jérôme vont souvent se promener dans les bois. ≠ jamais, rarement.

spectacle [spɛktakl] nom masc.

Les enfants ont préparé un spectacle de danses folkloriques. ≃ représentation.

■ **spectaculaire,** adj. *Une chute, un plongeon, un accident spectaculaires.* ≃ frappant, impressionnant. ■ **spectateur, trice,** n. m. et f. *Les spectateurs applaudissent.* → ceux qui assistent au spectacle.

VOCABULAIRE

Un spectacle de cirque, de marionnettes. Une salle de spectacle. Organiser, annuler un spectacle. Les cris, les applaudissements, les sifflets des spectateurs.

sport nom masc.

Aurélie aime faire du sport ; natation, vélo et basket sont ses sports préférés. → des exercices physiques.

■ **sportif, ive,** adj. ou n. m. et f. **1.** adj. *Un journal sportif, des résultats sportifs, une association sportive.* **2.** n. m. et f. *Anatole est un bon sportif.* → il pratique le sport.

ORTHOGRAPHE

Attention au **t** final de sport. Pense à spor**t**if !

squelette [skəlɛt] nom masc.

L'ensemble des os du corps s'appelle le squelette.

■ **squelettique** [skəlɛtik], adj. *Le chat a terriblement maigri, il est squelettique.* ≠ gras, gros.

1. Crâne.
2. Colonne vertébrale.
3. Membres supérieurs (bras, avant-bras).
4. Membres inférieurs (jambes, cuisses).
5. Mains.
6. Pieds.
7. Cage thoracique avec côtes.
8. Os du bassin.

▸

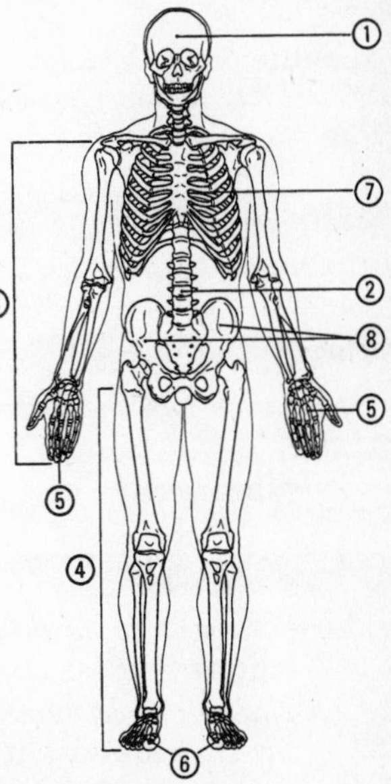

stable adj.

1. *Ne t'assieds pas sur cette chaise, elle n'est pas stable.* ≃ solide. ≠ branlant.
2. *Huguette a un caractère stable : depuis dix ans, elle est fidèle aux mêmes amis.* ≠ changeant, instable.

stade nom masc.

1. *L'entraînement pour le basket-ball a lieu au stade.* → un terrain aménagé pour la pratique des sports.
2. *Pour la finale de la coupe d'Europe, le stade était plein à craquer.* → l'endroit où se tiennent les spectateurs d'une rencontre sportive.

ORIGINE

Stade vient d'un mot grec qui est une mesure de longueur égale à 180 m. A l'origine, le stade était un terrain de cette longueur où se disputaient les courses.

statue [staty] nom fém.

Au milieu de la place, il y a une statue représentant un homme à cheval. ≃ sculpture.

■ **statuette** [statɥɛt], n. f. *Deux statuettes décorent la cheminée.*

VOCABULAIRE

Une statue en pierre, en bois, en marbre, en bronze, en plâtre, en ivoire, en albâtre.

◂ Une statue de Maillol, dans les jardins du Louvre à Paris.

S

stop mot inv.

Quand je dirai : « Stop ! », vous vous arrêterez de courir. ≃ halte !

■ **stop,** n. m. **1.** *Il faut s'arrêter au stop et attendre que les voitures soient passées.* → au panneau indiquant l'arrêt. **2.** *Les stops de la voiture s'allument quand elle freine.* → des lumières placées à l'arrière.

EXPRESSION

Delphine est tombée en panne ; elle a dû **faire du stop** *pour rentrer chez elle.* → arrêter une voiture pour se faire conduire gratuitement quelque part.

stupide adj.

Quand Benoît ne sait pas répondre, il prend un air stupide en se grattant la tête. ≃ idiot. ≠ intelligent.

■ **stupidité,** n. f. **1.** *Est-ce vraiment de la stupidité ou fait-il semblant ?* **2.** *Arrête tes stupidités !* → actions ou paroles stupides, bêtes. ≃ sottise.

VOCABULAIRE

Une réponse, une remarque ou une attitude stupide.

stylo [stilo] nom masc.

La maîtresse souligne les fautes au stylo rouge.

ORTHOGRAPHE

Attention à l'**y** !

subir 4 verbe

1. *Bernard a subi une opération à la jambe.* → on lui a fait.
2. *Si tu fais une erreur, il faut en subir les conséquences.* → supporter.

succès [syksɛ] nom masc.

1. *Henri cherche du travail, mais jusqu'à présent sans succès.* → sans arriver au résultat qu'il souhaite.
2. *Au cirque, c'est le numéro de l'acrobate qui a eu le plus de succès.* → qui a plu le plus au public.

VOCABULAIRE

Fêter un succès. Avoir beaucoup de succès, remporter un succès triomphal, connaître un succès fou.

sucer 26 verbe

Baptiste suce une pastille à la menthe.

ORTHOGRAPHE

Je suce, nous su**ç**ons.

sucre nom masc.

Rémi met deux morceaux de sucre dans sa tisane.

■ **sucré, e,** adj. *Les fruits mûrs sont bien sucrés.* ■ **sucrer,** v. *Marthe ne sucre pas son thé.* → elle ne met pas du sucre dans.

EXPRESSION

Être tout sucre tout miel. → être hypocrite.

sud [syd] nom masc.

1. *L'Afrique est au sud de l'Europe.* ≠ nord.
2. *L'Amérique du Nord, l'Afrique du Sud.*

ORTHOGRAPHE

Attention ! pas de majuscule au sens 1, une majuscule obligatoire au sens 2.

suer [sɥe] 3 verbe

Pendant le match, les boxeurs suaient sous les projecteurs. → ils transpiraient.

■ **sueur,** n. f. *Maryse a très chaud, des gouttes de sueur coulent sur son front.* → de transpiration.

EXPRESSIONS

- **Avoir (donner) des sueurs froides.** → avoir (donner) très peur.
- **Suer sang et eau.** → se donner beaucoup de mal.

suffire 14 verbe

1. *Alice n'a plus faim, un sandwich lui a suffi.* → elle n'a pas besoin d'autre chose.
2. *Est-ce qu'une baguette suffira pour le goûter ?*

■ **suffisamment,** mot inv. *Je me demande s'il y aura suffisamment de pain pour nous quatre.* ≃ assez. ■ **suffisant, e,** adj. *J'ai besoin d'un sommeil suffisant pour être en pleine forme.*

GRAMMAIRE

Suffire s'emploie aussi à la forme impersonnelle : **Il suffit que** *tu me préviennes à l'avance.*

EXPRESSION

Ça suffit ! (fam.). → arrêtez.

suite — nom fém.

1. *Alain nous a raconté le début de l'histoire ; nous attendons la suite.* → ce qui vient après.
2. *Il est mort des suites de ses blessures.* → c'est la conséquence de ses blessures.
3. *Ce film est une suite de gags.* → une série, une succession de.

■ **suivant, e,** adj. *Pierre s'est assis sur la première marche, Juliette et Fabrice sur les marches suivantes.* ■ **suivant,** mot inv. *Il faut s'habiller suivant la température.* → en fonction de, selon.

EXPRESSIONS

- **A suivre.** → Indique que le texte continuera dans un autre numéro (de journal).
- **Suivre des yeux.** → regarder.
- **A la suite de quelque chose, par suite de quelque chose.** → après cette chose et à cause d'elle.
- **De suite.** → sans interruption.
- **Et ainsi de suite.** → en continuant de la même façon.
- **Tout de suite.** → immédiatement.

suivre — verbe

1. *Denis passe le premier, Jérôme le suit.* ≠ précéder.
2. *Dans l'ordre alphabétique, W suit V.* → il succède à, il vient après.
3. *Marie a suivi la route jusqu'au carrefour.* ≃ aller dans la direction de.
4. *Vanessa suit des cours de danse.* → elle prend régulièrement.
5. *Maurice a suivi un mauvais exemple.* → il a imité.
6. *Michel n'a pas compris l'exemple, car il n'a pas suivi ce que disait la maîtresse.* → il n'a pas été attentif à.

sujet — nom masc.

1. *Dans la phrase : « le vent souffle et l'arbre se penche »,* le vent *et* l'arbre *sont les sujets des verbes* souffle *et* se penche.
2. *Assez parlé des vacances ! Passons maintenant à un autre sujet !* ≃ idée, thème.

EXPRESSION

Au sujet de. → à propos de, en ce qui concerne.

superficie [sypɛʀfisi] — nom fém.

La superficie de ce terrain est de 500 m². ≃ aire.

■ **superficiel, elle** [sypɛʀfisjɛl], adj. **1.** *Une blessure superficielle se soigne facilement.* ≃ de surface. **2.** *Un travail superficiel.* ≃ peu sérieux. ≠ approfondi.

AUTOUR DE

Il ne faut pas confondre la « superficie » et la « surface ».
On dit : la surface d'un rectangle, mais la superficie d'un champ.

supérieur, supérieure — adj.

1. *Les chambres se trouvent à l'étage supérieur de la maison.* → du haut, du dessus. ≠ inférieur.
2. *A une température supérieure à 37° nous avons de la fièvre.* ≃ plus grand que. ≠ inférieur.
3. *Éric se croit supérieur aux autres.* ≃ mieux que.

■ **supérieur, e,** n. m. et f. *Pauline doit demander à son supérieur l'autorisation de s'absenter.* → à la personne à laquelle elle doit obéir (dans son travail). ≠ subordonné. ■ **supériorité** [sypeʀjɔʀite], n. f. **1.** *La victoire de cette équipe est due à sa supériorité en nombre.* → au fait qu'elle est plus nombreuse. **2.** *Le sentiment de supériorité d'Éric lui vaut bien des ennemis.* ≠ infériorité.

GRAMMAIRE

- **Supérieur** est un comparatif. Il ne peut pas être précédé de *plus* ou de *moins.*
- Le complément de **supérieur** est toujours introduit par **à**.

VOCABULAIRE

- La mâchoire, la lèvre supérieure ; les membres supérieurs. → les bras.
- Un produit de qualité supérieure. Une note supérieure à la moyenne.

supporter [3] — verbe

1. *Delphine a construit une cabane ; quatre branches supportent une planche qui forme le toit.* → elles soutiennent.
2. *Vincent supporte très mal les remarques qu'on lui fait.* → il n'accepte pas.

■ **supportable,** adj. *Cette douleur est supportable.* ≃ tolérable.

EXPRESSION

Ne pas pouvoir supporter quelqu'un. → le détester.

supposer [3] — verbe

Fabienne ne m'a pas téléphoné ; je suppose qu'elle a oublié notre rendez-vous. → je pense que.

■ **supposition,** n. f. *Peut-être Jacques a-t-il menti, mais ce n'est qu'une supposition.* → une chose probable que l'on imagine.

supprimer [3] — verbe

Ce plat serait plus facile à digérer si on supprimait la crème. → si on enlevait. ≃ ôter. ≠ ajouter, introduire.

■ **suppression,** n. f. *La suppression d'une phrase inutile dans un texte.* ≃ élimination. ≠ maintien.

EXPRESSION

Supprimer quelqu'un. → le tuer.

sur — mot inv.

1. *Aurélie est assise sur une chaise.* ≠ sous.
2. *Anne a eu 9 sur 10 à sa composition de français.*
3. *Lucas se penche sur son livre.* ≃ au-dessus de.
4. *Elle a écrit une rédaction sur son voyage en Irlande.* → au sujet de, à propos de.

EXPRESSIONS

- *Attraper* **rhume sur rhume,** *manger* **bonbon sur bonbon.** → continuellement.
- *La cour s'étend* **sur 15 m** *de long.*
- **Sur ce.** → après quoi.

sûr, sûre — adj.

1. *Magali est sûre de connaître la bonne réponse.* → elle est certaine. ≃ convaincu.
2. *Si tu veux voir Rémi, le plus sûr est de l'attendre à la sortie.* → le moyen le plus efficace.

■ **sûrement,** mot inv. *Nicole viendra sûrement, elle me l'a promis.*
■ **sûreté,** n. f. *Ton argent sera en sûreté à la Caisse d'épargne ; à la maison, on peut te le voler.* → à l'abri du vol.

ORTHOGRAPHE

N'oublie pas l'accent circonflexe sur le **u**.

EXPRESSIONS

- **A coup sûr.** → sans risque d'échec.
- **Bien sûr.** → c'est évident, cela va de soi.

surface — nom fém.

1. *La surface de la coquille d'huître est rugueuse.* ≃ l'extérieur.
2. *La cour a une surface de 200 m².* → une aire, une superficie.

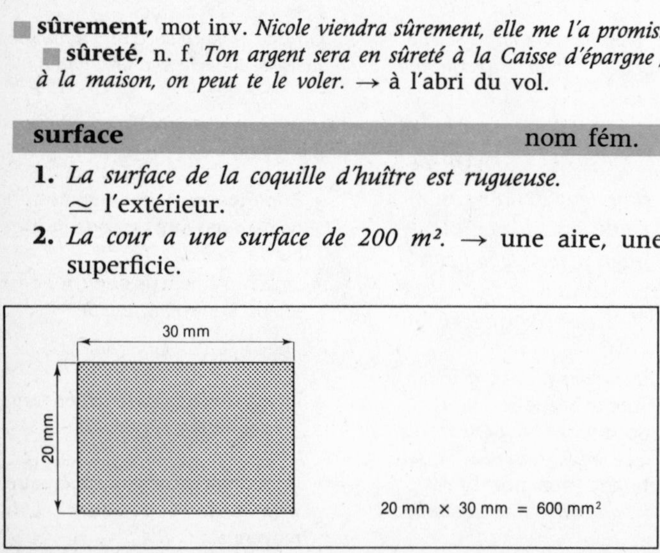

EXPRESSIONS

- **Faire surface.** → émerger de l'eau (pour un plongeur, un sous-marin).
- **Nager en surface** (≠ en profondeur).

surprendre [29] verbe

1. *Nous avons été surpris par l'orage.* → nous ne nous y attendions pas.
2. *Marthe a surpris les voleurs.* → elle les a pris sur le fait.

■ **surprenant, e,** adj. **1.** *Je viens d'apprendre une nouvelle surprenante.* → étonnante. **2.** *Il a franchi l'obstacle avec une habileté surprenante.* → remarquable. ■ **surprise,** n. f. **1.** *« Qu'est-ce qu'il y a au dessert ? – Je ne te le dirai pas, c'est une surprise. »* **2.** *Quand Jacques a ouvert la porte, il a poussé un cri de surprise en voyant Jérôme.* ≃ étonnement.

GRAMMAIRE

(Sens 1) *On est surpris* **par** *l'orage. On est surpris* **de** *voir quelqu'un.*

EXPRESSION

Par surprise. → alors qu'on ne s'y attend pas.

surtout mot inv.

1. *Catherine aime les gâteaux, surtout les éclairs au café.* → plus particulièrement.
2. *Surtout n'arrive pas en retard !*

GRAMMAIRE

« **Surtout** » s'emploie avec un nom (au sens 1). Il peut aussi s'employer avec un adjectif, un verbe, une proposition.

surveiller [3] verbe

Le maître-nageur surveille les nageurs. → il les regarde attentivement pour voir si tout se passe bien.

■ **surveillance,** n. f. *Il assure la surveillance de la baignade.*

suspendre [31] verbe

1. *Janine a suspendu le tableau au mur.* → elle a accroché, fait pendre.
2. *La réunion a été suspendue, le temps d'aller chercher d'autres chaises.* → elle a été interrompue.

■ **se suspendre,** v. *Martine s'est suspendue au trapèze par les pieds.*

VOCABULAIRE

Suspendre (sens 1) son manteau à un portemanteau, son sac à un crochet, un lustre au plafond. Suspendre (sens 2) la séance.

syllabe nom fém.

Ton *est un mot d'une syllabe ;* tomber *est un mot de deux syllabes.* → groupe de sons qu'on peut prononcer en une seule fois.

ORTHOGRAPHE

Attention : **y** et deux **l** !

sympathique adj.

Dès que j'ai rencontré Christelle, je l'ai trouvée sympathique. ≃ agréable, aimable. ≠ antipathique, déplaisant.

■ **sympathie,** n. f. *J'éprouve une grande sympathie pour François.*

ORTHOGRAPHE

Attention au **y** et au **th** !

synonyme [sinɔnim] nom masc.

Sot *et* bête *sont des synonymes.* → des mots qui ont à peu près le même sens.

ORTHOGRAPHE

Attention ! deux **y**.

Tt

tabac [taba] nom masc.

Grand-père bourre sa pipe avec du tabac.

ORTHOGRAPHE

Attention au **c** final qui ne se prononce pas.

table nom fém.

Nathalie a posé ses livres sur la table.

■ **tableau,** n. m. **1.** *Au musée du Louvre, Sylvie a admiré les nombreux tableaux exposés.* **2.** *La maîtresse écrit la date sur le tableau noir.* **3.** *Les heures de sport sont affichées sur le tableau.* → le panneau.

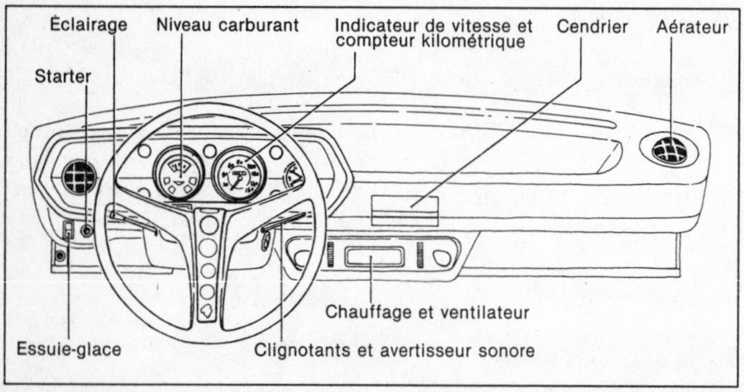

◄ Le tableau de bord d'une voiture.

ORTHOGRAPHE

Des tabl**eaux**.

EXPRESSIONS

- **A table !** (appel à l'heure du repas).
- **La table des matières.** → la liste des chapitres d'un livre.
- **Un tableau de bord.** → un tableau où se trouvent les instruments, les compteurs (d'un avion, d'une voiture).
- **Un tableau de conjugaisons.** → une liste, une table.

tabouret nom masc.

Christine s'assoit dans le fauteuil et pose ses pieds sur le tabouret.

ORIGINE

Tabouret vient de tambour (il a la même forme ronde).

tache nom fém.

Sylvain n'est pas propre : il a fait des taches sur sa chemise.

■ **tacher,** v. *Sylvain lave la chemise qu'il a tachée.*

EXPRESSION

Des taches de rousseur (sur la peau).

tâche nom fém.

Dans la famille, chacun se répartit les tâches : Sébastien vide la poubelle, Nicolas range la vaisselle. → les travaux à faire.

VOCABULAIRE

Les tâches quotidiennes. Une tâche difficile, impossible.

taille [taj] nom fém.

1. *Nicolas est de la même taille que Valérie.* ≃ hauteur.
2. *« Quelle est la taille de ce pantalon ? – 10 ans. »*
3. *Stéphanie est entrée dans l'eau jusqu'à la taille.*

■ **tailler,** v. **1.** *Jérôme taille son crayon.* **2.** *Le jardinier taille les rosiers.* → il coupe les branches d'une certaine façon.

AUTOUR DE

- On parle de la taille d'un vêtement, mais de la pointure d'une paire de chaussures.
- On taille un crayon avec un taille-crayon (pl. : des taille-crayons).

taillis [taji] nom masc.

Un taillis est la partie d'une forêt plantée de petits arbres remplaçant des arbres coupés.

ORTHOGRAPHE

Attention au **s** final au singulier comme au pluriel.

se taire 27 verbe

Taisez-vous ! ≠ parler.

talon nom masc.

1. *Christophe se dresse sur la pointe des pieds, ses talons ne touchent pas le sol.*
2. *Armelle aime les chaussures à hauts talons.*

■ **talonner,** v. *Sylvie court après Marie, elle la talonne, elle va la dépasser.* → elle la suit de très près.

EXPRESSIONS

- **Avoir l'estomac dans les talons.** → avoir très faim.
- **Être sur les talons de quelqu'un.** → le suivre de très près. ≃ talonner.

tambour nom masc.

Marie voudrait apprendre à jouer du tambour.

tant mot inv.

Valérie a tant couru qu'elle a mal aux mollets. → tellement.

■ **tant de,** mot inv. *Ne mange pas tant de pain !* → autant. ■ **tant que,** mot inv. *Martin ne sortira pas tant qu'il pleuvra.* → aussi longtemps que.

EXPRESSION

S'il fait beau, **tant mieux !** *S'il pleut,* **tant pis !** (pour exprimer la satisfaction, le dépit).

tante nom fém.

Dans une famille, la tante est la sœur (ou la belle-sœur) du père ou de la mère.

tantôt mot inv.

Antoine ne sait pas ce qu'il veut : tantôt il veut jouer au billes, tantôt il dit qu'il n'aime pas ce jeu ! ≃ à un moment..., à un autre moment ; parfois..., parfois.

ORTHOGRAPHE

Attention à l'accent circonflexe sur le **o.**

taper 3 verbe

1. *Sylvie tape sur le tambour avec les baguettes.* → elle frappe.
2. *Antoine apprend à taper à la machine.* → à écrire à la machine, à dactylographier.
3. *Éric pleure parce que son frère l'a tapé.* → il lui a donné des coups.

VOCABULAIRE

Taper à la porte. Taper dans ses mains. Une tape amicale. Une grande tape dans le dos.

T

tapis nom masc.

Aurélie fait rouler sa voiture téléguidée sur le tapis.

■ **tapisser,** v. *Christophe voudrait tapisser sa chambre avec du papier à rayures.* → recouvrir les murs. ■ **tapisserie,** n. f. *Chantal a acheté un canevas et de la laine pour faire une tapisserie.*

ORTHOGRAPHE

Attention : **is** au singulier comme au pluriel.

tard mot inv.

Sébastien se couche tard, il est fatigué. ≠ tôt.

■ **tarder,** v. *Il est déjà 6 h, Julie ne va plus tarder.* ■ **tardif, ive,** adj. *Il est arrivé à une heure tardive.*

EXPRESSIONS

- **Plus tard,** *Nathalie veut être pilote.* → dans l'avenir.
- **Tôt ou tard.** → à un moment incertain, mais inévitablement.

tarif nom masc.

Pour connaître le prix des marchandises, la vendeuse regarde le tarif. → le prix demandé.

tarte nom fém.

Henri mange une part de tarte aux pommes.

◄ Les ingrédients et les ustensiles pour faire une tarte.

AUTOUR DE

Comment faire une tarte : on fait une pâte (en mélangeant œufs, beurre, sucre et farine), on la laisse reposer, puis on l'étale. On en garnit un moule puis on y dispose des fruits (ou une crème, ou de la confiture). On fait cuire le tout au four. Une fois cuite, on la mange tiède ou froide, saupoudrée de sucre ou nappée de confiture.

tartine nom fém.

Nicolas met du beurre et du miel sur sa tartine. ≃ tranche de pain.

■ **tartiner,** v. *Du fromage à tartiner.* ≃ étaler.

tas nom masc.

Pauline a ratissé l'herbe coupée, puis elle en a fait un grand tas au milieu du jardin. ≃ amas.

■ **tasser** [tase], v. *Grégoire tasse la neige dans ses mains pour que la boule soit bien dure.* ≃ comprimer, presser.

EXPRESSION

Un tas de, des tas de. → beaucoup.

taxi [taksi] nom masc.

Pour aller à la gare avec tous nos bagages, nous avons pris un taxi. → une voiture dont le chauffeur fait payer le prix du trajet.

ORIGINE

Taxi vient de taximètre, compteur qui mesure la distance parcourue, le temps écoulé et la somme à payer.

technique [tɛknik] adj.

1. *Daniel veut devenir électricien, il prépare un C.A.P.*
2. *La course a commencé en retard, il y a eu des problèmes techniques.* → d'organisation ou de matériel.

■ **technique,** n. f. *Carole a fait plusieurs stages ; elle a bien perfectionné sa technique.* → son métier. ■ **technicien** [tɛknisjɛ̃], **ienne,** n. m. et f. *Un technicien est venu réparer notre magnétoscope.* ≃ spécialiste.

ORTHOGRAPHE

Attention au son [k] qui s'écrit **ch**.

AUTOUR DE

Dans une usine, un atelier, un technicien est un agent spécialisé qui travaille sous les ordres d'un ingénieur.

teinte [tɛ̃t] nom fém.

En automne, les arbres ont des teintes rousses. ≃ couleur.

■ **teint,** n. m. *Avoir le teint clair.* → la couleur de la peau du visage. ■ **teinter,** v. *Le sirop de cassis a teinté l'eau en violet.* → il l'a coloré légèrement.

AUTOUR DE

Il ne faut pas confondre : la teinte (la couleur) et la teinture (l'action de teindre).

tel, telle adj.

1. *Il y a une telle humidité que le linge ne sèche pas.* → une humidité si grande.
2. *Les fruits tels que les cerises, les prunes, les abricots ont des noyaux.* → comme.

EXPRESSIONS

- *J'ai laissé le puzzle* **tel quel.** → sans changement.
- **Rien de tel** *qu'un verre d'eau quand on a soif.* → rien n'est aussi efficace.

télégramme nom masc.

Raphaël a reçu un télégramme de sa marraine, qui lui souhaite un bon anniversaire.

téléphone [telefɔn] nom masc.

Le téléphone sonne. Delphine décroche : « Allô ! – Allô, Delphine ! Ici Charlotte, je t'invite à goûter. »

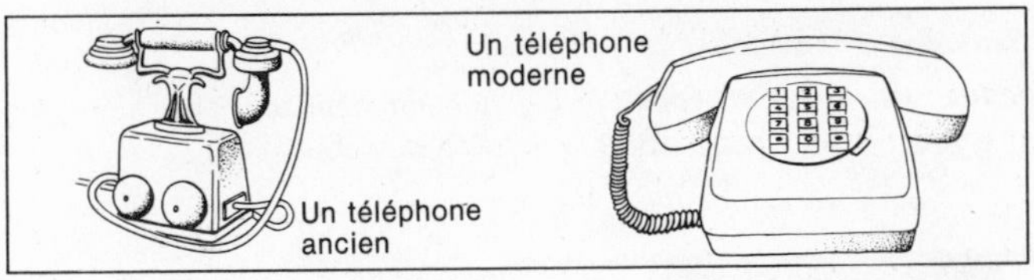

■ **téléphoner,** v. *Charlotte a téléphoné à Delphine.* ■ **téléphonique,** adj. *Delphine a reçu un appel téléphonique de Charlotte.*

ORTHOGRAPHE

Attention : le son [f] s'écrit **ph**.

VOCABULAIRE

On peut donner, recevoir un coup de téléphone ; décrocher, raccrocher le téléphone. Chercher un numéro dans l'annuaire. Faire, composer un numéro sur le cadran. Un numéro peut être libre ou occupé.

télescope [teleskɔp] nom masc.

Bénédicte observe les étoiles dans un télescope.

AUTOUR DE

Le télescope est un instrument d'optique qui permet d'observer les astres.

téléspectateur, téléspectatrice nom masc., nom fém.

Ce match a été regardé par 10 millions de téléspectateurs. → de personnes qui regardent la télévision.

T

télévision [televizjɔ̃] nom fém.

Le soir, avant le dîner, Bruno et Patricia regardent la télévision ; ils aiment bien les émissions sur les animaux. ≃ télé (fam.), TV (fam.), poste.

■ **télévisé, e,** adj. *Au journal télévisé, nous avons vu un reportage sur la Bretagne.* ■ **téléviseur,** n. m. *Mes voisins louent un téléviseur en couleurs.* ≃ poste, récepteur.

AUTOUR DE

Le système de la télévision s'explique ainsi : des images, prises par une caméra, sont transmises par des ondes et reçues sur un récepteur (un poste) au moyen d'une antenne.

témoin [temwɛ̃] nom masc.

1. *Fabienne a été témoin d'un accident.* → elle l'a vu et elle peut raconter ce qui s'est passé.
2. *Nathalie a passé à temps le témoin à Nicole, et leur équipe a gagné la course de relais.* → sorte de petit bâton.

■ **témoignage,** n. m. *Le témoignage de Fabienne a permis d'établir la vérité.* ■ **témoigner,** v. *Elle a témoigné que la voiture ne s'était pas arrêtée au stop.* → elle a certifié, affirmé.

GRAMMAIRE

« Témoin » n'a pas de féminin.
« Témoigner » peut aussi se construire avec **de** : ***Il a témoigné de*** *la présence de Jean.*

tempe nom fém.

La tempe est la partie de la tête située entre l'œil et l'oreille.

ORTHOGRAPHE

Attention : **m** devant **p**.

température nom fém.

1. *L'eau a gelé dans le caniveau, la température a dû descendre au-dessous de 0°.* ≃ le degré atmosphérique.
2. *Brigitte est malade, elle prend sa température pour savoir si elle a de la fièvre.* → elle mesure la chaleur de son corps avec un thermomètre médical.

EXPRESSION

Avoir de la température. → avoir une température supérieure à la normale (36,5°-37°).

VOCABULAIRE

La température monte ou descend.

tempête nom fém.

On annonce une tempête ; les bateaux ne sortiront pas aujourd'hui. → un vent très violent avec pluie, orage ou neige.

VOCABULAIRE

Une tempête de neige, une tempête de sable.

1. temps nom masc.

1. *La montre, l'horloge, le chronomètre, le sablier sont des instruments qui mesurent le temps.* ≃ durée.
2. *Au temps des premiers trains, on croyait que les voyages en chemin de fer étaient dangereux pour la santé.* ≃ à l'époque.
3. *« A quels temps sont les verbes de cette phrase ?* Quand je suis partie, il pleuvait. *– Au passé composé et à l'imparfait. »*

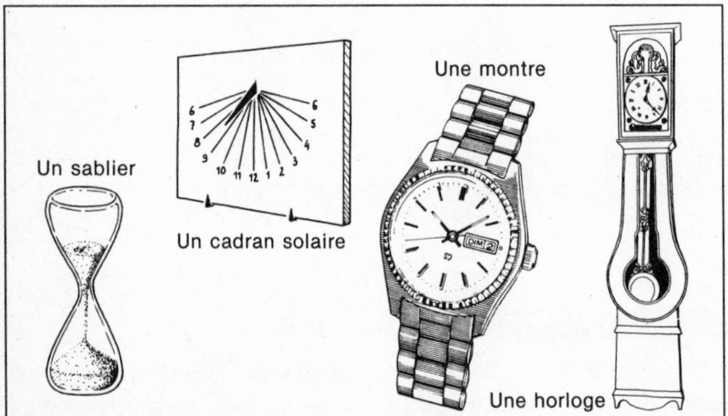

EXPRESSIONS

- **A temps.** → juste assez tôt.
- **Dans peu de temps.** → bientôt.
- **Depuis le temps que.** → depuis que.
- **Un emploi du temps.** → un programme prévu à certains moments de la journée et de la semaine.
- **En peu de temps.** → vite.
- **Tout le temps.** → sans cesse.
- **Avoir le temps de.** → disposer d'assez de temps pour.
- **Gagner du temps.** ≠ **perdre du temps.**
- **Il est temps de** (faire quelque chose). → c'est le moment de.
- **Passer son temps à.** → occuper son temps à.
- **Prendre son temps.** → ne pas se dépêcher.
- **Réaliser le meilleur temps.** → être le plus rapide dans une course chronométrée.

2. temps nom masc.

« Quel temps fait-il ? – Il fait beau. »

PROVERBE

Après la pluie, le beau temps. → après les soucis, les plaisirs.

1. tendre adj.

1. *Cette viande est si tendre qu'elle se coupe facilement.* ≠ dur.
2. *Benjamin est un enfant très tendre : il ne cesse d'embrasser sa mère et de lui dire des paroles gentilles.* → affectueux.

■ **tendresse,** n. f. *Grand-mère a une grande tendresse pour ses petits-enfants.* → de l'affection.

VOCABULAIRE

Sens 1 : L'herbe tendre. L'âge tendre.
Sens 2 : De tendres baisers. Un regard tendre. Un cœur tendre.

2. tendre [31] verbe

1. *A Noël, Sébastien tend une guirlande en travers de la pièce.* → il la tire et la rend bien droite. ≠ détendre.
2. *Corinne a tendu le bras pour attraper des cerises.* → elle a allongé.
3. *Nathalie tend une carotte au cheval.* → elle donne, présente.

EXPRESSIONS

- *Son caractère* **tend à** *s'assouplir.* → il a tendance à.
- **Tendre l'oreille.** → écouter avec attention.

tenir [34] verbe

1. *Florence tient un livre à la main.* ≠ lâcher. ≃ porter.
2. *Sylvie enlève sa barrette qui ne tient pas.* → qui ne reste pas attachée.
3. *Elle met un élastique pour tenir ses cheveux.* → pour retenir.
4. *On ne tient pas à trois dans le canot.* → on ne peut occuper à trois le canot.
5. *Nous avons joué au Monopoly, Magali tenait la banque.* → elle s'occupait de.
6. *Voici une voiture qui tient bien la route.* → elle est stable.
7. *Michel tient ses yeux noirs de sa mère.* → il a hérité de.
8. *Mets ton chapeau, si tu y tiens tellement !* ≃ vouloir.
9. *Fais attention, je tiens beaucoup à ce livre.* → j'y suis très attaché.

■ **se tenir,** v. **1.** *Marc se tient au mur pour ne pas tomber.* **2.** *Martine se tient debout à l'entrée de sa chambre.* → elle est debout. **3.** *Julie et Sébastien se tiennent par la main.*

EXPRESSIONS

- **Ne plus tenir debout.** → être trop fatigué.
- **Se tenir bien** (ou **mal**). → se conduire en personne bien (ou mal) élevée.
- **Tenir bon.** → ne pas céder, résister.
- **Tenir chaud.** → donner de la chaleur (au corps).
- **Tenir compte de quelque chose.** → la considérer comme importante.
- **Tenir sa promesse, tenir (sa) parole.** → faire ce qu'on a promis.
- **Tenir par la main.**

tennis [tenis] nom masc.

1. *Alice apprend à jouer au tennis, mais elle ne rattrape pas souvent la balle.*
2. *Yvon lave ses tennis pleins de boue.* → des chaussures de toile.

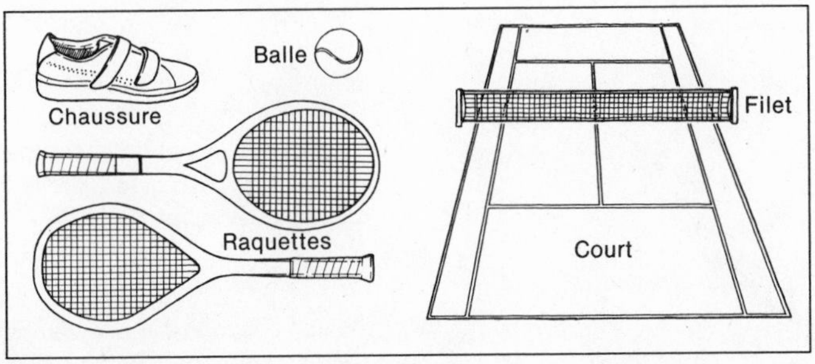

VOCABULAIRE

Un tournoi de tennis. Le tennis de table.

AUTOUR DE

Le tennis se joue sur un court, à deux ou à quatre joueurs, avec des raquettes et des balles.

T

tente — nom fém.

Cécile a dormi sous la tente. → abri de toile.

VOCABULAIRE

Dresser, monter, déplier, replier une tente.

tenter 3 — verbe

1. *Le paquet de bonbons était ouvert, Stéphane s'est laissé tenter.* ≃ attirer.
2. *L'oiseau a tenté de s'échapper.* → il a cherché à, essayé de.

■ **tentation** [tɑ̃tasjɔ̃], n. f. *Stéphane n'a pas su résister à la tentation.* → une envie très forte. ■ **tentative,** n. f. *L'athlète a échoué à sa troisième tentative de saut.* ≃ essai.

EXPRESSIONS

- **Céder à la tentation.** → ne pas pouvoir résister à.
- **Être tenté de.** → avoir envie de.
- **Faire une première, dernière (ultime) tentative.** → essayer une première, une dernière fois.
- **Tenter sa chance.** → essayer de gagner.

terminer 3 — verbe

Ceux qui ont terminé leur exercice peuvent aller en récréation. → qui ont achevé, fini.

■ **terminaison** [tɛʀminɛzɔ̃], n. f. *Il sait mal sa conjugaison et confond les terminaisons.* → la fin des mots. ■ **se terminer,** v. *Le voyage qui avait mal commencé s'est bien terminé.* ≃ s'achever, finir.

GRAMMAIRE

Terminaison s'emploie surtout en grammaire pour désigner le dernier élément d'un mot. Par exemple, les verbes sont classés selon leur terminaison (en **-er**, en **-ir**, en **-oir**, en **-endre**, etc.).

terrasse — nom fém.

1. *Quand il fait beau, nous déjeunons sur la terrasse.*
2. *Martin et Frédérique étaient assis à la terrasse du café.* → la partie qui se trouve sur le trottoir.

ORTHOGRAPHE

Attention : 2 **r** et 2 **s**.

terre — nom fém.

1. *Galilée a découvert que la Terre tournait autour du Soleil.*
2. *L'avion s'envole, les passagers ne distinguent plus la terre.* → le sol où l'on marche.
3. *La terre est riche ici, les cultures poussent bien.* → le sol que l'on utilise.

■ **terrestre,** adj. *Le globe terrestre.*

EXPRESSIONS

- **La terre ferme** (par rapport à la mer, à l'air).
- **Par terre.** → sur le sol.
- **Terre cuite.** → argile (terre glaise) durcie par la chaleur.
- **Un tremblement de terre.**
- **Courir ventre à terre.** → très vite.

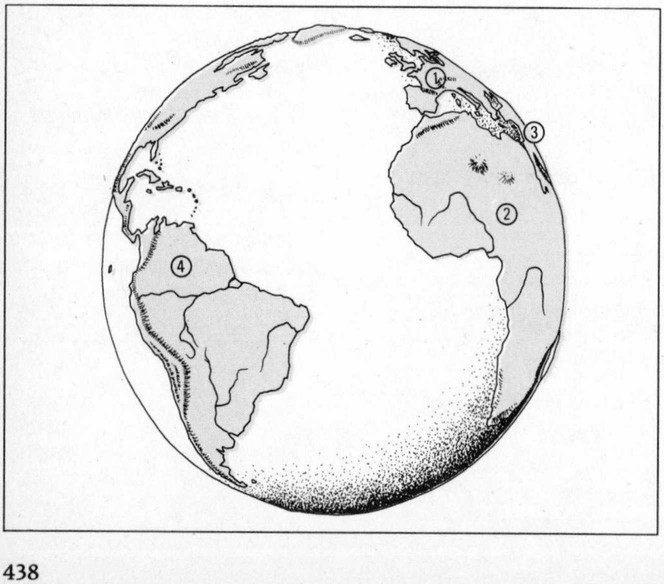

◄ Le globe terrestre.
1. L'Europe.
2. L'Afrique.
3. L'Asie.
4. L'Amérique.

terreur nom fém.

Quand Charles a vu le serpent, il a poussé un cri de terreur. ≃ épouvante, frayeur.

■ **terrible,** adj. **1.** *Toute la récolte a été perdue à cause d'une terrible sécheresse.* → très grande. **2.** *Quel enfant terrible !* → insupportable. ≠ sage. ■ **terroriser,** v. *Julien était terrorisé par le chien qui aboyait.* → paralysé de peur.

territoire nom masc.

Après la rivière, commence le territoire de la commune. → l'étendue de terre qui la constitue.

VOCABULAIRE

Être à l'étranger, c'est être sur le territoire d'un autre pays que le sien.

tête nom fém.

1. *Mon chat a la tête noire et le corps blanc.*
2. *Quand il a ouvert la lettre, Gabriel a fait une drôle de tête.* ≃ visage.
3. *La tête d'un clou, c'est la partie large sur laquelle on tape.*
4. *Le mot qui est en tête d'une phrase, c'est le premier mot.* → au début d'une phrase.

EXPRESSIONS

- *Calculer* **de tête.** → sans écrire.
- **Avoir mal à la tête.** → avoir la migraine.
- **Être à la tête de.** → diriger, avoir la première place.
- **Tenir tête à.** → s'opposer à (quelqu'un).

têtu, têtue adj.

Sabine ne veut pas aller en pique-nique ; impossible qu'elle change d'avis ; comme elle est têtue ! → entêtée, obstinée.

EXPRESSION

Têtu(e) comme une mule, comme un mulet. → très têtu(e).

texte [tɛkst] nom masc.

Sébastien doit apprendre par cœur un texte de dix lignes.

thé [te] nom masc.

Le matin, Gilles boit un bol de thé. → une boisson obtenue en faisant tremper des feuilles de thé dans de l'eau bouillante.

AUTOUR DE

Le thé (ou théier) est un petit arbre cultivé dans les pays chauds et humides, pour ses feuilles.

théâtre [teatʀ] nom masc.

1. *A la fête de l'école, nous avons joué une pièce de théâtre.*
2. *Véronique est allée au théâtre : sur la scène, des acteurs et des actrices jouaient une comédie de Molière.*

EXPRESSION

Un coup de théâtre. → un changement brusque qui provoque une surprise.

thermomètre [tɛʀmɔmɛtʀ] nom masc.

Pierre prend sa température ; le thermomètre indique 38,5° : Pierre a de la fièvre.

Un thermomètre météorologique

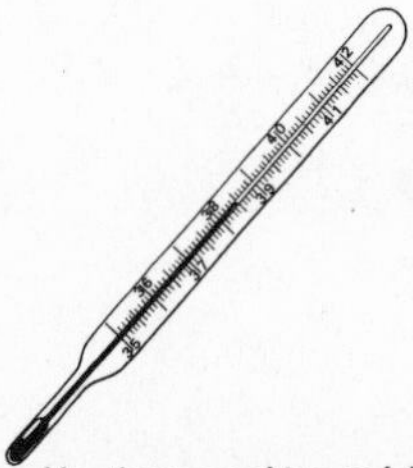

Un thermomètre médical

ORTHOGRAPHE

Attention : **h** après le premier **t**.

AUTOUR DE

Le thermomètre mesure la température de l'air, de l'eau, de l'intérieur du corps.
Le thermomètre contient du mercure (de couleur gris argent) ou de l'alcool (bleu ou rouge) qui s'élève en colonne et indique la température.

T

thon nom masc.

Le thon est un grand poisson de mer, dont la chair peut être rosâtre ou blanche.

ORTHOGRAPHE

Attention : **h** après **t**.

thym [tɛ̃] nom masc.

Dans le ragoût, Claude met une branche de thym et deux feuilles de laurier. → plante aromatique.

ORTHOGRAPHE

Attention : **h** après **t**, et un **y**.

tibia [tibja] nom masc.

Le tibia est l'un des os de la jambe.

AUTOUR DE

Les os de la jambe sont : le fémur, le tibia et le péroné.

ticket [tikɛ] nom masc.

Jeanne présente son ticket au contrôleur. → le rectangle de papier qui prouve qu'elle a payé son trajet.

ORTHOGRAPHE

Attention : **c** devant **k**.

tiède [tjɛd] adj.

Ce lait est trop chaud, je préfère le boire tiède. → légèrement chaud.

VOCABULAIRE

Diverses températures : brûlant → chaud → tiède → froid → glacé.

tiers [tjɛʀ] nom masc.

Il n'y a qu'un gâteau et nous sommes trois : chacun en prendra un tiers.

ORTHOGRAPHE

Tiers prend un **s**, même au singulier.

tige nom fém.

Les marguerites ont une longue tige.

tigre, tigresse nom masc., nom fém.

Le tigre a un pelage jaune roux rayé de noir. → un animal carnivore originaire d'Asie.

EXPRESSION

Jaloux comme un tigre. → très jaloux.

AUTOUR DE

Le tigre feule, râle ou rauque.

timbre [tɛ̃bʀ] nom masc.

Charles décolle le timbre de l'enveloppe, car il veut le garder pour sa collection. (On dit aussi *timbre-poste.*)

■ **timbrer,** v. *Timbrer une lettre, c'est coller un ou des timbres sur l'enveloppe en haut à droite.*

AUTOUR DE

Un timbre sert à affranchir (c'est-à-dire à payer d'avance pour l'envoi) un objet que la poste va transporter.

timide adj.

Nicolas est tellement timide qu'il n'a osé demander son chemin quand il s'est perdu. ≠ effronté, hardi.

■ **timidement,** mot inv. *Elle s'est approchée timidement d'une vendeuse et a demandé le prix de ce vase.* ■ **timidité,** n. f. *Nicolas devrait surmonter sa timidité.* → sa peur devant les autres.

ORIGINE

Timide vient d'un verbe latin signifiant craindre.

VOCABULAIRE

Un sourire ou un air timide. Demander timidement quelque chose.

tirer [3] verbe

1. *Sandrine a tiré les cheveux de sa sœur.*
2. *Camille cherche une règle pour tirer des traits.* → tracer.
3. *Le journal de l'école a été tiré à 200 exemplaires.* → imprimé, reproduit.
4. *Nathalie tire à l'arc et Henri tire au pistolet.*
5. *Denis tire la langue.* → il tend et montre.
6. *Le cidre est tiré du jus de pomme.* → il provient de.
7. *Le chasseur a tiré un lièvre.* → il a visé et tué.

GRAMMAIRE

Il tire les cheveux de sa sœur.
Il tire **à** la carabine.
Il tire **sur** la sonnette, **sur** quelqu'un.

EXPRESSION

Se tirer d'affaire. → se sortir d'une situation embarrassante.

tiroir [tiʀwaʀ] nom masc.

Les couverts sont rangés dans le tiroir de la table.

ORIGINE

Tiroir vient de tirer.

tissu [tisy] nom masc.

Mon pantalon est en tissu épais. ≃ étoffe.

■ **tissage,** n. m. *Le tissage consiste à entrecroiser des fils de chaîne et des fils de trame.* ■ **tisser,** v. *Avec son métier à tisser, Valérie s'est tissé une écharpe.*

Une grande famille

tissage		textile
tisserand		texture
tissu	**tisser**	
texte		toile
		toilette
prétexte		

◄ Le tissage de la soie : gravure du XVIIIe siècle.

titre nom masc.

1. *Quel est le titre du livre que tu lis en ce moment ?* ≃ nom.
2. *« Quel est le gros titre du journal ? – Un train déraille. »* → des mots en gros caractères.
3. *Colette a remporté le titre de championne du monde.* → elle est officiellement.

EXPRESSION

A juste titre. → à juste raison.

VOCABULAIRE

Le titre d'un film, d'un poème, d'une chanson.

toile nom fém.

1. *Paul s'est acheté un pantalon de toile pour l'été.* → en tissu simple.
2. *Denise a mis la toile dans un cadre et l'a accrochée au mur.* → la peinture, le tableau.
3. *L'araignée tisse sa toile.* → un réseau de fils fins.

VOCABULAIRE

Une toile de tente, une toile à matelas. Une toile cirée. → une toile recouverte d'une matière imperméable qui sert de nappe.

toilette [twalɛt] nom fém.

Le matin, Charlotte se lave la figure et se coiffe : elle fait sa toilette.

■ **toilettes,** n. f. pl. *Les toilettes sont au fond du couloir.* ≃ cabinets, W.-C.

EXPRESSIONS

- **Un cabinet de toilette.** → une petite pièce où l'on peut se laver.
- **Faire un brin de toilette.** → faire une petite toilette.

toit [twa] nom masc.

1. *Le toit de la maison est couvert d'ardoises.*
2. *En été, Janine ouvre le toit de sa voiture.*

■ **toiture,** n. f. *L'année prochaine, il faudra refaire la toiture de la maison.* → le toit et ce qui le fait tenir.

VOCABULAIRE

Un toit plat, en pente, pointu. Le couvreur répare le toit. Un toit de tuiles, d'ardoises, de chaume. Une fenêtre, une lucarne dans le toit.

◄ 1. Un toit de chaume.
2. Un toit de tuiles.

tomate nom fém.

Régine aime la salade de tomates.

EXPRESSION

Être rouge comme une tomate.

tombe nom fém.

Au cimetière, les tombes sont fleuries à la Toussaint (le jour des Morts). → les endroits où sont enterrés les morts.

■ **tombeau,** n. m. *Sur les tombeaux, on peut lire le nom des morts.*

ORTHOGRAPHE

Des tomb**eaux**.

tomber 3 verbe

1. *Émilie a poussé Sophie, qui est tombée par terre.* → elle a perdu l'équilibre. ≃ se relever.
2. *Jacques s'est fâché, puis sa colère est tombée.* → elle s'est calmée.
3. *Quand les pommes sont mûres, elles tombent de l'arbre.*
4. *Quel jour tombe Noël cette année ?* ≃ se situer.

■ **tombée,** n. f. *A la tombée de la nuit, nous nous empressons de rentrer chez nous.* → au moment où vient la nuit.

EXPRESSIONS

- **Ça tombe bien** (ou **mal**). → ça arrive au bon (ou au mauvais) moment.
- **Laisser tomber.** → ne plus s'occuper de.
- **Tomber à la renverse.** → tomber sur le dos.
- **Tomber de sommeil, de fatigue.** → avoir du mal à résister au sommeil, à la fatigue.

tonne nom fém.

1. *Un camion pèse plus d'une tonne.* ≃ 1 000 kilogrammes.
2. *Christelle a ramassé des tonnes de marrons.* → une énorme quantité. ≃ beaucoup de.

tonnerre nom masc.

L'orage est terrible ; on voit des éclairs dans le ciel et on entend le tonnerre. → le bruit de la foudre qui accompagne l'éclair et que l'on entend en même temps ou peu après.

■ **tonner,** v. *L'orage se rapproche, on entend tonner dans le lointain.*

GRAMMAIRE

Il tonne est un verbe impersonnel (comme **il pleut** ou **il neige**).

tordre [31] — verbe

1. *Yves tord sa serviette mouillée.* → il tourne sur elle-même.
2. *Arrête, tu me tords le bras !* → tu tournes brutalement.
3. *Nathalie est arrivée à tordre la petite cuiller.* → à la déformer en la pliant. ≠ redresser.

■ **se tordre,** v. **1.** *Je me suis tordu la cheville dans l'escalier.* **2.** (fam.) *Luc s'est tordu de rire en entendant cette histoire drôle.* ≃ rire très fort.

Une grande famille

contorsion

torsion
torticolis
tortue
tortueux
torture
torturer

tordre

distordre
distorsion
entorse
entortiller
tordu
torsade
tortiller

torrent — nom masc.

On entend le grondement du torrent dans la montagne. → du cours d'eau qui dévale une forte pente avec un courant rapide.

EXPRESSION

Il pleut à torrents. → énormément et très fort.

tort — nom masc.

1. *Qui a cassé le vase ? Les torts sont partagés entre Sylvie et Annie.* → chacune est responsable.
2. *Tu as tort le croire et de l'aider.* → tu te trompes, tu es dans l'erreur. ≠ avoir raison.

EXPRESSIONS

- *Il a été accusé* **à tort** *d'avoir volé.* → injustement.
- **A tort et à travers.** → sans réfléchir.
- **Faire du tort à quelqu'un.** → lui faire du mal.

tortue — nom fém.

La tortue avance lentement et, quand elle a peur, elle se cache sous sa carapace. → un reptile à quatre pattes qui peut vivre dans l'eau et sur la terre, muni d'une carapace formée de larges écailles.

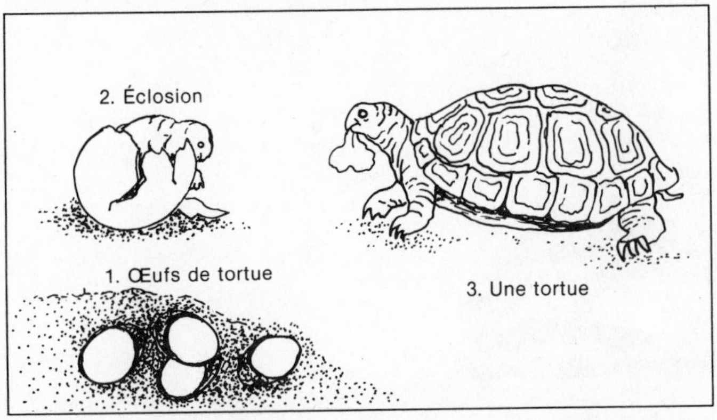

EXPRESSIONS

- **Marcher, avancer comme une tortue.** → très lentement.
- **Quelle tortue !** (pour une personne lente).

tôt — mot inv.

Alain part en vacances, il doit se lever tôt. ≃ de bonne heure. ≠ tard.

EXPRESSION

Tôt ou tard. → à un moment encore incertain, mais inévitable.

T

total, totale — adj.

Il y a 17 noyaux de cerises dans l'assiette de Pierre et 14 dans celle de Jean. Quel est le nombre total de cerises mangées ?

■ **total,** n. m. *Le total est de 31 cerises.* ■ **totalité,** n. f. *Aurélie dépense la totalité de son argent de poche en bonbons.* → l'ensemble de. ≃ le tout. ≠ une partie.

ORTHOGRAPHE

Les tot**aux**.

EXPRESSIONS

- **Au total.** → en tout.
- **Faire le total.** → additionner.

toucher [3] — verbe

1. *C'est doux, le velours ; j'aime le toucher.*
2. *La chaise touche le mur.* → elle est en contact avec lui.
3. *Ne touche pas à ce paquet, il est fragile.*
4. *David touche son argent de poche toutes les semaines.* → il reçoit.
5. *Marie m'a dit que j'étais gentille ; cela m'a touchée.* → cela m'a émue.

■ **touche,** n. f. *Les touches d'un piano, d'un accordéon, d'une machine à écrire.*

AUTOUR DE

Le toucher est l'un des cinq sens. Les autres sens sont : la vue (qui permet de voir), l'ouïe (d'entendre), le goût (de goûter) et l'odorat (de sentir).

toujours — mot inv.

1. *Jean rentre toujours à la même heure.* ≃ très régulièrement. ≠ ne... jamais.
2. *Alain a toujours le petit caillou qu'il a trouvé dans la rivière.* → il l'a encore maintenant.
3. *Dans le jardin, le sapin est toujours à la même place.* → encore.

ORTHOGRAPHE

Toujours prend un **s** final.

EXPRESSIONS

- **Comme toujours.**
- **Pour toujours.** → définitivement (dans l'avenir).

1. tour — nom fém.

1. *On peut monter dans la tour du château par un escalier de 300 marches.* → un bâtiment tout en hauteur.
2. *Du haut de la tour Montparnasse, on a une belle vue sur Paris.* → un immeuble très haut.

AUTOUR DE

La tour Eiffel, construite de 1887 à 1889, à Paris, fut longtemps le plus haut bâtiment du monde.

1

2

◄ 1. Une tour moderne.
2. La tour Eiffel à Paris.

2. tour — nom masc.

1. *Jérôme a mangé tout le tour de sa tartelette.* → le bord.
2. *Xavier a fait le tour de la cour en sautant à cloche-pied.* → le périmètre.
3. *Yvette est allée faire un tour en vélo.* → une promenade.
4. *Aurélie cherche un jeu de cartes pour nous montrer un tour.* → un exercice qui demande de l'habileté.
5. *Sylvie a joué un tour à sa grand-mère : elle lui a caché ses lunettes.* → elle lui a fait une farce.
6. *Hier, Alain a mis le couvert ; aujourd'hui, c'est le tour de Marie.* → c'est à elle de mettre le couvert.

EXPRESSIONS

- **En un tour de main.** → très vite.
- **Faire le tour du monde.** → voyager à travers le monde entier.
- **Fermer la porte à double tour.** → en donnant deux tours de clef.

tourbillon [tuʀbijɔ̃] nom masc.

Le vent est violent, il soulève des tourbillons de sable.

■ **tourbillonner,** v. *La poussière tourbillonne derrière la voiture.*

ORTHOGRAPHE

Attention : deux **n** à tourbillo**nn**er !

touriste nom masc. ou fém.

De nombreux touristes visitent la vieille ville.
→ des personnes qui voyagent pour leur plaisir.

■ **tourisme,** n. m. *L'office du tourisme donne des renseignements sur des pays, des villes que l'on veut visiter.* ■ **touristique,** adj. *L'Alsace est une région française très touristique.* → il y a beaucoup de belles choses à voir.

EXPRESSIONS

- **Faire du tourisme.** → voyager et visiter pour son plaisir.
- **Classe touriste** (dans les avions, les bateaux ; moins chère que la 1re classe).

tourner 3 verbe

1. *Joëlle tourne le bouton pour allumer la radio.*
2. *Pour avoir la suite du texte, tourne la page.* → passe à la page suivante.
3. *Guy tourne la tête vers la porte.* ≠ détourner.
4. *Isabelle voudrait tourner un film.* → faire, réaliser.
5. *Galilée a découvert que la Terre tournait autour du Soleil.* → qu'elle décrivait un cercle.
6. *Pour aller au musée, il faut tourner à droite après le feu.* → prendre la rue de droite.
7. *Attention ! Le jeu tourne à la dispute.* → il se transforme en.
8. *Le lait a tourné.* → il est devenu aigre.

■ **tournage,** n. m. *Le tournage d'un film.* ■ **tournant,** n. m. *Attention, le tournant est dangereux !* ≃ virage. ■ **se tourner,** v. *Marc s'est tourné vers Gilles et lui a demandé l'heure.*

EXPRESSIONS

- **Avoir la tête qui tourne.** → voir tout tourner, avoir le vertige.
- **Tourner en rond.** → s'ennuyer, ne pas savoir quoi faire.
- **Tourner rond** (fam.). → bien marcher, bien fonctionner (pour un moteur, une affaire).
- *Cette affaire* **a mal tourné.** → elle a échoué.
- **« Silence, on tourne ! »** (avant de mettre en marche la caméra au cinéma).

tousser [tuse] 3 verbe

Éric a beaucoup toussé cette nuit ; Claude lui donne du sirop contre la toux.

tout, toute, tous, toutes adj.

Tous les enfants dans cette classe savent nager. ≠ aucun... ne.

■ **tout, toute, tous, toutes,** pron. **1.** *Nous nous sommes tous baignés.* **2.** *Nous avions emporté un goûter et nous avons tout mangé.* ≠ rien. ■ **tout,** mot inv. *Le chat a mangé le poisson tout cru.* ≃ absolument, entièrement. ■ **tout,** n. m. *Serge ne veut plus de ses disques, il a donné le tout à Paul.* ≃ l'ensemble. ≠ une partie.

EXPRESSIONS

- **A toute vitesse.** → à la vitesse la plus grande.
- **En tout.** → complètement, au total.
- **En tout cas.** → dans n'importe quel cas.
- **Pas du tout.** → absolument pas.
- **Rien du tout.** → absolument rien.

T

trace nom fém.

Quelqu'un a marché dans la neige, on voit des traces de pas. ≃ empreinte.

■ **tracé,** n. m. *Éric découpe le coloriage selon le tracé.* ■ **tracer,** v. *Irène sait tracer un cercle avec un compas.*

EXPRESSION

Suivre les traces de quelqu'un, marcher sur les traces de quelqu'un. → suivre son exemple.

tradition [tʀadisjɔ̃] nom fém.

Le 1er avril, on se fait des farces ; c'est une tradition qui remonte au 16e siècle. → une habitude qui nous vient du passé.

■ **traditionnel, elle** [tʀadisjɔnɛl], adj. *Le nom de cette farce traditionnelle est : poisson d'avril.*

◄ Autres traditions :
1. Les cadeaux de Noël.
2. La galette des rois.
3. Les crêpes de la Chandeleur.
4. Le poisson d'Avril.
5. Les œufs de Pâques.
6. Le muguet du 1er Mai.

trafic nom masc.

1. *L'aéroport a été agrandi à cause de l'augmentation du trafic aérien.* ≃ circulation.
2. *Ils ont été condamnés pour avoir fait le trafic d'armes volées.* → un commerce malhonnête.

trahir [tʀaiʀ] 4 verbe

1. *Pauline avait confié un secret à Gilles, mais Gilles l'a trahie.* → il l'a trompée.
2. *Il a trahi le secret de Pauline.* → il l'a révélé.

■ **trahison** [tʀaizɔ̃], n. f. *En le dénonçant, il a commis une trahison.*

train [tʀɛ̃] nom masc.

Le train entre en gare, les voyageurs descendent sur le quai.

EXPRESSION

Prendre le train.

traîner [tʀɛne] 3 verbe

1. *La valise de Joël est si lourde qu'il est obligé de la traîner.* ≃ tirer. ≠ pousser.
2. *Nathalie ne voulait pas aller à la piscine ; c'est Dominique qui l'y a traînée.* → elle l'a forcée à y aller.
3. *Ta robe de chambre est trop longue, elle traîne par terre.*
4. *Nadine devrait ranger son puzzle, il y a des pièces qui traînent partout.* → qui ne sont pas rangées.
5. *Il faut que je me dépêche de rentrer, maman m'a dit de ne pas traîner.* → de ne pas m'attarder hors de la maison.

■ **traîneau,** n. m. *Des rennes tirent les traîneaux dans le Grand Nord.* ■ **se traîner,** v. *Il ne pouvait plus se relever, il s'est traîné jusqu'à la porte en appelant à l'aide.*

ORTHOGRAPHE

- Attention à l'accent circonflexe sur le **i**.
- Des traî**neaux**.

AUTOUR DE

Un traîneau glisse sur la glace ou sur la neige grâce à des patins. Il peut être tiré par un cheval ou des chevaux, des rennes, des chiens.

trait [tʀɛ] nom masc.

1. *La maîtresse nous a dit de souligner d'un trait rouge les verbes et d'un trait bleu les sujets.* ≃ ligne horizontale.
2. *Son visage a des traits fins et réguliers.* → les principales lignes.

EXPRESSIONS

- **Un trait d'union.** → un petit trait (ou tiret) qui relie des mots.
- **Boire d'un trait.** → en une seule fois.
- **Tirer, faire, tracer un trait.**

traiter 3 verbe

1. *Dans la famille qui l'a adoptée, la chienne était bien traitée.* → on s'occupait bien d'elle.
2. *On a déjà traité Guy pour un rhumatisme.* → on l'a déjà soigné.
3. *Christelle m'a traité d'idiot.* → elle m'a appelé ainsi.
4. *Ces fruits ont été traités, il ne faut pas manger leur peau.* → ils ont reçu un traitement chimique.
5. *A l'examen, Odile a eu une question difficile à traiter.* → à étudier, à préparer, à présenter.
6. *Ce film traite de la chasse à la baleine.* → il a pour sujet.

traître, traîtresse nom masc., nom fém.

Delphine nous a fait promettre de garder le secret et nous a dit que les traîtres seraient sévèrement punis. → ceux qui ne tiendraient pas leur parole.

■ **traîtrise,** n. f. *Tu m'as trompé : c'est une traîtrise de ta part.*

ORIGINE

Traître vient de trahir.

EXPRESSION

Prendre en traître. → agir de façon sournoise, déloyale.

trajet nom masc.

Pour aller à l'école, le trajet préféré de Sylvain est de passer par la gare. ≃ itinéraire, parcours.

VOCABULAIRE

Faire le trajet à pied. Il a chanté tout le long du trajet.

tranquille [tʀɑ̃kil] adj.

1. *Cette rue est tranquille, il y passe très peu de voitures.* → calme. ≠ bruyant.
2. *Bernard a dit aux enfants de rester tranquilles dans la voiture pendant qu'il achetait le journal.* → sages.
3. *Michel est parti à moto, ses parents ne sont pas tranquilles.* → pas rassurés. ≠ inquiet.

■ **tranquilliser,** v. *Nicolas rentrera tard : il a téléphoné pour tranquilliser ses parents.* ≃ rassurer. ≠ angoisser, inquiéter. ■ **tranquillité,** n. f. *La tranquillité d'une forêt.* ≃ calme.

ORTHOGRAPHE

Attention : deux **l** à tranquille et tranquillité.

EXPRESSIONS

- **En toute tranquillité.** → sans être dérangé(e).
- **Avoir la conscience tranquille.** → ne pas se sentir coupable.
- **Laisser quelqu'un tranquille.** → ne pas le déranger.

transformer 3 verbe

Mathieu a transformé son pantalon en bermuda. → il l'a changé en.

■ **transformation,** n. f. *La transformation de l'eau en glace.* ■ **se transformer,** v. *Quand il fait moins de 0°, l'eau se transforme en glace.* → elle devient, elle change d'état.

VOCABULAIRE

Transformer le blé en farine. Le têtard se transforme en grenouille. → il se métamorphose.

transistor [tʀɑ̃zistɔʀ] nom masc.

Luc et Solange ont emporté leur transistor sur la plage pour écouter de la musique. → un poste de radio.

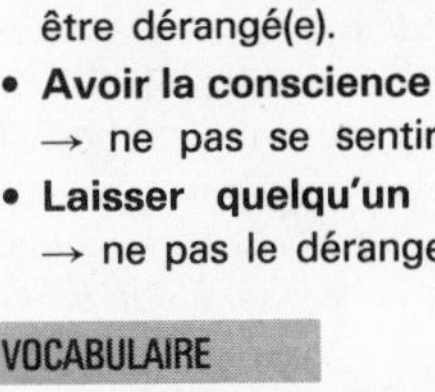

T

transparent [tʀɑ̃spaʀɑ̃], **transparente** adj.

Corinne cherche un papier transparent pour décalquer la carte. ≠ opaque.

■ **transparence,** n. f. *La transparence de l'eau, du verre, du cristal.*

VOCABULAIRE

Un rideau transparent. Un tissu transparent.

transpirer [tʀɑ̃spiʀe] 3 verbe

Quand il fait chaud, on transpire davantage. → le corps produit de la sueur, qui sort par les pores de la peau. ≃ suer.

■ **transpiration** [tʀɑ̃spiʀasjɔ̃], n. f. *Ma chemise est mouillée de transpiration.* ≃ sueur.

transporter 3 verbe

Quand nous avons déménagé, un camion a transporté nos meubles jusqu'à notre nouvelle maison.

■ **transport,** n. m. *Rien n'a été cassé pendant le transport.*

EXPRESSION

Les transports en commun. → métro, autobus, train, car, etc.

travailler 3 verbe

1. *Juliette aime travailler le bois ; elle fabrique des personnages.* ≃ façonner.
2. *Benjamin voudrait un costume original pour la fête ; il y travaille tous les soirs.* → il s'y consacre.
3. *Marguerite a commencé à travailler à dix-huit ans.* → à avoir un métier, à gagner sa vie.
4. *Paul n'a pas fini son devoir, il faut qu'il travaille après le dîner.* → qu'il fasse son travail, qu'il étudie.
5. *Cette usine travaille pour l'exportation.* → elle fabrique des produits.
6. *La porte est difficile à ouvrir ; avec l'humidité, le bois a travaillé.* → il s'est déformé.

■ **travail,** n. m. **1.** *Le menuisier pratique le travail du bois.* **2.** *Nadine voudrait construire un bateau avec des allumettes ; c'est un travail très long.* **3.** *Jeanne a fini ses études, elle cherche du travail.* → un emploi. **4.** *Paul a trop de travail ; il n'a jamais le temps de jouer.* ≠ repos. **5.** au pl. *Il faut ralentir, il y a des travaux sur l'autoroute.* ■ **travailleur, euse,** n. m. et f., adj. **1.** n. m. et f. *Les travailleurs manuels.* **2.** adj. *Sylvie est travailleuse, mais Stéphanie est paresseuse.* → elle aime travailler.

ORTHOGRAPHE

Des trav**aux**.

GRAMMAIRE

Travailler **en** usine. Travailler **dans** une boulangerie, **dans** une imprimerie. Travailler **aux** champs.

EXPRESSIONS

- **Des gros travaux.** → des travaux pénibles.
- **Des travaux publics.** → des travaux de construction ou de réparation faits pour une administration (par exemple : ponts, routes).
- **Travailler dur.** → travailler beaucoup.

VOCABULAIRE

Travail manuel ≠ travail intellectuel.

traverser 3 verbe

1. *La pluie a traversé le toit.* → elle s'est infiltrée et coule en dessous.
2. *L'autoroute traverse une jolie région.* → elle passe dans.
3. *Attention en traversant la rue !* ≃ franchir.

■ **traversée,** n. f. **1.** *En revenant d'Angleterre, nous avons pris le bateau et j'ai été malade pendant toute la traversée.* → le voyage d'une côte à une autre côte. **2.** *La traversée de la ville nous a pris une heure.* → le trajet à travers la ville.

EXPRESSIONS

- *Je pique l'aiguille* **à travers** *le tissu.*
- **1.** *Il a avalé* **de travers. 2.** *Il a compris* **de travers.** ≃ mal.
- *Le camion s'est renversé* **en travers de** *la route.*

trembler 3 — verbe

1. *Xavier doit avoir de la fièvre, il claque des dents et tremble de tout son corps.* → il frissonne.
2. *Magali tremble à l'idée de devoir plonger.* → elle a très peur.

■ **tremblement,** n. m. *Elle a dit « oui » avec un tremblement dans la voix.*

ORTHOGRAPHE

Attention **m** devant **b**.

VOCABULAIRE

- Trembler de peur, de fièvre, de froid.
- Un tremblement de terre est une très forte secousse du sol.

tremper 3 — verbe

1. *Sabine n'avait pas d'imperméable quand la pluie s'est mise à tomber ; elle est rentrée trempée.* → fortement mouillée.
2. *Marc trempe sa tartine dans son chocolat.* → il la plonge.
3. *Ce survêtement est très sale, il faut le faire tremper avant de le laver.* → le laisser un moment dans l'eau.

ORTHOGRAPHE

Attention **m** devant **p**.

tremplin — nom masc.

Sylvie a pris son élan sur le tremplin et a fait un beau plongeon. ▸

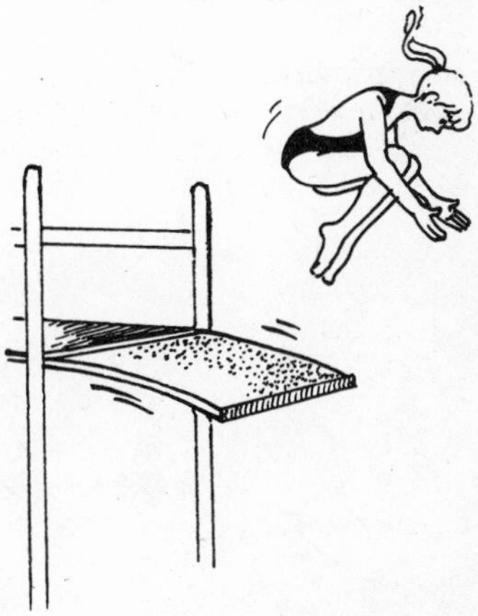

très — mot inv.

1. *Lise habite très loin de la piscine.*
   → *Très* s'emploie devant un mot invariable.
2. *La tour Eiffel est très haute.*
   → *Très* s'emploie devant un adjectif.
3. *Michèle est très en retard.*
   → *Très* s'emploie devant une locution.

trésor [tʀezɔʀ] — nom masc.

On raconte qu'il y a un trésor dans les ruines de ce château. → des choses précieuses amassées et cachées.

triangle [tʀijɑ̃gl] — nom masc.

Un triangle est une figure géométrique à trois côtés.

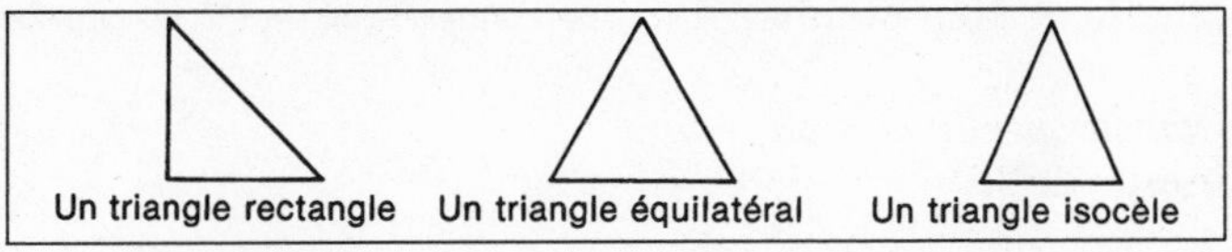

■ **triangulaire** [tʀijɑ̃gylɛʀ], adj. *Une pierre triangulaire.* → en forme de triangle.

tribunal — nom masc.

La bande de jeunes qui avait saccagé le magasin a été convoquée devant le tribunal pour enfants. → le ou les juges qui vont juger les coupables.

ORTHOGRAPHE

Des tribun**aux**.

T

tricher 3 — verbe

Benoît ne veut plus jouer avec Alice, elle triche toujours. → elle ne respecte pas les règles du jeu.

■ **tricheur, euse,** n. m. et f. *Tricheur ! Donne-moi la carte que tu as cachée.* ≃ joueur malhonnête.

GRAMMAIRE

On triche **à** un examen. On triche **sur** un camarade.

tricoter 3 verbe

J'ai acheté des aiguilles et de la laine, maintenant je vais tricoter.

■ **tricot,** n. m. **1.** *Le point mousse, le point de jersey sont des points de tricot.* **2.** *Gérard porte un tricot à manches longues.* ≃ pull-over.

VOCABULAIRE

Des aiguilles à tricoter. Un rang de tricot. Les mailles d'un tricot. Tricoter un chandail, une écharpe.

trier [tʀije] 3 verbe

Serge trie ses jouets et jette ceux qui sont cassés. → il classe et sépare.

triomphe [tʀijɔ̃f] nom masc.

Anne a été reçue la première au concours : toute la famille a fêté son triomphe. → son succès éclatant.

■ **triomphant, e,** adj. *A l'arrivée du Tour de France, le vainqueur avait un sourire triomphant.* ≃ victorieux. ■ **triompher,** v. *Elle a triomphé de toutes les difficultés.* ≃ dominer, surmonter. ≠ être vaincu par.

VOCABULAIRE

Un cri de triomphe. Remporter un triomphe. Triompher de ses adversaires.

AUTOUR DE

Un arc de triomphe est un monument en forme d'arc, élevé pour célébrer une victoire.

◄ L'arc de Triomphe, place Charles-de-Gaulle-Étoile, à Paris.

triste adj.

1. *Alain est triste parce que son frère est parti vivre à l'étranger.* → il a de la peine. ≃ malheureux, sombre. ≠ content, gai, joyeux.

2. *La fin du film était si triste que tout le monde pleurait.* → affligeant, tragique. ≠ amusant, drôle.

■ **tristesse** [tʀistɛs], n. f. **1.** *La tristesse se lisait dans son regard.* ≠ joie. **2.** *La tristesse d'un dimanche pluvieux.* ≠ gaieté.

GRAMMAIRE

Au sens 1, triste concerne les personnes, et au sens 2, les choses.

trompe nom fém.

Avec sa trompe, l'éléphant peut prendre des objets ou aspirer de l'eau.

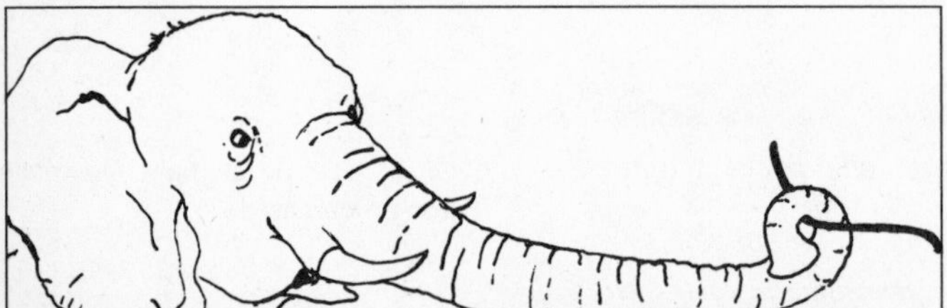

ORTHOGRAPHE

Attention : **m** devant **p**.

ORIGINE

La trompe de l'éléphant a été appelée ainsi à cause de la ressemblance de forme avec la trompe, l'instrument à vent.

se tromper 3 verbe

1. *Didier a dû se tromper dans ses calculs, il n'a pas trouvé le bon résultat.* → commettre, faire une erreur.
2. *Paul est en retard. En venant, il s'est trompé d'adresse.*

ORTHOGRAPHE

Attention : **m** devant **p**.

tronc [tʀɔ̃] nom masc.

1. *Yvette a appuyé son vélo contre un tronc d'arbre.*
2. *Le tronc est la partie du corps humain où sont fixés la tête et les membres.*

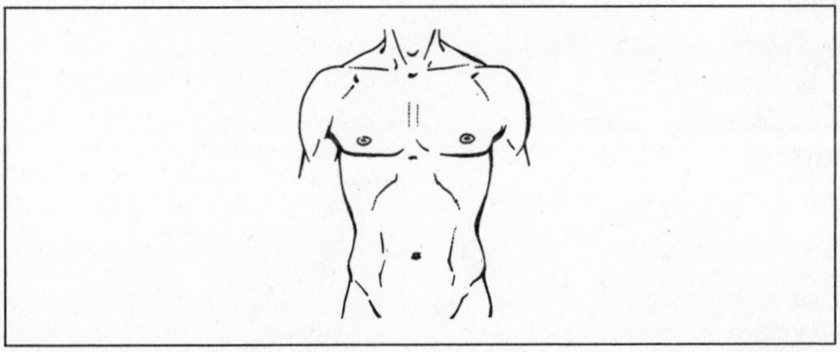

ORTHOGRAPHE

Attention au **c** final, qui ne se prononce pas.

trop mot inv.

1. *Bruno est arrivé trop tard ; le train était parti.*
   → *Trop* se place devant un adj. ou un mot. inv.
2. *Taisez-vous ! Vous faites trop de bruit.* ≠ pas assez.
   → *Trop* se place devant un nom.

EXPRESSION

Il y a une carte **de trop (en trop)** *dans mon jeu.* → supplémentaire.

trotter 3 verbe

Le cheval marchait au pas, puis il s'est mis à trotter.

■ **trot,** n. m. *Le trot est une allure du cheval plus rapide que le pas, mais plus lente que le galop.* ■ **trottoir** [tʀɔtwaʀ], n. m. *Les piétons marchent sur le trottoir, les voitures roulent sur la chaussée.*

AUTOUR DE

On dit aussi trotter pour d'autres animaux que le cheval, par exemple le chien, la souris, l'âne.

trou nom masc.

1. *En escaladant la grille, Christelle a fait un trou à son pantalon.* → elle l'a déchiré.
2. *Pour planter un arbre, il faut d'abord creuser un trou.*

EXPRESSION

Un trou de mémoire. → un oubli.

troubler 3 verbe

Un bruit soudain a troublé notre sieste. → il a dérangé, perturbé.

■ **trouble,** n. m., adj. et mot inv. **1.** n. m. *Bruno s'est remis de son trouble.* **2.** adj. *Les eaux de cette rivière sont troubles.* ≠ clair, limpide. **3.** mot inv. *Sans mes lunettes, je vois trouble.* ≠ net. ■ **se troubler,** v. *A l'oral, Bruno s'est troublé et il n'a pas su répondre à la question.* → il a perdu le contrôle de lui-même.

T

troupe nom fém.

Les élèves du collège ont formé une troupe de théâtre. → un groupe d'acteurs.

■ **troupeau,** n. m. *Le berger garde le troupeau de moutons.*

ORTHOGRAPHE

Des troup**eaux**.

trousse [tʀus] nom fém.

Olivier range ses crayons, son stylo, sa règle et sa gomme dans sa trousse. → une sorte de petit sac pour ranger divers instruments.

VOCABULAIRE

La trousse de toilette, à outils, à ongles ; la trousse de médecin, de chirurgien, d'infirmière.

trouver 3 verbe

1. *Nicolas cherchait son deuxième gant ; il a fini par le trouver au fond de son cartable.* ≃ découvrir.
2. *Mireille a trouvé une bille dans la cour.* → elle a découvert par hasard. ≠ perdre.
3. *Xavier a trouvé la solution du problème.* → son effort de réflexion, de raisonnement l'a amené à.
4. *Luc et Martin se disputaient, ils sont allés trouver leur père qui les a mis d'accord.* ≃ rencontrer.
5. *Magali trouve Charlotte gentille, elle trouve qu'elle a bon caractère.* → elle estime, juge.

■ **trouvaille** [tʀuvaj], n. f. *En fouillant dans le grenier, Mathieu et Céline ont fait des trouvailles.* ■ **se trouver,** v. **1.** *Notre maison se trouve à l'entrée du village.* → elle est située. **2.** *Coralie se trouve mieux avec les cheveux courts.* → elle estime qu'elle est mieux.

EXPRESSIONS

- **Trouver le temps long.** → être fatigué d'attendre.
- **Se trouver mal.** → s'évanouir.

truite [tʀɥit] nom fém.

La truite est un poisson de rivière ou de lac.

tube nom masc.

1. *Pascal presse son tube de dentifrice.*
2. *Le couloir est éclairé par des tubes électriques.* → des lampes de forme allongée.
3. *Cette chanson a été le tube* (fam.) *de l'été.* → le grand succès.

EXPRESSION

Le tube digestif. → l'ensemble des organes de la digestion, de la bouche à l'anus.

tuer [tɥe] 3 verbe

1. *Le chasseur a tué un chevreuil.* ≃ abattre.
2. *Sa paresse me tue.* → elle m'épuise totalement.

■ **se tuer,** v. *Elle s'est tuée dans un accident d'auto.* → elle est morte.

ORTHOGRAPHE

Attention au **e** dans la conjugaison : elle tu**e**ra.

tuile [tɥil] nom fém.

1. *Dans la région, toutes les maisons sont recouvertes de tuiles rouges.*
2. *La voiture est en panne, quelle tuile* (fam.) ! ≃ désagrément, malchance.

AUTOUR DE

Les tuiles sont des plaques de terre cuite (généralement de l'argile) qui constituent le toit d'un bâtiment.

tulipe nom fém.

Au printemps, des tulipes ont fleuri dans le jardin.

◄ Un parterre de tulipes.

ORIGINE

Tulipe vient d'un mot turc : turban, à cause de la forme de la fleur. La tulipe, venue d'Orient, fut connue en Europe à partir du 16e siècle.

tunnel [tynɛl] nom masc.

Il y a plus d'un siècle déjà que l'on parle de construire un tunnel sous la Manche. → une galerie où passe une route, une voie ferrée, etc.

VOCABULAIRE

Un tunnel de chemin de fer, de métro. Passer sous un tunnel. Sortir d'un tunnel. Percer un tunnel.

tuyau [tɥijo] nom masc.

David enroule le tuyau d'arrosage. → un long tube creux.

■ **tuyauterie** [tɥijotʀi], n. f. *Le plombier est venu installer la tuyauterie de la maison.* → l'ensemble des tuyaux où circule l'eau.

ORTHOGRAPHE

Des tuy**aux**.

tympan [tɛ̃pɑ̃] nom masc.

Céline a une otite et elle a mal au tympan. → la membrane qui se trouve à l'intérieur de l'oreille.

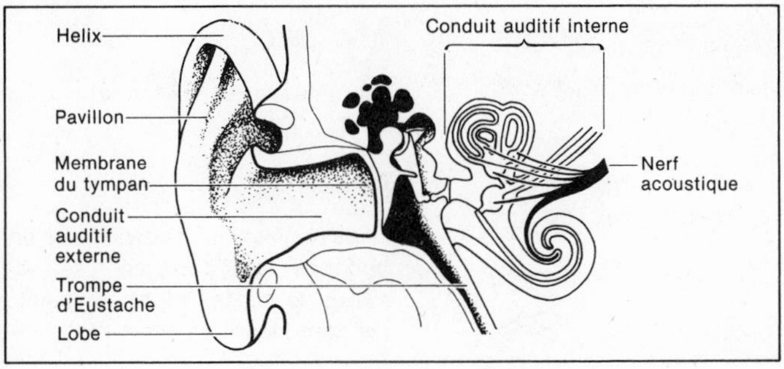

◄ Une coupe de l'oreille.

AUTOUR DE

Le tympan permet d'entendre, car il transmet les vibrations des sons.

T

Uu

un, une — adj.

1. *Nous avons deux yeux et un nez.*
2. *Il est une heure du matin.*

■ **un,** n. m. inv. *Quatre et un font cinq.* ■ **l'un, l'une, les uns, les unes,** pron. *Sandrine est l'une des plus grandes de la classe.*

GRAMMAIRE

Au sens 1, *un* est un adjectif numéral cardinal ; au sens 2, c'est un adjectif numéral ordinal.

un, une, des — art.

Odile a reçu une lettre.
→ *un, une, des* sont des articles indéfinis.

EXPRESSIONS

- **Pas un.** → aucun, nul.
- **Ne faire qu'un avec.** → se confondre avec.

uni, unie — adj.

1. *Marie porte une robe imprimée, Pauline, une robe unie.* → d'une seule couleur.
2. *La surface unie de la mare.*

■ **union,** n. f. *L'union fait la force.* ≠ désunion, discorde.

uniforme — adj.

Par la vitre du train, le paysage de plaine semble uniforme. → toujours pareil.

■ **uniforme,** n. m. *L'uniforme des marins et des aviateurs est bleu marine.* → un costume imposé par le règlement dans certains services civils et militaires.

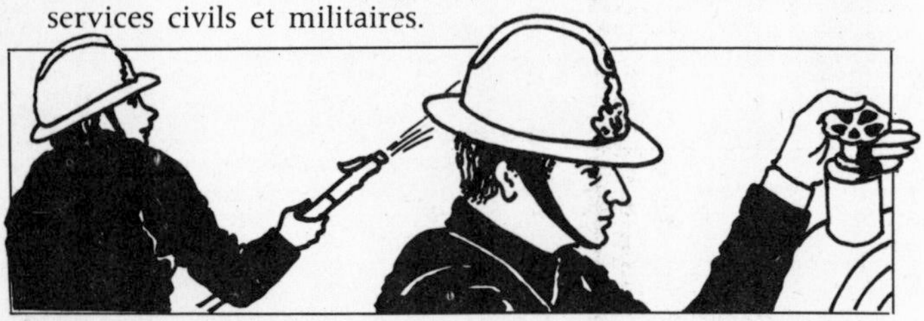

VOCABULAIRE

Un militaire en uniforme (≠ en civil).

AUTOUR DE

Dans plusieurs métiers, on porte un uniforme : les pompiers, les hôtesses de l'air, les agents de police, les contrôleurs de train, etc.

unique — adj.

1. *Édouard est un enfant unique.* → il n'a ni frère ni sœur.
2. *Cette rue est à sens unique.* → on ne peut y circuler que dans un seul sens.

EXPRESSION

Unique en son genre. → extraordinaire.

unir [4] — verbe

Ce qui unit tous les membres de l'équipe, c'est le plaisir de jouer ensemble. → ce qui rassemble, soude.

■ **s'unir,** v. *Ils se disputaient, puis ils se sont unis contre l'ennemi.* → ils se sont alliés, associés. ≃ faire bloc.

VOCABULAIRE

Deux familles unies par un mariage. Des liens d'amitié les unissent.

unité nom fém.

1. *Dans le nombre 498, 8 est le chiffre des unités.*
2. *La tonne est une unité de poids.* → un certain poids qui sert de modèle.

VOCABULAIRE

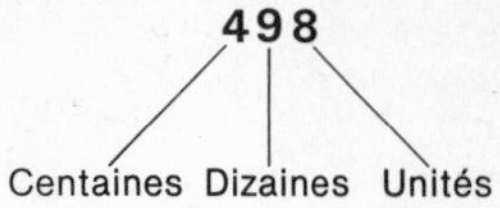

univers nom masc.

1. *Les astronomes étudient l'univers, les astronautes l'explorent.* → tout ce qui existe dans l'espace : astres et planètes.
2. *Paul et Élise ont construit une cabane au fond du jardin : ils se sentent bien dans leur univers.* → le milieu dans lequel ils aiment vivre.

■ **universel, elle,** adj. *Une loi universelle.* → valable pour le monde entier.

urgent, urgente adj.

Patricia a plusieurs lettres à écrire, mais la plus urgente est la réponse à sa marraine. ≃ pressé.

■ **urgence,** n. f. *Paul a laissé un numéro de téléphone pour qu'on le prévienne en cas d'urgence.* → d'événements graves ou pressants.

EXPRESSION

Il a été opéré **d'urgence.** → sans attendre.

usage [yzaʒ] nom masc.

1. *Le professeur a interdit l'usage du stylo à bille.* ≃ utilisation.
2. *Cet appareil a plusieurs usages : il hache, coupe et mélange.* ≃ fonction, utilité.
3. *Les souhaits de bonne année sont un usage ancien.* ≃ coutume, habitude, tradition.

■ **usagé, e,** adj. *Ces vêtements ont trop servi, ils sont usagés.* ■ **usager,** n. m. *Les usagers des transports en commun.* → ceux qui les utilisent.

EXPRESSIONS

- **A l'usage.** → quand on s'en sert.
- *Une formule* **d'usage.** → habituellement utilisée.
- **En usage.** → qui est employé.
- **Hors d'usage.** → qui ne fonctionne plus.

user [yze] 3 verbe

Jeanne use beaucoup ses vêtements. ≃ abîmer.

■ **usure** [yzyʀ], n. f. *Ce tissu résiste bien à l'usure.*

EXPRESSIONS

- **Usé jusqu'à la corde.** → très usé, élimé (pour un vêtement).
- **User d'***une ruse.* → s'en servir.

usine [yzin] nom fém.

Geneviève est ouvrière, elle travaille à l'usine.

utile adj.

1. *Prends ton imperméable, il peut t'être utile.* ≃ nécessaire.
2. *Paul m'a donné un conseil utile.* → bon, profitable.

■ **utilisable,** adj. *Ce bout de ficelle est encore utilisable.* ■ **utilisation,** n. f. *L'utilisation du reste de gruyère m'a permis de faire une sauce béchamel.* ≃ emploi. ■ **utiliser,** v. *Pour ouvrir la bouteille, Irène utilise un tire-bouchon.* → elle se sert de. ■ **utilité,** n. f. *Ce canif m'a déjà été d'une grande utilité.* → il m'a rendu service.

GRAMMAIRE

Il est utile **de** faire quelque chose.
Il est utile **que** tu fasses quelque chose.

EXPRESSIONS

- **En temps utile.** → au bon moment.
- **Chercher à se rendre utile.**

Vv

vacances nom fém. plur.

Charlotte est allée passer ses vacances chez sa grand-mère.

■ **vacancier, ière,** n. m. et f. *Sur la plage, Mireille vendait des glaces aux vacanciers.* ≃ estivant.

EXPRESSION

Les grandes vacances. → les vacances d'été pour les écoliers.

vaccin [vaksɛ̃] nom masc.

Grâce aux vaccins, certaines maladies comme la variole ont pratiquement disparu.

■ **vaccination** [vaksinasjɔ̃], n. f. *Certaines vaccinations sont obligatoires.* ■ **vacciner** [vaksine], v. *Les enfants doivent être vaccinés dès leurs premiers mois contre la diphtérie, le tétanos et la coqueluche.*

AUTOUR DE

Pour vacciner, il faut faire pénétrer un produit dans le sang. On le fait soit par piqûre, soit en coupant légèrement la peau.

vache nom fém.

Les vaches paissent dans le pré, puis elles rentrent à l'étable quand vient l'heure de la traite. → un mammifère ruminant.

AUTOUR DE

La vache est la femelle du taureau, son petit est le veau. Elle meugle. La génisse est une jeune vache comme la vachette. La vache est élevée pour son lait et sa viande.

1. vague nom fém.

1. *Fabien avait réussi à monter sur la planche à voile quand une grosse vague l'a fait tomber à l'eau.*
2. *La météo annonce une vague de chaleur (ou de froid).* → un temps soudain plus chaud (ou plus froid).

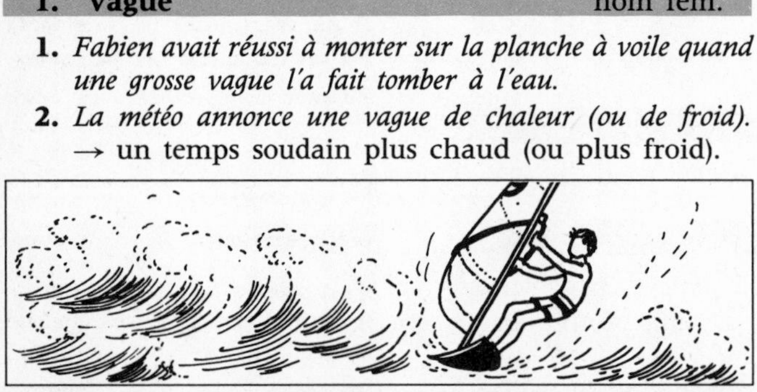

VOCABULAIRE

Écouter le bruit des vagues dans un coquillage. De grandes vagues pleines d'écume. Les vagues se brisent sur les rochers.

2. vague adj.

Juliette est allée à la montagne quand elle était petite, mais elle n'en a plus que des souvenirs vagues. ≃ confus, flou, imprécis. ≠ net, précis.

EXPRESSION

Un terrain vague. → un terrain dans une ville où il n'y a ni culture, ni construction.

vaincre [35] — verbe

1. *Napoléon a été vaincu à Waterloo.* → battu, défait.
2. *Éliane n'ose pas parler en public ; il faut qu'elle vainque sa timidité.* → qu'elle la domine, la surmonte.

■ **vaincu, e,** n. m. et f. *Après le match, le vainqueur serra la main du vaincu.* ■ **vainqueur,** n. m. *Bernard Hinault fut le vainqueur du Tour de France en 1982.*

Une grande famille

convaincre, convaincu, vaincu, vainqueur, **vaincre**, victoire, victorieux, invincible

valeur — nom fém.

1. *Ce bijou est en or, il a beaucoup de valeur.* → de prix.
2. *Aux cartes, la valeur de la dame est supérieure à celle du valet.* → l'importance.
3. *C'est une femme de valeur.* → qui a de grandes qualités.

■ **valable,** adj. *Une carte d'identité est valable dix ans.* ■ **valoir,** v. *Combien vaut ce disque ? Il vaut 45 F.* ■ **se valoir,** v. *Ces deux dictionnaires se valent.* → ils ont les mêmes qualités.

EXPRESSIONS

- **Il vaut mieux, mieux vaut.** → il est plus utile de.
- **Mettre en valeur.** → faire ressortir, mettre en relief.
- **Valoir le coup** (fam.), **valoir la peine.** → être bien, profitable.

vallée [vale] — nom fém.

1. *La rivière coule au fond d'une étroite vallée.*
2. *La vallée du Rhône est la région traversée par ce fleuve.*

■ **vallon,** n. m. *Le village est situé au creux d'un vallon.* ■ **vallonné, e,** adj. *Une région vallonnée.*

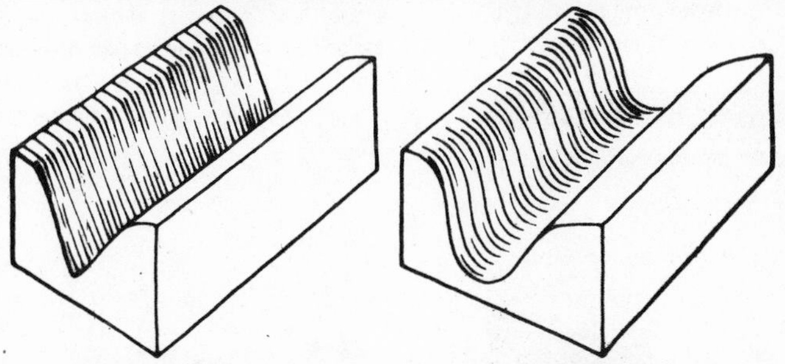

Une vallée en V — Une vallée en U

ORTHOGRAPHE

Attention : 2 **l** et 2 **n** à vallonné.

VOCABULAIRE

Une vallée creusée dans la montagne. Une vallée encaissée, large, profonde, resserrée. Une vallée en U, en V.

vannerie — nom fém.

Gabriel apprend à faire une corbeille en vannerie : il tresse des brins d'osier et de raphia.

AUTOUR DE

Dans la vannerie, on utilise des fibres végétales et des tiges : bambou, jonc, paille, rotin...

vapeur — nom fém.

1. *Quand l'eau bout, elle dégage de la vapeur d'eau.*
2. *Dans l'autocuiseur, les légumes cuisent à la vapeur.*

EXPRESSION

A toute vapeur. → à toute vitesse.

variable [vaʀjabl] — adj.

Marc a bon caractère, mais tout à l'heure, il faisait la tête : il est d'une humeur variable. → changeante, instable. ≃ versatile.

■ **variation** [vaʀjasjɔ̃], n. f. *La variation des températures selon les saisons.* → la modification.

VOCABULAIRE

Un temps variable. Une variation brutale de température.

V

varié, variée [vaʀje] adj.

Le mercredi, Élodie a des occupations variées : elle va à la piscine, elle range ses timbres ou bien elle se rend chez ses cousins. → différentes, diverses.

■ **varier,** v. *L'eau se présente sous une forme qui varie avec la température.* → qui change, se modifie. ■ **variété** [vaʀjete], n. f. **1.** *Il n'y a pas de variété dans les distractions de Jérôme : il n'aime que le football.* ≃ diversité. **2.** *Les reinettes et les canadas sont des variétés de pommes.* → des espèces différentes. **3.** au pl. *Une émission de variétés.* → composée de chansons et de numéros variés.

ORTHOGRAPHE

Attention au **e** dans la conjugaison : il vari**e**ra (au futur).

VOCABULAIRE

Une nourriture variée, des activités variées. Les coutumes varient selon les pays. Les opinions varient selon les gens.

1. vase nom masc.

Irène a cueilli un bouquet de marguerites et elle cherche un vase pour les mettre. ≃ récipient.

2. vase nom fém.

Mets des bottes si tu marches au bord de l'étang, car il y a de la vase. ≃ boue.

VOCABULAIRE

La vase peut se déposer au fond d'un fleuve, d'une rivière, d'un lac...

végétal, végétale adj.

L'huile de maïs est une huile végétale.

■ **végétal,** n. m. *Les arbres, les fleurs, l'herbe sont des végétaux.* ≃ plante. ■ **végétation,** n. f. *Le jardin abandonné est envahi par la végétation.*

AUTOUR DE

Les végétaux sont des êtres vivants. Les trois divisions de la nature sont : le règne animal (auquel appartient l'homme), le règne végétal et le règne minéral (les pierres).

vélo nom masc.

Dimanche, nous avons fait une grande promenade à vélo. → à bicyclette.

■ **vélodrome,** n. m. *L'épreuve de cyclisme a lieu au vélodrome.*

◀ Une piste de vélodrome.

velours nom masc.

Le fauteuil est recouvert d'un velours bleu. → un tissu épais et doux au toucher.

■ **velouté, e,** adj. *La peau des pêches est veloutée.* → douce comme du velours.

ORTHOGRAPHE

Attention : **s** final au singulier comme au pluriel.

vendange — nom fém.

Au début de l'automne, les raisins sont mûrs : c'est l'époque des vendanges. → de la récolte du raisin avec lequel on fait le vin.

■ **vendanger,** v. *Après avoir vendangé toute la matinée, les vendangeurs sont heureux de se reposer à midi.* ■ **vendangeur, euse,** n. m. et f. *Les vendangeurs coupent les grappes avec un sécateur et les mettent dans des paniers.*

EXPRESSION

Faire la vendange, faire les vendanges (plus fréquent au pluriel). → récolter le raisin.

vendre 31 — verbe

Dans ce magasin, on vend des lampes. ≠ acheter.

■ **vendeur, euse,** n. m. et f. *La vendeuse m'a dit que je pouvais sans crainte laver ce pantalon à l'eau froide.*

VOCABULAIRE

Vendre cher, bon marché, en gros, au détail, en réclame, en solde.

se venger 19 — verbe

Quand Luc a découvert que Marie avait menti, il a juré qu'il se vengerait. → qu'il la punirait pour compenser le tort qu'elle lui avait fait.

■ **vengeance** [vɑ̃ʒɑ̃s], n. f. *La vengeance de Luc a été complète.* ≠ pardon.

ORTHOGRAPHE

Attention au **e** devant le **a** : veng**e**ance.

venir 34 — verbe

1. *Nous devons travailler ensemble demain : est-ce que tu viens chez moi ou est-ce que je vais chez toi ?* ≠ aller.
2. *Ces oranges viennent du Maroc.* → elles proviennent.
3. *Son échec vient de sa maladie.* → il a été causé par sa maladie.
4. *Après l'hiver vient le printemps.* ≃ succéder.
5. *Quand je suis rentrée, Émilie venait de téléphoner.* → elle avait téléphoné quelques instants auparavant.

GRAMMAIRE

Au sens 1, **venir** s'emploie aussi sans complément de lieu exprimé : Le chien **vient** quand on l'appelle. Je **viendrai** à 9 h. **Viens** voir ce que j'ai fait.

vent — nom masc.

Quand le vent souffle, il soulève la poussière et fait tourbillonner les feuilles mortes. → un souffle d'air puissant.

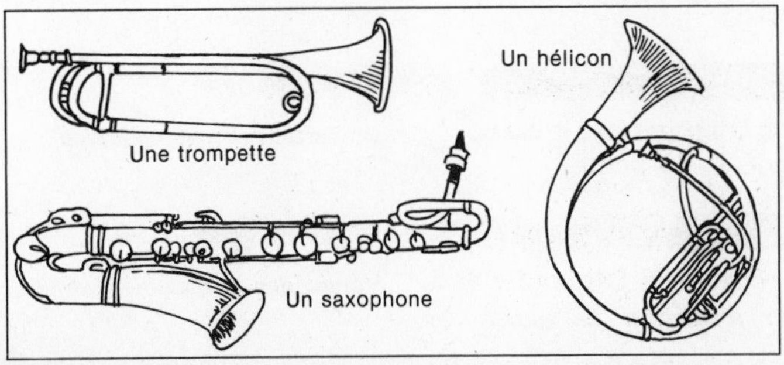

EXPRESSIONS

- **Contre vents et marées.** → envers et contre tout.
- **Dans le vent** (fam.). → à la mode.
- **En coup de vent.** → très vite.
- **Des instruments à vent.** → dans lesquels on souffle (trompette, cor, clarinette, harmonica...).

V

ver nom masc.

Les oiseaux mangent les vers. → de petits animaux à la forme allongée qui rampent et vivent sous terre.

VOCABULAIRE

Un ver à soie, un ver de terre, un ver de sable, un ver luisant.

verbe nom masc.

Dans la phrase : Raphaëlle mange une pomme, *le verbe est* mange ; *c'est la troisième personne du singulier de l'indicatif présent du verbe* manger.

verglas [vɛʀgla] nom masc.

Liliane a glissé sur une plaque de verglas. → une couche de glace sur la chaussée.

■ **verglacé, e,** adj. *Une route verglacée est dangereuse : gare au dérapage !*

ORTHOGRAPHE

N'oublie pas le **s** final qui ne se prononce pas.

vérité nom fém.

Nathalie a menti si souvent qu'on ne la croit plus quand elle dit la vérité. ≠ mensonge.

■ **véritable,** adj. *Un véritable ami se réjouit de ton bonheur.* → celui qui mérite le nom d'ami. ≃ vrai. ≠ faux.

EXPRESSIONS

- **En vérité** (pour renforcer une affirmation). → à dire vrai, réellement.
- **La minute de vérité.** → le moment où on dévoile la vérité.

verre nom masc.

1. *Le vitrier coupe le verre avec une pointe de diamant.*
2. *Marianne nettoie les verres de ses lunettes.*
3. *Ce verre est en cristal.* → un récipient dans lequel on boit.
4. *Jérôme boit un verre de lait au goûter.* → le contenu d'un verre (sens 3).

EXPRESSIONS

- **Du papier de verre.** → du papier utilisé pour user, polir.
- **Des verres de contact.** → que l'on pose sur l'œil pour mieux voir (≃ lentilles).
- **Se casser comme du verre.** → très facilement.

verrou nom masc.

Le soir, Michel ferme la porte et pousse le verrou.

■ **verrouiller** [veʀuje], v. *Quand les portes sont verrouillées, il dort bien tranquille.* → fermées au verrou.

ORTHOGRAPHE

Attention : deux **r** ! Des verr**ous**.

vers mot inv.

1. *Hélène s'avance vers la porte.* → Indique la direction.
2. *Martine rentrera vers 7 h.* ≃ à peu près à, aux alentours de. → Indique le temps.

versant nom masc.

Nous avons escaladé la montagne par le versant sud et nous sommes descendus par le versant nord. → la pente.

VOCABULAIRE

Un versant abrupt, ensoleillé.

verser 3 verbe

1. *Grégoire verse de l'eau dans son verre.* → il fait couler.
2. *Virginie verse ses économies sur son livret de Caisse d'épargne.* → elle dépose.

EXPRESSION

Verser des larmes. → pleurer.

vert, verte adj.

1. *Hiver comme été, les sapins restent verts.*
2. *Les fruits verts sont acides.* ≠ mûr.

■ **vert,** n. m. *On obtient du vert en mélangeant du bleu avec du jaune.* → la couleur verte.

EXPRESSIONS

- **La langue verte.** → l'argot.
- **Du bois vert.** → qui a encore de la sève.

vertèbre nom fém.

Les vertèbres sont de petits os qui forment la colonne vertébrale.

vertige nom masc.

Ne regarde pas en bas du précipice, tu risques d'avoir le vertige. → de voir tout tourner, d'avoir la tête qui tourne.

VOCABULAIRE

Être pris de vertige en montagne. Éprouver, avoir des vertiges.

vêtement nom masc.

Le soir, Éléonore prépare ses vêtements pour le lendemain. ≃ habit.

■ **vêtir,** v. *Antoine est vêtu d'un pantalon gris et d'une chemise rouge.* ■ **se vêtir,** v. *Elle s'est vêtue chaudement pour partir en montagne.*

VOCABULAIRE

On peut : laver, repasser, plier, ranger, nettoyer, user, déchirer, porter, quitter, enlever ses vêtements.

vétérinaire nom masc.

Le vétérinaire a vacciné le chat contre le typhus. → un médecin qui soigne des animaux.

vexer [vɛkse] 3 verbe

Martin a vexé Charlotte en la traitant de paresseuse. → il l'a contrariée, froissée. ≠ consoler, flatter.

viande nom fém.

Agnès aime manger de la viande hachée. → de la chair animale (sauf le poisson).

EXPRESSIONS

- **La viande rouge** (bœuf).
- **La viande blanche** (volaille).

victime nom fém.

1. *Patrick a été victime de la méchanceté de Jérôme.* → il l'a subie, il en a souffert.
2. *L'incendie a fait de nombreuses victimes.* → des personnes tuées ou blessées.

victoire nom fém.

Notre équipe a remporté plusieurs victoires de suite. ≠ défaite.

■ **victorieux, euse,** adj. *L'équipe victorieuse a reçu la coupe des champions.* ≠ vaincu.

EXPRESSION

Crier (chanter) victoire. → être très fier de sa victoire et en tirer gloire.

vide adj.

Jean-Claude a bu toute sa grenadine, et son verre est vide. ≠ plein.

■ **vide,** n. m. *Pierre n'aime pas regarder tout en bas de l'immeuble, car il a peur du vide.* ■ **vider,** v. **1.** *Catherine vide ses poches et pose le contenu sur la table.* ≠ remplir. **2.** *Avant de faire cuire le poulet, il faut le vider.* → enlever ce qu'il y a à l'intérieur.

EXPRESSIONS

- *Le camion a fait le voyage* **à vide.** → sans emporter de charge.
- **Avoir le ventre vide.** → avoir très faim.
- **Parler dans le vide.** → sans être écouté.

V

vie — nom fém.

1. *Les sauveteurs ont risqué leur vie pour sauver les victimes de l'incendie.* → leur existence. ≠ mort.
2. *Danielle a passé dix ans de sa vie en Afrique.* → le temps compris depuis sa naissance.
3. *Dans ce camp de vacances, on mène une vie sportive.* → un ensemble d'activités.
4. *Pour gagner sa vie, il faut travailler.* → pour pouvoir vivre selon ses besoins.
5. *Cet enfant est plein de vie.* → d'énergie, de santé, de vigueur.

EXPRESSIONS

- **Jamais de la vie.** → jamais.
- **Être entre la vie et la mort.** → être dans un état très grave.
- **Mener la vie dure à quelqu'un.** → lui rendre la vie difficile.
- **Vivre sa vie.** → mener sa vie de façon indépendante.

vieux [vjø], vieille [vjɛj] — adj., nom masc. et fém.

1. adj. *Mon arrière-grand-mère est très vieille.* ≠ jeune.
2. adj. *Martine est une vieille amie de Lucie.* → elles sont amies depuis longtemps. ≃ ancien. ≠ récent.
3. adj. *Le vieux mur s'est écroulé.* ≃ ancien. ≠ neuf, nouveau.
4. n. m. et f. *Céline a organisé une excursion pour les vieux de l'hospice.* → les vieilles gens.

■ **vieillard** [vjɛjaʀ], n. m. *Mon arrière-grand-père est un vieillard aux cheveux blancs.* ■ **vieillesse** [vjɛjɛs], n. f. *En prenant sa retraite, Renée espère vivre une vieillesse heureuse.* → la dernière période de la vie. ■ **vieillir** [vjɛjiʀ], v. **1.** *Elle a beaucoup vieilli depuis sa maladie.* **2.** *Ce chignon te vieillit.* ≠ rajeunir.

ORTHOGRAPHE

Vieil s'emploie au masculin singulier devant un mot commençant par une voyelle ou un **h** muet : un **vieil** homme ; et au pluriel : de **vieilles** gens.

EXPRESSIONS

- **Un vieux de la vieille** (fam.). → un homme expérimenté.
- **Un vieux garçon, une vieille fille.** → un célibataire d'un certain âge.

vif, vive — adj.

1. *Jeanne comprend vite, c'est une enfant vive et astucieuse.* ≃ actif, éveillé, rapide. ≠ lent, mou.
2. *Jeanne d'Arc a été brûlée vive.* → vivante.
3. *Charles cligne des yeux tant la lumière est vive.* → éblouissante, intense. ≠ faible, pâle.
4. *Marie s'habille de couleurs vives.* → éclatantes.

■ **vivacité,** n. f. *Il m'a répondu avec vivacité de me mêler de mes affaires.* → d'une manière violente, agressive.

EXPRESSIONS

- **L'eau vive.** → l'eau pure qui coule.
- **Un air vif.** → frais et pur.

vigne [viɲ] — nom fém.

Le raisin est le fruit de la vigne.

■ **vigneron** [viɲʀɔ̃], **onne,** n. m. et f. *Le vigneron cultive la vigne et fait le vin.*

ORIGINE

Vigne vient d'un mot latin signifiant vin.

vigoureux, vigoureuse — adj.

Le carrosse était tiré par six chevaux vigoureux. ≃ fort, robuste. ≠ faible.

■ **vigueur,** n. f. *Quand Muriel a été accusée de vol, elle s'est défendue avec vigueur.* ≃ énergie. ≠ faiblesse, mollesse.

village nom masc.

Didier a passé ses vacances dans un petit village.

■ **villageois, e,** adj. et n. m. et f. **1.** adj. *Voici un spectacle de danses villageoises.* **2.** n. m. et f. *Les villageois jouaient à la pétanque sur la place.*

VOCABULAIRE

L'église, la mairie, l'école, les commerçants, la place, le cimetière du village.

ville nom fém.

Lille est une ville du Nord de la France, et Marseille, une ville du Sud. ≃ cité.

VOCABULAIRE

Aller faire ses courses à la ville voisine, à l'autre bout de la ville.

vin nom masc.

On fabrique du vin en faisant fermenter du raisin.

vingt adj. numéral

Nous avons vingt doigts : dix aux mains et dix aux pieds.

■ **vingtaine** [vɛ̃tɛn], n. f. *Une vingtaine de pages.* → environ vingt. ■ **vingtième** [vɛ̃tjɛm], adj. et n. m. ou f. **1.** adj. *Nous sommes au 20ᵉ siècle.* **2.** *Il est arrivé vingtième de la course cycliste.* **3.** n. m. ou f. *Le vingtième de la course.*

ORTHOGRAPHE

Attention : **g** et **t** !
Vingt se prononce [vɛ̃] isolé ou devant une consonne, sauf dans les nombres de 22 à 29, où le **t** se prononce, ainsi que devant les voyelles.

violent [vjɔlɑ̃], **violente** adj.

1. *Maryse s'est mise dans une violente colère.* ≃ brutal. ≠ doux.
2. *Un violent orage a éclaté.* ≃ fort, terrible.

■ **violence,** n. f. **1.** *Il l'a frappé avec violence.* ≠ calme. **2.** *La violence de la tempête a déraciné le grand chêne.* ≃ fureur.

ORTHOGRAPHE

Attention : **ent**.

VOCABULAIRE

Une personne, un caractère, une réaction ou un choc violent. Parler avec violence.

violon nom masc.

Le violoniste tient le violon entre l'épaule et le menton.

■ **violoncelle,** n. m. *Le violoncelliste tient le violoncelle entre ses jambes.* ■ **violoncelliste,** n. m. ou f. → personne qui joue du violoncelle. ■ **violoniste,** n. m. ou f. → personne qui joue du violon.

AUTOUR DE

Le violon et le violoncelle sont des instruments à quatre cordes que l'on frotte avec un archet tenu par la main droite, tandis que les doigts de la main gauche appuient sur les cordes.

virage nom masc.

Attention ! le virage est dangereux. ≃ tournant.

VOCABULAIRE

Prendre (à moto, en auto) un virage en épingle à cheveux.

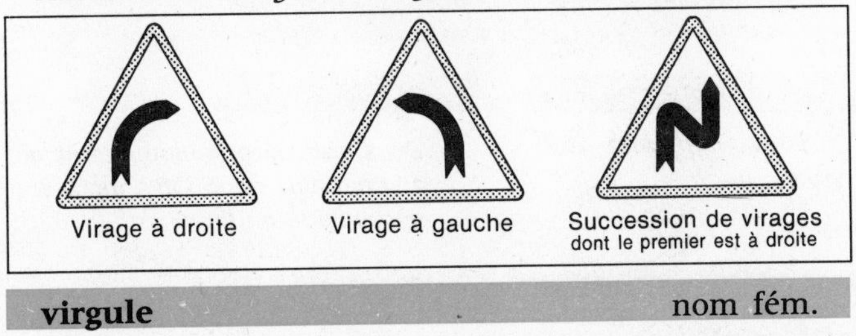

◄ Trois panneaux de signalisation indiquant des virages.

virgule nom fém.

« Martin a trouvé dans ses poches un mouchoir, deux billes, trois élastiques, un caillou et une gomme. » Il y a trois virgules dans cette phrase.

GRAMMAIRE

Une **virgule** est un signe de ponctuation qui s'emploie pour marquer une pause brève entre deux propositions ou entre deux éléments d'une proposition.

V

visage nom masc.

Tous les matins, Armelle se lave le visage. → la figure.

visiter 3 verbe

Nathalie a visité le Mont-Saint-Michel. → elle est allée voir.

■ **visite,** n. f. **1.** *La visite du musée a duré deux heures.* **2.** *Quand Julien était à l'hôpital, il a reçu beaucoup de visites.* → beaucoup de personnes sont venues le voir. **3.** *Rémi a passé une visite médicale.* → un médecin l'a examiné. ■ **visiteur, euse,** n. m. et f. **1.** *Dans le musée, les visiteurs suivent le guide.* → les personnes qui sont venues voir le musée. **2.** *Julie raccompagne sa visiteuse jusqu'à la porte.* → la personne qu'elle a reçue chez elle.

GRAMMAIRE

On dit **visiter** quelque chose, mais **rendre visite** à quelqu'un.

VOCABULAIRE

On peut visiter : un monument, un musée, un pays, une région, une ville...

vitamine nom fém.

Mange régulièrement des fruits, car ils contiennent de la vitamine C, indispensable à la santé. → une substance contenue dans certains aliments essentiels à la vie.

vite mot inv.

Delphine a couru très vite pour attraper l'autobus.

■ **vitesse,** n. f. **1.** *Sur l'autoroute, la vitesse est limitée à 130 km/h.* **2.** *Cette voiture a quatre vitesses.*

EXPRESSIONS

- **Au plus vite.** → dans le plus court délai.
- **En vitesse, à toute vitesse.** → le plus vite possible.

vivant, vivante adj.

1. *Tu croyais que l'oiseau était mort, mais il était encore vivant.*
2. *Laurence est active : c'est une enfant très vivante.* → vive. ≠ effacé, endormi.
3. *Les hommes, les animaux, les plantes, sont des êtres vivants.* → des êtres doués de vie.
4. *Ce quartier est très vivant la nuit.* → animé. ≠ mort.

■ **vivre,** v. **1.** *Gabrielle a vécu jusqu'à 92 ans.* → elle est restée en vie. **2.** *Marie vit avec Jérôme.* → elle habite avec. **3.** *Monique vit de son travail.* → elle gagne sa vie en travaillant.

Une grande famille

vital		survie
vivement	**vivre**	survivant
vivifier		survivre
ravitaillement		victuailles
ravitailler		des vivres
	viande	

vive mot exclamatif

Vive la France !

■ **vivement,** mot inv. **1.** *Vivement la récréation !* → pourvu qu'elle arrive bientôt ! **2.** *Paul a vivement regretté d'avoir menti.* → beaucoup, profondément.

vocabulaire nom masc.

Avec un vocabulaire de 1 500 mots, on peut s'exprimer dans la vie courante. → l'ensemble des mots.

VOCABULAIRE

Un vocabulaire pauvre, réduit ou, au contraire, riche. On enrichit son vocabulaire en lisant.

voici, voilà mot inv.

1. *Voici mon bureau et voilà celui de Marie-Hélène.*
→ *Voici* sert à désigner précisément (une chose ou une personne).
→ *Voilà* sert à montrer une certaine distance.
2. En exclamation. *« Donne-moi ton ballon. – Le voilà » !*

ORIGINE

Voici et voilà sont formés de l'impératif du verbe voir : vois + ci et là.

voie — nom fém.

1. *La voiture roule sur une route à trois voies.* → des espaces pour le passage des véhicules.
2. *Attention en traversant la voie ferrée !* → la voie de chemin de fer, les rails.
3. *Voulez-vous envoyer ce paquet par voie aérienne ou par voie maritime ?* → le faire transporter par avion ou par bateau.

EXPRESSIONS

- **En bonne voie.** → sur le point de réussir.
- **Mettre sur la voie.** → donner des indications pour aider quelqu'un à deviner.
- **Trouver sa voie.** → trouver le domaine dans lequel on pourra s'épanouir.

1. voile — nom fém.

1. *Quand il y a du vent, Georges et Isabelle font de la voile sur le lac.* → ils naviguent sur un voilier.
2. *Ils ont hissé les voiles et les voilà partis sur le lac.* → une grande pièce de toile fixée au mât et qui sert à faire avancer le bateau.

VOCABULAIRE

Le vent souffle dans les voiles et les gonfle. Les voiles claquent.

■ **voilier,** n. m. *Dimanche, j'ai participé à une course de voiliers.* → de bateaux à voiles.

◀ Un trois-mâts est un voilier.

2. voile — nom masc.

1. *La mariée avait un grand voile de tulle blanc.* → un morceau d'étoffe (plutôt légère).
2. *Le brouillard se dissipe mais il reste un voile de brume.* → une épaisseur de brume.

VOCABULAIRE

Un voile de communiante. Des yeux voilés de larmes. Un ciel voilé.

■ **voiler,** v. **1.** *Certaines musulmanes sont voilées.* → elles portent un voile (sens 1) qui leur couvre le visage. **2.** *Des nuages voilent le soleil.* **3.** *Alice a heurté une pierre avec son vélo, maintenant sa roue avant est voilée.* → déformée.

voir 37 — verbe

1. *Philippe voit mal, il porte des lunettes.*
2. *Patricia a vu un film d'aventures passionnant.* → elle a assisté à la projection de ce film.
3. *Geneviève est allée voir le médecin.* → le consulter.

EXPRESSIONS

- **En voir trente-six chandelles.** → être abasourdi après avoir reçu un coup.
- **Voir le jour.** → naître.

voiture — nom fém.

1. *Noémi aime les voitures qui ont un toit ouvrant.* → les automobiles.
2. *Pour promener bébé, maman l'a placé dans une voiture d'enfant.* ≃ landau, poussette.

VOCABULAIRE

Une voiture décapotable, de sport, de tourisme. Une voiture neuve, accidentée, d'occasion.

voix — nom fém.

1. *En général, les hommes ont la voix plus grave que les femmes.*
2. *Suis son conseil, c'est la voix de la raison.* → ce que la raison nous inspire.
3. *Marinette a été élue déléguée par quatorze voix contre deux.* → quatorze personnes ont voté pour elle.
4. *Dans la phrase : « Jean mange une pomme »,* mange *est à la voix active, tandis que dans la phrase : « La pomme est mangée par Jean », le verbe est à la voix passive.*

EXPRESSIONS

- **A haute voix.** → fort (quand on parle).
- **A voix basse.** → tout bas.
- **De vive voix.** → en communiquant directement par la parole. (≠ par écrit).
- **Être, rester sans voix.** → ne plus pouvoir parler.

volcan — nom masc.

Les montagnes d'Auvergne sont d'anciens volcans.

■ **volcanique,** adj. *Le volcan commence à fumer, on craint une éruption volcanique.*

◄ Un volcan en éruption.

1. voler [3] — verbe

1. *Le pigeon, la mouche, la chauve-souris : chacun de ces animaux vole.* → il se déplace dans l'air grâce à ses ailes.
2. *L'avion vole au-dessus des nuages.* → il se déplace dans l'air grâce à ses réacteurs.

■ **vol,** n. m. **1.** *Le vol des mouettes, le vol du bourdon.* **2.** *Le vol pour Paris aura lieu à 20 h 30 porte C, annonce une voix à l'aéroport.*

EXPRESSIONS

- **Voler de ses propres ailes.** → être indépendant.
- **Voler en éclats.** → se briser en petits morceaux.
- **On entendrait une mouche voler.** → le silence est total.

2. voler [3] — verbe

La voiture de Nicolas a été volée hier soir. ≃ dérober, faucher (fam.).

■ **vol,** n. m. *Nicolas a déclaré le vol à la police.* ■ **voleur, euse,** n. m. et f. *On a retrouvé la voiture, car les voleurs l'avaient abandonnée dans un bois.*

EXPRESSIONS

- **Il (elle...) ne l'a pas volé.** → il (elle...) l'a bien mérité.
- **Se sauver comme un voleur.** → comme si on avait peur d'être vu.

volonté — nom fém.

1. *Béatrice avait très mal à la jambe, mais par un effort de volonté, elle a marché sans se plaindre.* ≃ courage, énergie, fermeté. ≠ faiblesse.
2. *Il est inutile de s'opposer à la volonté du directeur.* ≃ désir, exigence.

■ **volontaire,** adj. et n. m. ou f. **1.** adj. *Benoît est un enfant volontaire : quand il veut quelque chose il va jusqu'au bout pour l'obtenir.* ≃ décidé. **2.** n. m. et f. *La maîtresse demande un volontaire pour essuyer le tableau.* ■ **volontairement,** mot inv. *Xavier a fait tomber Pierre volontairement.* ≃ exprès. ≠ involontairement.

EXPRESSIONS

- **A volonté.** → autant qu'on veut.
- **Mauvaise volonté.** → tendance à ne pas faire ce qu'on demande ou à le faire en montrant de la mauvaise humeur.
- **Avoir de la bonne volonté.** → mettre tout son cœur à bien faire ce qui est demandé.
- **Faire les quatre volontés de quelqu'un** (fam.). → obéir à tous ses caprices.

volume — nom masc.

1. *Pour calculer le volume d'une caisse, on multiplie la longueur par la largeur et par la hauteur.*
2. *Mathilde a acheté une encyclopédie en dix volumes.* ≃ livre, tome.
3. *La musique est trop forte, baisse le volume du son.* ≃ intensité.

■ **volumineux, euse,** adj. *Au pied du sapin, Nicolas regardait ce mystérieux paquet volumineux.* → qui occupe une grande place. ≃ gros. ≠ petit.

AUTOUR DE

Une surface a deux dimensions, un volume en a trois.
Unités de volume : m^3 (mètre cube), dm^3 (décimètre cube), cm^3 (centimètre cube).

voter [3] — verbe

Mes parents ont voté pour élire un nouveau député. → choisir parmi les candidats qui se présentent.

■ **votant, e,** n. m. et f. *Il y a eu 80 % de votants à l'élection.* → 80 % de ceux qui avaient le droit de voter l'ont fait. ≠ abstentionniste. ■ **vote,** n. m. *Le vote est secret.*

AUTOUR DE

On peut voter à partir de l'âge de dix-huit ans. Le jour de l'élection, on se rend dans un bureau de vote, on prend plusieurs bulletins, on s'enferme dans l'isoloir, puis on dépose son enveloppe dans l'urne.

votre — adj. poss.

Les enfants ! Avez-vous dit bonjour à votre cousin !

le (la) vôtre — pron. poss.

Nos cahiers sont bleus, les vôtres sont rouges.

GRAMMAIRE

Votre et **vôtre** correspondent au pronom personnel *vous.*
Le pluriel de *votre* est **vos**, le pluriel de *vôtre* est **vôtres**.

vouloir [38] — verbe

1. *Michel est venu, il voulait te voir.* → il souhaitait vivement. ≃ désirer fort.
2. *Veux-tu encore du poulet ?* → acceptes-tu d'en manger de nouveau ? ≠ refuser.
3. *Depuis que Sabine a eu une meilleure note que lui, Hervé lui en veut.* → il a de la rancune envers elle.
4. *Didier et Grégoire jouent entre grands, il ne veulent pas de Gérard.* → ils refusent la présence de.
5. *Savez-vous ce que veut dire le mot* scaphandre ? → quel est le sens de, que signifie ?

GRAMMAIRE

Le conditionnel s'emploie par politesse à la place de l'indicatif : au lieu de *Je veux du gâteau,* on dira plutôt *Je voudrais du gâteau, j'en voudrais bien.*

voyage — nom masc.

1. *Florent rêve de faire un voyage en Chine.*
2. *Pour vider la cave, il a fallu faire plusieurs voyages.* → transporter le contenu en plusieurs fois.

■ **voyager,** v. **1.** *Marie a beaucoup voyagé et visité de nombreux pays.* **2.** *Jean n'aime pas voyager debout dans le train.* → effectuer un trajet. ■ **voyageur, euse,** n. m. et f. **1.** *Florent aime les récits des grands voyageurs.* **2.** *Les voyageurs pour Caen : en voiture !* ≃ passager.

ORTHOGRAPHE

Attention : **e** dans la conjugaison : nous voyag**e**ons, je voyag**e**ais...

VOCABULAIRE

Voyager en avion, en train, en voiture, à moto. Partir en voyage, revenir de voyage.

voyelle [vwajɛl] — nom fém. et adj.

1. n. f. *Dans l'alphabet, il y a vingt consonnes et six voyelles :* a, e, i, o, u, y.
2. adj. *Quand on parle, on utilise seize sons voyelles.*

VOCABULAIRE

Parmi les seize sons voyelles se trouvent :
- des voyelles orales : [a, ɑ, ə, ø, œ, e, ɛ, i, ɔ, o, y, u]
- des voyelles nasales : [ɑ̃, œ̃, ɛ̃, ɔ̃].

vrai, vraie — adj.

1. *Romain exagère souvent, on ne sait jamais si ce qu'il raconte est vrai.* → si c'est la vérité. ≃ véritable. ≠ faux.
2. *Liliane voudrait jouer à la marchande avec de vrais billets.* → authentiques. ≠ factice, imité.
3. *Romain est un vrai menteur.* → il est très menteur.

■ **vraiment,** mot inv. **1.** *Je me demande si Romain pourra vraiment changer d'opinion.* → effectivement, réellement. **2.** *Cette lampe éclaire vraiment trop.* → beaucoup, franchement, réellement. ■ **vraisemblable,** adj. *Jeanne n'est pas venue : il est vraisemblable qu'elle a oublié notre rendez-vous.* → il est bien possible que.

GRAMMAIRE

Aux sens 2 et 3, **vrai** se place avant le nom.

EXPRESSIONS

- **A vrai dire, pour de vrai** (fam.). → vraiment.
- **Vrai de vrai** (fam.). → véritablement.

vue — nom fém.

1. *Géraldine a une mauvaise vue, elle doit porter des lunettes.*
2. *Du haut de la tour, on a une très belle vue sur toute la ville.* → l'étendue de ce que l'on peut voir.
3. *Dans ce livre, il y a de superbes vues de montagne.* → des images, des photographies.

EXPRESSIONS

- **A première vue.** → au premier regard, sans avoir eu le temps de réfléchir.
- **A vue d'œil.** → approximativement.
- **En vue de.** → pour.
- **Connaître quelqu'un de vue.** → uniquement pour l'avoir vu.
- **Perdre quelqu'un de vue.** → cesser d'être en relations régulières avec lui.

Ww Xx

wagon [vagɔ̃] nom masc.

La locomotive tire plusieurs wagons.

◄ Le TGV (Train à Grande Vitesse) dont la vitesse moyenne est de 270 km/h.

VOCABULAIRE

A la S.N.C.F., le mot « wagon » n'est employé que pour les marchandises, les bestiaux. Pour les voyageurs, on n'emploie que le mot « voiture » : une voiture-lit, une voiture-restaurant.

week-end [wikɛnd] nom masc.

Pascal a passé le week-end chez sa grand-mère. → le samedi et le dimanche.

ORIGINE

Week-end vient d'un mot anglais : fin de semaine.

western [wɛstɛʀn] nom masc.

Dans les westerns, on voit très souvent des attaques de diligences et des batailles entre cow-boys et Indiens.

ORIGINE

Western vient d'un mot anglais signifiant : de l'Ouest.

◄ La charge des Apaches dans un western.

xylophone [ksilɔfɔn] nom masc.

Serge joue du xylophone en frappant sur les lames avec deux petits maillets.

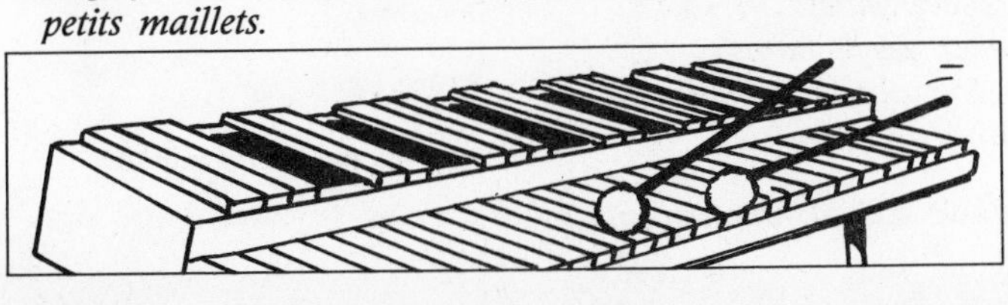

AUTOUR DE

Le xylophone est un instrument de musique à percussion, c'est-à-dire sur lequel on frappe (comme le tambour, les cymbales, etc.). Chacune de ses lames rend un certain son.

WX

Yy Zz

yaourt [jauʀt] nom masc.

Manuel met une cuillerée de confiture dans son yaourt.

ORTHOGRAPHE

On peut aussi écrire **yogourt.**

zèbre nom masc.

Le zèbre court très vite : il ressemble au cheval et à l'âne, et sa robe est rayée de noir.

AUTOUR DE

Le zèbre est très sauvage et se sauve dès qu'il voit des hommes. Le zèbre hennit. Pour le mâle comme pour la femelle, on dit un zèbre.

zéro nom masc. et adj. numéral inv.

1. n. m. *100 s'écrit avec deux zéros.* → un chiffre désignant une valeur nulle, mais qui, précédé d'un autre chiffre, sert à former des nombres.
2. adj. numéral inv. *Christine a fait quatre fautes dans sa dictée, Aurélie a fait zéro faute.* → aucune faute.
3. adj. numéral inv. *L'eau gèle quand la température descend au-dessous de 0°.* → zéro degré.

EXPRESSIONS

- **Avoir le moral à zéro** (fam.). → être très triste.
- **Partir (repartir) à zéro.** → commencer (recommencer) à partir de rien.

zigzag [zigzag] nom masc.

L'automobiliste prend une route en zigzag pour atteindre le col de la Madeleine.

zone nom fém.

1. *La France se trouve dans la zone tempérée.* → une des cinq divisions du globe terrestre.
2. *Attention ! Il est interdit de pénétrer dans la zone militaire !* → un endroit réservé pour les militaires.

ORTHOGRAPHE

Attention : **o** sans accent pour **zone.**

zoo [zo] ou [zoo] nom masc.

Au zoo, nous avons vu des autruches, des zèbres, des singes, des ours, des lions, mais aussi des phoques, des flamants roses... → une sorte de parc où l'on peut voir plusieurs espèces d'animaux venant de pays lointains.

■ **zoologique** [zolɔʒik] ou [zoolɔʒik], adj. Zoo *est l'abréviation de « jardin (ou parc) zoologique ».*

ORTHOGRAPHE

Des zoo**s**.

VOCABULAIRE

Aller au zoo, visiter un zoo.

je conjugue
tu conjugues
il ou elle conjugue
nous conjuguons...

1 AVOIR

INFINITIF	PARTICIPE
Présent : **avoir** Passé : **avoir eu**	Présent : **ayant** Passé : **ayant eu**

INDICATIF

Présent	Imparfait	Passé simple	Futur simple
j' ai	j' avais	j' eus	j' aurai
tu as	tu avais	tu eus	tu auras
il, elle a	il, elle avait	il, elle eut	il, elle aura
nous avons	nous avions	nous eûmes	nous aurons
vous avez	vous aviez	vous eûtes	vous aurez
ils, elles ont	ils, elles avaient	ils, elles eurent	ils, elles auront

Passé composé	Plus-que-parfait	Passé antérieur	Futur antérieur
j' ai eu	j' avais eu	j' eus eu	j' aurai eu
tu as eu	tu avais eu	tu eus eu	tu auras eu
il, elle a eu	il, elle avait eu	il, elle eut eu	il, elle aura eu
nous avons eu	nous avions eu	nous eûmes eu	nous aurons eu
vous avez eu	vous aviez eu	vous eûtes eu	vous aurez eu
ils, elles ont eu	ils, elles avaient eu	ils, elles eurent eu	ils, elles auront eu

CONDITIONNEL / IMPÉRATIF

Présent	Passé 1re forme	Passé 2e forme	Impératif Présent	Impératif Passé
j' aurais	j' aurais eu	j' eusse eu	aie	aie eu
tu aurais	tu aurais eu	tu eusses eu	ayons	ayons eu
il, elle aurait	il, elle aurait eu	il, elle eût eu	ayez	ayez eu
nous aurions	nous aurions eu	nous eussions eu		
vous auriez	vous auriez eu	vous eussiez eu		
ils, elles auraient	ils, elles auraient eu	ils, elles eussent eu		

SUBJONCTIF

Présent	Imparfait	Passé	Plus-que-parfait
que j' aie	que j' eusse	que j' aie eu	que j' eusse eu
que tu aies	que tu eusses	que tu aies eu	que tu eusses eu
qu' il, elle ait	qu' il, elle eût	qu' il, elle ait eu	qu' il, elle eût eu
que nous ayons	que nous eussions	que nous ayons eu	que nous eussions eu
que vous ayez	que vous eussiez	que vous ayez eu	que vous eussiez eu
qu' ils, elles aient	qu' ils, elles eussent	qu' ils, elles aient eu	qu' ils, elles eussent eu

2 ÊTRE

INFINITIF	PARTICIPE
Présent : **être** Passé : **avoir été**	Présent : **étant** Passé : **ayant été**

INDICATIF

Présent	Imparfait	Passé simple	Futur simple
je suis	j' étais	je fus	je serai
tu es	tu étais	tu fus	tu seras
il, elle est	il, elle était	il, elle fut	il, elle sera
nous sommes	nous étions	nous fûmes	nous serons
vous êtes	vous étiez	vous fûtes	vous serez
ils, elles sont	ils, elles étaient	ils, elles furent	ils, elles seront

Passé composé	Plus-que-parfait	Passé antérieur	Futur antérieur
j' ai été	j' avais été	j' eus été	j' aurai été
tu as été	tu avais été	tu eus été	tu auras été
il, elle a été	il, elle avait été	il, elle eut été	il, elle aura été
nous avons été	nous avions été	nous eûmes été	nous aurons été
vous avez été	vous aviez été	vous eûtes été	vous aurez été
ils, elles ont été	ils, elles avaient été	ils, elles eurent été	ils, elles auront été

CONDITIONNEL / **IMPÉRATIF**

Présent	Passé 1re forme	Passé 2e forme	Impératif Présent	Impératif Passé
je serais	j' aurais été	j' eusse été	sois	aie été
tu serais	tu aurais été	tu eusses été	soyons	ayons été
il, elle serait	il, elle aurait été	il, elle eût été	soyez	ayez été
nous serions	nous aurions été	nous eussions été		
vous seriez	vous auriez été	vous eussiez été		
ils, elles seraient	ils, elles auraient été	ils, elles eussent été		

SUBJONCTIF

Présent	Imparfait	Passé	Plus-que-parfait
que je sois	que je fusse	que j' aie été	que j' eusse été
que tu sois	que tu fusses	que tu aies été	que tu eusses été
qu' il, elle soit	qu' il, elle fût	qu' il, elle ait été	qu' il, elle eût été
que nous soyons	que nous fussions	que nous ayons été	que nous eussions été
que vous soyez	que vous fussiez	que vous ayez été	que vous eussiez été
qu' ils, elles soient	qu' ils, elles fussent	qu' ils, elles aient été	qu' ils, elles eussent été

3 DONNER (1er groupe)

Donner est un verbe-type du 1er groupe. Voir les cas particuliers des verbes du 1er groupe classés par ordre alphabétique pages 476 à 480.

INFINITIF	PARTICIPE
Présent : **donner** Passé : **avoir donné**	Présent : **donnant** Passé : **ayant donné**

INDICATIF

Présent	**Imparfait**	**Passé simple**	**Futur simple**
je donne	je donnais	je donnai	je donnerai
tu donnes	tu donnais	tu donnas	tu donneras
il, elle donne	il, elle donnait	il, elle donna	il, elle donnera
nous donnons	nous donnions	nous donnâmes	nous donnerons
vous donnez	vous donniez	vous donnâtes	vous donnerez
ils, elles donnent	ils, elles donnaient	ils, elles donnèrent	ils, elles donneront

Passé composé	**Plus-que-parfait**	**Passé antérieur**	**Futur antérieur**
j' ai donné	j' avais donné	j' eus donné	j' aurai donné
tu as donné	tu avais donné	tu eus donné	tu auras donné
il, elle a donné	il, elle avait donné	il, elle eut donné	il, elle aura donné
nous avons donné	nous avions donné	nous eûmes donné	nous aurons donné
vous avez donné	vous aviez donné	vous eûtes donné	vous aurez donné
ils, elles ont donné	ils, elles avaient donné	ils, elles eurent donné	ils, elles auront donné

CONDITIONNEL / **IMPÉRATIF**

Présent	**Passé 1re forme**	**Passé 2e forme**	**Présent**	**Passé**
je donnerais	j' aurais donné	j' eusse donné	donne	aie donné
tu donnerais	tu aurais donné	tu eusses donné	donnons	ayons donné
il, elle donnerait	il, elle aurait donné	il, elle eût donné	donnez	ayez donné
nous donnerions	nous aurions donné	nous eussions donné		
vous donneriez	vous auriez donné	vous eussiez donné		
ils, elles donneraient	ils, elles auraient donné	ils, elles eussent donné		

SUBJONCTIF

Présent	**Imparfait**	**Passé**	**Plus-que-parfait**
que je donne	que je donnasse	que j' aie donné	que j' eusse donné
que tu donnes	que tu donnasses	que tu aies donné	que tu eusses donné
qu' il, elle donne	qu' il, elle donnât	qu' il, elle ait donné	qu'il, elle eût donné
que nous donnions	que nous donnassions	que nous ayons donné	que nous eussions donné
que vous donniez	que vous donnassiez	que vous ayez donné	que vous eussiez donné
qu' ils, elles donnent	qu' ils, elles donnassent	qu' ils, elles aient donné	qu'ils, elles eussent donné

4 FINIR (2e groupe)

Tous les verbes du 2e groupe se conjuguent sur le même modèle que **finir.**

INFINITIF

Présent : **finir**
Passé : **avoir fini**

PARTICIPE

Présent : **finissant**
Passé : **ayant fini**

INDICATIF

Présent	**Imparfait**	**Passé simple**	**Futur simple**
je finis	je finissais	je finis	je finirai
tu finis	tu finissais	tu finis	tu finiras
il, elle finit	il, elle finissait	il, elle finit	il, elle finira
nous finissons	nous finissions	nous finîmes	nous finirons
vous finissez	vous finissiez	vous finîtes	vous finirez
ils, elles finissent	ils, elles finissaient	ils, elles finirent	ils, elles finiront

Passé composé	**Plus-que-parfait**	**Passé antérieur**	**Futur antérieur**
j' ai fini	j' avais fini	j' eus fini	j' aurai fini
tu as fini	tu avais fini	tu eus fini	tu auras fini
il, elle a fini	il, elle avait fini	il, elle eut fini	il, elle aura fini
nous avons fini	nous avions fini	nous eûmes fini	nous aurons fini
vous avez fini	vous aviez fini	vous eûtes fini	vous aurez fini
ils, elles ont fini	ils, elles avaient fini	ils, elles eurent fini	ils, elles auront fini

CONDITIONNEL

Présent	**Passé 1re forme**	**Passé 2e forme**	**Présent**	**Passé**
je finirais	j' aurais fini	j' eusse fini	finis	aie fini
tu finirais	tu aurais fini	tu eusses fini	finissons	ayons fini
il, elle finirait	il, elle aurait fini	il, elle eût fini	finissez	ayez fini
nous finirions	nous aurions fini	nous eussions fini		
vous finiriez	vous auriez fini	vous eussiez fini		
ils, elles finiraient	ils, elles auraient fini	ils, elles eussent fini		

SUBJONCTIF

Présent	**Imparfait**	**Passé**	**Plus-que-parfait**
que je finisse	que je finisse	que j' aie fini	que j' eusse fini
que tu finisses	que tu finisses	que tu aies fini	que tu eusses fini
qu' il, elle finisse	qu' il, elle finît	qu' il, elle ait fini	qu' il, elle eût fini
que nous finissions	que nous finissions	que nous ayons fini	que nous eussions fini
que vous finissiez	que vous finissiez	que vous ayez fini	que vous eussiez fini
qu' ils, elles finissent	qu' ils, elles finissent	qu' ils, elles aient fini	qu' ils, elles eussent fini

5 ALLER (3e groupe)

Aller appartient aux verbes du 3e groupe, le seul à se terminer en -er. Pour les autres verbes du 3e groupe, voir les différents cas pages 476 à 480.

INFINITIF	PARTICIPE
Présent : **aller** Passé : **être allé -ée** **-és -ées**	Présent : **allant** Passé : **étant allé -ée** **-és -ées**

INDICATIF

Présent	Imparfait	Passé simple	Futur simple
je vais	j' allais	j' allai	j' irai
tu vas	tu allais	tu allas	tu iras
il, elle va	il, elle allait	il, elle alla	il, elle ira
nous allons	nous allions	nous allâmes	nous irons
vous allez	vous alliez	vous allâtes	vous irez
ils, elles vont	ils, elles allaient	ils, elles allèrent	ils, elles iront

Passé composé	Plus-que-parfait	Passé antérieur	Futur antérieur
je suis allé -ée	j' étais allé -ée	je fus allé -ée	je serai allé -ée
tu es allé -ée	tu étais allé -ée	tu fus allé -ée	tu seras allé -ée
il, elle est allé -ée	il, elle était allé -ée	il, elle fut allé -ée	il, elle sera allé -ée
nous sommes allés -ées	nous étions allés -ées	nous fûmes allés -ées	nous serons allés -ées
vous êtes allés -ées	vous étiez allés -ées	vous fûtes allés -ées	vous serez allés -ées
ils, elles sont allés -ées	ils, elles étaient allés -ées	ils, elles furent allés -ées	ils, elles seront allés -ées

CONDITIONNEL / IMPÉRATIF

Conditionnel Présent	Passé 1re forme	Passé 2e forme	Impératif Présent	Impératif Passé
j' irais	je serais allé -ée	je fusse allé -ée	va (vas-y)	sois allé -ée
tu irais	tu serais allé -ée	tu fusses allé -ée	allons	soyons allés -ées
il, elle irait	il, elle serait allé -ée	il, elle fût allé -ée	allez	soyez allés -ées
nous irions	nous serions allés -ées	nous fussions allés -ées		
vous iriez	vous seriez allés -ées	vous fussiez allés -ées		
ils, elles iraient	ils, elles seraient allés -ées	ils, elles fussent allés -ées		

SUBJONCTIF

Présent	Imparfait	Passé	Plus-que-parfait
que j' aille	que j' allasse	que je sois allé -ée	que je fusse allé -ée
que tu ailles	que tu allasses	que tu sois allé -ée	que tu fusses allé -ée
qu' il, elle aille	qu' il, elle allât	qu' il, elle soit allé -ée	qu'il, elle fût allé -ée
que nous allions	que nous allassions	que nous soyons allés -ées	que nous fussions allés -ées
que vous alliez	que vous allassiez	que vous soyez allés -ées	que vous fussiez allés -ées
qu' ils, elles aillent	qu' ils, elles allassent	qu' ils, elles soient allés -ées	qu'ils, elles fussent allés -ées

Infinitif	Mode indicatif				Mode impératif	Mode participe	
	Temps simples			Temps composés			
	Présent	**Futur**	**Imparfait**	**Passé composé**	**Présent**	**Présent**	**Passé**
6 **Acheter**	j'achète tu achètes il, elle achète nous achetons vous achetez ils, elles achètent	j'achèterai tu achèteras il, elle achètera nous achèterons vous achèterez ils, elles achèteront	j'achetais tu achetais il, elle achetait nous achetions vous achetiez ils, elles achetaient	j'ai acheté tu as acheté il, elle a acheté nous avons acheté vous avez acheté ils, elles ont acheté	achète achetons achetez	achetant	ayant acheté

comme *achever, amener, crever, élever, emmener, geler, peler...*

7 **Appeler**	j'appelle tu appelles il, elle appelle nous appelons vous appelez ils, elles appellent	j'appellerai tu appelleras il, elle appellera nous appellerons vous appellerez ils, elles appelleront	j'appelais tu appelais il, elle appelait nous appelions vous appeliez ils, elles appelaient	j'ai appelé tu as appelé il, elle a appelé nous avons appelé vous avez appelé ils, elles ont appelé	appelle appelons appelez	appelant	ayant appelé

comme *épeler*

8 **S'asseoir**	je m'assois tu t'assois il, elle s'assoit nous nous assoyons vous vous assoyez ils, elles s'assoient	je m'assoirai tu t'assoiras il, elle s'assoira nous nous assoirons vous vous assoirez ils, elles s'assoiront	je m'assoyais tu t'assoyais il, elle s'assoyait nous nous assoyions vous vous assoyiez ils, elles s'assoyaient	je me suis assis tu t'es assis il, elle s'est assis (e) nous nous sommes assis (es) vous vous êtes assis (es) ils, elles se sont assis (es)	assois-toi assoyons-nous assoyez-vous	s'assoyant	s'étant assis (e)
	je m'assieds tu t'assieds il, elle s'assied nous nous asseyons vous vous asseyez ils, elles s'assoient	je m'assiérai tu t'assiéras il, elle s'assiéra nous nous assiérons vous vous assiérez ils, elles s'assiéront	je m'asseyais tu t'asseyais il, elle s'asseyait nous nous asseyions vous vous asseyiez ils, elles s'asseyaient		assieds-toi asseyons-nous asseyez-vous	s'asseyant	

9 **Battre**	je bats tu bats il, elle bat nous battons vous battez ils, elles battent	je battrai tu battras il, elle battra nous battrons vous battrez ils, elles battront	je battais tu battais il, elle battait nous battions vous battiez ils, elles battaient	j'ai battu tu as battu il, elle a battu nous avons battu vous avez battu ils, elles ont battu	bats battons battez	battant	ayant battu

10 **Boire**	je bois tu bois il, elle boit nous buvons vous buvez ils, elles boivent	je boirai tu boiras il, elle boira nous boirons vous boirez ils, elles boiront	je buvais tu buvais il, elle buvait nous buvions vous buviez ils, elles buvaient	j'ai bu tu as bu il, elle a bu nous avons bu vous avez bu ils, elles ont bu	bois buvons buvez	buvant	ayant bu

11 **Courir**	je cours tu cours il, elle court nous courons vous courez ils, elles courent	je courrai tu courras il, elle courra nous courrons vous courrez ils, elles courront	je courais tu courais il, elle courait nous courions vous couriez ils, elles couraient	j'ai couru tu as couru il, elle a couru nous avons couru vous avez couru ils, elles ont couru	cours courons courez	courant	ayant couru

comme *parcourir, secourir...*

Infinitif	Mode indicatif				Mode impératif	Mode participe	
	Temps simples			Temps composés			
	Présent	Futur	Imparfait	Passé composé	Présent	Présent	Passé
12 **Croire**	je crois tu crois il, elle croit nous croyons vous croyez ils, elles croient	je croirai tu croiras il, elle croira nous croirons vous croirez ils, elles croiront	je croyais tu croyais il, elle croyait nous croyions vous croyiez ils, elles croyaient	j'ai cru tu as cru il, elle a cru nous avons cru vous avez cru ils, elles ont cru	crois croyons croyez	croyant	ayant cru

13 **Détruire**	je détruis tu détruis il, elle détruit nous détruisons vous détruisez ils, elles détruisent	je détruirai tu détruiras il détruira nous détruirons vous détruirez ils, elles détruiront	je détruisais tu détruisais il, elle détruisait nous détruisions vous détruisiez ils, elles détruisaient	j'ai détruit tu as détruit il, elle a détruit nous avons détruit vous avez détruit ils, elles ont détruit	détruis détruisons détruisez	détruisant	ayant détruit

comme *conduire, construire, cuire, produire, luire* (attention, pas de participe passé féminin), *nuire* (attention, pas de participe passé féminin).

14 **Dire**	je dis tu dis il, elle dit nous disons vous dites ils, elles disent	je dirai tu diras il, elle dira nous dirons vous direz ils, elles diront	je disais tu disais il, elle disait nous disions vous disiez ils, elles disaient	j'ai dit tu as dit il, elle a dit nous avons dit vous avez dit ils, elles ont dit	dis disons dites	disant	ayant dit

comme *contredire, interdire* (mais : vous interdisez), *lire* (mais : vous lisez), *redire.*

15 **Distraire**	je distrais tu distrais il, elle distrait nous distrayons vous distrayez ils, elles distraient	je distrairai tu distrairas il, elle distraira nous distrairons vous distrairez ils, elles distrairont	je distrayais tu distrayais il, elle distrayait nous distrayions vous distrayiez ils, elles distrayaient	j'ai distrait tu as distrait il, elle a distrait nous avons distrait vous avez distrait ils, elles ont distrait	distrais distrayons distrayez	distrayant	ayant distrait

comme *extraire, soustraire, traire...*

16 **Écrire**	j'écris tu écris il, elle écrit nous écrivons vous écrivez ils, elles écrivent	j'écrirai tu écriras il, elle écrira nous écrirons vous écrirez ils, elles écriront	j'écrivais tu écrivais il, elle écrivait nous écrivions vous écriviez ils, elles écrivaient	j'ai écrit tu as écrit il, elle a écrit nous avons écrit vous avez écrit ils, elles ont écrit	écris écrivons écrivez	écrivant	ayant écrit

comme *décrire, inscrire...*

17 **Faire**	je fais tu fais il, elle fait nous faisons vous faites ils, elles font	je ferai tu feras il, elle fera nous ferons vous ferez ils, elles feront	je faisais tu faisais il, elle faisait nous faisions vous faisiez ils, elles faisaient	j'ai fait tu as fait il, elle a fait nous avons fait vous avez fait ils, elles ont fait	fais faisons faites	faisant	ayant fait

comme *défaire, refaire, satisfaire...*

18 **Jeter**	je jette tu jettes il, elle jette nous jetons vous jetez ils, elles jettent	je jetterai tu jetteras il, elle jettera nous jetterons vous jetterez ils, elles jetteront	je jetais tu jetais il, elle jetait nous jetions vous jetiez ils, elles jetaient	j'ai jeté tu as jeté il, elle a jeté nous avons jeté vous avez jeté ils, elles ont jeté	jette jetons jetez	jetant	ayant jeté

comme *déchiqueter, empaqueter...*

Infinitif	Mode indicatif				Mode impératif	Mode participe	
	Temps simples			Temps composés			
	Présent	Futur	Imparfait	Passé composé	Présent	Présent	Passé
19 **Manger**	je mange tu manges il, elle mange nous mangeons vous mangez ils, elles mangent	je mangerai tu mangeras il, elle mangera nous mangerons vous mangerez ils, elles mangeront	je mangeais tu mangeais il, elle mangeait nous mangions vous mangiez ils, elles mangeaient	j'ai mangé tu as mangé il, elle a mangé nous avons mangé vous avez mangé ils, elles ont mangé	mange mangeons mangez	mangeant	ayant mangé

comme *allonger, arranger, assiéger, bouger, changer, corriger, dégager, interroger, songer...*

20 **Mettre**	je mets tu mets il, elle met nous mettons vous mettez ils, elles mettent	je mettrai tu mettras il, elle mettra nous mettrons vous mettrez ils, elles mettront	je mettais tu mettais il, elle mettait nous mettions vous mettiez ils, elles mettaient	j'ai mis tu as mis il, elle a mis nous avons mis vous avez mis ils, elles ont mis	mets mettons mettez	mettant	ayant mis

comme *admettre, commettre, permettre, promettre, transmettre...*

21 **Nettoyer**	je nettoie tu nettoies il, elle nettoie nous nettoyons vous nettoyez ils, elles nettoient	je nettoierai tu nettoieras il, elle nettoiera nous nettoierons vous nettoierez ils, elles nettoieront	je nettoyais tu nettoyais il, elle nettoyait nous nettoyions vous nettoyiez ils, elles nettoyaient	j'ai nettoyé tu as nettoyé il, elle a nettoyé nous avons nettoyé vous avez nettoyé ils, elles ont nettoyé	nettoie nettoyons nettoyez	nettoyant	ayant nettoyé

comme *appuyer, balayer, broyer, déployer, employer, ennuyer, envoyer, essuyer, noyer...*

22 **Ouvrir**	j'ouvre tu ouvres il, elle ouvre nous ouvrons vous ouvrez ils, elles ouvrent	j'ouvrirai tu ouvriras il, elle ouvrira nous ouvrirons vous ouvrirez ils, elles ouvriront	j'ouvrais tu ouvrais il, elle ouvrait nous ouvrions vous ouvriez ils, elles ouvraient	j'ai ouvert tu as ouvert il, elle a ouvert nous avons ouvert vous avez ouvert ils, elles ont ouvert	ouvre ouvrons ouvrez	ouvrant	ayant ouvert

comme *courir, découvrir, offrir, souffrir...*

23 **Paraître**	je parais tu parais il, elle paraît nous paraissons vous paraissez ils, elles paraissent	je paraîtrai tu paraîtras il, elle paraîtra nous paraîtrons vous paraîtrez ils, elles paraîtront	je paraissais tu paraissais il, elle paraissait nous paraissions vous paraissiez ils, elles paraissaient	j'ai paru tu as paru il, elle a paru nous avons paru vous avez paru ils, elles ont paru	parais paraissons paraissez	paraissant	ayant paru

comme *apparaître, connaître, disparaître, reconnaître...*

24 **Partir**	je pars tu pars il, elle part nous partons vous partez ils, elles partent	je partirai tu partiras il, elle partira nous partirons vous partirez ils, elles partiront	je partais tu partais il, elle partait nous partions vous partiez ils, elles partaient	je suis parti tu es parti il, elle est parti nous sommes partis vous êtes partis ils, elles sont partis	pars partons partez	partant	étant parti

comme *dormir* (attention : je dors, tu dors, il dort), *mentir, sentir, sortir...*

25 **Peindre**	je peins tu peins il, elle peint nous peignons vous peignez ils, elles peignent	je peindrai tu peindras il, elle peindra nous peindrons vous peindrez ils, elles peindront	je peignais tu peignais il, elle peignait nous peignions vous peigniez ils, elles peignaient	j'ai peint tu as peint il a peint nous avons peint vous avez peint ils, elles ont peint	peins peignons peignez	peignant	ayant peint

comme *atteindre, craindre, éteindre, teindre...*

Infinitif	Mode indicatif				Mode impératif	Mode participe	
	Temps simples			**Temps composés**			
	Présent	**Futur**	**Imparfait**	**Passé composé**	**Présent**	**Présent**	**Passé**
26 **Placer**	je place tu places il, elle place nous plaçons vous placez ils, elles placent	je placerai tu placeras il, elle placera nous placerons vous placerez ils, elles placeront	je plaçais tu plaçais il, elle plaçait nous placions vous placiez ils, elles plaçaient	j'ai placé tu as placé il, elle a placé nous avons placé vous avez placé ils, elles ont placé	place plaçons placez	plaçant	ayant placé

comme *annoncer, avancer, coincer, commencer, défoncer, effacer...*

27 **Plaire**	je plais tu plais il, elle plaît nous plaisons vous plaisez ils, elles plaisent	je plairai tu plairas il, elle plaira nous plairons vous plairez ils, elles plairont	je plaisais tu plaisais il, elle plaisait nous plaisions vous plaisiez ils, elles plaisaient	j'ai plu tu as plu il, elle a plu nous avons plu vous avez plu ils, elles ont plu	plais plaisons plaisez	plaisant	ayant plu

28 **Pouvoir**	je peux tu peux il, elle peut nous pouvons vous pouvez ils, elles peuvent	je pourrai tu pourras il, elle pourra nous pourrons vous pourrez ils, elles pourront	je pouvais tu pouvais il, elle pouvait nous pouvions vous pouviez ils, elles pouvaient	j'ai pu tu as pu il, elle a pu nous avons pu vous avez pu ils, elles ont pu	(n'existe pas)	pouvant	ayant pu

29 **Prendre**	je prends tu prends il, elle prend nous prenons vous prenez ils, elles prennent	je prendrai tu prendras il, elle prendra nous prendrons vous prendrez ils, elles prendront	je prenais tu prenais il, elle prenait nous prenions vous preniez ils, elles prenaient	j'ai pris tu as pris il, elle a pris nous avons pris vous avez pris ils, elles ont pris	prends prenons prenez	prenant	ayant pris

comme *apprendre, comprendre, entreprendre, surprendre...*

30 **Recevoir**	je reçois tu reçois il, elle reçoit nous recevons vous recevez ils, elles reçoivent	je recevrai tu recevras il, elle recevra nous recevrons vous recevrez ils, elles recevront	je recevais tu recevais il, elle recevait nous recevions vous receviez ils, elles recevaient	j'ai reçu tu as reçu il, elle a reçu nous avons reçu vous avez reçu ils, elles ont reçu	reçois recevons recevez	recevant	ayant reçu

comme *apercevoir, devoir, décevoir, recevoir...*

31 **Rendre**	je rends tu rends il, elle rend nous rendons vous rendez ils, elles rendent	je rendrai tu rendras il, elle rendra nous rendrons vous rendrez ils, elles rendront	je rendais tu rendais il, elle rendait nous rendions vous rendiez ils, elles rendaient	j'ai rendu tu as rendu il, elle a rendu nous avons rendu vous avez rendu ils, elles ont rendu	rends rendons rendez	rendant	ayant rendu

comme *attendre, défendre, dépendre, descendre, pendre, vendre ; confondre, correspondre, interrompre* (mais : il interrompt).

32 **Résoudre**	je résous tu résous il, elle résoud nous résolvons vous résolvez ils, elles résolvent	je résoudrai tu résoudras il, elle résoudra nous résoudrons vous résoudrez ils, elles résoudront	je résolvais tu résolvais il, elle résolvait nous résolvions vous résolviez ils, elles résolvaient	j'ai résolu tu as résolu il, elle a résolu nous avons résolu vous avez résolu ils, elles ont résolu	résous résolvons résolvez	résolvant	ayant résolu

comme *dissoudre...*

Infinitif	Mode indicatif				Mode impératif	Mode participe	
	Temps simples			Temps composés			
	Présent	Futur	Imparfait	Passé composé	Présent	Présent	Passé
33 Savoir	je sais tu sais il, elle sait nous savons vous savez ils, elles savent	je saurai tu sauras il, elle saura nous saurons vous saurez ils, elles sauront	je savais tu savais il, elle savait nous savions vous saviez ils, elles savaient	j'ai su tu as su il, elle a su nous avons su vous avez su ils, elles ont su	sais sachons sachez	sachant	ayant su

34 Tenir	je tiens tu tiens il, elle tient nous tenons vous tenez ils, elles tiennent	je tiendrai tu tiendras il, elle tiendra nous tiendrons vous tiendrez ils, elles tiendront	je tenais tu tenais il, elle tenait nous tenions vous teniez ils, elles tenaient	j'ai tenu tu as tenu il, elle a tenu nous avons tenu vous avez tenu ils, elles ont tenu	tiens tenons tenez	tenant	ayant tenu

comme *appartenir, contenir, convenir, devenir, entretenir, obtenir, prévenir...*

35 Vaincre	je vaincs tu vaincs il, elle vainc nous vainquons vous vainquez ils, elles vainquent	je vaincrai tu vaincras il, elle vaincra nous vaincrons vous vaincrez ils, elles vaincront	je vainquais tu vainquais il, elle vainquait nous vainquions vous vainquiez ils, elles vainquaient	j'ai vaincu tu as vaincu il, elle a vaincu nous avons vaincu vous avez vaincu ils, elles ont vaincu	vaincs vainquons vainquez	vainquant	ayant vaincu

comme *convaincre.*

36 Valoir	je vaux tu vaux il, elle vaut nous valons vous valez ils, elles valent	je vaudrai tu vaudras il, elle vaudra nous vaudrons vous vaudrez ils, elles vaudront	je valais tu valais il, elle valait nous valions vous valiez ils, elles valaient	j'ai valu tu as valu il, elle a valu nous avons valu vous avez valu ils, elles ont valu	vaux valons valez	valant	ayant valu

37 Voir	je vois tu vois il, elle voit nous voyons vous voyez ils, elles voient	je verrai tu verras il, elle verra nous verrons vous verrez ils, elles verront	je voyais tu voyais il, elle voyait nous voyions vous voyiez ils, elles voyaient	j'ai vu tu as vu il, elle a vu nous avons vu vous avez vu ils, elles ont vu	vois voyons voyez	voyant	ayant vu

comme *prévoir* (attention, pas de futur).

38 Vouloir	je veux tu veux il, elle veut nous voulons vous voulez ils, elles veulent	je voudrai tu voudras il, elle voudra nous voudrons vous voudrez ils, elles voudront	je voulais tu voulais il, elle voulait nous voulions vous vouliez ils, elles voulaient	j'ai voulu tu as voulu il, elle a voulu nous avons voulu vous avez voulu ils, elles ont voulu	veux voulons voulez	voulant	ayant voulu

Achevé d'imprimer en octobre 1984
sur les presses de Maury-Imprimeur S.A.
45330 Malesherbes
N° d'éditeur : K36882V
(D-VII)
Dépôt légal : octobre 1984
N° d'imprimeur : I 84/15617